JN183833

建物の火害診断および
補修・補強方法
指針・同解説

Recommendations for
Diagnosis and Repair Methods of Fire-damaged
Buildings

2024

日本建築学会

本書のご利用にあたって
本書は，作成時点での最新の学術的知見をもとに，技術者の判断に資する技術の考え方や可能性を示したものであり，法令等の補完や根拠を示すものではありません．また，本書の数値は推奨値であり，それを満足しないことが直ちに建築物の安全性を脅かすものでもありません．ご利用に際しては，本書が最新版であることをご確認ください．本会は，本書に起因する損害に対しては一切の責任を有しません．

ご案内
本書の著作権・出版権は（一社）日本建築学会にあります．本書より著書・論文等への引用・転載にあたっては必ず本会の許諾を得てください．
Ⓡ〈学術著作権協会委託出版物〉
本書の無断複写は，著作権法上での例外を除き禁じられています．本書を複写される場合は，（一社）学術著作権協会（03-3475-5618）の許可を得てください．

一般社団法人　日本建築学会

■鉄筋コンクリート造の火害状況

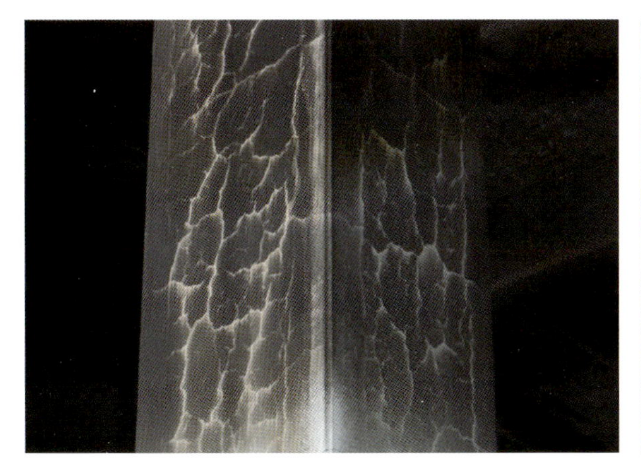

口絵写真１　表面ひび割れ
（解説写真 3.3.2）

口絵写真２　かぶりの欠損
（解説写真 3.3.3）

口絵写真３　床スラブ下面の爆裂
（解説写真 3.3.4）

口絵写真４　柱コーナー部の爆裂
（解説写真 3.3.5）

加熱なし

600℃受熱

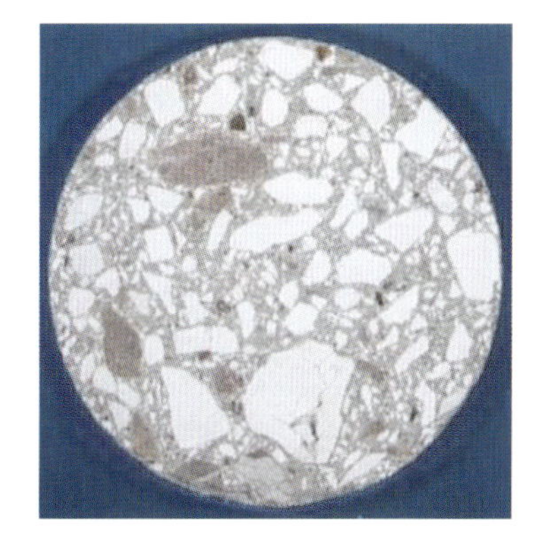

800℃受熱

口絵写真５　コンクリートの変色状況と受熱温度の関係の例
（解説写真 3.3.6）

設計基準強度 30N/mm^2 相当の普通コンクリート。セメントは普通ポルトランドセメント、細骨材は陸砂、粗骨材は硬質砂岩砕石を使用。材齢 10 年を超えた試料をマッフル炉にて加熱した。

口絵写真 6　火災室の状況（1）

（解説写真 3.3.7）

壁の上部には、煤の焼失、コンクリートの変色・細かなひび割れ・剥落が認められる。

口絵写真 7　火災室の状況（2）

（解説写真 3.3.8）

右側壁には煤が残るが、柱、梁および左側壁には、煤の焼失、コンクリートの変色・細かなひび割れ・剥落が認められる。

口絵写真 8　火災室の状況（3）

（解説写真 3.3.9）

天井デッキプレートがコンクリートより剥離、鉄骨小梁は変形、壁上部には、煤の焼失、コンクリートの変色・細かなひび割れ・剥落が認められる。

W/C (%)	加熱なし	冷却方法							
		放水なし				放水あり			
		300℃	500℃	750℃	950℃	300℃	500℃	750℃	950℃
63									
50									
38									

口絵写真 9　コンクリート加熱面の状態

（解説表 3.4.2）

水セメント比 3 種類の普通コンクリート。強度は 29.7N/mm²(W/C:63%), 35.5 N/mm²(W/C:50%), 54.2N/mm²(W/C:38%)。セメントは普通ポルトランドセメント、細骨材は海砂・砕砂混合（混合比 7:3）、粗骨材は硬質砂岩系砕石を使用。材齢約 90 日の試料をガス炉にて加熱した。放水ありは加熱後 3 分間放水した。

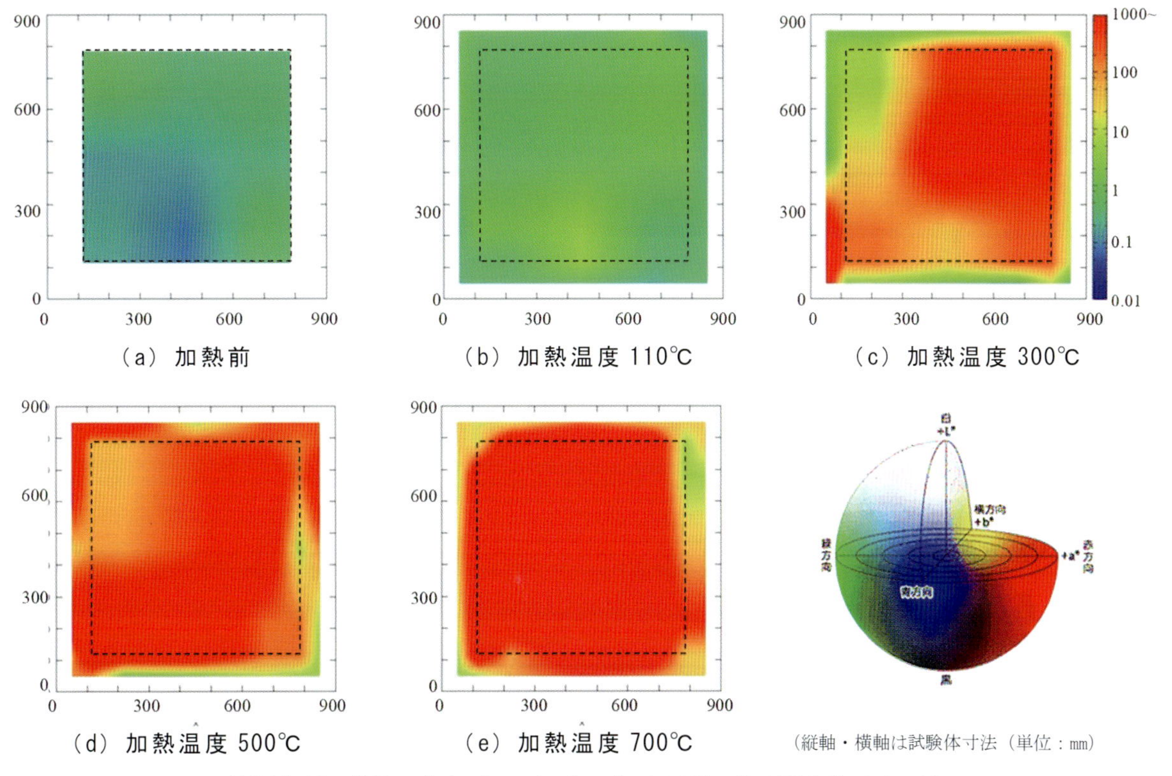

（a） 加熱前　（b） 加熱温度 110℃　（c） 加熱温度 300℃

（d） 加熱温度 500℃　（e） 加熱温度 700℃　（縦軸・横軸は試験体寸法（単位：mm）

口絵写真 10　K_T値の分布（a～e）、L*a*b*表示系の色空間立体イメージ

（解説図 3.4.9、解説図 3.4.10）

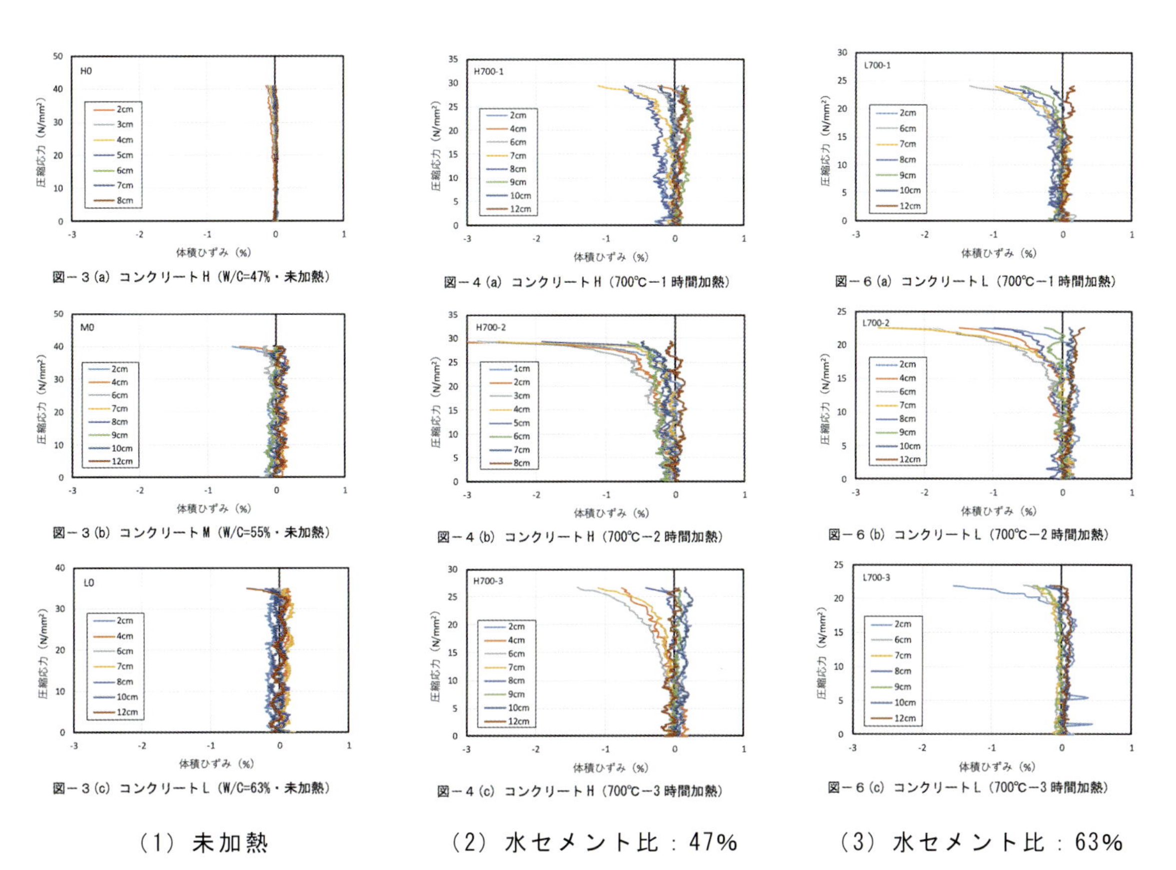

図－3(a) コンクリートH（W/C=47%・未加熱）

図－3(b) コンクリートM（W/C=55%・未加熱）

図－3(c) コンクリートL（W/C=63%・未加熱）

図－4(a) コンクリートH（700℃－1時間加熱）

図－4(b) コンクリートH（700℃－2時間加熱）

図－4(c) コンクリートH（700℃－3時間加熱）

図－6(a) コンクリートL（700℃－1時間加熱）

図－6(b) コンクリートL（700℃－2時間加熱）

図－6(c) コンクリートL（700℃－3時間加熱）

（1） 未加熱　（2） 水セメント比：47%　（3） 水セメント比：63%

口絵写真 11　圧縮応力と体積ひずみとの関係

（解説図 3.4.26）

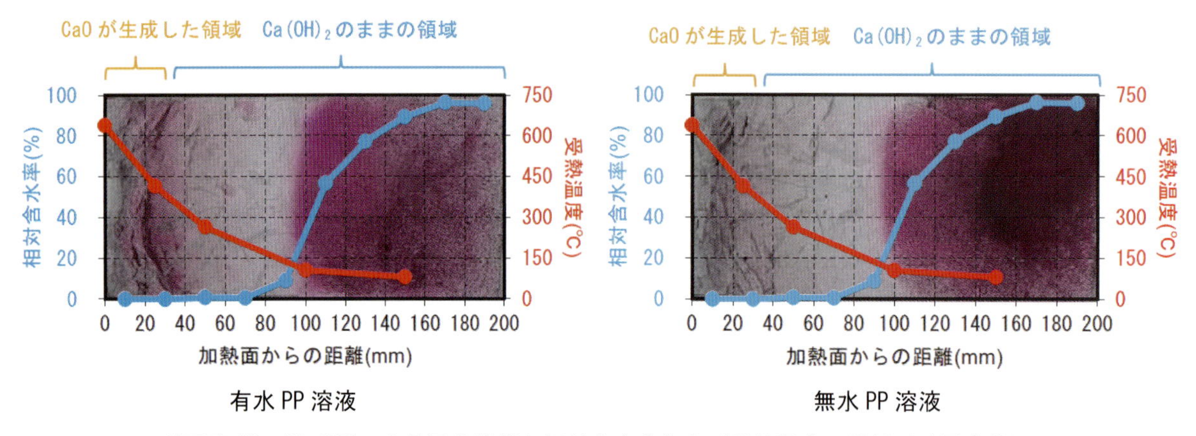

口絵写真 12　PP 噴霧による呈色状態と相対含水率および受熱温度の関係（噴霧直後）

（解説図 3.4.29）

経過時間	無水 PP	有水 PP
噴霧前		
直後		
1 分		
5 分		
10 分		
30 分		
1 時間		
12 時間		

口絵写真 13　フェノールフタレイン溶液を噴霧した試験体の呈色状態の経時変化

（解説図 3.4.30）

■鉄骨造の火害状況

口絵写真 14　鉄骨造トラス下弦材の全体座屈
（解説写真 4.5.2）

口絵写真 15　鉄骨造トラスの全体座屈(1)
（解説写真 4.5.3）

口絵写真 16　鉄骨造トラスの全体座屈(2)
（解説写真 4.5.4）

口絵写真 17　鉄骨造梁フランジの局部座屈
（解説写真 4.5.5）

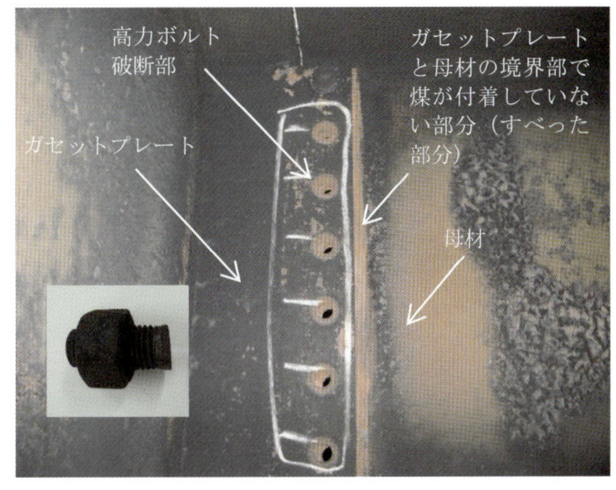

口絵写真 18　高力ボルトの破断・接合部のすべりが見られた梁－梁接合部（解説写真 4.5.7）

口絵写真 19　床スラブの火災後残留たわみ
（解説写真 4.5.8）

口絵写真 20　フラットデッキプレートの変形

（解説写真 4.5.9）

口絵写真 21　凹凸のあるデッキプレートの変形

（解説写真 4.5.10）

口絵写真 22　仕上げが残存する鉄骨造柱の例

（解説写真 4.7.1）

口絵写真 23　耐火被覆除去後の鉄骨造梁の変形

（解説写真 4.7.2）

口絵写真 24　鉄骨架構の残留変形

（解説写真 4.7.3）

口絵写真 25　ラチス材・下弦材の補強例

（解説写真 4.8.1）

口絵写真 26　下弦材の補強例

（解説写真 4.8.2）

■仕上げ材料の劣化状況と推定受熱温度の関係

口絵写真 27　アルミ窓枠の溶融（約 650℃以上）

（解説写真 3.3.10）

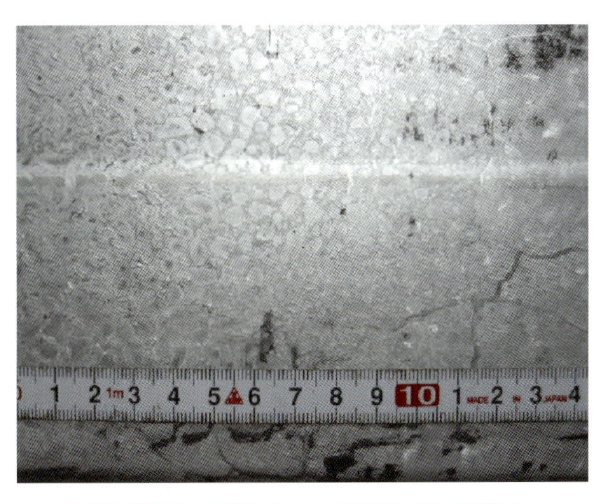

口絵写真 28　亜鉛メッキの溶融（約 400℃）

（解説写真 3.3.11）

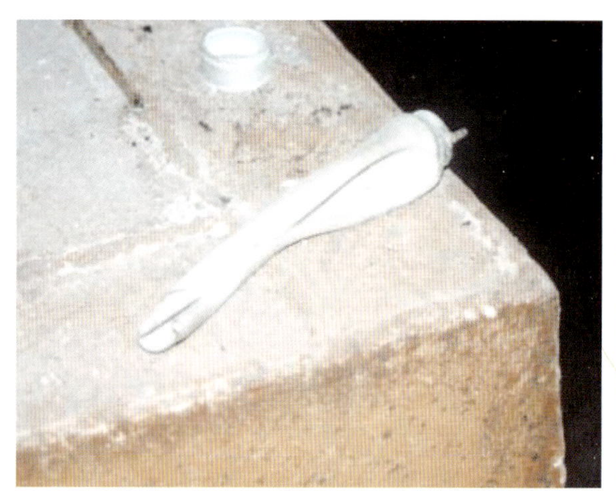

口絵写真 29　蛍光灯の溶融（約 750℃）
（解説写真 3. 3. 12）

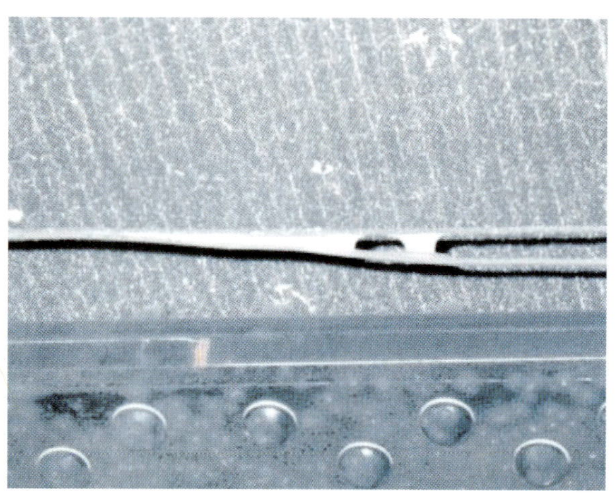

口絵写真 30　ビニル類の溶融・軟化（約 50℃～100℃）
（解説写真 3. 3. 13）

口絵写真 31　アクリル類の軟化（約 60℃～95℃）
（解説写真 3. 3. 14）

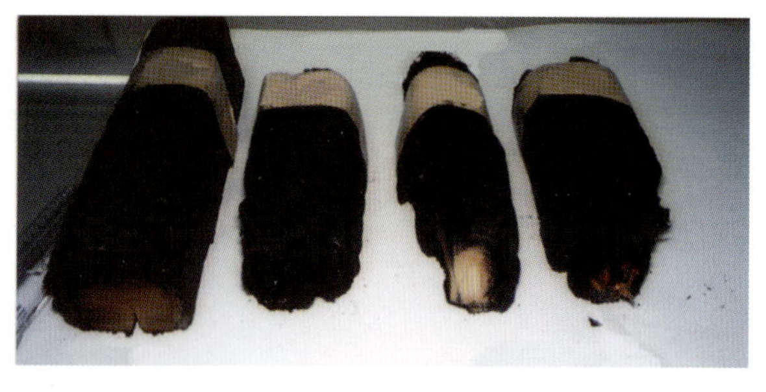

口絵写真 32　木材の炭化状態
（解説写真 3. 3. 1）

口絵写真 33　さび止め塗料健全（約 300℃未満）
（解説写真 4. 5. 14）

口絵写真 34　仕上げ塗料の剥離・ひび割れ
（約 100～300℃）（解説写真 4. 5. 15）

口絵写真 35　仕上げ塗料の黒変・剥離

（約 300～600℃）（解説写真 4. 5. 16）

口絵写真 36　さび止め塗料の白亜化(1)

（約 350℃以上）

（解説写真 4. 5. 17）

口絵写真 37　さび止め塗料の白亜化(2)

（解説写真 4. 5. 18）

口絵写真 38　さび止め塗料の白亜化(3)

（解説写真 4. 5. 19）

口絵写真 39　さび止め塗料の変色(約 300～600℃)

（解説写真 4. 5. 20）

口絵写真 40　仕上げ塗料・さび止め塗料焼失

（約 600℃以上）（解説写真 4. 5. 21）

口絵写真 41　アルミ窓枠の溶融（約 650℃以上）
（解説写真 4. 5. 22）

口絵写真 42　板ガラスの溶融（約 850℃以上）
（解説写真 4. 5. 23）

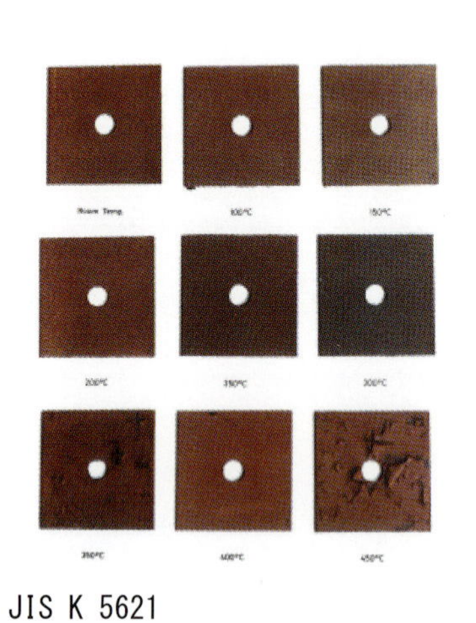

JIS K 5621
一般用さび止めペイント

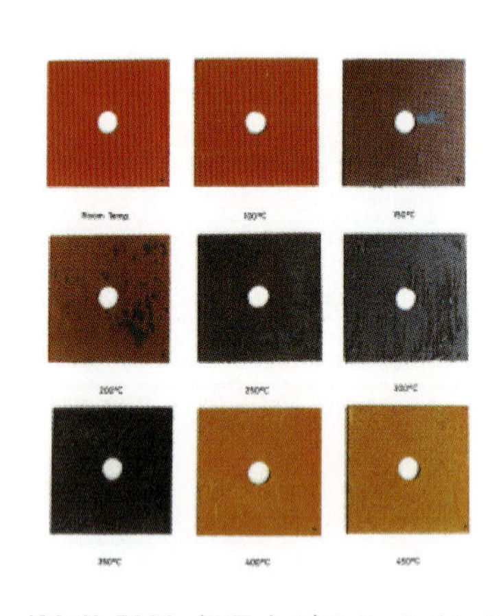

JIS K 5622 鉛丹さび止めペイント
（表面処理なし）

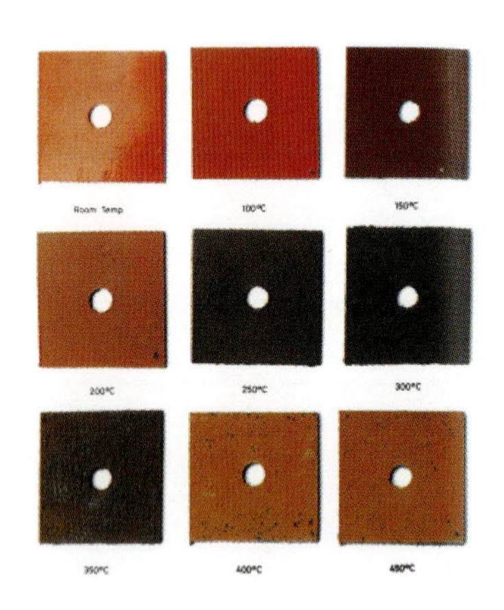

JIS K 5622 鉛丹さび止めペイント
（表面処理あり）

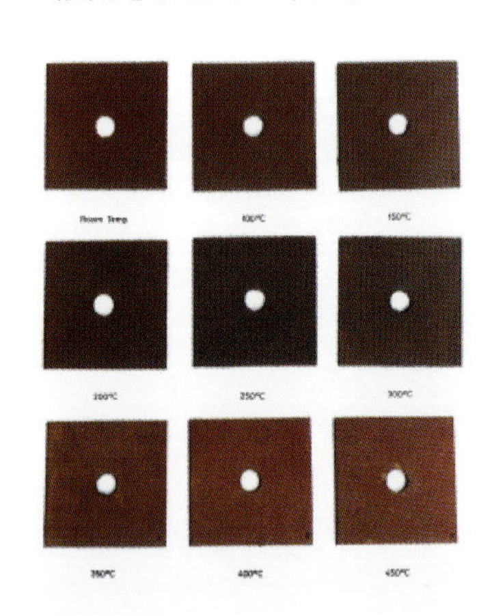

JIS K 5623
亜酸化鉛さび止めペイント

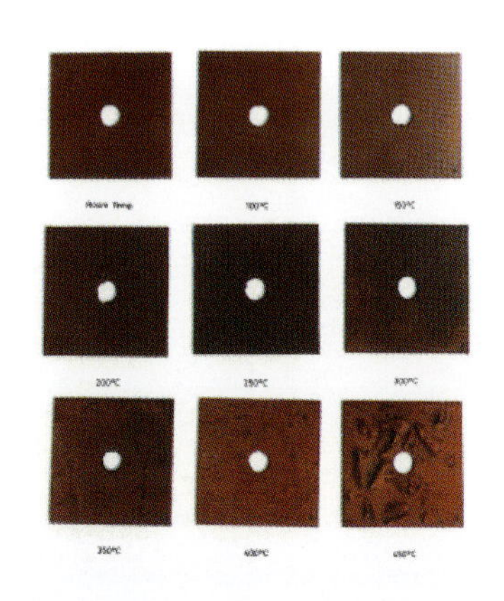

JIS K 5625 シアナミド鉛さび止め
ペイント

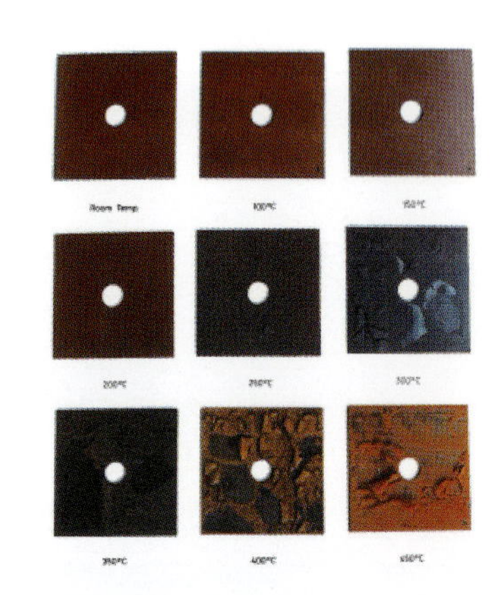

JIS K 5628 鉛丹ジンククロメートさび
止めペイント 2 種

口絵写真 43　各種さび止め塗料の加熱後の状況（解説図 4. 5. 3）

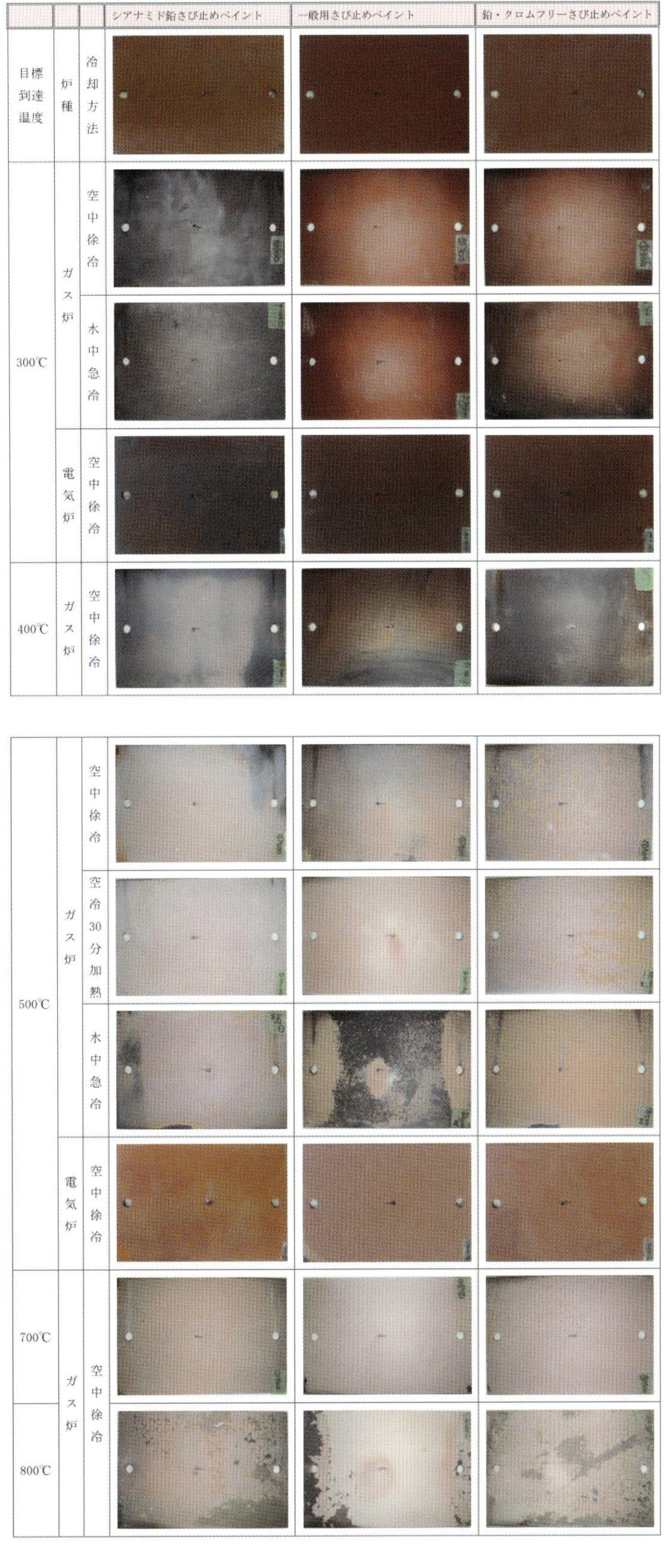

口絵写真 44　加熱後の各種さび止め塗料の状況

（解説図 4.5.4）

（シアナミド鉛さび止め塗料、一般用さび止め塗料、鉛クロムフリーさび止め塗料）

耐熱ロックウールフェルト加熱条件及び劣化状況（解説表 4.5.6）

No.	目標温度	実測温度	主な劣化状況
1	常温	—	—
2	200℃	平均 211℃	不織布変色、収縮
3	400℃	平均 419℃	不織布焼失、黒色化(炭化物)
4	600℃	平均 608℃	バインダー焼失 による軟化
5	700℃	平均 721℃	
6	800℃	平均 809℃	変色、表面硬化、収縮
7	1000℃	平均 1001℃	変色、表面硬化、著しい収縮

口絵写真 45　耐熱ロックウールフェルトの加熱による断面・表面の変化

（解説図 4.5.5）

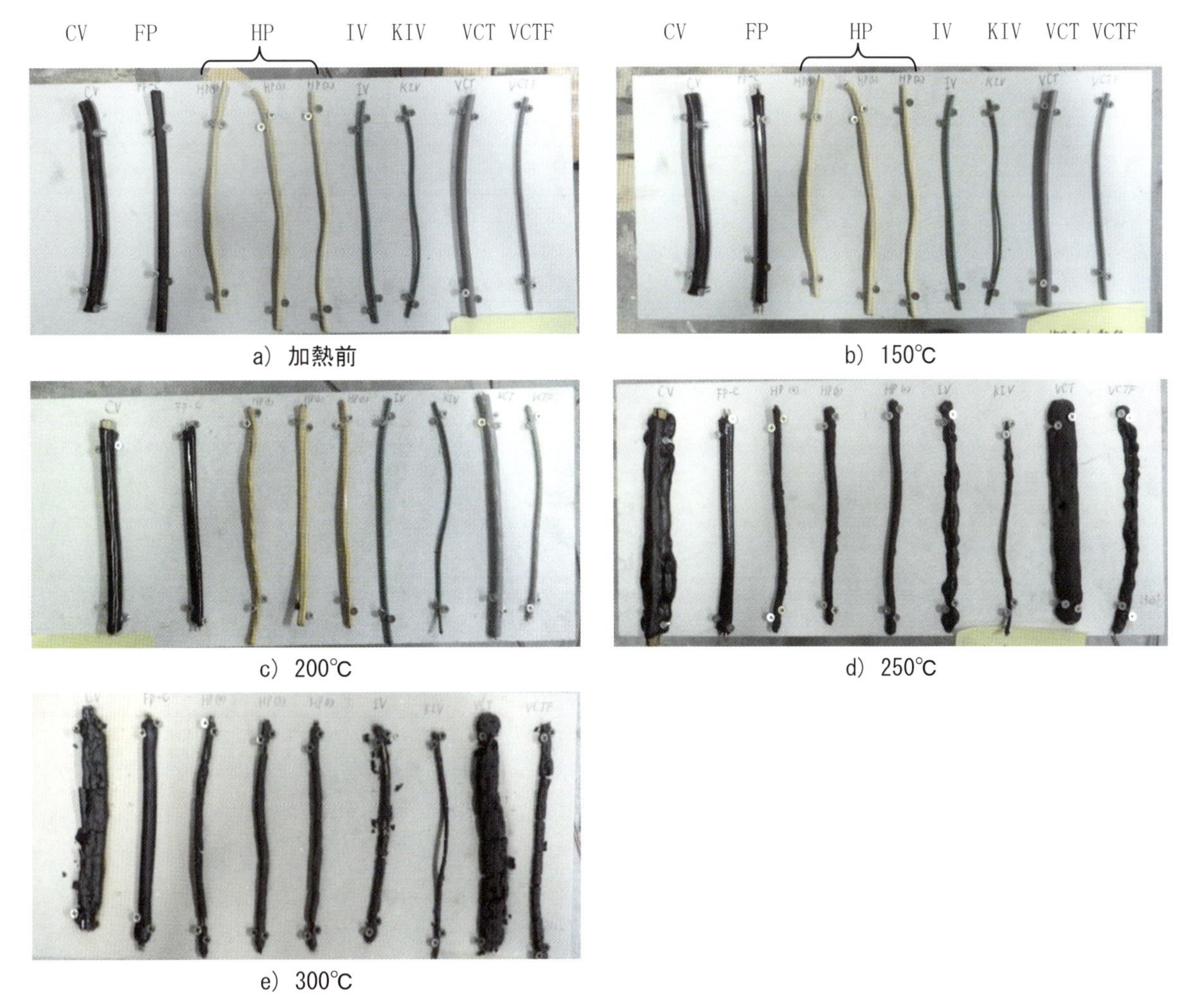

a) 加熱前　b) 150℃　c) 200℃　d) 250℃　e) 300℃

口絵写真 46　ケーブルの変状の例（解説図 4.5.7）

■超音波トモグラフィ法（付－6.2）

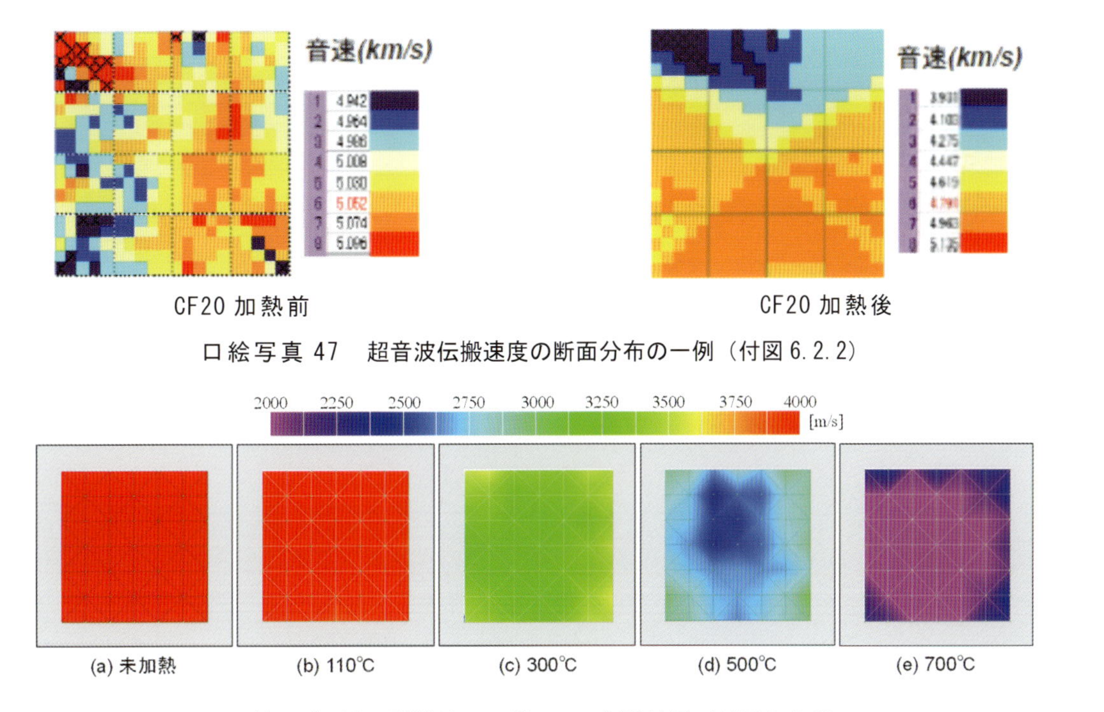

CF20 加熱前　CF20 加熱後

口絵写真 47　超音波伝搬速度の断面分布の一例（付図 6.2.2）

(a) 未加熱　(b) 110℃　(c) 300℃　(d) 500℃　(e) 700℃

口絵写真 48　弾性波トモグラフィ解析結果（付図 6.3.2）

■ＲＣ造建物の火害調査実施例（付−8.1）

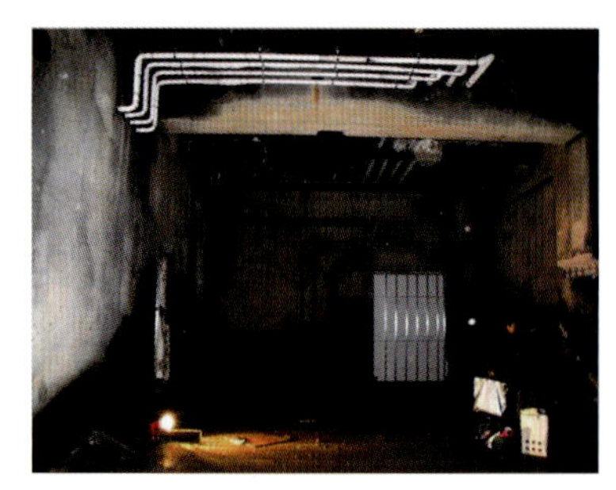
調査対象室全景（付写真 8.1.2）

はり４（西面）（付写真 8.1.13）

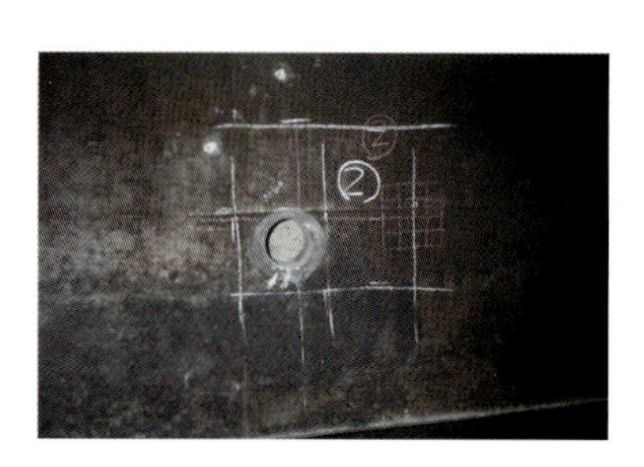
コンクリートコア採取状況
（火害部）（付写真 8.1.17）

コンクリートコア採取状況
（健全部）（付写真 8.1.19）

採取したコンクリートコア
（火害部）（付写真 8.1.20）

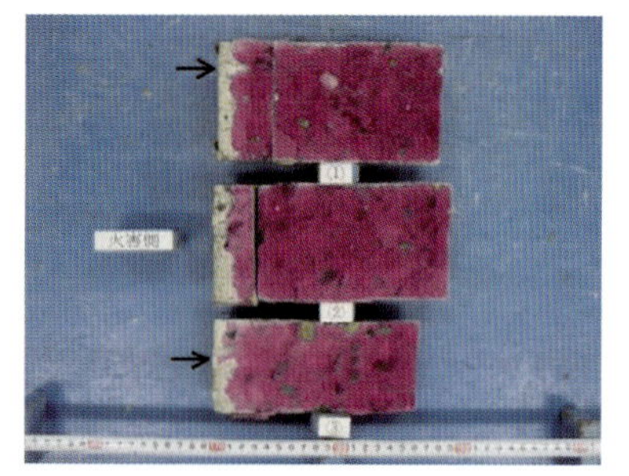
中性化試験後のコンクリートコア
（火害部）（付写真 8.1.21）
注）矢印部のコンクリート表面に
ひび割れ有り

口絵写真 49　火害調査実施例：建物の被災状況および火災調査実施状況

■Ｓ造倉庫の火害調査実施例（付−8.3）

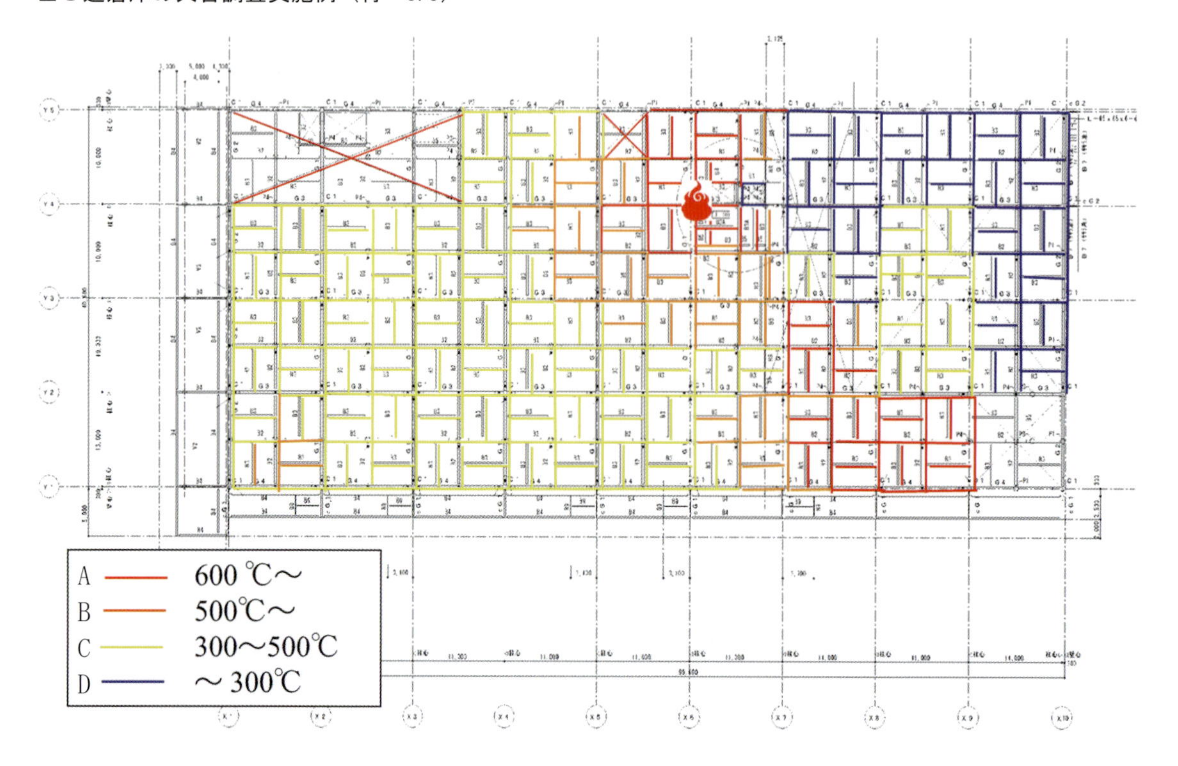

口絵図１　部材の受熱温度推定結果
（付図 8.3.3）

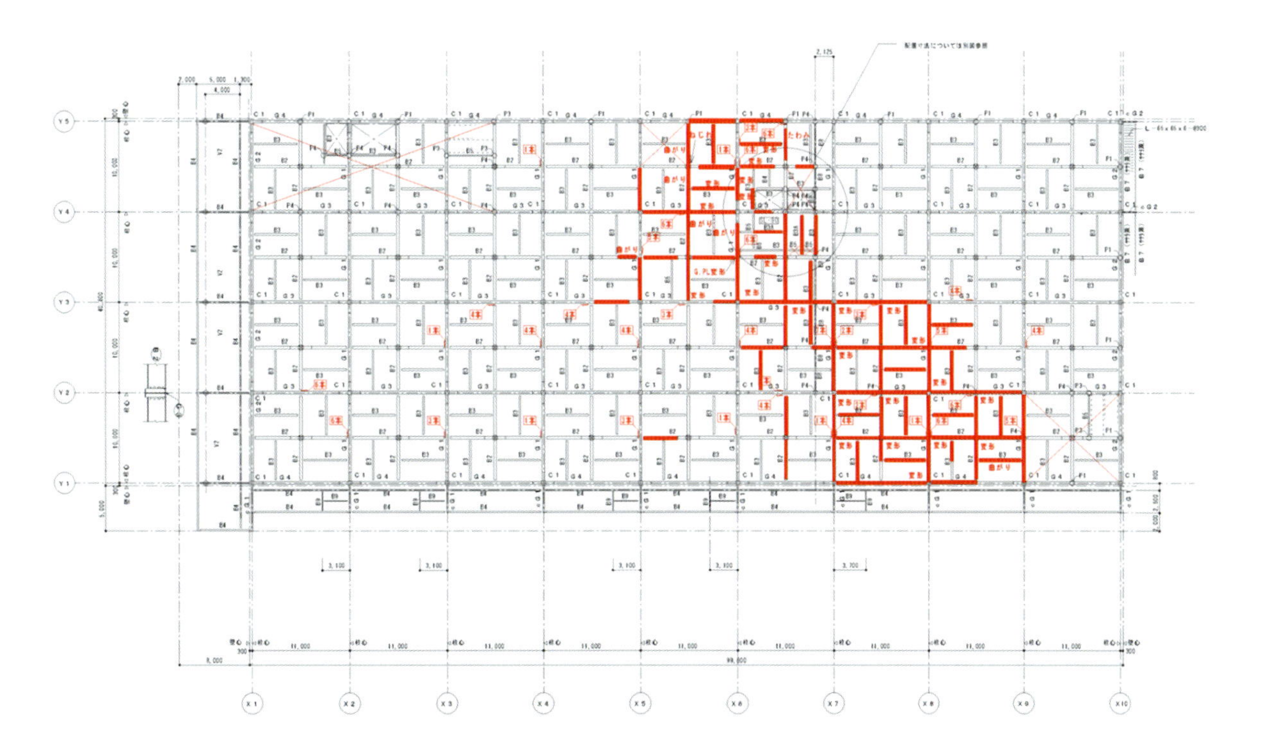

口絵図２　目視で変形が確認された梁
（付図 8.3.4）

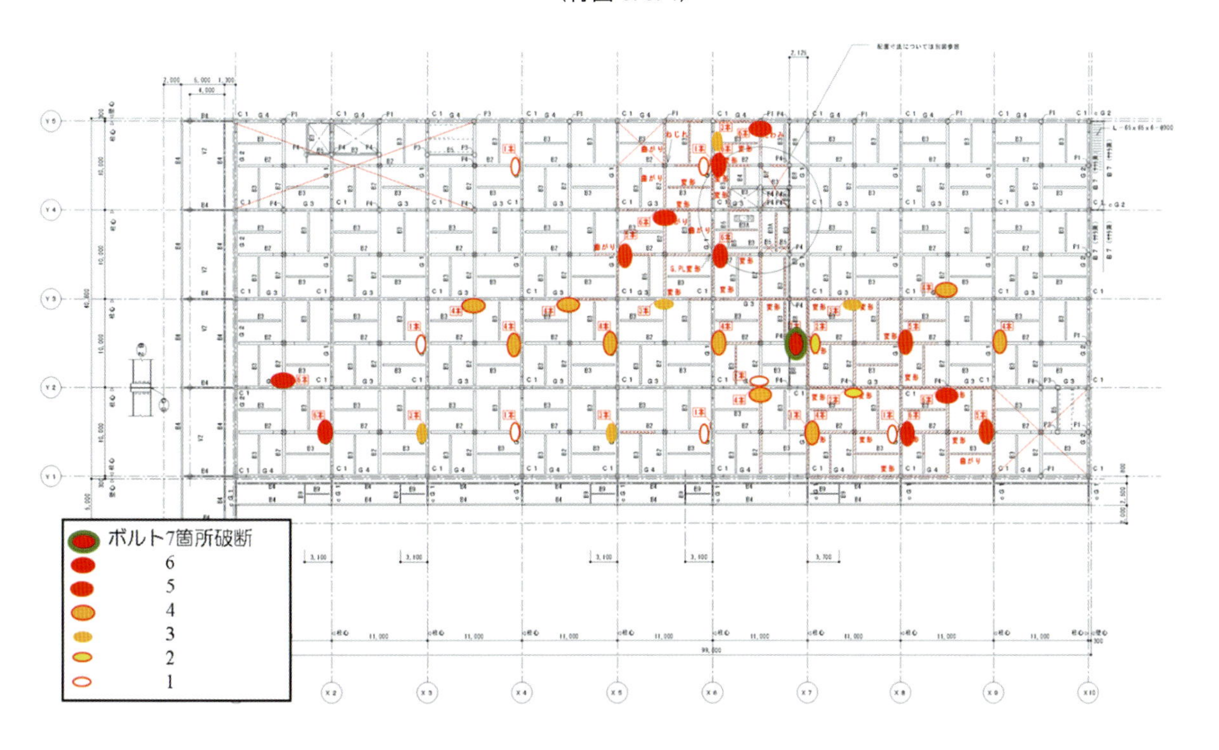

口絵図３　高力ボルトの破断箇所および本数
（付図 8.3.5）

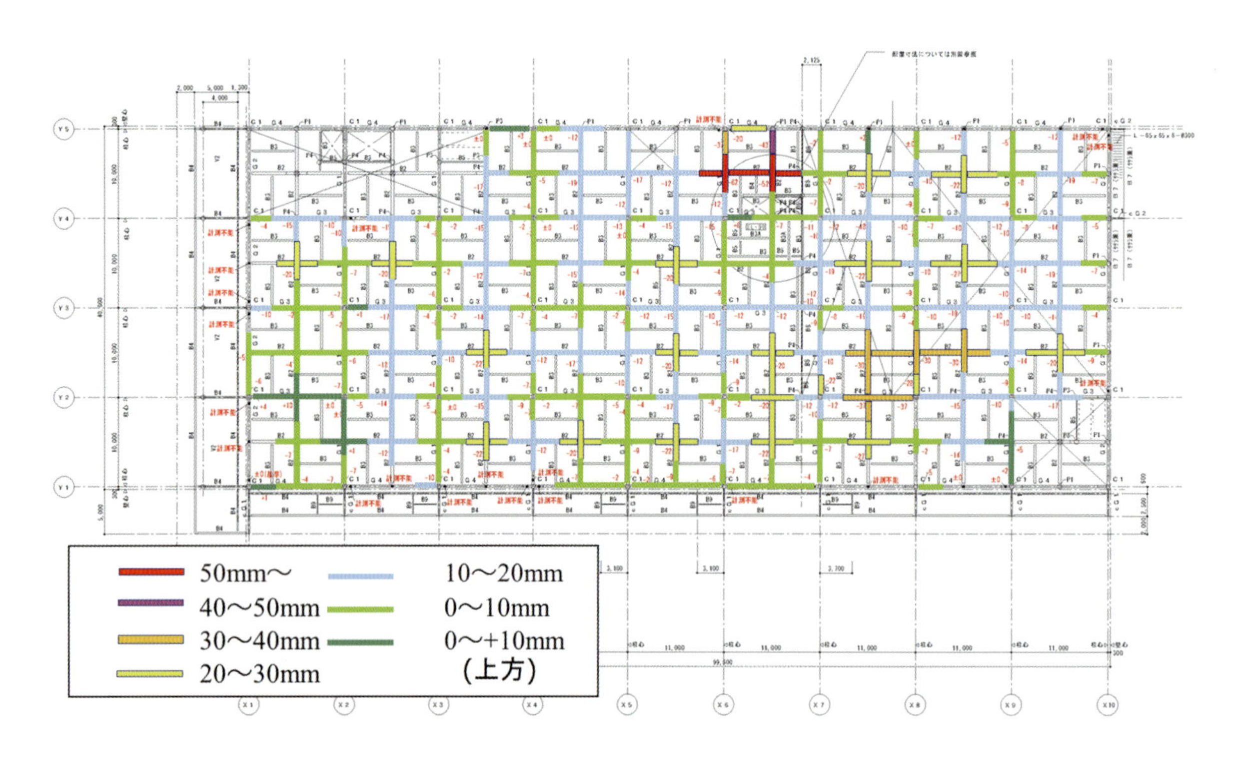

口絵図4　梁のたわみ量の測定結果
（付図 8.3.7）

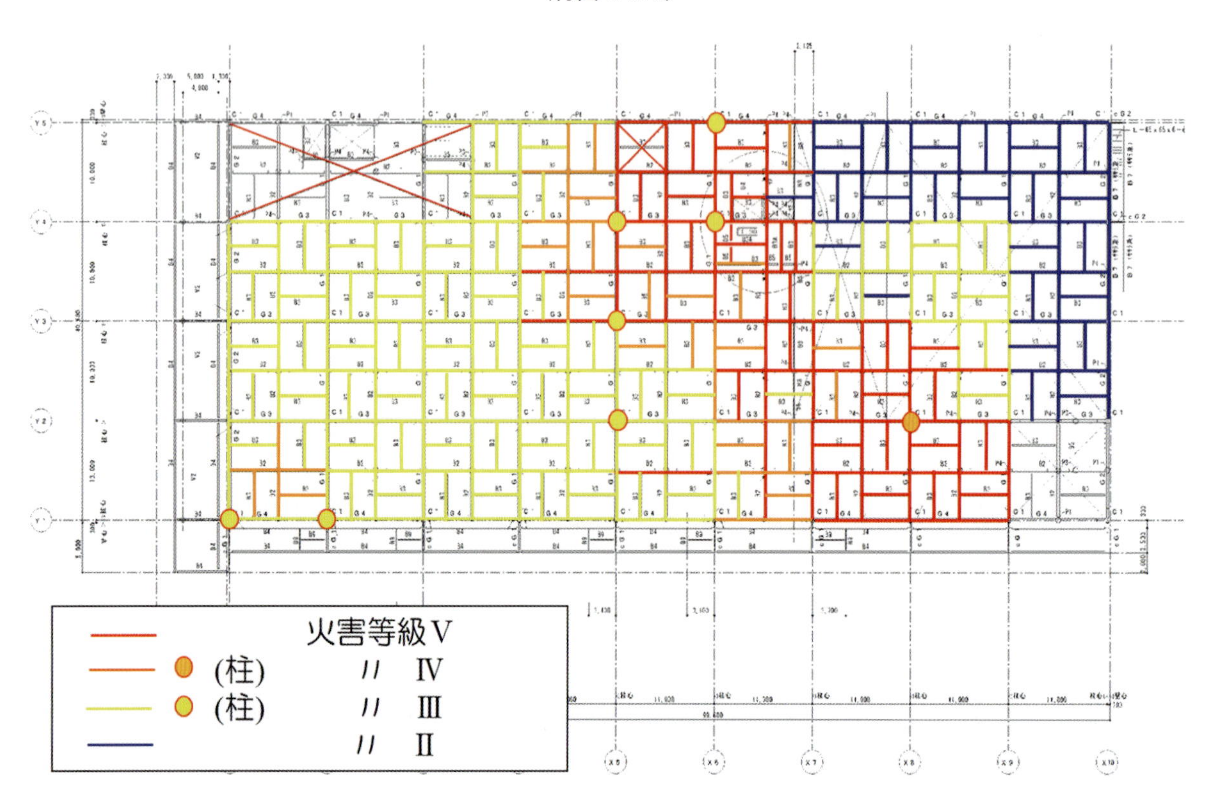

口絵図5　推定した火害等級一覧
（付図 8.3.10）

序

—2024年2月改定版—

火災は建物の一部で終息することが多いため、被災後は補修や補強を実施して再使用するのが一般的である。一方、火災は頻繁に発生しないため、技術者は被災建物の診断に不慣れなのが実情である。しかしながら、通常、被災建物はすぐに再使用の可否の判断を迫られることが多いため、技術者はその判断を短期間で下さなければならなくなる。このような状況から、本会防火委員会では、2001年に火災被害に特化した小委員会として「火害診断補修小委員会」を発足させた。本小委員会では、建物構造の種別の中では数が多く、再使用の可能性が高い鉄筋コンクリート造と鉄骨造を中心に、火害診断およびその標準的な補修・補強方法について検討を重ねた。その成果を「構造部材の火害診断及び補修・補強方法」(2002年9月)としてシンポジウムを開催して公表した。2004年には標準的な手法に関する出版物として「建物の火害診断及び補修・補強方法」を刊行すると同時に講習会を開催した。その後、火害調査・診断の需要が多くなったため、2006年に改定版を発行したが、さらに、指針の作成を願う声が強くなったため、2010年に「建物の火害診断および補修・補強方法指針(案)・同解説」を刊行した。この指針(案)の講習会での様々な意見と指針化への強い要望を受けて、2015年に指針・同解説としての発行に至った。その後、シンポジウムを2回開催し、小委員会傘下においては既往のコンクリートワーキンググループおよび鋼系ワーキンググループに加えてコンクリート調査方法ワーキンググループを新設し、調査方法や加熱履歴後の鋼材データの充実等を経て、今般、本指針・同解説の改定版として刊行に至った次第である。

このように、本指針は、2015年の初版刊行から8年間の小委員会およびワーキンググループ活動と、2回のシンポジウムを通して得られた読者の意見を反映した上で、各委員の建築学会等への論文投稿や実務経験などを通して得られた最新の知見を盛り込み、改定版としてまとめたものである。初版の指針・同解説刊行以降の新たな研究成果として、主に調査方法および加熱履歴後鋼材データの追加を図り、さらにそれらを反映した鉄筋コンクリート造および鉄骨造の火害診断のモデルケースを付録に加えることにより、調査者の使いやすさに配慮した。

本指針改定版が、我が国の建物の火災被害に対する正確で迅速な診断に寄与し、合理的で安全な補修・補強が可能となることを望む。

2024年2月

日 本 建 築 学 会

本指針作成関係委員（2024年2月）

－五十音順・敬称略－

防火委員会

委員長：原田和典

委　員：（省略）

火害診断補修小委員会

主　査：近藤史朗

幹　事：阪口明弘　高橋晃一郎　春畑仁一

委　員：池田憲一　梅本宗宏　内田慎哉　大橋宏和
梶田秀幸　馬場重彰　宮本圭一　村上行夫
森田武　山﨑順二　吉田正友　李柱国

コンクリート系ワーキンググループ

主　査：高橋晃一郎

幹　事：山﨑順二

委　員：内田慎哉　梅本宗宏　大和征良　抱憲誓
黒岩秀介*　阪口明弘　西田浩和　馬場重彰
春畑仁一　堀伸輔　森田武　山根政夫
加藤雅樹*　ラウファード マーディ

コンクリート調査方法ワーキンググループ

主　査：春畑仁一

幹　事：内田慎哉

委　員：新大軌　池田憲一　岩野聡史　大野健太郎
兼松学　川越洋樹　久保元樹　澤口啓希
黒岩秀介*　森田武　森脇祥一　山﨑順二
山根政夫　吉田夏樹

鋼系ワーキンググループ

主　査：阪口明弘

幹　事：村上行夫

委　員：青木孝二　遠藤智紀　尾碕文宣　杉本薫昭
鈴木淳一　多田健次　西村光太　春畑仁一*
本庄敬祐　蛇石貴宏　森脇祥一　山根政夫
吉谷公江

（*印：途中退任）

執 筆 担 当

第１章　　火害診断補修小委員会

第２章　　火害診断補修小委員会

第３章　　火害診断補修小委員会、コンクリート系ワーキンググループ、
　　　　　コンクリート調査方法ワーキンググループ

第４章　　火害診断補修小委員会、鋼系ワーキンググループ

付　録　　火害診断補修小委員会、コンクリート系ワーキンググループ、鋼系ワーキンググループ、
　　　　　コンクリート調査方法ワーキンググループ

建物の火害診断および補修・補強方法　指針・同解説

目　次

第4章　鉄　骨　造

付　録

建物の火害診断および補修・補強方法　指針

2024

第1章　総　　則

1.1　目　　的

本指針は、火災を受けた建物の火害診断および補修・補強に関する標準的な方法と、考慮すべき事項を示すことを目的とする。

1.2　適用範囲

a. 本指針は、鉄筋コンクリート造および鉄骨造の主要な構造部材を対象とする。
b. 火害診断は、材料・部材・架構レベルの火害に対して行う。ただし、変形が少ない部材については架構レベルの診断を省略できる。また、建物が明らかに崩壊している場合など、取り壊すことが自明のものについては除外する。
c. 補修・補強方法は、一般的に使われている方法を示す。

1.3　用語の定義

本指針で使用される用語は次のように定義する。

・火災性状（fire property）
　可燃物が着火・発炎に至る過程や火災が成長・拡大し、火盛り期を経て鎮火に至る過程を表す性状。その過程で発生する熱や煙の状況や火炎の流れ・形状・温度、火災継続時間など、広い意味を有する。
・火災継続時間（fire duration）
　出火から鎮火までの時間
・受熱温度（heated temperature）
　火災の熱により温度上昇した部材または材料の最高温度
・火害（fire damage）
　建物の内外装材料および構成部材の火災による劣化または喪失
・火害建物（fire-damaged building）
　火害を受けた建物
・火害等級（fire-damaged classification）
　火災を受けた構造部材の火害の程度（表 2.1）
・被災度（suffered classification）
　火災を受けた建物全体の火害の程度（表 2.2）

・火害調査（fire-damaged investigation）

　火災を受けた建物について、構造部材および架構の被災状況を調べること。予備調査、一次調査、二次調査で構成される。

・火害診断（fire-damaged diagnosis）

　火害調査結果に基づいて、構造部材の火害等級または建物全体の被災度を判定すること

・補修（repair）

　火災を受けた建物の部材や材料を設計条件に適合する状態に回復させること

・補強（reinforcing）

　火災を受けた建物に部材や材料を付加して、必要な耐力や強度を確保すること

・回復目標（recovery target）

　構造安全性・耐火性・耐久性および使用性などの性能を復旧させるレベル

・耐火性（fire resistance）

　火災の加熱に対する性能。本指針においては、火災加熱に対して、架構部材が有する崩壊防止性能や区画部材が有する延焼防止性能を意味する。

・耐久性（durability）

　長期間にわたる外部からの物理的作用および化学的作用に抵抗する性能

・使用性（serviceability）

　構造物を日常的に使用するための機能を維持するための性能

第２章　火害調査・火害診断ならびに補修・補強の方針

2.1　火害調査・火害診断の方針

a. 火害調査・火害診断は、火害建物の再使用可否の判断および再使用する場合の補修・補強方法の検討・選定に用いる基礎資料を得ることを目的として行う。

b. 火害調査は、予備調査と一次調査および一次調査の結果を基に必要に応じて実施する二次調査により構成される。

c. 火害診断は、火害調査の結果に基づく、構造部材の火害の程度を示す火害等級（表 2.1）および建物全体の火害の程度を示す被災度（表 2.2）の判定により行う。

d. 火害調査・火害診断は、火害調査・火害診断に関する知識および構造設計に関する知識を有する技術者が行う。

表 2.1　構造部材の火害の程度を示す「火害等級」

火害等級	定　義	構造種別による具体例	
		鉄筋コンクリート造	鉄骨造
Ⅰ級	構造耐力上、火災の影響を全く受けていない	無被害の状態	鋼材の塗装および耐火被覆に火災の影響がない状態
Ⅱ級	構造耐力上の影響はないが、表面劣化などの被害はある	表層に限定される被害がある状態	鋼材の塗装および耐火被覆のみに損傷がある状態
Ⅲ級	構造耐力上、影響が少ない（軽微な補修で再使用可能）	表面から鉄筋までの位置に被害がある状態	ボルト接合部（高力ボルト接合部を含む）の変形・すべりやボルトの材質変化がある状態
Ⅳ級	構造耐力上、影響が大きい（補修・補強によって再使用可能）	主筋との付着に支障のある被害がある状態	部材に変形が残っている状態
Ⅴ級	構造耐力上、甚大な被害がある（部材の取り替えが必要）	鉄筋の露出が大きいなどの被害がある状態	部材に構造性能を担保できない変形や材質の変化がある状態

表 2.2　建物全体の火害の程度を示す「被災度」

被災度	定　義
A	構造体に火災の影響がない場合
B	構造体が火災の影響を受け、補修･補強により再使用が可能な場合
C	倒壊の危険性があり、再使用が困難な場合

2.2　補修・補強の方針

a. 補修・補強は、火災を受けた建物の構造安全性・耐火性・耐久性・使用性その他必要な性能を設定した回復目標まで復旧することを目的に行う。

b. 補修・補強計画では、火害調査・火害診断の結果に基づいて補修・補強範囲を特定し、材料および工法を定める。

第３章　鉄筋コンクリート造

3.1　基本事項

本章は、鉄筋コンクリート造建物の火害調査・診断および補修・補強方法を示すものであり、火害調査と火害診断および補修・補強計画で構成される。

3.2　コンクリートおよび鉄筋の火害による変状

3.2.1　コンクリートの変状

火害調査・診断および補修・補強計画に先立ち、火災を受けたコンクリートの性質に関する一般的な特性を把握する。

3.2.2　鉄筋・部材・架構の変状

火害調査・診断および補修・補強計画に先立ち、火災を受けた鉄筋の性質、部材や架構の変形性状に関する一般的な特性を把握する。

3.3　調査方針および調査方法

3.3.1　調査方針

火害調査は、火災の情報収集を主とした予備調査、現地での目視による一次調査、その後の測定や試験による二次調査の順に実施する。調査項目は、調査目的および火害状況に応じて，専門知識を有するもの（調査者）が選定して実施する。

a. 予備調査では、調査の事前準備として、火災を受けた建物の情報などを収集する。

b. 一次調査（目視による調査）は、現地で実施しうる目視のみの調査とする。

c. 二次調査（試験などによる調査）は、測定および試験を伴う調査であり、一次調査の後に、調査目的に応じた調査方法を、調査者が選定して実施する。

d. 火害調査において実施される調査の一覧を**表 3.1** に示す。二次調査に含まれる詳細な調査および分析は建物所有者の要求や調査目的に応じて調査者が選定して実施する。

表 3.1　火害調査のプロセスと調査目的に対応する調査方法および調査項目 (1)

調査分類	調査プロセス	調査目的	調査方法	調査項目
予備調査	情報収集	一次調査方針の決定	報道・インターネット 火害建物の設計図書	火災進展状況などの把握
一次調査	目視調査	調査範囲の決定	目視 打診棒による打音検査	煤付着状況 ひび割れ発生状況 表層部の浮きの有無
二次調査 *1	非破壊試験	火害影響範囲の判定	リバウンドハンマー試験 打撃試験 弾性波法 色彩測定 表層透気試験	反発度 機械インピーダンス 速度 明度・色彩 透気係数

表 3.1　火害調査のプロセスと調査目的に対応する調査方法および調査項目(2)

<table>
<tr><td rowspan="5">二次調査*1</td><td rowspan="3">力学的試験</td><td rowspan="2">力学的性質の調査</td><td>コア採取による圧縮試験*2</td><td>コア強度
静弾性係数
小径コア強度</td></tr>
<tr><td>孔内局部載荷試験</td><td>貫入抵抗値</td></tr>
<tr><td>劣化深さの判定</td><td>多点ひずみ法
コアスライス曲げ試験法
画像相関（DIC）法</td><td>臨界応力度
曲げ強度
表面ひずみ分布</td></tr>
<tr><td rowspan="2">材料分析</td><td>受熱温度の推定</td><td>化学分析法
（KM_nO_4法，TOC 法，UV 法，
無水 PP 法）</td><td>表層コンクリートの
受熱温度推定</td></tr>
<tr><td>耐久性の調査</td><td>フェノールフタレイン法
（1%エタノール溶液）</td><td>中性化深さ
（JIS A 1152）</td></tr>
</table>

注）*1：二次調査に示す試験は目的に応じた調査方法を選択して実施する。
*2：火害等級がⅢ級以上の疑いがある場合には、コンクリートコアの圧縮強度試験を行うことを原則とする。

3.3.2　予備調査（情報収集）

予備調査では、一次調査の方針を定めるために、建物概要の調査・構造概要の調査および発生した火災に関する情報収集を行なう。

a. 建物概要の調査では、火害建物の建物概要、竣工後の諸履歴および適用された関連法規などの基本情報を収集する。

b. 構造概要の調査では、火害建物の構造概要の情報を収集する。

c. 火災情報の収集では、新聞や消防署および当該建物の関係者などから出火原因、出火位置、可燃物の量と種類、消火状況、出火時刻、鎮火時刻などの火災状況に関する情報を収集する。

3.3.3　一次調査（目視による調査）

一次調査は、現地において目視のみで行う調査である。受熱によるコンクリートの変色や煤の付着の程度、ひび割れ発生、変状・変形の有無、コンクリート以外の建材などの変状から火災進展状況を推定し、二次調査の実施の要否および調査範囲を決定する。

a. 火災進展状況の推定は、煤の付着状態や木材の炭化深さ、可燃物の燃焼状況などから行う。

b. コンクリート表面の受熱温度の推定は、当該部材および周辺にある材料と物品などの熱による損傷状態を観察することによって行う。

c. 調査範囲は、火災進展状況の推定結果を考慮し、主要な部材の目視観察によって決定する。

3.3.4　二次調査（試験・測定による調査）

二次調査は、3.4 節に示す測定もしくは試験を伴う各種の方法を選択的に適用し、火害等級の決定、断面内部の受熱温度の推定、受熱による劣化深さの評価など、目的に応じた調査を実施することにより、3.5 節に示す 診断に必要な情報を得るために実施する。

3.4　火害調査のための各種試験方法

二次調査では、火害の程度を詳細に把握するために、目視、非破壊試験、力学的試験、材料分析、鉄筋の引張試験、梁・床スラブの載荷試験を行う。

3.4.1　調査項目

火災の規模と火害の程度ならびに想定される補修・補強方法などを考慮し、調査者が**表 3.2** の中から、調査目的に応じて必要と判断した試験方法を選定して実施する。**表 3.2** に示されていないその他の試験方法についても、火害調査に対して有効な手法であり、かつ所要の精度が得られることを信頼できる資料があれば、二次調査に用いてもよい。

表 3.2　調査項目および試験方法

試験方法＼調査項目			コンクリート			鉄筋	部材・架構		
			力学特性	火害の程度	受熱温度	力学特性	変形	剛性	耐力
目視		ひび割れ幅の測定		○					
目視		たたきによる浮き・剥離の確認		○					
目視		変色の確認		○					
目視		梁・床スラブのたわみ測定		○			○		
非破壊試験		リバウンドハンマー試験		○					
非破壊試験		打撃試験		○					
非破壊試験		弾性波法		○					
非破壊試験		表層透気試験		○					
非破壊試験		色彩測定		○	○				
非破壊試験		引っかき傷幅測定		○					
非破壊試験		振動試験						○	
コンクリートコア、コア孔、はつり面を用いる試験	力学試験	コアの圧縮強度試験・静弾性係数試験	○						
コンクリートコア、コア孔、はつり面を用いる試験	力学試験	小径コアの圧縮強度試験	○						
コンクリートコア、コア孔、はつり面を用いる試験	力学試験	孔内局部載荷試験		○					
コンクリートコア、コア孔、はつり面を用いる試験	力学試験	コアをスライスした試験片の曲げ試験		○					
コンクリートコア、コア孔、はつり面を用いる試験	力学試験	コア側面の体積ひずみ測定		○					
コンクリートコア、コア孔、はつり面を用いる試験	力学試験	コア側面のひずみ分布測定		○					
コンクリートコア、コア孔、はつり面を用いる試験	材料分析	フェノールフタレイン溶液の噴霧による受熱温度の推定		○	○ (150℃)				
コンクリートコア、コア孔、はつり面を用いる試験	材料分析	過マンガン酸カリウムによる酸素消費量の定量分析			○ (300℃～600℃)				
コンクリートコア、コア孔、はつり面を用いる試験	材料分析	全有機体炭素計による有機化合物の定量分析			○ (300℃～600℃)				
コンクリートコア、コア孔、はつり面を用いる試験	材料分析	UV スペクトル法			○ (600℃まで)				
鉄筋の引張試験						○			
梁・床スラブの載荷試験							○	○	○

注：○印は、選択した試験によって評価できる項目を示す。

3.4.2　目視

3.4.2.1　ひび割れ幅の測定

コンクリートのひび割れ幅は、クラックスケールなどを用いて測定する。ひび割れ幅を測定することにより、コンクリート表面の火害の程度を把握できる。そのため、ひび割れ幅の測定は、補修の範囲を決定する際に推奨される試験方法である。

3.4.2.2　たたきによる浮き・剥離の確認

たたきによる浮き・剥離の確認は、ハンマなどを用いてコンクリート表面を打撃し、打音の違いによってコンクリートの浮きの有無を推定する方法である。たたきによる浮き・剥離を把握することにより、コンクリート表面の火害の程度を把握できる。そのため、たたきによる浮き・剥離の測定は、補修の範囲を決定する際に推奨される試験方法である。

3.4.2.3　変色の確認

コンクリートの変色は目視によりコンクリート表面を観察する。コンクリート表面の変色を確認することにより、コンクリート表面の火害の程度を把握できる。そのため、コンクリート表面の変色の確認は、補修の範囲を決定する際に推奨される試験方法である。

3.4.2.4　梁・床スラブのたわみ測定

梁・床スラブのたわみは、オートレベルなどを用いて測定する。火害部および火害を受けていない健全部のたわみを測定することにより、火害の有無やその程度を把握できる。

3.4.3　非破壊試験

3.4.3.1　リバウンドハンマー試験

リバウンドハンマー試験は、コンクリート表面の反発度を測定する試験方法である。火害の有無やその程度を相対的に把握したい場合に推奨される試験である。

3.4.3.2　打撃試験

打撃試験は、コンクリートの機械インピーダンス、打撃ハンマとコンクリートとの接触時間を測定する試験方法である。火害の有無やその程度を相対的に把握したい場合に推奨される試験である。

3.4.3.3　弾性波法

弾性波法は、コンクリートの縦波や横波の速度を測定する試験方法である。コンクリート表面から深さ方向の火害の程度を把握できる場合がある。

3.4.3.4　表層透気試験

表層透気試験は、コンクリート表層の透気係数を測定する試験方法である。火害の有無を把握したい場合に推奨される試験である。

3.4.3.5　色彩測定

色彩測定は、コンクリート表面の色彩を測定する試験方法である。コンクリート表面の受熱温度を推定したい場合に推奨される試験である。

3.4.3.6　引っかき傷幅測定

引っかき傷幅測定は、コンクリート表面に一定の荷重をかけて得られた引っかき傷の幅を測定する試験方法である。火害の影響範囲を推定したい場合に推奨される試験である。

3.4.3.7　振動試験

振動試験は、床スラブや梁などの火災による剛性低下の程度を把握するために実施する試験である。特に使用性などの要求性能が高い場合に推奨される。

3.4.4　コンクリートコアまたはコア孔を用いる試験（力学試験）

3.4.4.1　コンクリートコアの圧縮強度試験・静弾性係数試験

採取したコンクリートコアによる圧縮強度試験はコンクリートの残存強度を、静弾性係数試験は、コンクリートの静弾性係数を測定する試験方法である。火害等級がⅢ級以上の疑いがある場合には、コンクリートコアの圧縮強度試験を行うことを原則とする。

3.4.4.2　小径コアの圧縮強度試験

小径コアの圧縮強度試験は、3.4.4.1款に規定する直径のコンクリートコアを採取できない場合の試験方法である。また、コンクリート表面から深さ方向の火害の程度を把握する目的でも実施する場合がある。

3.4.4.3　孔内局部載荷試験

孔内局部載荷試験は、コンクリートコア孔を利用して貫入抵抗値を測定する試験方法である。コンクリート表面から深さ方向の火害の程度を把握したい場合に推奨される試験である。

3.4.4.4　コアをスライスした試験片の曲げ試験

コンクリートコアを直径方向にスライスした試験片に対して行う曲げ試験は、コンクリートの曲げ強度を測定する試験方法である。コンクリート表面から深さ方向の火害の程度を把握したい場合に推奨される試験である。

3.4.4.5　コア側面の体積ひずみ測定

コンクリートコア側面の体積ひずみ測定は、コア側面の臨界応力度を算出する試験方法である。コンクリート表面から深さ方向の火害の程度を把握したい場合に推奨される試験である。

3.4.4.6　コア側面のひずみ分布測定

コンクリートコア側面のひずみ分布測定は、画像相関法を用いてコア側面のひずみの分布を測定する試験方法である。コンクリート表面から深さ方向の火害の程度を把握したい場合に推奨される試験である。

3.4.5　フェノールフタレイン溶液の噴霧による受熱領域の推定および中性化深さの測定

(1) コンクリート表面から深さ方向における受熱150℃以下の領域を推定するために、健全部および火害部のコンクリートコア、コア孔、またははつり面に水を含まないフェノールフタレイン溶液を噴霧する。なお、コア採取は乾式で行う必要がある。

(2) 健全部と比較して火害部の中性化が進行していないかを評価する場合は、水を含むフェノールフタレイン溶液を噴霧し、中性化深さを測定する。なお、コア採取は湿式または乾式で行う。

3.4.6　受熱温度の推定試験

受熱温度の推定試験では、過マンガン酸カリウムによる酸素消費量の定量分析、全有機体炭素計による有機化合物の定量分析およびUVスペクトル法などから適切な方法を選択し、受熱温度の推定を行う。

3.4.6.1　過マンガン酸カリウムによる酸素消費量の定量分析（$KMnO_4$法）

$KMnO_4$法は、コンクリートの深さ方向の受熱温度を推定するために実施する。コンクリートの劣化深さを特定する場合など、補修範囲を明確にしたい場合に推奨される。多くの化学混和剤に対応して有機化合物を定量できる。

3.4.6.2　全有機体炭素計による有機化合物の定量分析（TOC法）

TOC法は、コンクリートの深さ方向の受熱温度を推定するために実施する。コンクリートの劣化深さを特定する場合など、補修範囲を明確にしたい場合に推奨される。試料の前処理が簡便であり、多くの化学混和剤に対応して有機化合物を定量できる。

3.4.6.3　UVスペクトル法（UV法）

UV法は、コンクリートの深さ方向の受熱温度を推定するために実施する。コンクリートの劣化深さを特定する場合など、補修範囲を明確にしたい場合に推奨される。$KMnO_4$法より簡便であるが、芳香族化合物以外の化学混和剤には適用できない。

3.4.7　鉄筋の引張試験

鉄筋の引張試験は、鉄筋の残存強度を確認する場合に実施する試験方法である。鉄筋に被害が及んでいることが明白な場合には、鉄筋の引張試験を行うことが推奨される。

3.4.8　載荷試験

載荷試験は、梁・床スラブの火災による剛性および耐力低下の程度を把握するために実施する試験方法である。火害等級がⅣ級以上で、構造体として損傷を受けている可能性が高い場合、また、火災後に部材を再度利用したい場合に推奨される試験である。

3.5　診断

診断では、予備調査と一次調査および二次調査の結果に基づき、火害等級および被災度の判定を行い、補修・補強の要否を判断する。

3.5.1　一次調査による診断

a. 一次調査による火害等級の判定は、次の(1)〜(3) により部材ごとに行う。

(1) 無被害の場合はⅠ級とする。

(2) 表層や仕上げ部分のみの被害の場合はⅡ級とする。

(3) 上記(1)、(2) 以外の場合は、二次調査の結果に基づいて火害等級の判定を行う。

b. 一次調査による建物の被災度の判定は、次の(1)〜(3) により行う。

(1) 全ての部材が火害等級Ⅱ級以下である場合は被災度をAとする。

(2) 外観調査のみで明らかに再使用が不可能な場合は被災度をCとする。

(3) 上記(1)、(2) 以外の場合は、二次調査に基づいて被災度Bまたは被災度Cの判定を行う。

3.5.2　二次調査による診断

a. 二次調査による火害等級の判定は、次の(1)〜(5) により部材ごとに行う。

(1) 表層に限定される被害がある状態はⅡ級とする。

(2) コンクリート表面から鉄筋までの位置に被害がある場合はⅢ級以上とする。

(3) 主筋との付着に支障のある被害がある場合はⅣ級以上とする。

(4) 主筋座屈など実質的な被害が明白な場合はⅤ級とする。

(5) 構造耐力上、甚大な被害がある場合はⅤ級とする。

b. 二次調査による建物の被災度の判定は、次の(1)、(2) により行う。

(1) Ⅴ級の柱部材の割合が火災階の全柱の20%を超える場合は被災度をCとする。

(2) 上記(1)以外は被災度をBとする。

3.6　補修・補強計画

補修・補強計画は、火害の程度と被災後の建物の使われ方を考慮して立案する。その際は、設定された回復目標を満たす補修・補強方法を選定する。

3.6.1　回復目標の設定

回復目標は、火害建物の所有者・管理者・使用者からの要求に基づいて、構造安全性・耐火性・耐久性・使用性その他の必要な性能を満たすように設定する。

a. 構造安全性の回復目標は、設計条件を満足することを標準とする。

b. 耐火性の回復目標は、設計条件を満足することを標準とする。

c. 耐久性の回復目標は、補修・補強後の計画供用年数および維持管理期間により決定する。

d. 使用性その他の必要な性能に対する回復目標は、補修・補強後の使用条件により決定する。

3.6.2　補修・補強範囲の設定

補修・補強すべき範囲および補修のレベルは、調査・診断結果をもとに定めた火害等級および回復目標に応じて決定する。

3.6.3　補修・補強工法および補修材料の選定と実施

補修・補強工法は、火害建物の所有者・管理者・使用者の意向に基づき火害診断者と構造設計者・施工者が十分検討した上で決定する。3.6.1 項で定めた回復目標に達するように、3.6.2 項で定めた補修・補強すべき範囲ごとに補修・補強工法を選定し、適切な材料を用いて補修・補強を実施する。

a. 補修・補強工法は、次の(1)～(5)を標準とする。

(1) ごく表層コンクリートの補修

ごく表層のコンクリートの補修が必要な場合は、表面含浸工法、表面被覆工法およびひび割れ注入工法などから適切な方法を選定する。

(2) かぶりコンクリートの補修

かぶりコンクリートの補修が必要な場合は、ポリマーセメントモルタル断面修復工法・モルタルグラウト法・モルタル吹付け法・けい酸塩系含浸材の表面塗布や圧力注入・コンクリート打替え法などから、耐火性の確保の要否と補修部の部材厚さや面積に配慮し、適切な補修・補強工法を選定する。

(3) 部材表面強化による補強

火害等級Ⅳ級またはⅤ級相当の部材の補強が必要な場合は、柱・梁を対象にするRC・鋼板・新素材などによる部材巻立て（巻付け）法や床・梁を対象とする鋼板接着法・増打ち法などから適切な方法を選定する。

(4) 新部材の増設による補強、部材の再施工

火害部材の損傷が著しく新部材の増設による補強が必要な場合は、小梁の増設・壁の増設・ブレースの増設・そで壁の増設・バットレスなどの外部架構の増設などから適切な方法を選定する。補強が困難な場合は、部材の撤去・再施工も含めて検討を行う。

(5) その他（表面処理・汚れ除去・脱臭）

汚れの除去や脆弱部の除去などの表面処理・補修工事の前処理・仕上施工・脱臭などが必要となる場合は、施工場所の周辺環境に配慮して適切な方法を選定する。

b. 補修材料は、使用実績あるいは信頼できる資料によって、その品質および性能が確かめられたものを用いる。

c. 適切な前処理の後、火害状況に応じた補強工事または断面修復、ひび割れ注入、けい酸塩系含浸材の表面塗布や圧力注入および仕上げなどを施工し、設定された回復目標を満足するよう補修または補強を行う。

第４章　鉄骨造

4.1　基本事項

本章は、鉄骨造建物の火害調査・診断および補修・補強方法を示すものであり、火害調査と火害診断および補修・補強計画で構成される。

4.2　鉄骨造部材の火災後特性

調査・診断および補修・補強計画に先立ち、火災を受けた鉄骨造部材および高力ボルトの性質、ならびに部材や架構の耐力・変形性状に関する一般的な特性を把握する。

4.3　調査方針および調査計画の立案

調査方針の決定および調査計画の立案に際しては、調査者が調査対象建物の特性および調査対象範囲の火害の程度に応じて火害調査の方針を決定し、適切な調査方法を選定して調査計画を立案する。

4.4　予備調査（情報収集）

予備調査では、一次調査の方針を定めるために、建物概要と構造概要の調査および発生した火災に関する情報収集を行う。

4.4.1　建物概要の調査

建物概要の調査では、火害建物の建物概要と竣工後の諸履歴および適用された関連法規などの基本情報を収集する。

4.4.2　構造概要の調査

構造概要の調査では、火害建物の構造概要の情報を収集する。

4.4.3　火災情報の収集

火災情報の収集では、新聞や消防署および当該建物の関係者などから、出火原因・出火位置・可燃物の量と種類・消火の状況・出火時刻・鎮火時刻など、火災状況に関する具体的な情報を収集する。

4.5　一次調査（目視による調査）

一次調査では、二次調査の要否を確定するために、部材の表面状況による火災進展状況の把握・調査範囲の決定・各鉄骨造部材の変形状態の把握・表面受熱温度の推定を主に目視観察により行い、部材および建物の火害の程度を判断する。

4.5.1　火災進展状況の推定

火災進展状況の推定は、煤の付着状態や木材の炭化深さ、可燃物の燃焼状況などから行う。

4.5.2　調査範囲の決定

調査範囲は、火災進展状況の推定結果を考慮し、主要な鉄骨造部材の変形や損傷状態を目視観察することによって決定する。

4.5.3　鉄骨造部材の変形状態の把握

鉄骨造部材の変形状態は、調査範囲内の部材について、柱の倒れや梁のたわみなどの残留変形と高力ボルトの破断および接合部のすべりの有無を目視によって確認し把握する。

ブレース、座屈止めなどの耐震部材については、残留変形の有無を目視によって確認する。

4.5.4　表面の受熱温度の推定

表面の受熱温度の推定は、当該部材および周辺にある材料と物品などの熱による損傷状態を観察することによって行う。

4.6　二次調査（測定を伴う調査）

二次調査では、再使用を計画する鉄骨造部材や接合部の残留変形量および機械的性質の変化を明らかにするために、変形量の測定や力学的試験などを行う。

4.6.1　鉄骨造部材の調査

4.6.1.1　鉄骨造部材の残留変形量の測定

柱・ブレースの倒れやねじれ、梁のたわみや曲がりなどの残留変形量を測定する。

4.6.1.2　鉄骨造部材の機械的性質の測定

500℃以上に加熱された可能性のある鉄骨造部材は、強度や伸びなど鋼材の機械的性質を調査する。なお、焼入れ焼戻し工程を経て製造された調質鋼による鉄骨造部材では、350℃以上に加熱された可能性がある部材を機械的性質の調査対象とする。

4.6.2　接合部の調査

300℃以上に加熱された可能性のある高力ボルト接合部は、すべり耐力の低下状況を推定するための受熱温度の詳細調査と高力ボルトセットの機械的性質の調査を行う。

4.6.3　デッキプレート床スラブの調査

a. 鋼製デッキを使用したデッキプレート床スラブに対しては、小梁間のたわみを測定する。

b. 500℃以上に加熱された可能性のあるデッキ複合スラブ・デッキ構造スラブに対しては、デッキプレートの機械的性質を調査する。

c. デッキ合成スラブ・デッキ複合スラブ・デッキ型枠スラブに対しては、コンクリートの圧縮強度を調査する。

4.6.4　架構の調査

架構全体の残留変形量として架構の倒れについて調査する。

4.7　診断

診断では、予備調査と一次調査および二次調査の結果に基づき、火害等級および被災度の判定を行い、補修・補強の要否を判断する。

4.7.1　火害等級の判定

火害等級の判定では、予備調査と一次調査および二次調査の結果を踏まえ、火災による構造耐力上の被害の程度に応じて、部材を火害等級Ⅰ級～Ⅴ級に分類する。

4.7.2　被災度の判定

被災度の判定では、概観調査による被災度C判定および部材の火害等級を踏まえ、被災度A～Cに分類する。

4.8　補修・補強計画

補修・補強計画は、火害の程度と被災後の建物の使われ方を考慮して立案する。その際は、設定された回復目標を満たす補修・補強方法を選定する。

4.8.1　回復目標の設定

回復目標は、火害建物の所有者・管理者・使用者からの要求に基づいて、構造安全性・耐火性・耐久性・使用性その他の必要な性能を満たすように設定する。

a. 構造安全性の回復目標は、設計条件を満足することを標準とする。

b. 耐火性の回復目標は、設計条件を満足することを標準とする。

c. 耐久性の回復目標は、補修・補強後の計画供用年数および維持管理期間により決定する。

d. 使用性その他の必要な性能に対する回復目標は、補修・補強後の使用条件により決定する。

4.8.2　補修・補強範囲の設定

補修・補強すべき範囲は、調査・診断結果をもとに定めた火害等級および回復目標に応じて決定する。

4.8.3 補修・補強方法の選定と実施

a. 補修・補強方法は、火害建物の所有者・管理者・使用者の意向に基づき火害診断者と構造設計者・施工者が十分検討した上で決定する。**表 4.1** に基づき火害等級に応じて選定することを標準とする。推定受熱温度や変形量から直ちに補修・補強方法を選定する場合は、補修・補強の範囲にある部材ごとに、4.8.1 項で定めた回復目標に達することができる補修・補強方法を選定し、実施する。

b. 補修・補強材料は、使用実績などを参考に、信頼できる資料によってその品質・性能が確かめられたものを用いる。

c. 補修・補強の前処理として脱臭や汚れの除去が必要となる場合は、使用実績などを参考に適切な方法を選定する。

d. 補修・補強方法および部位は、架構全体の剛性バランスへの影響を考慮して選定する。

表 4.1 火害等級と構造体の補修・補強方法の例

火害等級	補修・補強方法の例
Ⅰ級	不要
Ⅱ級	高力ボルトの増し締め
Ⅲ級	高力ボルトセットの交換・接合部補強
Ⅳ級	補強プレートや部材の追加による補強
Ⅴ級	部材の交換

4.8.3.1 高力ボルト接合部の補修・補強方法

高力ボルト接合部の補修・補強方法は、高力ボルトの耐力低下やすべり変形の程度を確認した上で、高力ボルトセットの交換や耳板補強・溶接補強を選定する。

4.8.3.2 柱の補強方法

柱の補強方法は、添板補強や添柱補強などの中から選定する。

4.8.3.3 梁の補強方法

梁の補強方法は、添板補強または添梁補強あるいは間柱補強などの中から選定する。

4.8.3.4 床スラブの補修・補強方法

床スラブの補修・補強方法は、鉛直方向の残留変形の程度を確認した上で、追加小梁による補強とスラブコンクリートの一部解体・補修から選択する。

4.8.3.5 その他の部材の補修・補強

a. アンカーボルトは、コンクリート部材の中に埋め込まれていて補修・補強は困難であり、交換や鋼板巻き補強を検討する必要がある。

b. 耐震用・耐風用のブレースや座屈止めなどの主要構造部に該当しない部材が火害を受けた場合、要求される耐震性能や耐風性能に応じて補修・補強する。補強方法については、ブレースは柱の、座屈止めは梁の補強方法に準ずる。

4.8.3.6　部材の交換

部材の交換は、火災後の残留応力を考慮して慎重に行う。

4.8.3.7　その他の補強の考え方

柱の補強や交換が困難な場合、周辺架構の荷重伝達能力を確認した上で、当該柱上部に接続する梁や隣接する柱を補強することも考えられる。補強方法は、柱あるいは梁の補強方法に準ずる

建物の火害診断および補修・補強方法　指針

解　説

2024

第１章　総　　則

1.1　目的

本指針は、火災を受けた建物の火害診断および補修・補強に関する標準的な方法と、考慮すべき事項を示すことを目的とする。

（解説）

本指針は、既往の研究を基に、火災を受けた建物の火害診断および補修・補強に関する標準的な方法と、考慮すべき事項を、工学的根拠に基づいて提示し体系化したものである。

なお、本会は、本指針に基づいて実施された火害診断および補修・補強方法についての責任を負うものではない。

1.2　適用範囲

a. 本指針は、鉄筋コンクリート造および鉄骨造の主要な構造部材を対象とする。

b. 火害診断は、材料・部材・架構レベルの火害に対して行う。ただし、変形が少ない部材については架構レベルの診断を省略できる。また、建物が明らかに崩壊している場合など、取り壊すことが自明のものについては除外する。

c. 補修・補強方法は、一般的に使われている方法を示す。

（解説）

a. 本指針が対象とする部材は主に鉄筋コンクリート造（以下、RC 造と略記）および鉄骨造とし、その他、鉄骨鉄筋コンクリート造については RC 造に準じて取り扱うこととする。プレストレストコンクリート造部材については付録に示す。なお、対象とする建物を構成する部材は、主要な構造部材に限定した。

b. RC 造、鉄骨造いずれの構造も基本的な方針・考え方は同じであるが、それらの構造特性上、診断および補修・補強方法は異なる。基本的に、被災後の建物の構造性能を考慮し、部材の残存耐力のみの評価ではなく、部材や架構の変形も考慮した判断ができるようにした。本指針では、建物を構成する部材の火害の程度を「火害等級」、建物全体（架構）の火害の程度を「被災度」とし、「火害等級」および「被災度」については第 2 章に示す。

c. 補修・補強に関して一般的に使われている方法とは、実績が多く工学的に説明が可能な方法のことである。その方法には、RC 造では、ごく表層コンクリートの補修・かぶりコンクリートの補修・部材表面強化による補強・新部材増設による補強・部材の再施工がある。また、鉄骨造では、添板・添部材による補強方法などがある。高強度コンクリートや高強度鋼材など、近年開発された材料は補修・補強事例が少ないので、最新情報などを入手し、十分に検討を行う必要がある。

1.3　用語の定義

本指針で使用される用語は次のように定義する。

・火災性状（fire property）

可燃物が着火・発炎に至る過程や火災が成長・拡大し、火盛り期を経て鎮火に至る過程を表す性状。その過程で発生する熱や煙の状況や火炎の流れ・形状・温度、火災継続時間など、広い意味を有する。

・火災継続時間（fire duration）

出火から鎮火までの時間

・受熱温度（heated temperature）

火災の熱により温度上昇した部材または材料の最高温度

・火害（fire damage）

建物の内外装材料および構成部材の火災による劣化または喪失

・火害建物（fire-damaged building）

火害を受けた建物

・火害等級（fire-damaged classification）

火災を受けた構造部材の火害の程度（表 2.1）

・被災度（suffered classification）

火災を受けた建物全体の火害の程度（表 2.2）

・火害調査（fire-damaged investigation）

火災を受けた建物について、構造部材および架構の被災状況を調べること。予備調査、一次調査、二次調査で構成される。

・火害診断（fire-damaged diagnosis）

火害調査結果に基づいて、構造部材の火害等級または建物全体の被災度を判定すること

・補修（repair）

火災を受けた建物の部材や材料を設計条件に適合する状態に回復させること

・補強（reinforcing）

火災を受けた建物に部材や材料を付加して、必要な耐力や強度を確保すること

・回復目標（recovery target）

構造安全性・耐火性・耐久性および使用性などの性能を復旧させるレベル

・耐火性（fire resistance）

火災の加熱に対する性能。本指針においては、火災加熱に対して、架構部材が有する崩壊防止性能や区画部材が有する延焼防止性能を意味する。

・耐久性（durability）

長期間にわたる外部からの物理的作用および化学的作用に抵抗する性能

・使用性（serviceability）

構造物を日常的に使用するための機能を維持するための性能

（解説）

本節では本指針で用いる主な用語を示す。出所が明らかになっている用語は文献を記載し、明らかでないものについては本指針で独自に定義した。ここで用いられている用語については、日本産業規格（JIS）、建築基準法令など関連法規および本会の関連する基準・指針など、日本コンクリート工学会・日本鋼構造協会の出版物、その他の用語辞典などを参考に定義した。用語の詳細な記述は各章で述べる。

・火災性状

火害診断においては火災時の構造体に対する加熱の影響が重要であるので、火炎の流れ・形状・温度、火災継続時間を意味する[1]。

・火災継続時間

「出火とフラッシュオーバーを経て、火盛り期を通じて可燃物が燃え尽きるまでの時間、概括的には火災荷重（＝火災区画内の可燃物量と同等の発熱量に相当する木材重量を等価可燃物とし、これを火災区画の床面積で除した値[2]）を単位時間当たりの燃焼重量（重量燃焼速度）で割れば火災継続時間となる」[3] と定義される場合もあるが，実際の火災ではフラッシュオーバーに至らない場合や消火により可燃物が燃え尽きない場合などもあるため、本指針では、「出火から鎮火までの時間」と定義する。

・受熱温度

従来、この用語は多用されていたが、特に定義を示す文献が見当たらないため、本指針で独自に定義した。火害等級の分類に使用する。詳細は第3章、第4章に示す。

・火害

出典が明らかでない用語であり、火災被害のことを簡略化して、本指針では「火害」と定義した。

・火害建物

火災被害を受けた建物。

・火害等級

構造部材の火災被害の程度を示す指標のことであり、具体的なランクの詳細は2.1節に示す。

・被災度

建物の火災被害の程度を示す指標のことであり、具体的なランクの詳細は2.1節に示す。

・火害調査

2.1節に火害調査の方針、3.3節、3.4節および4.3節～4.6節に具体的な方法を示す。

・火害診断

2.1節に火害診断の方針、3.5節および4.7節に具体的な方法を示す。

・補修、補強

一般に、「補修」とは、「建物の損傷部分を補いつくろうことにより、構造性能を損傷前の状態に復帰させること」[4]、「被災した構造物の構造性能を被災以前の状態程度まで回復する行為」[5]、「部分的に劣化した部位などの性能を実用上支障のない状態まで回復させる行為で、劣化の進行を遅らせるために実施する行為を含むもの（初期の水準以上の性能を得るための行為は含まない）」[6]、「劣化した部材あるいは部品などの性能または機能を現状あるいは実用上支障のない状態まで回復させること」[7] などとされている。

また、「補強」とは、「弱いところ、足りないところを補って構造性能を向上させること。被災建物にあたっては、被災前より性能を高くなるようにすること」[4]、「被災した構造物の構造性能を被災以前の状態以上に改善する行為」[5]、などとされている。

したがって、劣化に対する処置は一般には「補修」とされるが、本指針では、火害の場合の「補修」を、「火災を受けた構造物の部材や材料を設計条件に適合する状態に回復させること」、火害の場合の「補強」を、「火災を受けた構造物に部材や材料を付加して、必要な耐力や強度を確保すること」と定義した。方針は 2.2 節に、具体的な記述は 3.6 節および 4.8 節に示す。

・回復目標

設定の詳細は 3.6.1 項および 4.8.1 項に示す。

・耐火性

耐火性を評価する指標として、'ISO 834 Fire-resistance tests－Elements of building construction－'（建築構造部材の耐火性能試験）に規定されている、load bearing capacity（非損傷性）・insulation（遮熱性）・integrity（遮炎性）がある[2), 8)]。

・耐久性

外部からの物理的作用および化学的作用には気象作用・化学的侵食作用・機械的磨耗作用など[9), 10)]がある。2.1 節に火災による耐久性に関する被害の具体例、3.6.1 項および 4.8.1 項に耐久性の回復目標を示す。

・使用性

2.1 節に火災による使用性に関する被害の具体例、3.6.1 項および 4.8.1 項に使用性の回復目標を示す。

引用・参考文献

1) 日本建築学会：鋼構造耐火設計指針, p.8, 2017.6
2) 日本建築学会：防火区画の設計・施工パンフレット, p.3-4, 1990.12
3) 土岐憲三ほか：防災事典, p.42 -43, 2002.7
4) 日本建築防災協会：既存鉄筋コンクリート造建築物の耐震改修設計指針・同解説 2001 年改訂版, 国土交通省住宅局建築指導課監修, p. 55, 2001
5) 日本コンクリート工学協会：被災構造物の復旧性能評価研究委員会報告書, p.5, 2007
6) 日本建築学会：原子力施設における建築物の維持管理指針・同解説, p.3, 2008.7
7) 日本建築学会：鉄筋コンクリート造建築物の耐久性調査・診断および補修指針（案）・同解説, p.2, 1997.1
8) International Organization for Standardization: ISO834 Fire-resistance tests－Elements of building construction – Part1: General requirements, 1999
9) 下出弦七編：建築大辞典, p.881, 1974.10
10) JIS A 0203　コンクリート用語, p.21, 1999 改正

第２章　火害調査・火害診断ならびに補修・補強の方針

2.1　火害調査・火害診断の方針

a. 火害調査・火害診断は、火害建物の再使用可否の判断および再使用する場合の補修・補強方法の検討・選定に用いる基礎資料を得ることを目的として行う。

b. 火害調査は、予備調査と一次調査および一次調査の結果を基に必要に応じて実施する二次調査により構成される。

c. 火害診断は、火害調査の結果に基づく、構造部材の火害の程度を示す火害等級（表 2.1）および建物全体の火害の程度を示す被災度（表 2.2）の判定により行う。

d. 火害調査・火害診断は、火害調査・火害診断に関する知識および構造設計に関する知識を有する技術者が行う。

表 2.1　構造部材の火害の程度を示す「火害等級」

火害等級	定義	構造種別による具体例	
		鉄筋コンクリート造	鉄骨造
Ⅰ級	構造耐力上、火災の影響を全く受けていない	無被害の状態	鋼材の塗装および耐火被覆に火災の影響がない状態
Ⅱ級	構造耐力上の影響はないが、表面劣化などの被害はある	表層に限定される被害がある状態	鋼材の塗装および耐火被覆のみに損傷がある状態
Ⅲ級	構造耐力上、影響が少ない（軽微な補修で再使用可能）	表面から鉄筋までの位置に被害がある状態	ボルト接合部（高力ボルト接合部を含む）の変形・すべりやボルトの材質変化がある状態
Ⅳ級	構造耐力上、影響が大きい（補修・補強によって再使用可能）	主筋との付着に支障のある被害がある状態	部材に変形が残っている状態
Ⅴ級	構造耐力上、甚大な被害がある（部材の取り替えが必要）	鉄筋の露出が大きいなどの被害がある状態	部材に構造性能を担保できない変形や材質の変化がある状態

表 2.2　建物全体の火害の程度を示す「被災度」

被災度	定　義
A	構造体に火災の影響がない場合
B	構造体が火災の影響を受け、補修･補強により再使用が可能な場合
C	倒壊の危険性があり、再使用が困難な場合

（解説）

a. 火害調査・火害診断は、火災が発生した建物に対して火災による被害の程度を調査し、その建物の再使用が可能か否かについて診断する行為である。また、火害調査・火害診断の結果は、補修・補強の程度や範囲を適切に判断し、補修・補強工法を選定する際の基礎資料となるものである。

解説図 2.1.1 に火害調査・火害診断の概略手順を示す。火害調査・火害診断は、火害調査（予備調査・一次調査・二次調査）、そして火害診断（調査結果に基づく火害等級・被災度の判定）の順に進める。次に、調査・診断の結果をもって、建物を解体する場合を除き、補修・補強のステップへと進む。

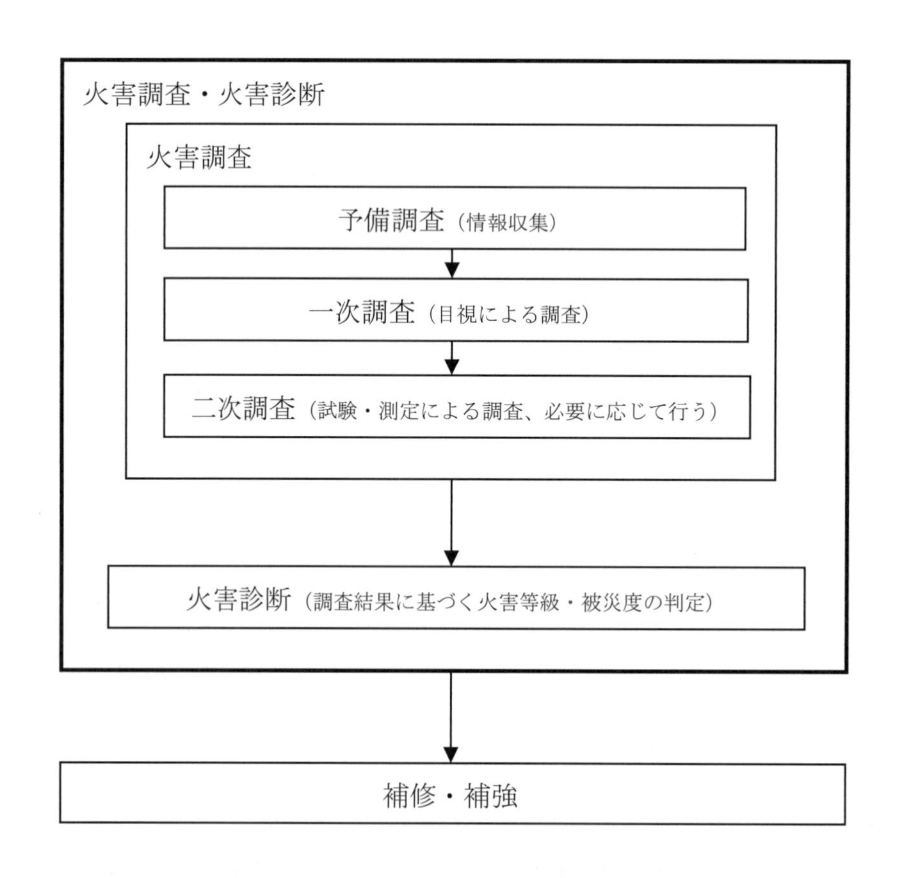

解説図 2.1.1　火害調査・火害診断の概略手順

建物が火災を受けた場合に構造躯体が受ける被害は、1)構造安全性、2)耐火性、3)耐久性、4)使用性、5)その他の 5 つの性能項目に分類できる（**解説図 2.1.2**）。これらの項目に関して、鉄筋コンクリート造（以下、RC 造と略記）および鉄骨造建物における被害の具体例を**解説表 2.1.1** および**解説表 2.1.2** に示す。RC 造と鉄骨造は構造特性が異なるため、火災による被害も自ずと異なるものとなる。RC 造は構造体の熱容量が大きいため、一般的には火災による被害が架構レベルに及ぶことは少なく、部材レベルに留まる場合が多い。一方、鉄骨造は構造体の熱容量が小さいため、加熱を受けた部材は変形しやすく、その影響が架構に及ぶ可能性も高い。

火害調査では、火害建物の部位・部材および架構に生じた熱影響や損傷の程度を工学的な手法を用いて調査する。その際、1 つの調査方法のみの実施では熱影響や損傷の程度を完全に把握することが難しいため、通常はいくつかの調査方法を組み合わせて実施する。**解説図 2.1.2** に示す5つの性能項目のうち、通常は構造安全性に関連する調査項目が多くなる。しかし、火災の程度によっては他の被害が大きいこともあり得る。したがって、各性能項目に関する被害を十分に認識した上で調査を進める必要がある。

火害調査の結果に基づき、部材の火害等級および建物の被災度を判定するのが火害診断である。火害診断の結果は、火害調査の結果とともに、火害建物の再使用の可否判断および再使用する場合の補修・補強方法の検討・選定の際の基礎資料となる。

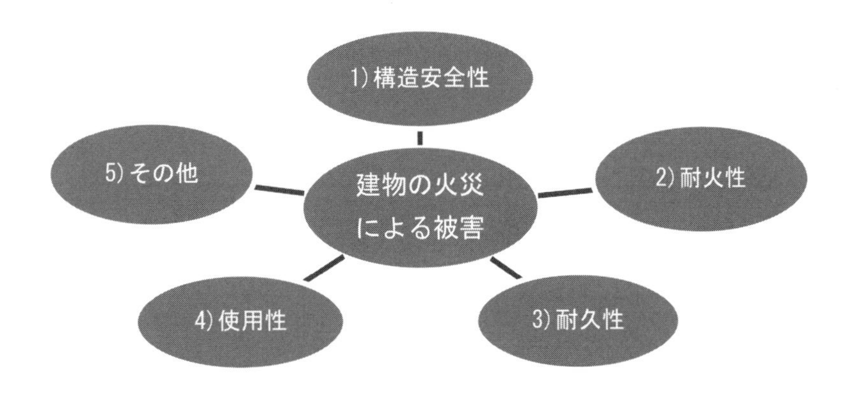

解説図 2.1.2　建物の火災による被害

解説表 2.1.1　RC 造建物の火災による被害の具体例

性能項目		火災による被害の具体例	
1)構造安全性	部材強度（柱・梁・床・壁等）	・コンクリートの圧縮強度の低下 ・鉄筋の強度低下 ・鉄筋とコンクリートの付着強度の低下 ・耐力・剛性の低下（圧縮・曲げ・せん断） ・コンクリートとデッキプレートの剥離（デッキプレート床スラブ）	・コンクリートのヤング率の低下 ・鉄筋のヤング率の低下
	部材・架構の変形	・床の抜け落ち ・柱・壁のせん断ひび割れ ・剛比の変化 ・コンクリートの浮き・剥離・爆裂・ひび割れ ※火災加熱を直接受けていない部材にも熱応力による損傷を生じる可能性があるので注意が必要。	・梁・床のたわみ ・主筋の座屈
2)耐火性		・かぶりコンクリートの剥落	・仕上げ材の脱落・劣化
3)耐久性		・コンクリートの中性化の進行 ・コンクリートの浮き・剥離・爆裂・ひび割れ	・仕上げ材の脱落・劣化
4)使用性		・床のたわみ ・防水性の低下	・床の振動特性の変化
5)その他		・変色 ・煤の付着などの汚れ	・臭い

解説表 2.1.2　鉄骨造建物の火災による被害の具体例

性能項目		火災による被害の具体例	
1)構造安全性	部材強度（柱・梁・接合部・床・ブレース等）	・鋼材の強度低下 ・鋼材の変態 ・高力ボルト軸力の低下 ・アンカーボルトの強度低下 ・コンクリートとデッキプレートの剥離（デッキプレート床スラブ）	・鋼材のヤング率（剛性）の低下 ・ボルト接合部の強度低下 ・溶接接合部の強度低下 ・コンクリートの強度低下
	部材・架構の変形	・架構の崩壊 ・床の抜け落ち ・部材のねじれ変形 ・剛比の変化 ※火災加熱を直接受けていない部材にも熱応力による損傷を生じる可能性があるので注意が必要。	・局部座屈・全体座屈 ・柱・梁・床のたわみや変形 ・柱の倒れ ・ボルトの変形
2)耐火性		・耐火被覆材の脱落・劣化	
3)耐久性		・被覆材の脱落・劣化 ・さび止め塗料の脱落・剥離・ひび割れ ・仕上げ塗料の脱落・剥離・ひび割れ	
4)使用性		・床のたわみ ・防水性の低下	・床の振動特性の変化
5)その他		・塗料の変色・劣化 ・煤の付着などの汚れ	・臭い

b. 火害調査は、以下の手順によって行う。

まず、調査する建物の構造上・防火上の特徴と発生した火災の程度を事前に把握する「予備調査」を実施する。次に、現地に赴き、火災の規模や建物の被災概要を目視によって把握する「一次調査」を実施する。さらに必要に応じて、一次調査では判断することができない材料や部材の強度低下などを試験・測定・分析によって確認する「二次調査」を実施する。火害調査を実施する者は、調査対象建物の特性および調査対象範囲の火害の程度に応じて火害調査の方針を決定し、適切な調査方法を選定して調査計画を立案して調査を進める。予備調査の方法は、建物の構造種別に関係なくほぼ同じであるが、一次調査以降は、建物の構造種別によって調査方法等が異なる。

一般に RC 造部材は、鉄骨造部材と異なり断面が大きく、火災時に部材内部が容易に高温となることはないため、火災の加熱を受けても爆裂等による断面欠損が起こらなければ、にわかに耐力を失うことはない。また、鉄骨造部材に比べて、熱膨張による被害は生じにくい。しかしながら、RC 造は鉄筋とコンクリートで一体となっているため、部材の取替え（特に柱・梁）は極めて難しい。そのため、火災加熱を受けた既設の部材に対しては、劣化した部分を除去して材料を付加するなどの補修・補強が一般的である。

このような RC 造部材の特性を受けて、一次調査では、煤の付着状態や周辺の部材や材料・物品等の変色・変形状態に加え、コンクリートの変色・ひび割れ・浮きや剥離・爆裂や脱落・鉄筋の露出状況・梁や床などのたわみや変形などを目視観察し、表面受熱温度の推定を行い、部材および建物の火害の程度を判断する。RC 造の二次調査では、コンクリートの強度の確認や材料分析による深さ方向の受熱温度の推定などを行い、火害の程度を詳細に把握する。各調査の詳細については、3.3 節の 3.3.2 項（予備調査）、3.3.3 項（一次調査）および 3.3.4 項（二次調査）に記載している。

一方、一般的な鉄骨造部材については、RC 造部材と異なり、火災加熱を受けても断面欠損が生じる可能性はない。また、受熱温度がさほど高くなければ（一般的な鋼材の場合で概ね500℃以下)、冷却後には材料強度や弾性係数は元に戻る。したがって、材料的には再使用の可能性が高い。しかし、鉄骨造部材は熱容量が小さく加熱によって温度上昇しやすい。そのため、火災の程度によっては、火災時の変形が大きくなり、冷却後も変形が残り、再使用できない場合がある。

このような鉄骨造部材の特性を受けて、鉄骨造の一次調査では、部材の材料性能の低下・部材の変形状態など、設計条件に対する変化の把握を目的として目視観察を行い、煤の付着状態や周辺部材の変色・変形状態に加え、塗料の変色状態によって受熱温度を推定するとともに、部材の残留変形状態を確認する。二次調査では、部材の耐力低下と部材・架構の変形状態の把握を目的として、切り取り試験による調査や測定による調査を行う。各調査の詳細については、4.4節（予備調査)、4.5節（一次調査）および4.6節（二次調査）に記載している。

c. 火害調査の結果を基に、部材および建物の火災被害の程度を推定し、その建物の再使用が可能かどうかについて診断する行為が火害診断である。

火害診断を行う際の指標として、構造部材の火害の程度を「火害等級」、建物全体の火害の程度を「被災度」として、それぞれの程度を示すこととした。

表2.1に「火害等級」、**表2.2**に「被災度」の分類を示す。火害等級は、部材の火害の程度を示す尺度としてⅠ級～Ⅴ級の5段階に、被災度は、建物全体の火害の程度を示す尺度としてA～Cの3段階に分類し、建物を再利用する際の目安とする。

火害診断は、予備調査・一次調査・二次調査のうちで実施した調査結果を総合して行う。火害等級および被災度の判定については、RC造は3.5節（診断）に、鉄骨造は4.7節（診断）に示す。またRC造については、火害による中性化や鉄筋の腐食等による耐久性の低下にも言及した。

d. 火害調査および火害診断の結果は、火害建物の補修・補強計画における基礎資料となる。よって、火害調査・火害診断は、火害調査・火害診断に関する知識および構造設計に関する知識を有する技術者が行う。具体的には、一級建築士・構造設計一級建築士・技術士・コンクリート診断士・建築施工管理技士・コンクリート主任技士・コンクリート技士もしくはこれと同等以上の技術・経験を有しており、かつ火害調査・火害診断・構造設計に関する知識を有する者が当たるとよい。

2.2　補修・補強の方針

a. 補修・補強は、火災を受けた建物の構造安全性・耐火性・耐久性・使用性その他必要な性能を設定した回復目標まで復旧することを目的に行う。
b. 補修・補強計画では、火害調査・火害診断の結果に基づいて補修・補強範囲を特定し、材料および工法を定める。

（解説）

a. 補修・補強は、**解説図2.2.1**に示すように、火害調査・火害診断の結果を受け、補修・補強計画（回復目標の設定、補修・補強範囲の設定、補修・補強工法の選定)、補修・補強工事の順に進める。なお、本指針では補修・補強計画までを記述した。補修・補強工事の具体の設計・施工

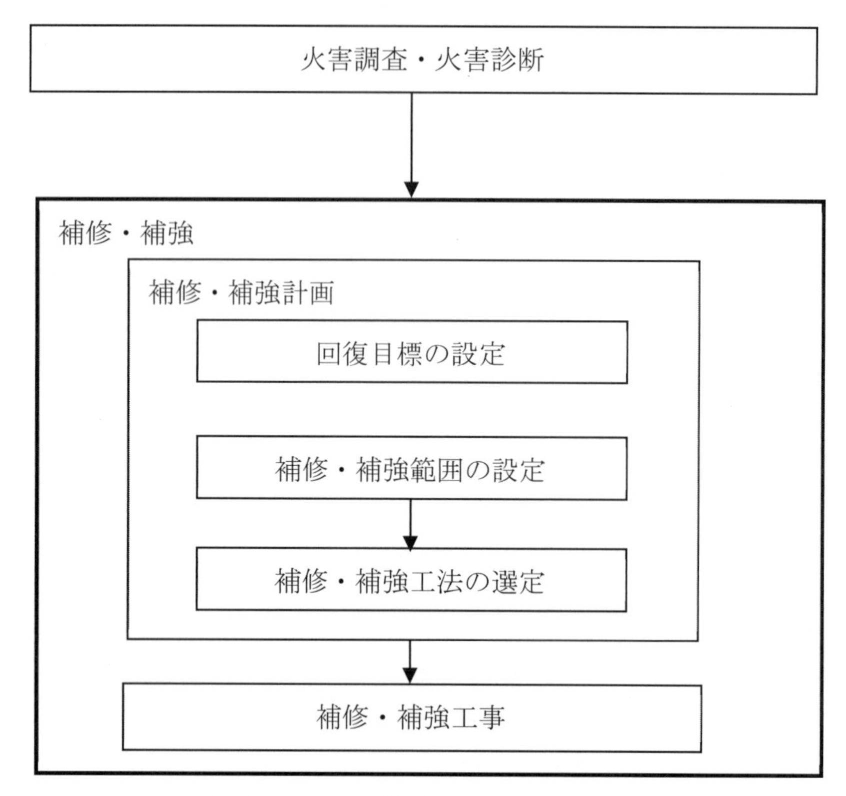

解説図 2.2.1　補修・補強の概略手順

については、当該工事を担当する設計者ならびに施工者に委ねるものとする。

火害調査・火害診断によって火害建物の火害等級および被災度を判定し、当該建物を再使用する上で補修・補強が必要であると判断された場合、補修・補強の回復目標を設定する。火害に対する補修・補強の回復目標には、次の①〜③に示すレベルが考えられる。

①構造安全性・耐火性・耐久性および使用性を被災前の状態に復旧する。
②構造安全性・耐火性・耐久性および使用性を建物の設計条件まで復旧する。
③構造安全性・耐火性を建物の設計条件まで復旧し、耐久性・使用性は低下を許容する。

①は、建物を被災前の健全な状態に戻すことを前提とした回復目標レベルである。火災がきわめて短時間で終了し、部材や架構に火災の影響がほとんどない場合などには、このような回復目標の設定が可能である。

②は、建物が有している構造性能の余裕度を活かして設計時の要求性能に戻すことを前提とした回復目標レベルである。例えば、RC 造の部材の構造性能であれば、コンクリートが熱影響を受けていたとしても設計基準強度以上の圧縮強度が確認されれば、材料強度上は設計時の構造安全性を満たしていると判断する。鉄骨造の部材の構造性能であれば、部材を挿入して補強し、建物の設計条件を満たしていれば、必ずしも被災前の状態に復旧することを要さない。なお、耐久性に関しては設計時の耐用年数を満たすように回復すればよい。

③は、構造安全性と耐火性のみを設計時の要求性能に戻すことを前提とした回復目標レベルである。補修後に期待される耐用年数から耐久性を被災前の状態に戻す必要がない場合や、増

設部材による建物の使用性等の機能低下を許容する場合などが、これに相当する。

なお、耐久性の回復目標レベルについては、再使用時の建物の維持・管理計画にも関係する。例えば、劣化要因を完全に除去して補修・補強し、初期の耐久性を回復するといったレベル、あるいは調査・診断時に顕在化していた劣化要因のみを除去して補修・補強し、再使用中に劣化が確認された場合にその都度対応するといったレベルなど、維持・管理の考え方によって複数の選択肢がある。

いずれの場合も、補修・補強による建物性能の回復目標については、建物の所有者・管理者・使用者らと十分に協議し、理解・合意を得た上で決定する必要がある。

b. 火災を受けた建物の補修・補強計画では、回復目標の決定ならびに補修・補強の範囲を決定することが重要な点である。補修・補強が必要な範囲の設定は、火害調査によって得られた情報および回復目標を総合的に勘案して行う必要がある。また、補修・補強に用いる材料および工法の選定では、下記の耐久性や耐震改修等に関する指針類を参考にして、実積や信頼性の高い材料および工法を選定することが望ましい。さらに、これらの指針類に記載されている材料・工法では対応できない火災特有の影響や損傷に対する補修・補強については、補修・補強工事の設計者・施工者と専門知識を有する技術者が協議して、材料・工法を決定する。

・日本建築学会「鉄筋コンクリート造建築物の耐久性調査・診断および補修指針(案)・同解説（1997 年 5 月）」
・日本コンクリート工学会「コンクリート診断技術」
・日本建築防災協会「2017 年改訂版　既存鉄筋コンクリート造建築物の耐震診断基準・耐震改修設計指針・同解説」
・日本建築防災協会「2011 年改訂版　耐震改修促進法のための既存鉄骨造建築物の耐震診断および耐震改修指針・同解説」

なお、補修・補強の材料および工法には、施工の良否に影響を受けるものが多いため、材料の種類や組合せ、補修後の断面寸法、表面被覆材の厚さ、施工方法などを詳細に定めておくとよい。また、施工性・工期・経済性だけでなく、工事における安全性・法規制・作業環境および周辺環境などにも配慮しなければならない。

第３章　鉄筋コンクリート造

3.1　基本事項

本章は、鉄筋コンクリート造建物の火害調査・診断および補修・補強方法を示すものであり、火害調査と火害診断および補修・補強計画で構成される。

（解説）

本章は、一般的な鉄筋コンクリート造建物の火害調査・診断および補修・補強方法を示すものである。診断の対象となる部材は、鉄筋コンクリート造（以下、RC 造と略記）および鉄骨鉄筋コンクリート造の柱・梁・床・壁である。なお、デッキプレート床や部分的に用いられている鉄骨造部材は、第 4 章で扱う。また、プレストレストコンクリート部材、ALC 壁などの非耐力部材は付録で事例を紹介する。

本章では、RC 造部材の火害調査と火害診断および補修・補強方法について、調査・診断、補修・補強の各段階でその方針と方法を、それぞれ節を設けて解説する。RC 造は、鉄骨造に比べ構造体の熱容量が大きく、火災による被害が架構に及ぶ場合は少ないが、まれに建物の架構に被害が及ぶ場合もある。部材、材料レベルの火害に対しては「火害等級」（**解説表 3.1.1** 参照）で評価し、建物の架構に及ぶ被害の状況は「被災度」（**解説表 3.1.2** 参照）で評価する。火害等級を判定する際の参考のため、**解説表 3.1.1** には部材状況の一例も示した。

1）火害調査と火害診断および補修・補強の流れ

火害調査と火害診断および補修・補強は、火害調査（予備調査・一次調査・二次調査）、火害診断（調査結果に基づく火害等級、被災度の判定）、補修・補強計画（回復目標の設定、補修・補強範囲の設定、補修・補強工法および補修材料の選定）、補修・補強工事の順に進める。これを図示すると、**解説図 3.1.1** のようになる。

2）火害調査の概要

火害調査は、**解説図 3.1.1** のフローに基づき、火害の程度に応じて、予備調査（情報収集）・一次調査（目視による調査）および二次調査（試験・測定による調査）の順に、より詳細な調査へ進めていく必要がある。

予備調査は、消防活動記録・目撃者・新聞記事などから情報を収集し、火災状況を把握するとともに、火災を受けた建物の概要を調査するために行う。予備調査の詳細は 3.3.2 項に示す。

一次調査では、調査建物が火災により大きく損傷を受けているような場合、まず応急危険度判定を行う。応急危険度判定は、後述の**解説表 3.3.1** に基づき、目視で行う。被災度 C と判定された建物は、倒壊の危険性があるため、この時点で調査を終了する。

被災度 C と判定されなかった建物は、目視により外観上の被害状況を観察し、火害状況を概略把握し、火災進展状況を推定する。調査対象範囲を絞りこむために、打音検査（打診棒）やひび割れ観察（トレース）などを実施し、二次調査の要否を決定する。一次調査の詳細は、3.3.3 項に示す。

二次調査は、一次調査により絞り込まれた調査対象箇所について、測定および試験を伴う調査を実施するものである。二次調査は、主に①火害影響範囲の判定、②材料・部材の強度特性の把握、③材料・部材の受熱温度推定の三つに大きく分けられる。①には主としてリバウンドハンマーなどの非破壊試験による火害影響範囲の判定、②にはコンクリートコアの圧縮強度試験、鉄筋の引張試験、部材の振動試験および載荷試験などの力学的な試験があり、③にはコンクリート中の無機あるいは有機の混合物が高温を受けた場合の組成変化などに着目した分析装置を用いる試験などがある。二次調査の各項目の特徴を**解説表 3.1.3** に示す。二次調査の詳細は 3.3.4 項と 3.4 節に示す。

3) 火害診断の概要

被災後の再使用または補修・補強方法を検討するには、部材内部のコンクリートや鉄筋の受熱温度を推定した上で、各部材の火害等級を正確に診断することが重要である。**解説図 3.1.2** に示すフローに従って火害等級を判定し、その判定結果に基づき、被災度を判定する。火害等級Ｖ級の部材がある場合は、建物の被災度 B、C の判定を行う。建物の被災度 C の判定は、3.3.3 項の**解説表 3.3.1** に後述するように、（一財）日本建築防災協会の「被災建築物応急危険度判定マニュアル」[1)]における地震直後の応急危険度判定方法を参考にして定めた。火害診断の詳細は 3.5 節に示す。

4) 補修・補強計画の概要

補修・補強は**解説図 3.1.3** の手順に従って実施する。

火害調査および診断の結果、火害建物の再使用が可能と判断された場合、まず、補修・補強によってどの程度に性能を回復させるかの目標設定が行われる。火害建物は、建物が有するべき性能のうち、構造安全性・耐火性・耐久性・使用性などの性能が火災によって損なわれている。

補修・補強の設計者は、火害建物の所有者からの要求に基づいて、これらの性能について回復目標を設定しなければならない。つぎに、部材の火害等級や二次調査の結果に基づいて、補修・補強の範囲を決定する。かぶりコンクリートの劣化部分を除去して補修する場合は、コンクリートの深さ方向の受熱温度分布などを考慮の上、二次調査の結果に基づいて除去厚さを決定することになる。補修・補強工法は、火害等級に応じて、回復目標に達することができる工法を選択する。補修・補強の設計者はこれらを取りまとめて補修・補強計画の設計図書を作成する。

補修・補強工事の施工者は、補修・補強の設計図書の内容を精査し、工事に先立ち施工調査を行って工事の範囲、材料・工法の適否を確認する。施工調査により、補修・補強計画の設計図書の内容に疑義がある場合は、設計者と協議し、設計変更などの措置をとらなければならない。また、使用する材料・工法に応じて、工程、手順、作業要領、関連知識を整理した施工要領書を作成し、施工計画書に記載した施工要領に従って工事を進め、工事現場管理を適切に行う必要がある。なお、補修・補強工事の設計・施工は、施工各社の特有な内容となるため、本書で詳細に取り扱うのは補修・補強工法の選定までとした。補修・補強の詳細は 3.6 節に示す。

解説表 3.1.1　RC 造部材の火害等級と部材状況の一例（1）

<table>
<tr><th>火害等級</th><th>定義</th><th>説明</th><th>状　況　（例）</th></tr>
<tr><td>Ⅰ級</td><td>構造耐力上火災の影響を全く受けていない</td><td>無被害の状態</td><td>①被害全くなし
②仕上材料などが全面に残っている</td></tr>
<tr><td>Ⅱ級</td><td>構造耐力上、影響はないが、表面劣化などの被害はある</td><td>表層（仕上げ材料もしくはコンクリート表面）に限定される被害がある状態</td><td>①仕上材料に被害がある
②躯体に煤、油煙などの付着
③コンクリート表面の推定受熱温度が 300℃以下
④表面に 0.2mm 以下のひび割れ
<table>
<tr><th>部位</th><th>変色</th><th>爆裂</th><th>ひび割れ</th><th>浮き・剥落</th><th>変形</th><th>その他</th></tr>
<tr><td>柱</td><td>煤や煙が残る</td><td>なし</td><td>なし</td><td>仕上げに一部剥落あり</td><td>なし</td><td>−</td></tr>
<tr><td>床板（天井面）</td><td>煤や煙が残る</td><td>わずか</td><td>表面のみ</td><td>なし</td><td>なし</td><td>つり天井が広範囲に崩壊する</td></tr>
<tr><td>梁</td><td>煤や煙が残る</td><td>わずか</td><td>0.2mm 以下</td><td>なし</td><td>なし</td><td>放水による表面の剥落あり</td></tr>
<tr><td>壁</td><td>煤や煙が残る</td><td>なし</td><td>なし</td><td>仕上げに一部はく落あり</td><td>なし</td><td>−</td></tr>
</table></td></tr>
<tr><td>Ⅲ級</td><td>構造耐力上、影響が少ない（軽微な補修で再使用可能）</td><td>表面から鉄筋までの位置に被害がある状態</td><td>①コンクリートの変色はピンク色
②コンクリート表面の推定受熱温度は 300℃超
③表面に 0.3mm 以上のひび割れ
<table>
<tr><th>部位</th><th>変色</th><th>爆裂</th><th>ひび割れ</th><th>浮き・剥落</th><th>変形</th><th>その他</th></tr>
<tr><td>柱</td><td>ピンク色</td><td>わずか</td><td>微細なひび割れ</td><td>仕上げに大きな被害</td><td>なし</td><td>−</td></tr>
<tr><td>床板（天井面）</td><td>煤の付着またはピンク色</td><td>鉄筋が一部見える</td><td>かぶりに微細なひび割れ</td><td>下端コンクリートに浮きあり</td><td>なし</td><td>鉄筋とコンクリートの付着問題なし</td></tr>
<tr><td>梁</td><td>煤の付着またはピンク色</td><td>爆裂あり、あばら筋が見える</td><td>0.3mm 以上</td><td>下端コンクリートに浮きあり</td><td>なし</td><td>煤の焼失部もあり</td></tr>
<tr><td>壁</td><td>ピンク色</td><td>わずか</td><td>微細なひび割れ</td><td>仕上げに大きな被害</td><td>なし</td><td>−</td></tr>
</table></td></tr>
</table>

解説表 3.1.1　RC 造部材の火害等級と部材状況の一例（2）

<table>
<tr>
<td>Ⅳ級</td>
<td>構造耐力上、影響が大きい（補修によって再使用可能）</td>
<td>主筋との付着に支障のある状態</td>
<td>
①表面に数 mm 幅のひび割れ
②鉄筋一部露出
<table>
<tr><th>部位</th><th>変色</th><th>爆裂</th><th>ひび割れ</th><th>浮き・剥落</th><th>変形</th><th>その他</th></tr>
<tr><td>柱</td><td>灰白色</td><td>局部的爆裂多数、鉄筋が見える</td><td>数 mm 幅</td><td>仕上げが完全に脱落する</td><td>鉄筋は座屈していない</td><td>－</td></tr>
<tr><td>床板（天井面）</td><td>灰白色</td><td>10%以上</td><td>数 mm 幅</td><td>あり</td><td>たわみ大きくない</td><td>合成床のリブは爆裂するが付着は問題なし</td></tr>
<tr><td>梁</td><td>灰白色</td><td>下端に大きな爆裂、主筋の円周 50%の露出</td><td>数 mm 幅</td><td>あり</td><td>主筋が 1 箇所以上座屈。たわみ大きくない</td><td>－</td></tr>
<tr><td>壁</td><td>灰白色</td><td>局部的爆裂多数、鉄筋が見える</td><td>数 mm 幅</td><td>仕上げが完全に脱落する</td><td>鉄筋は座屈していない</td><td>－</td></tr>
</table>
</td>
</tr>
<tr>
<td>Ⅴ級</td>
<td>構造耐力上、甚大な被害がある（部材の取り替えが必要）</td>
<td>鉄筋の露出大などの被害がある状態</td>
<td>
①床スラブ（一部あるいは全面）が抜け落ちる
②主筋の座屈
③たわみが目立つ
④健全時計算値に対する固有振動数測定値が 0.75 未満
⑤載荷試験において、試験荷重時最大変形に対する残留変形の割合が A 法で 15%、B 法で 10%を超える。
<table>
<tr><th>部位</th><th>変色</th><th>爆裂</th><th>変形</th><th>その他</th></tr>
<tr><td>柱</td><td>淡黄色</td><td>広範囲</td><td>1 箇所以上の鉄筋が座屈し、柱がねじれて見える</td><td>－</td></tr>
<tr><td>床板（天井面）</td><td>淡黄色か灰白色</td><td>爆裂大
主筋位置より深く爆裂</td><td>たわみ大、コンクリート脱落</td><td>付着なし</td></tr>
<tr><td>梁</td><td>淡黄色か灰白色</td><td>下端に大きな爆裂、部分的により深い主筋が見える</td><td>大きなたわみ、破壊、主筋が座屈</td><td>－</td></tr>
<tr><td>壁</td><td>淡黄色</td><td>広範囲</td><td>1 箇所以上の鉄筋座屈</td><td>－</td></tr>
</table>
</td>
</tr>
</table>

解説表 3.1.2　建物の被災度の定義と判定方法

被災度	定　義	火害調査における被災度の判定方法（部材の火害等級との関係）
A	構造体に火災の影響がない場合	すべての部材がⅡ級以下の場合
B	構造体が火災の影響を受け、補修・補強により再使用が可能な場合	被災度 A、C 以外の場合
C	倒壊の危険性があり、再使用が困難な場合	Ⅴ級の柱部材の割合が火災階の総柱本数の 20%以上の場合、もしくは**解説表 3.3.1** の判定表で被災度 C と判断される場合

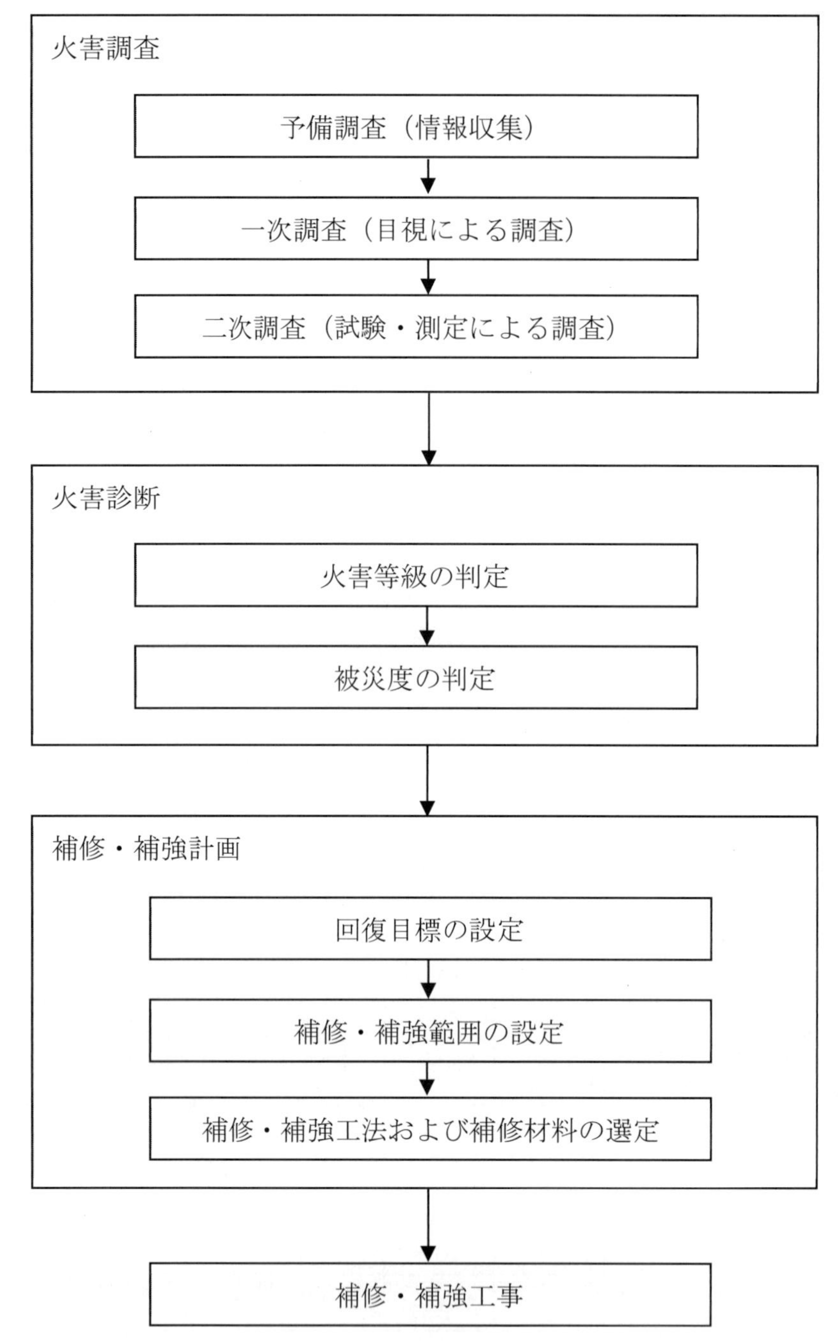

解説図 3.1.1　RC 造の火害診断および補修・補強方法の概略手順

解説表 3.1.3　火害調査で使用する測定方法の特徴(1)

<table>
<tr><th colspan="3">調査手段・方法</th><th>調査対象の性能</th><th>長所</th><th>短所</th><th>推奨される使用方法</th></tr>
<tr><td>目視</td><td colspan="2">ひび割れ幅の測定
たたきによる浮き・剥離の把握
変色の確認
梁・床スラブのたわみ測定</td><td>・ひび割れ幅
・コンクリートの浮き
・コンクリートの変色
・たわみ量</td><td>・簡便である</td><td>・とくになし</td><td>・ひび割れ幅、コンクリートの浮き、変色は補修の程度を定める目的で使用するのがよい
・たわみは健全部と比較するのがよい</td></tr>
<tr><td rowspan="7">非破壊試験</td><td colspan="2">リバウンドハンマー試験</td><td>・反発度</td><td>・測定が簡便</td><td>・強度推定は難しい
・受熱温度が高い場合でも，反発度が火害の影響を受けていない部材よりも大きくなる場合がある</td><td>・調査範囲を限定する目的で使用するのが望ましい
・他の方法との併用を推奨する</td></tr>
<tr><td colspan="2">打撃試験</td><td>・機械インピーダンス
・表面の硬さ</td><td>・測定が簡便</td><td>・強度推定は難しい</td><td>・調査範囲を限定する目的で使用するのが望ましい
・他の方法との併用を推奨する</td></tr>
<tr><td colspan="2">弾性波法</td><td>・緻密性</td><td>・表面から深さ方向の火害の程度を評価できる可能性あり</td><td>比較的、
・測定装置が大がかり
・測定・解析時間がかかる</td><td>・他の方法との併用を推奨する</td></tr>
<tr><td colspan="2">表層透気試験</td><td>・表層の透気係数</td><td>・コア側面でひび割れの有無を推定できる可能性あり</td><td>・強度推定は難しい
・実績が少ない</td><td>・他の方法との併用を推奨する</td></tr>
<tr><td colspan="2">色彩測定</td><td>・受熱温度</td><td>・コア側面で受熱温度を推定できる可能性あり</td><td>・骨材種類の影響あり
・強度推定は難しい
・実績が少ない</td><td>・他の方法との併用を推奨する</td></tr>
<tr><td colspan="2">引っかき傷幅測定</td><td>・引っかき傷幅</td><td>・現場部材の損傷ほぼ無し
・簡便である</td><td>・表面の引っかき傷幅しか測定できず、強度推定は難しい</td><td>・調査範囲の限定の目的で使用するのがよい</td></tr>
<tr><td colspan="2">振動試験</td><td>・曲げ剛性</td><td>・床スラブの構造体としての健全性を調べられる</td><td>・大変形時の性状や耐力を調べることはできない</td><td>・構造体として損傷を受けている可能性のある場合に推奨される</td></tr>
<tr><td rowspan="3">コンクリートコアまたはコア孔を用いる試験</td><td rowspan="3">力学試験</td><td>コアの圧縮強度試験・静弾性係数試験</td><td>・圧縮強度
・静弾性係数</td><td>・コンクリート圧縮強度および静弾性係数を直接測定できる</td><td>・部材の断面損傷が大きい
・強度、静弾性係数の深さ方向分布は測定できない</td><td>・Ⅲ級以上の疑いがある場合、圧縮強度試験は基本的に実施する必要がある</td></tr>
<tr><td>小径コアの圧縮強度試験</td><td>・圧縮強度</td><td>・部材の断面損傷が小さい</td><td>・圧縮強度推定のためには、強度推定式を作成する必要がある</td><td>・コアの圧縮強度試験の実施が難しい場合に推奨される
・強度推定できない時は、健全部との比較で用いる</td></tr>
<tr><td>孔内局部載荷試験</td><td>・貫入抵抗値</td><td>・圧縮強度用に採取したコア孔を利用できる
・コンクリート表面から深さ方向に10mm ピッチで測定可能
・荷重と変位量を計測し、貫入抵抗値を求めることができる</td><td>・微破壊であるため、コア孔の側面に若干測定痕が残ることがある
・測定機器が比較的複雑である
・強度推定は難しい</td><td>・コアの圧縮強度試験を実施した場合に推奨される
・補修深さを推定したい場合に推奨される
・他の方法との併用が推奨される</td></tr>
</table>

解説表 3.1.3　火害調査で使用する測定方法の特徴(2)

調査手段・方法			調査対象の性能	長所	短所	推奨される使用方法
コンクリートコアまたはコア孔を用いる試験	力学試験	コアをスライスした試験片の曲げ試験	・コア表面から内部の曲げ強度分布	・コンクリートの表面から深さ方向に強度分布を把握することができる	・骨材の影響により強度にばらつきがある	・他の方法との併用が推奨される
		コア側面の体積ひずみ測定（ひずみゲージ）	・コア表面から内部の臨界応力度およびひずみ分布 ・コンクリートの表面から深さ方向に強度分布を把握することができる	・画像相関よりも測定の精度が高い	・試験準備時間を有する	・他の方法との併用が推奨される
		コア側面のひずみ分布測定（画像相関法）		・体積ひずみ測定と比較して試験準備時間が短縮できる	・体積ひずみ測定と比較して測定の精度が劣る	
	材料分析	フェノールフタレイン溶液の噴霧による受熱温度の推定	・コンクリートの受熱温度の推定	・深さ方向の受熱温度が推定できる ・現場で調査可能 ・コア抜きが難しい部材でも対応可能	・150℃を超えているか否かのみ推定可能であり、詳細な受熱温度は分からない	・他の方法との併用が推奨される
		過マンガン酸カリウムによる酸素消費量の定量分析（$KMnO_4$法）	・受熱温度	・深さ方向の受熱温度が推定できる ・対応可能な混和剤の種類が多い	・コア抜きのため断面損傷が大きい	・深さ方向の受熱温度を推定し、補修範囲を明確にしたい場合に推奨される
		全有機体炭素計による有機化合物の定量分析（TOC 法）	・受熱温度	・深さ方向の受熱温度が推定できる ・対応可能な混和剤の種類が多い	・コア抜きのため断面損傷が大きい	・深さ方向の受熱温度を推定し、補修範囲を明確にしたい場合に推奨される
		UV スペクトル法（UV 法）	・受熱温度	・深さ方向の受熱温度が推定できる	・コア抜きのため断面損傷が大きい ・コンクリートに使用された混和剤の種類によっては推定できない	・深さ方向の受熱温度を推定し、補修範囲を明確にしたい場合に推奨される
中性化深さの測定			・中性化深さ（耐久性の劣化度合）	・中性化深さを測定できる ・現場で調査可能 ・圧縮強度用に採取したコアの併用が可能	・部材の断面損傷が大きい ・経年変化との判別が困難な場合がある	・コアの圧縮強度試験を実施した場合に推奨される
鉄筋の引張試験			・降伏点 ・引張強さ ・破断伸び ・ヤング係数	・残存強度が把握できる	・部材の損傷あり	・鉄筋に被害が及んでいることが明白な場合、推奨される
載荷試験			・梁・床スラブなどの強度（耐力）	・梁・床スラブの構造体としての健全性を調べられる	・調査が大掛かりである ・ジャッキを使用する場合は最上階の梁への適用は難しい	・構造体として損傷を受けている可能性のある場合に推奨される

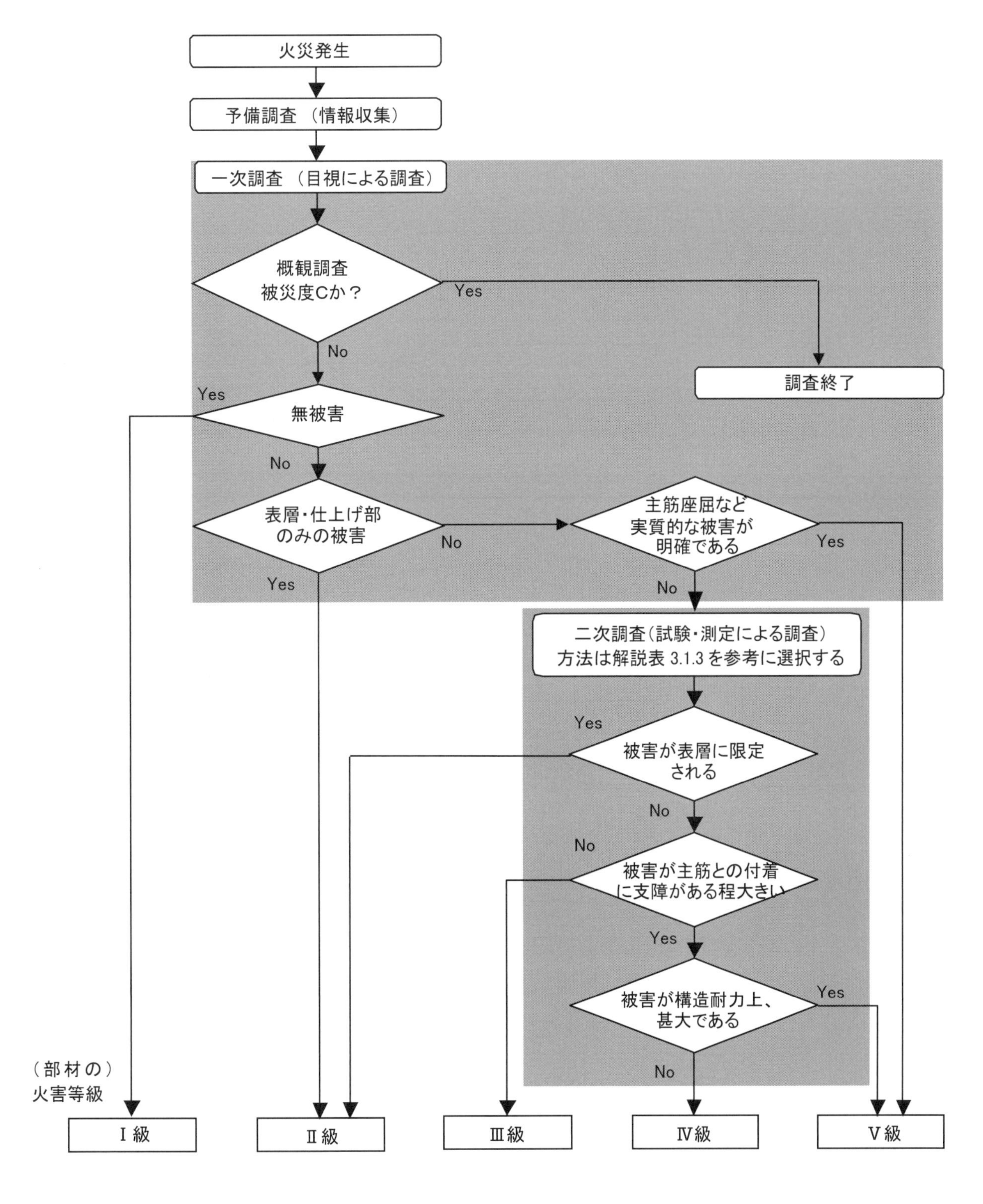

解説図 3.1.2　RC 造部材の火害等級判定フロー

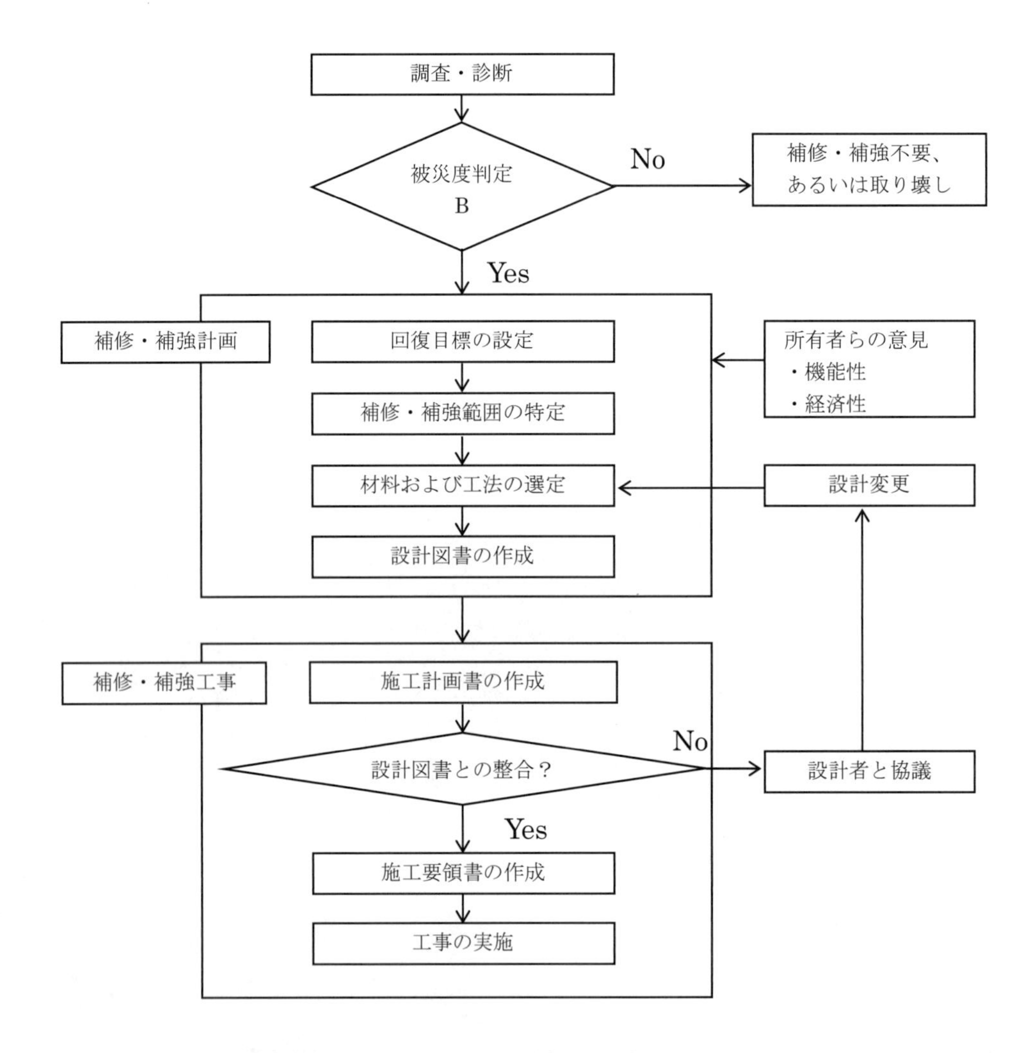

解説図 3.1.3　RC造の補修・補強の手順

3.2　コンクリートおよび鉄筋の火害による変状

3.2.1　コンクリートの変状

火害調査・診断および補修・補強計画に先立ち、火災を受けたコンクリートの性質に関する一般的な特性を把握する。

（解説）

コンクリートが火災による熱を受けると、強度や耐久性能が低下する。受熱温度が 300℃を超えると圧縮強度の低下は大きくなり始め[2),3),4)]、500℃に達すると圧縮強度は健全時の 1/2 程度まで低下する[2)]。このような劣化を導く要因として、高温下における骨材とセメント組織の熱膨張・収縮挙動の相違[5)]、石英質骨材中の石英の相転移（573℃）に起因する骨材の膨張[6)]、セメント水和物の化学的変化[5)]などがあげられる。火害を受けたコンクリートの調査を行うためには、予備知識として、このような既往の知見を理解しておくことが不可欠である。なお、ここでのコンクリートの変状とは、コンクリートおよびコンクリート構造物に何らかの原因で発生している本来あるべき姿ではない欠陥、劣化、損傷、変形などを指している。以下に、コンクリートの物理的変化と化学的変化について、火害を受けた鉄筋コンクリートに生じる一般的な現象を解説する。

1)　物理的変化

火災を受けたコンクリートの物理的性質の変化に関する研究は、これまで多くの研究者により行われている。原田によれば、高温を受けたコンクリートは膨張挙動を示すが、その内部ではセメントモルタルにおいては 140℃を超えると膨張から収縮に転じること、粗骨材においてはその岩種によって膨張率が異なることなどについて報告している[7)]。また、一般論としてコンクリートは高温になると熱伝導率が減少することなども報告している[7)]。U. Schneider は、コンクリート内の水分移動について、低い温度ではコンクリート表面近くの大きな細孔から多量の水が蒸発するが、120℃を超えて 500℃付近までの間ではより小さな細孔の水が放出されることを報告している[8)]。熱ひずみについては、温度に対して非線形であり非可逆的な性質を持ちコンクリート内の粗骨材の品質が重要な要素であること、また、純粋な水和セメントペーストは 140℃～400℃において収縮挙動を示すこと、などを報告している[8)]。高らは、高温履歴を受けた水セメント比 55%のコンクリート内の細孔径分布は、急激な温度上昇によって径 0.1μm 以下の細孔が崩壊し、径 1μm 以上の細孔が著しく増加することによって水分が移動しやすくなることを示している[9)]。一方、コンクリート内の水蒸気圧は水分移動の影響を大きく受け、水分移動が抑制されると水蒸気圧の急激な上昇によって爆裂が生じる危険性が高まると報告している[9)]。

また、火災を受けたコンクリート部材内部のひび割れには、加熱面近傍に発生する各材料の収縮や膨張挙動によるひび割れ、セメントの化学的変化によるセメントマトリックスの脆弱化、熱容量の違いによってコンクリートと鉄筋の界面に生じる付着ひび割れなどがある。このうち、鉄筋との熱容量の違いによって生じるひび割れは、高温層の熱変形が低温層によって拘束されることにより発生した引張応力による可能性が指摘されている[10)]。なお、ひび割れの発生は、コンクリート表面が受ける火災温度や火災継続時間に依存して状況が異なる。火災を受けた場合のコンクリートの物理的性質の変化は、骨材、セメント、水、水セメント比はもちろんのこと、コンクリートの練混ぜ、打込み方法、コンクリートの水和状態、養生条件、コンクリートがさらされている周辺状態（温度、湿度）、コンクリート部材や構造要素の形状などの影響を受ける。また、コンクリート内部の水分が蒸発してセメントペーストにひび割れが発生することや、内部の熱応力によって骨材とセメントペースト間が、それぞれ異なった膨張収縮挙動を示すことで緩み、物理的性質の変化が生じる。

2)　化学的変化

高温下におけるセメント水和物の化学的挙動について、これまでも温度条件に応じた検討が行われている。例えば、**解説図 3.2.1** に普通ポルトランドセメントを 28 日間水和させたセメントペーストを 200℃から 1000℃まで加熱した際の X 線回折分析結果（Intensity は X 線回折強度、2θは回折角度）の一例を示す[2]。ほかにも粉末 X 線回折（以下、XRD と略記）[3,4]、示差熱重量分析（以下、TG-DTA と略記）[3,4,5]、偏光顕微鏡[6,11]、走査型電子顕微鏡（以下、SEM と略記）[3,6,11]、核磁気共鳴分光法（以下、NMR と略記）[4]などを用いた分析例が報告されている。

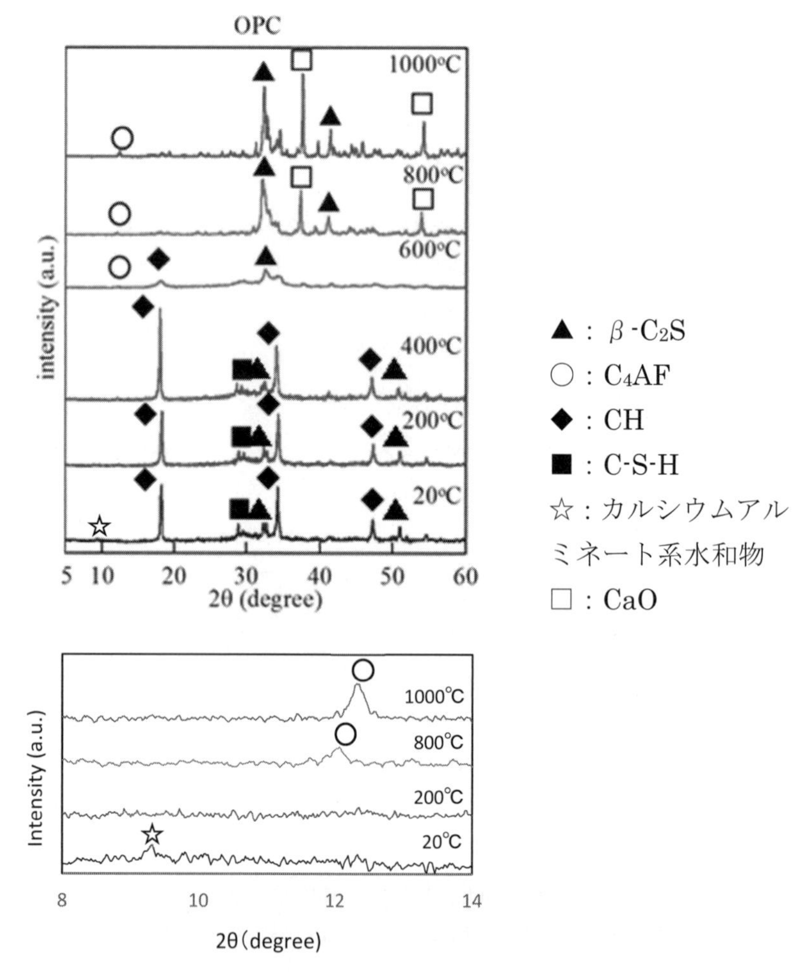

解説図 3.2.1　加熱による普通ポルトランドセメント（OPC）硬化体の X 線回折パターンの変化（下図；8 度から 14 度までの拡大図）[2]

これらの文献から、化学的変化が生じる温度範囲の数値などに若干の違いはあるが、概ね以下のように整理できる。

セメントペースト部分については受熱温度 70℃～100℃では、カルシウムアルミネート系の水和物であるエトリンガイトが消失する[4,11,12]。200℃～450℃でセメント水和物の大部分を占めるカルシウムシリケート水和物（C-S-H）ゲルが少しずつ脱水和し、450℃で大きな構造変化が生じる[4]。450℃～600℃で水酸化カルシウム（$Ca(OH)_2$）が分解し、酸化カルシウム（CaO）が生成する。600℃以上で炭酸カルシウム（$CaCO_3$）が分解し、CaO が生成する。600℃～750℃になると C-S-H が分解し、ビーライト（β-C_2S）が生成する[4,6]。また、分解して生成した CaO（固体）

と空気中の CO_2（気体）が高温下で反応して $CaCO_3$ が生成すること[13]や、冷却過程では水蒸気と CaO が反応し、結晶性の低い $Ca(OH)_2$ を生成すること[12),13]が報告されている。

一方、高温下での骨材の化学的挙動については、骨材に「石英（SiO_2）」が含まれると、573℃で低温型から高温型に相転移が生じ、膨張することが知られている[6]。低温型から高温型への相転移により、密度は 2.65g/cm^3 から 2.51g/cm^3 となるため、体積は約 6%大きくなる。この際に石英を含有する骨材からモルタル組織へ放射線状に伸びるひび割れが観察される。

また、加熱に伴うセメント、モルタルの表面からの乾燥状態の変化に関する検討もある[14]。例として W/C=0.7 で、φ100mm×200mm のセメントペースト試験体の片側表面を 4 時間で 900℃まで上昇させ、900℃で 5 時間保持した際の試験体の加熱面からの距離と相対含水率および試験体内部の最高到達温度の関係を**解説図 3.2.2** に示す。加熱面から 90mm 程度の試験体内部が 150℃以上に加熱された部分（点線左側）では、相対含水率が約 10%を下回り、乾燥が進んでいる。一方で、加熱面からの距離が 160mm 以上の部分では、相対含水率が 90%以上であり、湿潤状態を維持している。また、加熱面からの距離が 80mm から 140mm までの領域は含水率曲線の勾配が大きい。すなわち、この結果は加熱面から 160mm 程度までは試験体が高温加熱による乾燥の影響を強く受けていることを示している。

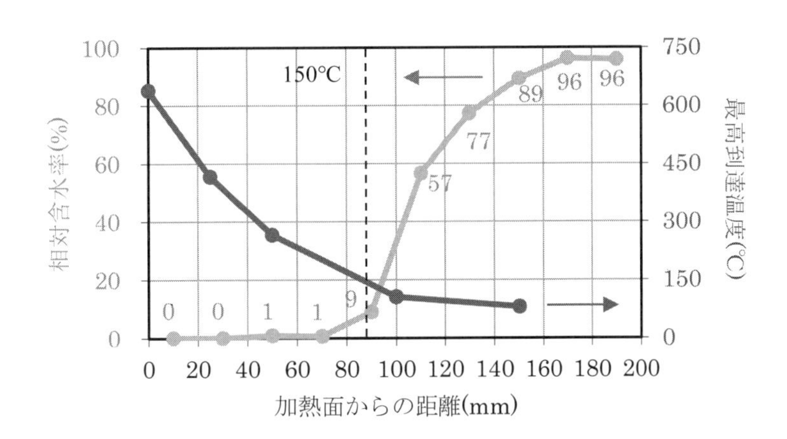

解説図 3.2.2　加熱したセメントペースト硬化体の相対含水率の測定結果[14]

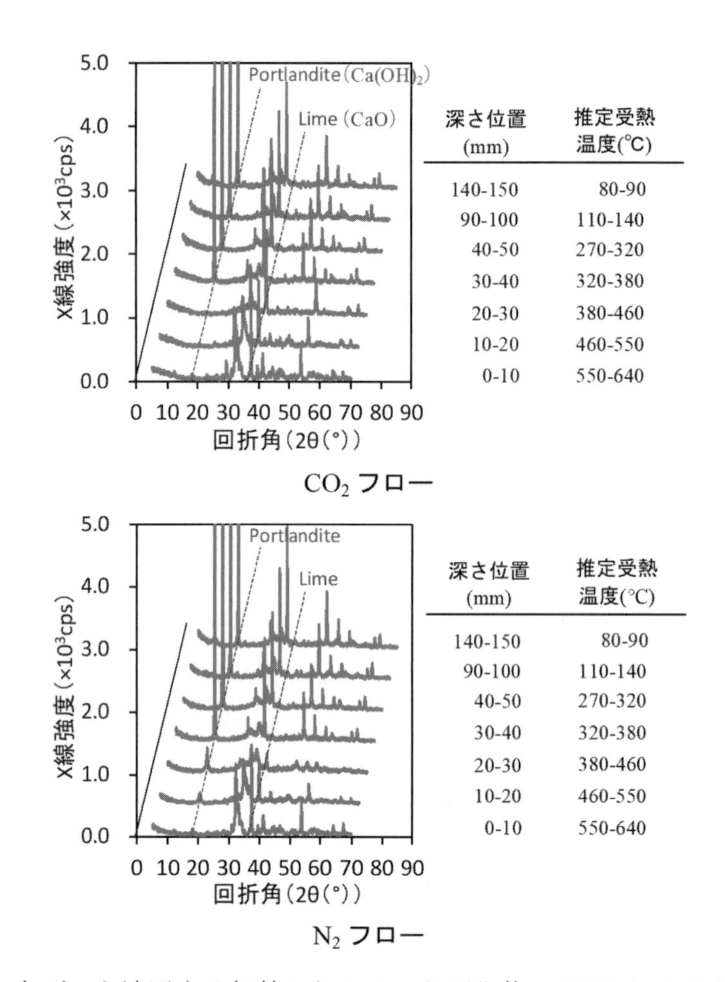

解説図 3.2.3　各ガスを流通させ加熱したセメント硬化体の XRD による分析結果 [15)]

また、火害環境下における燃焼ガス中の CO_2 ガスの影響を検討することを目的とし、CO_2 ガスをフローさせる条件と、比較用として、CO_2 を全く含まない窒素（N_2）ガスをフローさせる 2 つの条件で実験を行った研究も行われている [15)]。試験条件は、普通ポルトランドセメントをブリーディングが生じないように水セメント比 70%で練り混ぜたものを加熱試料としており、加熱時の流入ガスは、試験体を電気炉に設置したのち、炉内をガスで充満させてから昇温を開始し、放冷終了まで連続的にフローさせている（各ガスのフロー速度：150ml/min）。XRD による分析結果を**解説図 3.2.3** に示す。一番下のチャートが加熱面から 0mm〜10mm 位置の分析結果であり、深さ方向に上方へ並べて示しており、受熱温度を併記し、図中には $Ca(OH)_2$ と CaO のピーク位置を示している。これより、CO_2 フローおよび N_2 フローともに、深さ 30mm までは $Ca(OH)_2$ のピークが減少または消失し、CaO のピークが現れていることが分かる。この領域は、$Ca(OH)_2$ が分解しはじめる約 400℃以上の受熱領域に相当している。さらに、両者の 28°〜30°（2θ）位置を拡大して**解説図 3.2.4** に示すが、CO_2 フローでは、深さ 30mm にわたってカルサイト（$CaCO_3$）が生成していることが分かる。これは CO_2 ガスと反応して生成したものと考えられ、生成域は受熱約 400℃以上の深さ 30mm に及ぶことが分かる。なお、本実験では、$CaCO_3$ の多形であるバテライトおよびアラゴナイトは検出されていない。また、$CaCO_3$ の生成域では、全ての CaO が $CaCO_3$ に変化するのではなく、$CaCO_3$ と CaO が共存するとしている。次に XRD で分析した試料を TG-DTA によって分析した結果を**解説図 3.2.5**（TG）および**解説図 3.2.6**（DTA）に示す。

各図において、一番上のチャートが 0mm～10mm 位置の分析結果であり、10mm ごとの分析結果を深さ方向に下方へ並べて示している。**解説図 3.2.5** より、CO_2 フローでは 0mm~30mm 位置

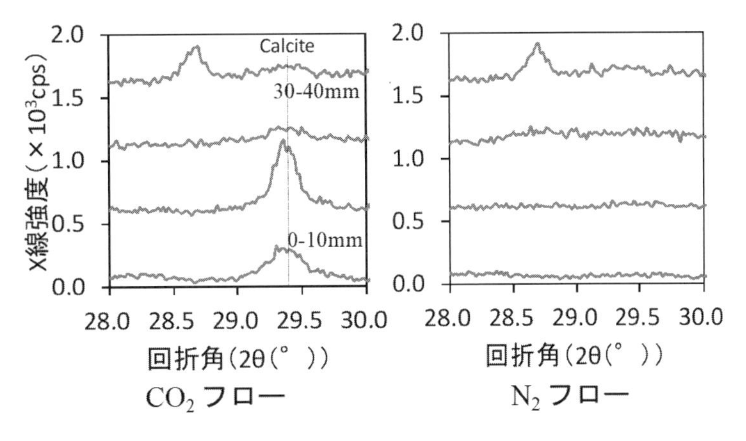

解説図 3.2.4　各ガスを流通させ加熱したセメント硬化体の XRD 分析結果
(2θ=28°～30°)[15)]

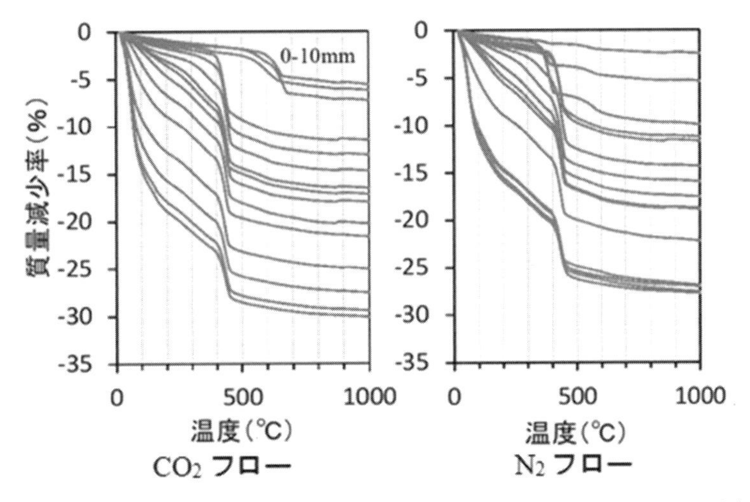

解説図 3.2.5　各ガスを流通させ加熱したセメントペーストの TG 分析結果[15)]

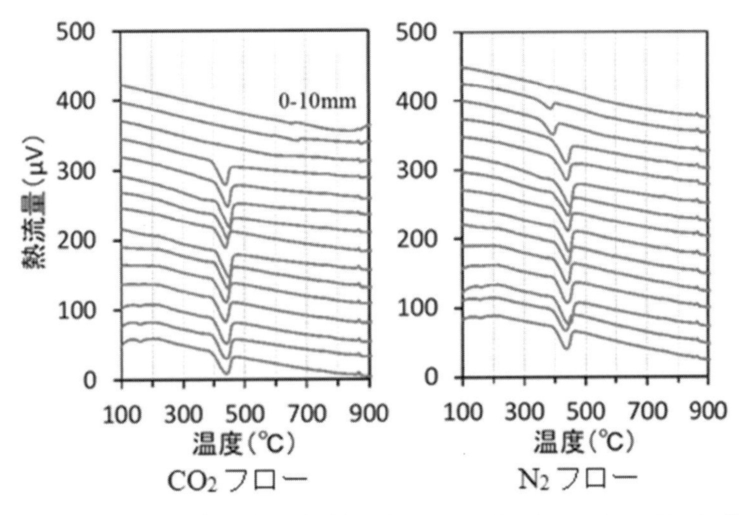

解説図 3.2.6　各ガスを流通させ加熱したセメントペーストの DTA 分析結果[15)]

において700℃付近の減量から$CaCO_3$の生成が確認されるが、N_2フローでは0mm～30mm位置に$Ca(OH)_2$が認められ、XRDの結果と整合したデータが得られている。このようにTG-DTAによる分析も、火害による水和物の分解、変化を把握する上で極めて有効な手段であるといえる。

以上のように、CO_2濃度の高い環境でコンクリートが火害を受けると、温度条件によっては$CaCO_3$が生成する、すなわち炭酸化（高温炭酸化と呼ばれる）が生じる可能性が明らかとなっている。吉田らは、セメントペースト部分の高温下でのセメント水和物の化学的挙動を下記の**解説図 3.2.7**のようにまとめている。[16)]

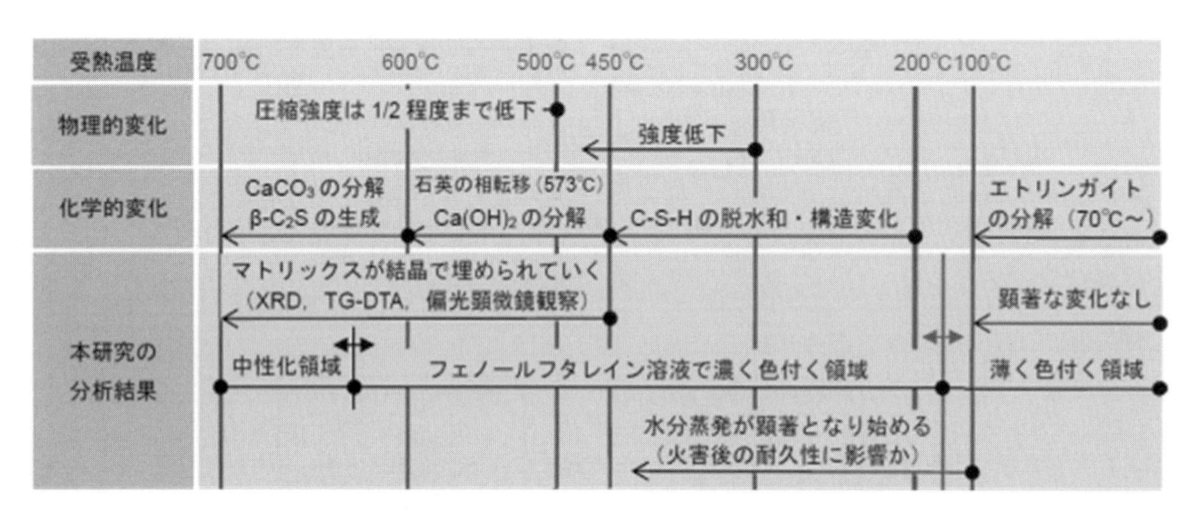

解説図 3.2.7　コンクリートの深さ方向の化学的変化の特徴の整理（加熱温度100℃～700℃）[16)]

これまでに示したようにコンクリートが火害を受けると、化学的変化としてセメント水和物が分解するだけでなく、表層から乾燥が生じ、条件によっては炭酸化が生じる場合もあり、火害は短時間で乾燥、中性化、水和物分解に伴う強度変化を生じる複合的要因によるコンクリートの劣化現象であると考えることもできる。火害における劣化を診断する際は、これらのような複合的な劣化を評価する必要もあるものと思われる。

このような複合劣化の評価として利用できる可能性がある一つの方法としてフェノールフタレイン溶液による評価があげられる。火害により化学的変化を生じた組織にフェノールフタレイン溶液を噴霧すると、呈色状態に特徴が現れることが報告されている。これまでに岸谷と森は、高温によりセメント水和物が分解されてCaOが主体となった領域は、「水で希釈しない」フェノールフタレイン溶液（以下、無水PP溶液と略記）を噴霧することで、定性的に判断できると報告していた[17)]。しかし、近年において木野瀬らは、火害を模擬して作製した試験体に、「水で希釈した」フェノールフタレイン溶液（以下、有水 PP 溶液と略記）と無水 PP 溶液を噴霧した結果、「約150℃以上」の熱を受けて乾燥が進んだ領域を判断できること、無水PP溶液の方が呈色状態の異なる境界を明瞭に判断できること、既往の知見に反してCaOが生成した領域は無水PP溶液では判別できないこと、中性化（炭酸化）の生じた領域を有水 PP 溶液を用いることで判断できる可能性を報告している[18)]。すなわち、フェノールフタレイン溶液の呈色においては、単にセメント水和物の分解だけではなく、乾燥条件、高温炭酸化などの複雑な要因が影響しているものと考えることができ、これらを化学的考察に基づいて正しく解釈することでコンクリートの火害のような複合的要因による劣化を合理的に評価できる可能性も生まれる。フェノールフタレイン溶液を用いた調査・試験方法については、3.4.5項で詳しく解説する。

3)　力学的変化

コンクリートが火災による熱を受けると、前述した物理的変化や化学的変化により強度が低下する。圧縮強度や静弾性係数といった力学的性質の変化については、これまで多くの研究者により研究結果が報告され、高温履歴を受けたコンクリートはその最高温度に応じて圧縮強度および静弾性係数が変化することが確認されている[19)～24)]。

解説図 3.2.8 は、本会「構造材料の耐火性ガイドブック」[25)]に纏められている既往のデータと加熱冷却後の圧縮強度残存比の提案値を示したものである。圧縮強度は概ね受熱温度が 200℃を超えると低下し始め、500℃に達すると常温時の 1／2 程度まで低下する。受熱温度が 300℃以下の場合、冷却後の圧縮強度は受熱前の 70%以上残存しているとする実験結果が多く報告されている。また、低強度のコンクリートに関しては、500℃以下の受熱であれば残存圧縮強度が時間とともに自然回復するという実験結果[24)]が報告されている。しかしながら、3.5.2 項で後述するが、空気中では、強度回復が進まない高強度コンクリートの例も報告されているため、圧縮強度の自然回復には期待しないほうがよい。**解説図** 3.2.9 は、本会耐火性ガイドブック[26)]に纏められている加熱冷却後におけるコンクリート温度とヤング係数残存比を示したものである。加熱冷却後における静弾性係数の低下は、圧縮強度の低下よりも若干大きくなる傾向があることがわかる。これらの実験結果は、電気（マッフル）炉を用いて試験体を加熱していることが多く、その方法は試験体を目標温度まで加熱し、試験体内部が均一な温度になるまで目標温度に保持した後、常温まで冷却するといった加熱履歴となり、実火災により火害を受けたコンクリートの状態と同様ではないことに注意が必要である。一方で、実火災を想定した既往の文献における加熱方法は、一方向からコンクリート表面にガス炉を用いて行っている。この研究では、コンクリート内部に非直線的な温度勾配が存在し、高温層の熱変形は低温層によって拘束されて引張応力が発生する可能性を指摘し、それによりコンクリート内が破壊されることにより、圧縮強度時のコアの縦ひずみが著しく変化して静弾性係数に影響を及ぼすことが確認されている[27)]。同様の実験としては、ISO 標準加熱曲線によって一方向から加熱履歴を与えた後、コンクリート表面から採取したコアを用いて圧縮強度および静弾性係数を測定している[10)]。**解説図** 3.2.10 に、加熱履歴後におけるコンクリートの表面温度と圧縮強度残存比との関係が示されている。その結果、コンクリートの表面温度と圧縮強度残存比（試験体種類：A～F の平均値）との関係は、300℃では 0.89、500℃では 0.76、750℃では 0.59、950℃では 0.43 となり、加熱履歴後のコンクリートの表面温度が高くなるほど低下しているが、**解説図** 3.2.8 に示される結果よりも低下が緩慢となっている。これらの文献から、火災による熱を受けたコンクリートを調査する場合は、その圧縮強度や静弾性係数を確認することが重要であると考えられる。

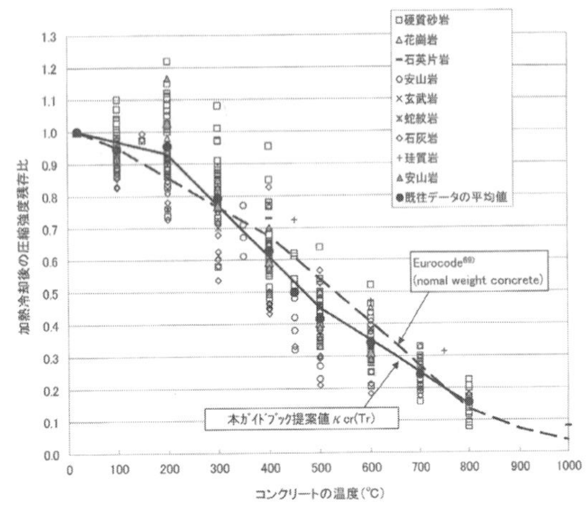

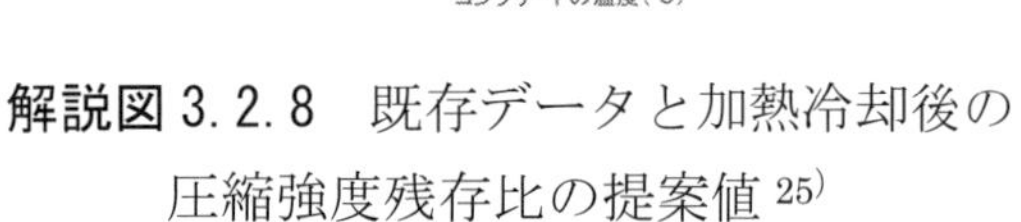

解説図 3.2.8　既存データと加熱冷却後の圧縮強度残存比の提案値[25]

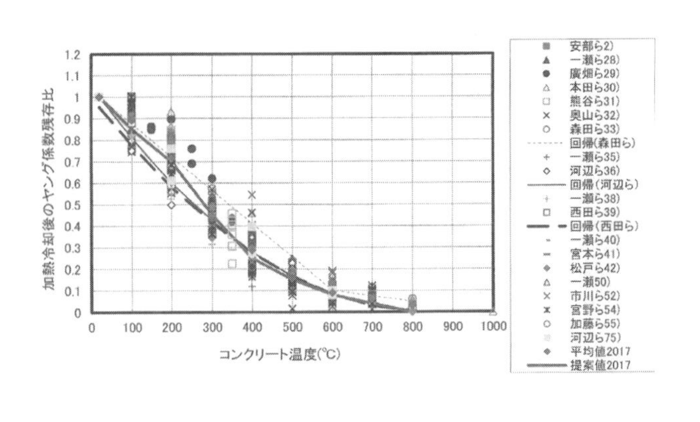

解説図 3.2.9　加熱冷却後におけるコンクリート温度とヤング係数残存比[26]

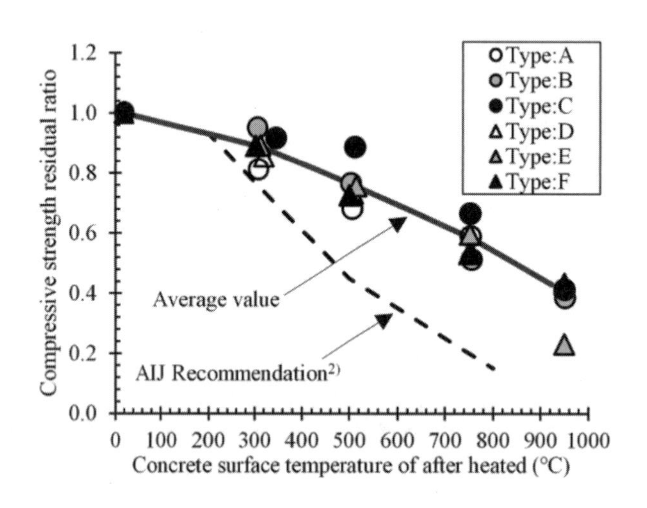

解説図 3.2.10　加熱冷却後におけるコンクリートの表面温度と圧縮強度残存比との関係[27]

3.2.2　鉄筋・部材・架構の変状

火害調査・診断および補修・補強計画に先立ち、火災を受けた鉄筋の性質、部材や架構の変形性状に関する一般的な特性を把握する。

（解説）

火害を受けたRC造の加熱冷却後の性質として、コンクリートの化学的性質と力学的性質の把握と同様に鉄筋の力学的性質と付着強度について特性を把握しておくことが望ましく、以下に概説する。また、火災を受けた建物では、熱変形や熱応力の影響が火災室以外にも及ぶ可能性があることから、RC造の部材および架構の性状についても概説する。なお、加熱を受けた鉄筋の特性については、文献[25),26),28)]に詳しくまとめられているので必要に応じて参考にされたい。

1)　鉄筋の変状

高温を受けた鉄筋および PC 鋼棒の降伏点と引張強度の残存率を**解説表 3.2.1** に示す。

通常の異形鉄筋では、受熱温度が 500℃～600℃以下であれば、加熱冷却後の残存強度は受熱前強度と同等である。PC 鋼棒は、鋼種によるが、受熱温度が 300℃～400℃を超えると、強度は回復しない。

実際の製品の耐力は規格値よりも高いため、補修・補強計画立案時の回復目標として残存強度が規格値以上であるかどうかを目安とする考え方もある（2.2 節参照）。

高温履歴後の異形鉄筋とコンクリートとの付着強度の一例を**解説表 3.2.2** に示す。付着強度は受熱温度が 500℃で 1／4 程度になるが、300℃以下の場合は受熱前の 70%以上残存している。

なお、火害を受けたプレストレストコンクリート部材については、付-1.1 に記載しているのでそちらを参照されたい。

解説表 3.2.1　高温履歴後の鉄筋および PC 鋼棒における力学的性質の変化の概要 [29]

材料	変化の概要
鉄筋 (SD345) PC 鋼棒 (SBPR1080/ 1230)	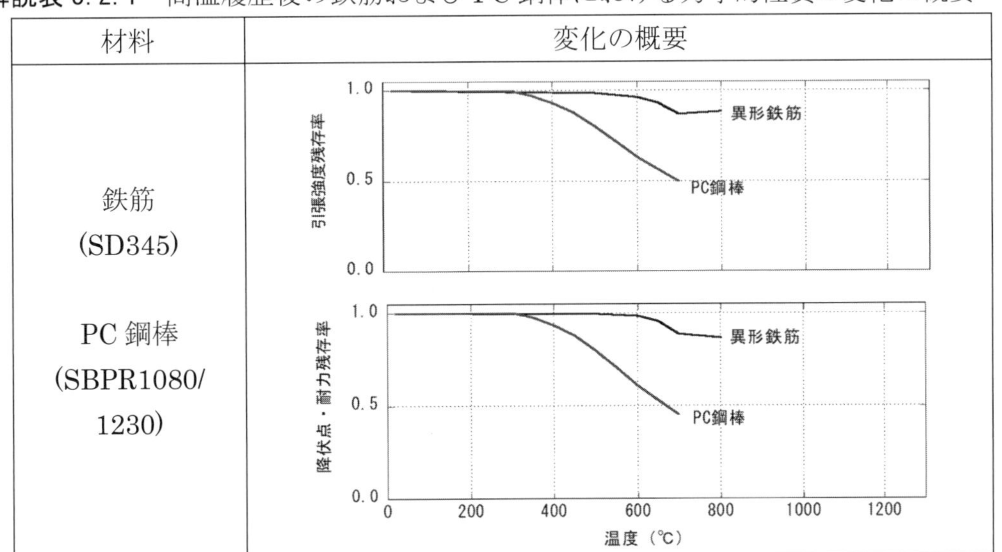

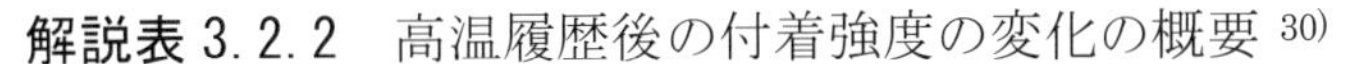

解説表 3.2.2　高温履歴後の付着強度の変化の概要 [30]

材料	変化の概要
コンクリート 異形鉄筋 （φ25）	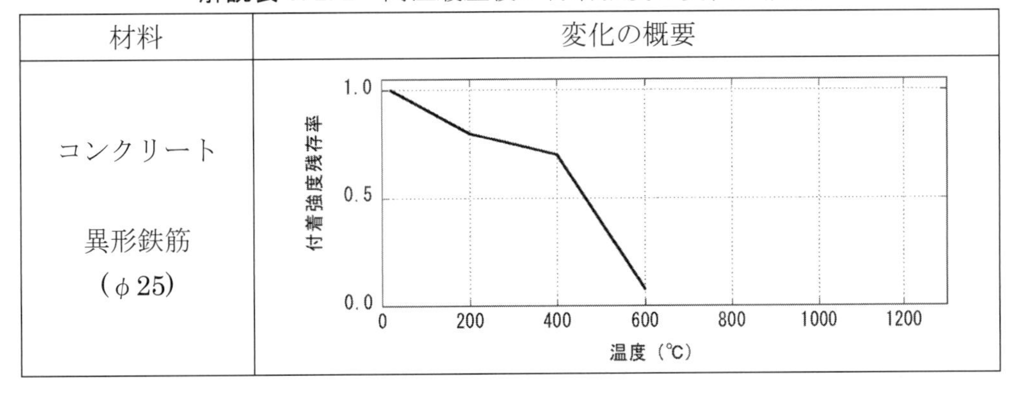

2) 部材および架構の変状

(a) 火災後の部材および架構の応力・変形性状

火災加熱を受けると部材の剛性低下や残留変形などにより、火災前と比較して部材および架構の応力状態が変化する。以下、火災後の部材・架構の応力状態について記述する。

森田ら[31]は、中心圧縮荷重を受けるRC造柱および鉛直荷重を受けるRC造床が標準加熱（JIS A 1304）を受けた場合の火災中および火災後における変形性状を検討している。検討結果の例を**解説図 3.2.11** に示す。柱（φ90mm の中空部がある 300mm 角断面、高さ 1200mm）は 180 分加熱、床（150mm 厚、スパン 3050mm）は 120 分加熱である。

柱（φ90mm の中空部がある 300mm 角断面、高さ 1200mm）が 180 分加熱を受けた場合、加熱中はコンクリートや鉄筋の熱膨張によって軸方向に伸びるが、材料強度の低下に起因する柱の耐力低下および不可逆のひずみ成分（塑性ひずみ、クリープひずみ）の発生によって、軸方向の収縮変形量は加熱前よりも大きくなる。これは、架構レベルで考えた場合、被加熱柱の収縮変形量の増加に伴って周辺の梁なども変形し、架構としては加熱前と異なった応力状態になっていることを示唆している。

床（150mm 厚、スパン 3050mm）が 120 分加熱を受けた場合、加熱中は、部材の厚さ方向に生じる温度勾配に起因する湾曲と下端鉄筋の強度低下などによって、下方へのたわみが増加する。冷却時には、床下端の熱膨張量の減少と鉄筋の強度回復に伴って加熱によるたわみ増分は減少するが、加熱によって生じたたわみは火災前の状態には戻らず残留することが示唆される。

RC 造架構が標準加熱を受けた場合の火災中および火災後における変形性状の数値解析例[31]を**解説図 3.2.12** に示す。加熱中は、外側の被加熱柱の柱頭は被加熱梁の熱膨張によって水平方向に押し出されるとともに上方に変位し、被加熱梁のたわみは増加する。こうした挙動は、2 層 1 スパン RC 造ラーメン架構の縮小試験体の耐火実験によっても確認されている[32]。

以上より、加熱中に部材および架構に生じた変形は冷却とともに減少するが、変形は火災前の状態に回復することはなく、加熱前とは異なった応力状態になることが示唆される。

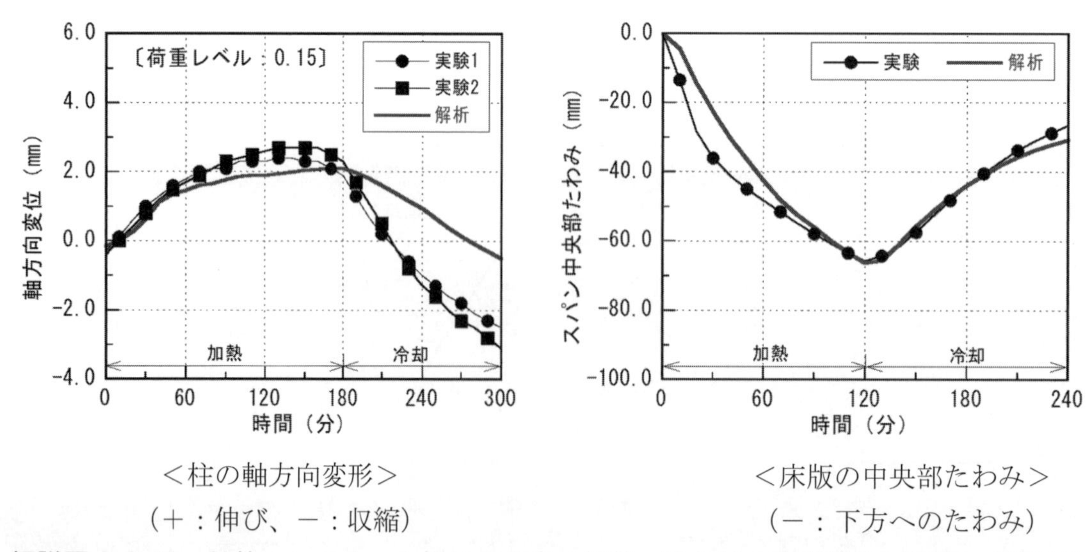

＜柱の軸方向変形＞
（＋：伸び、－：収縮）

＜床版の中央部たわみ＞
（－：下方へのたわみ）

解説図 3.2.11　鉄筋コンクリート柱および床の加熱・冷却時の変形性状（実験・解析例）

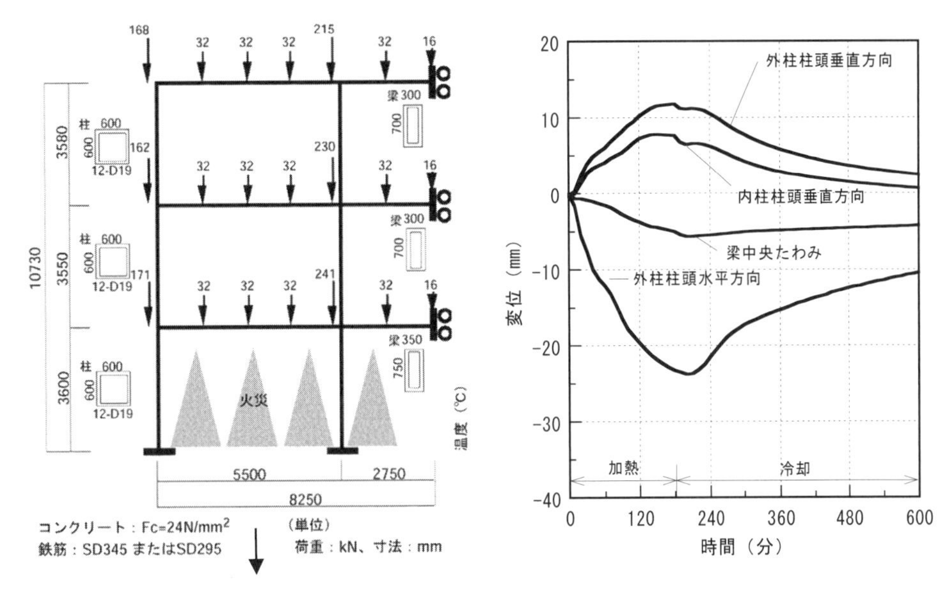

〔解析モデル〕　〔解析結果：火災階における時間－変位関係〕

（右図補足：マイナス変位＝梁：下方へのたわみ、柱：垂直方向収縮変形、外向き水平変位）

解説図 3.2.12　鉄筋コンクリート造架構の加熱・冷却時の変形性状（解析結果例）

(b) 火災後の部材の構造性能

火災後の部材耐力および剛性の算定方法は確立されていない。**解説図 3.2.13～解説図 3.2.15** に示すように、鉄筋の強度が回復する程度の受熱温度であっても、部材耐力の低下が見られ、剛性においては 5～6 割程度に低下する例も報告されている。

解説図 3.2.13 に、単純梁形式（梁断面：200×200×1900mm、支点間距離：1500mm、載荷位置：支点間中央）の正負繰返し載荷実験の例 [33]を示す。試験体は、主筋を 4-D13、せん断補強筋比を 0.56%（スターラップは□-φ6@50）、コンクリートの圧縮強度を 25N/mm^2（252kgf/cm^2）とし、JIS A 1304 の標準加熱曲線によって加熱されている。同図によると、加熱時間の長いものほど長期荷重時および降伏時の剛性は低下する傾向にある。

解説図 3.2.14、解説図 3.2.15 に、比較的軽微な火災を想定した温度履歴（30 分で炉内温度 400℃、180 分で 550℃、加熱中は無載荷）を与えた梁および柱の曲げせん断載荷実験の例 [34),35]を示す。梁形状は幅 120×せい 400 mm 、上下主筋を 4-D13、せん断力を受ける区間のせん断補強筋は D6@100 である。柱形状は 250×250×830mm、主筋を 12-D13、せん断補強筋比を 1.02%（フープは U6@50）とし、載荷試験のシアスパンは 1.5 である。梁および柱ともコンクリートの圧縮強度は 57N/mm^2（578kgf/cm^2）である。同図で、加熱無しを実線、加熱ありを点線で示しており、梁および柱とも加熱による曲げ耐力の低下はほとんどないものの、剛性は若干異なっている。

解説図 3.2.16 に、RC 柱試験体を加熱した後に、一定軸力（4N/mm^2）を作用させながら水平力を正負繰返し載荷した曲げせん断加力実験の例 [36]を示す。試験体は、柱形状を 350×350×1050mm（シアスパン比 1.5）、主筋を 6-D13、せん断補強筋比を 0.46%（フープは 2-D6@40）、コンクリート強度を 28～31N/mm^2 とし、ISO834 の標準加熱曲線に準拠して加熱されている。図中の○は加熱無し、□は加熱 1 時間、△は加熱 2 時間の結果を示している。加熱を受けてない試験体では、柱頭および柱脚に曲げひび割れが発生する曲げ破壊型であったのに対し、加熱を受けた試験体は、主筋に沿った付着割裂ひび割れが支配的になったとされている。また、同じ形状の試験体を用いて、火災被害を受けた建築物の短期間継続使用の可能性を調査目的とする曲げせん断加力実験を実施し[37]、**解説図 3.2.17** に示すように、加熱後半年間の養生期間を経ても耐震性能が回復するという傾向はみられないこと、2 時間加熱後に炭素繊維シート補強した試験体は、加熱なしの試験体に比べて、剛性はやや低下するものの強度と変形性能は同等まで回復したこと、などが報告されている。

馬場ら[38]は、高強度コンクリートを使用した RC 柱試験体で、火害を受けた RC 柱の構造性能を確認している。柱形状を 300×300×1200 mm（せん断スパン比 2.0）、主筋を 16-D16、せん断補強筋を U6.4@40、コンクリート強度は 152N/mm² である。主筋およびせん断補強筋の最高受熱温度はそれぞれ 327℃および 367℃であり、温度一定軸力（軸力比 0.3）を作用させながら、正負繰返しの水平力載荷を実施している。その結果、加熱前に比べて、初期水平剛性で 56%、最大せん断力で 82%となったことが報告されている。

解説図 3.2.18 に、1 層 1 スパンの RC フレームを ISO834 の標準加熱曲線に準拠して 60 分加熱を実施して、加熱冷却後の RC 梁の載荷実験を実施した例を示す[39]。梁断面は幅 200×せい 250mm、柱断面は 250×250mm であり、コンクリート目標強度は 30 N/mm² である。RC 梁は、両端部でヒンジが発生した後、載荷点近傍にもヒンジが形成される崩壊機構であった。同図より、火災後の RC 梁の鉛直耐力は加熱前の計算結果に比べて約 7 割であったことが報告されている。

卯野ら[40]は、火災により、構造物の一部の柱または梁に剛性劣化や耐力劣化などの部分的性能劣化が生じた梁崩壊型 RC 構造物に対して地震応答解析を行い、曲げ余裕度およびせん断余裕度を用いて、部分的性能劣化が崩壊機構へ及ぼす影響などについて検討している。この結果、柱劣化は周辺柱の曲げ余裕度・せん断余裕度を低下させ単層の層崩壊を形成する可能性があること、梁劣化は劣化させた梁に取り付く柱以外の柱の余裕度を低下させ 2 層の層崩壊を形成する可能性があること、中間階および最上階を劣化させた場合層間変形角の総和が増加すること、などを指摘している。

補修および補強方法の選定にあたっては、これらの架構に関する最新の解析例なども参考にするとよい。

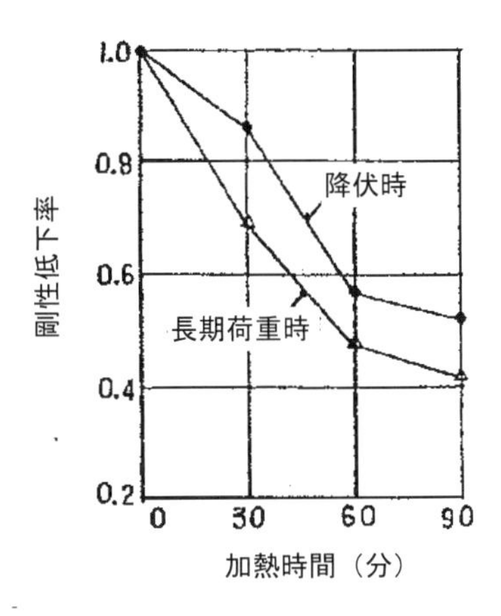

解説図 3.2.13　降伏時および長期荷重時の剛性低下率 33)

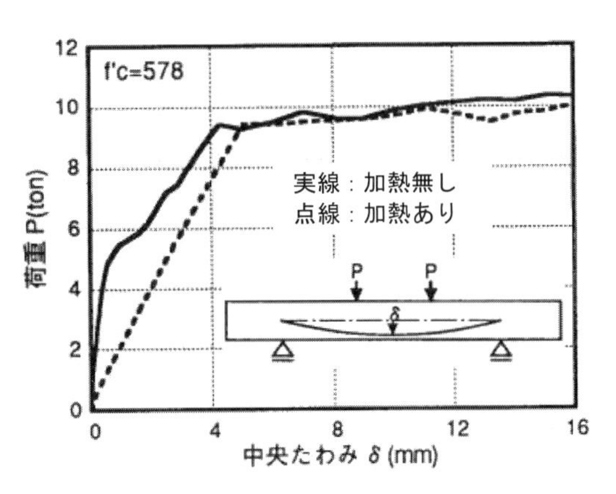

解説図 3.2.14　荷重－たわみ関係 34)

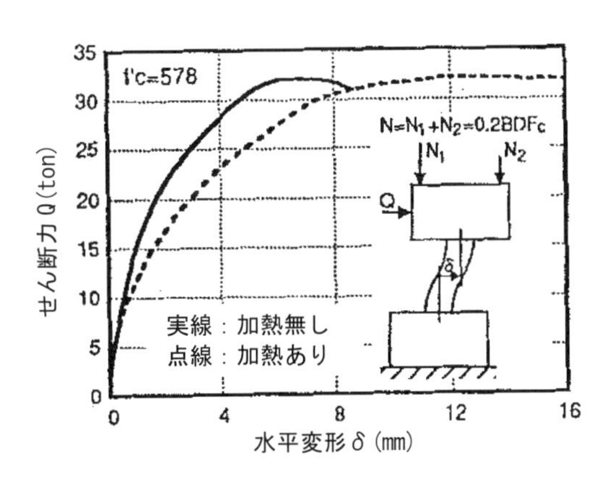

解説図 3.2.15　せん断力－水平変形関係 35)

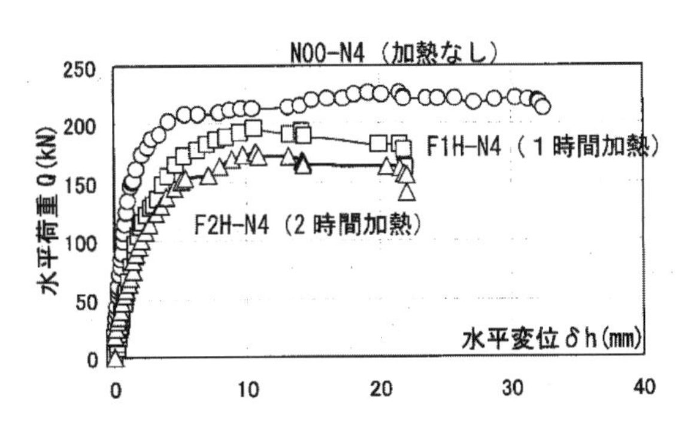

解説図 3.2.16　荷重－変位関係 36)

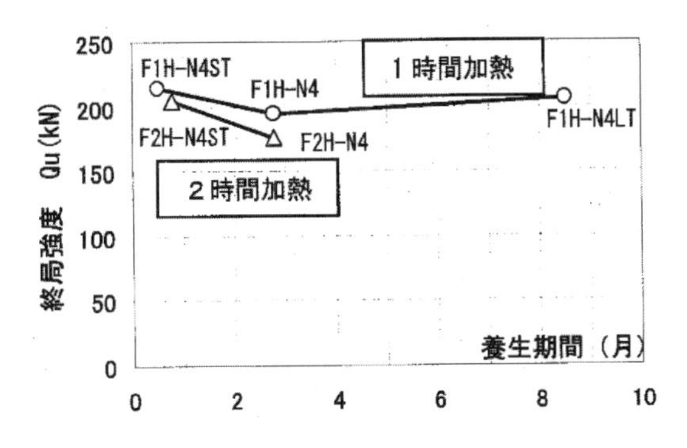

解説図 3.2.17　終局強度と加熱後の養生期間 37)

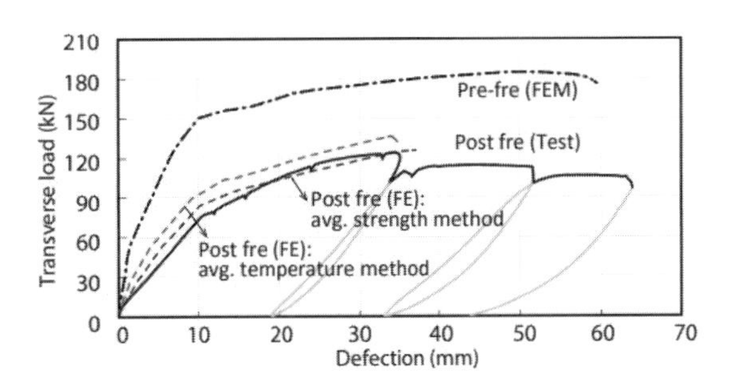

解説図 3.2.18　水平荷重と加熱後の養生期間 39)

3.3 調査方針および調査方法

3.3.1 調査方針

火害調査は、火災の情報収集を主とした予備調査、現地での目視による一次調査、その後の測定や試験による二次調査の順に実施する。調査項目は、調査目的および火害状況に応じて，専門知識を有するもの（調査者）が選定して実施する。

a. 予備調査（情報収集）では、調査の事前準備として火災を受けた建物の情報を収集する。

b. 一次調査（目視による調査）は、現地で実施しうる目視のみの調査とする。

c. 二次調査（試験・測定による調査）は、測定および試験を伴う調査であり、一次調査の後に、調査目的に応じた調査方法を、調査者が選定して実施する。

d. 火害調査において実施される調査の一覧を**表 3.1** に示す。二次調査に含まれる詳細な調査および分析は、建物所有者の要求や調査目的に応じて調査者が選定して実施する。

表 3.1　火害調査のプロセスと調査目的に対応する調査方法および調査項目

調査分類	調査プロセス	調査目的	調査方法	調査項目
予備調査	情報収集	一次調査方針の決定	報道・インターネット 火害建物の設計図書	火災進展状況などの把握
一次調査	目視調査	調査範囲の決定	目視 打診棒による打音検査	煤付着状況 ひび割れ発生状況 表層部の浮きの有無
二次調査[*1]	非破壊試験	火害影響範囲の判定	リバウンドハンマー試験 打撃試験 弾性波法 色彩測定 表層透気試験	反発度 機械インピーダンス 速度 明度・色彩 透気係数
	力学的試験	力学的性質の調査	コア採取による圧縮試験[*2]	コア強度 静弾性係数 小径コア強度
			孔内局部載荷試験	貫入抵抗値
		劣化深さの判定	コア側面の体積ひずみ測定 コアをスライスした試験片の曲げ試験 コア側面のひずみ分布測定	臨界応力度 曲げ強度 表面ひずみ分布
	材料分析	受熱温度の推定	化学分析法 （$KMnO_4$法，TOC 法，UV 法，無水 PP 法）	コンクリート表面から深さ方向の受熱温度推定
		耐久性の調査	フェノールフタレイン法 （1%エタノール溶液）	中性化深さ （JIS A 1152）

注）*1：二次調査に示す試験は目的に応じた調査方法を選択して実施する。
　　*2：火害等級がⅢ級以上の疑いがある場合には、コンクリートコアの圧縮強度試験を行うことを原則とする。

（解説）

火害調査は、まずは火災の情報収集としての予備調査ののち、現地にて、目視による調査として一次調査を実施する。その後、調査範囲の決定とともに火害の程度に応じた調査項目を選定する。二次調査として、調査目的に応じた計測や測定を伴う試験や分析を実施する。二次調査における調査方法は、建物所有者の意向に基づき、工学的判断により調査者が適切に選定して調査を実施する。なお、二次調査に示す火害の詳細な調査は専門知識を必要とするため、調査者は、コンクリート診断士などの有資格者が望ましい。

一次調査で「火害等級Ⅱ級」以下と判定される（表層部および仕上材のみの被害を受けた程度の）軽微な火災を除き、火害等級Ⅲ級以上の火害の調査において実施することが想定される二次調査の項目を、一般的な調査の範囲としての一次調査での調査項目と併せて**表 3.1** に示した。例えば、共同住宅では、リビングやダイニングを火元とする小火や半焼程度の火災が比較的多く発生し、火災による延焼は室内空間のみで収まることが多い。この程度の火災では、出火元近傍の構造部材は火害を受けるが、出火位置から離れた居室などでは内装材に黒煙や煤が付着する程度であり、火災室外の共用廊下やバルコニーにおいても黒煙や煤が拡散する程度である。つまり、共同住宅の一室に発生した火災のように、構造体全体への影響が懸念される程度の火害ではない調査を、ここでは一般的な火害調査として表記し、その際に実施される一般的な調査項目を一次調査の項目に示している。火害の状況が目視でⅡ級を超えていると推察される場合、「火害等級Ⅲ級もしくはⅣ級」の判定のためには、建物所有者、損害保険登録鑑定人ほか設計者、施工者など関係者と協議し、**表 3.1** の二次調査の調査方法に示す各種の試験および測定項目から、調査目的に応じた項目を調査者が適切に選定して実施するとよい。

一方、コンクリート表面から深さ方向の受熱温度の推定として、「水で希釈しない」フェノールフタレイン溶液を使用した手法（以下、無水 PP 法と略記）がある。試験方法の詳細と留意点は3.4.5 項に示すが、この無水 PP 法は、コンクリートコアの割裂面に無水フェノールフタレインを噴霧することで、コンクリートが約 150℃に達した表面から深さ方向の領域が簡易に推定できる。一般に、コンクリートが火災により 150℃～200℃までの受熱を受けた領域では、ひび割れなど変状の発生を伴わなければ、火害後に圧縮強度や弾性係数の低下がほぼ生じていないと考えられる。無水 PP 法により、コンクリート表面から深さ方向のコンクリートの劣化深さを簡易に推定することで、コンクリート表面から深さ方向の補修深さを安全側に診断し判定できる。

また、フェノールフタレイン 1%エタノール溶液を用いる JIS A 1152 に準じたコンクリートの中性化深さ試験については、健全部および火害部から採取したコンクリートの中性化深さの調査に使用し、構造体コンクリートの耐久性の指標として評価するとよい。また、リバウンドハンマーによる試験は、一般には、表面硬度（反発度）から、本会「コンクリート強度推定のための非破壊検査方法マニュアル」による構造体コンクリート強度の推定式などを用いて構造体コンクリートの圧縮強度を推定する手法であるが、火害調査においては主として調査範囲の決定のための情報として各箇所の反発度の数値を活用するとよい。

火害調査において一般的に実施される火害調査の範囲と火害等級の判定の概念図を**解説図 3.3.1** に示す。図中に破線で示した一般的な調査とは、小火や火災が短時間で消火された建物などを対象とした目視調査と非破壊検査を中心とした調査を指し、火害調査の経験が浅い調査者でも大凡の火害等級（Ⅱ級以下）が推定できる範囲を示している。一般的な調査に加え、二次調査の項目には、非破壊検査に加えてコンクリートコア採取等による力学的試験や材料分析が含まれ、これにより火害等級Ⅲ級およびⅣ級までの判定が可能となる。また、力学的試験を実施するために採取したコンクリートコアを用いて、火災を受けたコンクリート表面から深さ方向の劣化の程度を推定し、コンクリート表面から深さ方向の補修の要否を決定することもできる。

一方、長時間の火災により被災した建物、または被災した部位において、部材の深さ方向での詳細な受熱温度の推定が必要な場合や確度の高い火害等級および補修範囲を決定する場合には、破線矢印で示した材料分析を実施するとよい。

以上の調査方針に基づき、火災の程度に応じた適切な調査計画を調査者が作成し実施する。

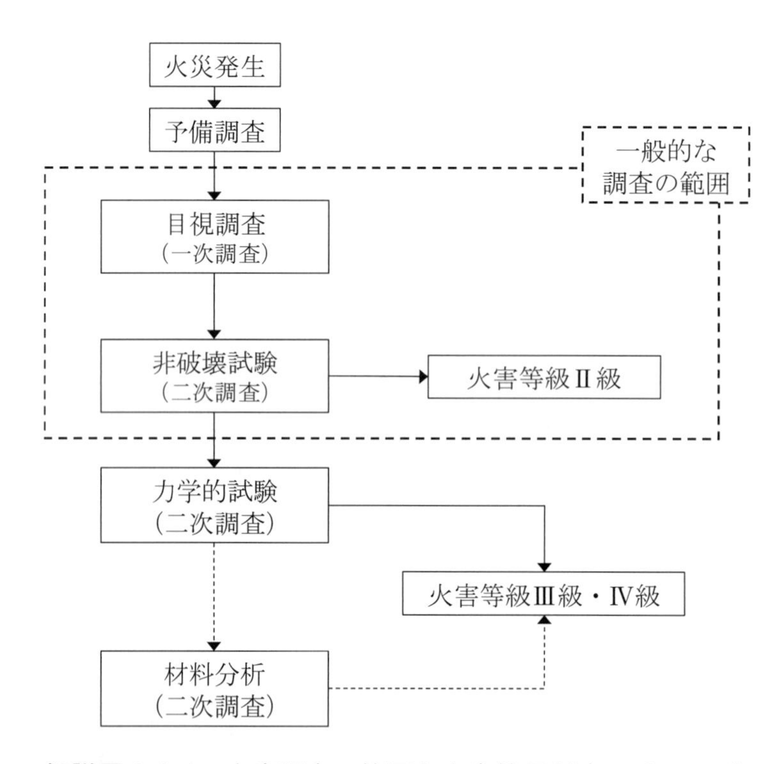

解説図 3.3.1　火害調査の範囲と火害等級判定のイメージ

3.3.2　予備調査（情報収集）

> 予備調査では、一次調査の方針を定めるために、建物概要の調査、構造概要の調査および発生した火災に関する情報収集を行う。
> a. 建物概要の調査では、火害建物の建物概要、竣工後の諸履歴および適用された関連法規などの基本情報を収集する。
> b. 構造概要の調査では、火害建物の構造概要の情報を収集する。
> c. 火災情報の収集では、新聞や消防署および当該建物の関係者などから出火原因、出火位置、可燃物の量と種類、消火状況、出火時刻、鎮火時刻などの火災状況に関する情報を収集する。

（解説）

a. 火災現場での調査および補修・補強方法を決める前に、火災前の情報として建築、構造上の特徴および関連法規を把握することを目的として、建物概要の調査を行う。

（1）建物概要

建物概要は、以下の項目で構成される。これらは、設計図書によって調査する。

・竣工年次　　　　　　　　　　・用途
・設計者、施工者、所在地　　　・構造種別（RC 造、鉄骨造、木造など）
・構造形式（ラーメン構造・壁式構造など）

・建築面積、延床面積、階数　・内装仕上げ

（２）建物の竣工後の諸履歴

竣工後の諸履歴は、以下の項目がある。これらは、維持管理記録によって調査する。

・過去の火害状況および補修・補強記録
・過去の地震などによる被害経歴および補修・補強記録
・改装、改築、用途変更

（３）関連法規

竣工時および火災時の関連法規を調査する。これらは、設計図書および維持管理記録によって調査する。

・建築基準法（建築基準法施行令、告示および各種通達）
・消防法関連法規
・各地方行政庁の建築関連法規（例：東京都安全条例）
・各地方行政庁の消防関連法規（例：火災安全条例－東京都）

設計図書には、以下のものがある。

・各階平面図、平面詳細図　・断面図、断面詳細図
・立面図（東西南北）　・仕上げ表、各室展開図
・防火区画図　・設備関係系統図（特に、防災関係）
・構造図（床梁伏図、軸組図、部材断面リスト、配筋図など）
・構造計算書
・検査済証

「竣工年次」は、当時の関連法規や過去の地震などの被害状況を知る上で重要であり、最初に把握すべき情報である。竣工前（工事中）の火災の場合は、防火区画の施工が完了していない段階で火災が発生することもあり、被害が拡大する場合がある。「用途」は火災時の可燃物量を推定する際の手がかりとなりうる。「内装仕上げ」は、可燃性の内装仕上げであれば、フラッシュオーバーが発生しやすかったと考えられ、火災進展状況の推定の参考になるとともに、一次調査で構造躯体の受熱温度を推定する際、重要な情報となる。

「過去の火災や地震による被害」がある場合は、観察された現象（特にひび割れや変形）が今回の火災によるものかどうかを見極める必要があるため、以前の被害と補修内容を知っておく方がよい。「改装・改築」が行われていた場合は、竣工時の設計図書だけでなく、改装・改築後の設計図書を入手する。

「関連法規」は、調査建物の竣工年次のものと、火災時のものの両方を調べるのがよい。火災時の関連法規を調べるのは、消防法が変更された場合、変更時の建物への遡及処置がとられ、必ずしも竣工時の法規に基づいていない状態が起こりえるためである。

火害調査の実務では予備調査の段階で、予め建物所有者、損害保険登録鑑定人ほか設計者、施工者など関係者と打合せを行い、調査の概要について意向を確認しておくと、その後の調査をスムーズに実施できる場合が多い。また、この段階で調査スケジュールを決めるための情報も入手した方がよい。火災直後で現場に立ち入れない期間や、高所に存在する部材を調査するための足場設営に必要となる期間などの情報である。調査者にとっては、火災後の現場を片付けずに現場の状況を保持してあるのが望ましいが、所有者や使用者には早く片付けたいという要望が強い。現場の片付けも含めた調査スケジュールを打ち合わせるのがよい。

b. 構造概要の調査では、火害建物の構造概要の情報を収集する。火災現場での調査を行う前に、火害建物の構造概要の情報を収集する。RC 造建物の場合、収集すべき情報は以下のようなものがあげられる。

・コンクリートの設計基準強度（Fc）
・コンクリートの種類（普通・軽量など）
・コンクリートの配合（骨材の種類・最大寸法、セメントの種類、混和剤など）
・鉄筋種別、強度

これらの情報は、設計図書もしくは建物の施工管理記録から入手できる。コンクリートの配合は必ずしもすべての情報が必要というわけではないが、可能な範囲で入手する方がよい。

構造概要の情報は、二次調査の力学的試験の測定結果を評価する際には必ず使用するが、設計基準強度や配合によって爆裂性状が異なることがあるため、予備調査の段階で入手し、構造概要を念頭に置いた上で目視調査を実施するのがよい。また、コンクリートコアを採取して試験する場合は、コアの直径を決めるには、粗骨材の最大寸法と配筋ピッチが関係するため、予備調査の段階で配筋状態を電磁波レーダなどにより調査しておく。

c. 火災情報の収集では、新聞や消防署および当該建物の関係者などから、出火原因、出火位置、可燃物の量と種類、消火の状況、出火時刻、鎮火時刻などの火災状況に関する情報を収集する。

火災中の情報を得て調査方針を立てることを目的として、新聞情報、インターネット情報、消防署および建物関係者から以下の項目について情報収集を行う。火災中の状況を把握し、火害調査票を作成する。

・出火原因
・出火位置
・可燃物の量と種類
・消火の状況（消防隊の活動状況）
・出火時刻、鎮火時刻（火災継続時間）
・延焼経路および火害の範囲（最大被災個所）
・その他の特記事項（部材の崩壊、脱落など）

新聞記事は、新聞記者がいわゆる 5W1H で事実を素早く報道し、また、目撃者のインタビューを掲載する場合もあるので、火災の進展を推定するためには貴重な情報である。また、インターネットの情報は新聞より即時性が高く、動画も配信される場合があるので利用価値は高い。しかし、新聞記者やインターネットの情報発信者は火災の専門家ではないので、記事の内容の信憑性については調査者が、工学的根拠に基づいて判断する必要がある。また、いち早く火災現場に到着する消防からの情報は、消火の専門家であることも含め、信頼性がある重要な情報である。火災が発生すると、119 番通報により通常はおおよそ 20 分程度で消防隊が到着し、消火活動を開始する。その後、火災原因を推定するための現場検証となる。その時には、消防あるいは警察など公的機関の職務執行上、火害調査者も含め、関係者以外の者は現場に立ち入ることはできない場合が多い。これらの作業の後に、消防の見解や報告をヒアリングすることは可能であるが、建物所有者以外には情報を出してもらえない場合も多く、ヒアリングに建物所有者に同席してもらう必要がある。公共的な建物であれば、このような制限は少なく、情報を得られる場合が多い。構造体の損傷を推定するためには、できるだけ早く火災後の状況を検証することが必要であり、それが正確な診断につながる。消防の見解と報告は極めて重要な情報となる。建物関係者（目撃者、住民など）からの情報が得られる場合は、積極的にその情報を活用すべきである。特に住民から、火災前後で住戸の各所に変化がないかなどの情報が得られれば、火災室から離れた部分の建物の変状を把握できる可能性がある。ただし、建物関係者は火災の専門家ではないので、情報の信憑性については火害調査者が、工学的根拠に基づいて判断する必要がある。一方、調査段階で火災の残存物が既に撤去されている場合も多いが、その場合は火災直後に撮影した写真などを入手し、可燃物の残存状況を把握するのがよい。

3.3.3　一次調査（目視による調査）

一次調査は、現地において目視のみで行う調査である。受熱によるコンクリートの変色や煤の付着の程度、ひび割れ発生、変状・変形の有無、コンクリート以外の建材などの変状から火災進展状況を推定し、二次調査の実施の要否および調査範囲を決定する。

a.　火災進展状況の推定は、煤の付着状態や木材の炭化深さ、可燃物の燃焼状況などから行う。

b.　コンクリート表面の受熱温度の推定は、当該部材および周辺にある材料と物品などの熱による損傷状態を観察することによって行う。

c.　調査範囲は、火災進展状況の推定結果を考慮し、主要な部材の目視観察によって決定する。

（解説）

一次調査は、火災室および火害建物本体の火害の程度を目視によって調査し、二次調査が必要か否かを判断するとともに、必要とする場合の調査範囲の決定を目的として実施する。調査建物が火災により大きく損傷を受けているような場合、まず応急危険度判定を行う。応急危険度判定は、**解説表 3.3.1** に示す「鉄筋コンクリート造建築物の被災度 C 判定表」に基づき、目視で行う。構造躯体が被災度 C と判定された建物は倒壊の危険があるため、この時点で調査を終了する。ここで用いる被災度 C 判定表は（一財）日本建築防災協会「被災建築物応急危険度判定マニュアル」に基づいて作成されたものであるが、特に火災による被害が著しい階を確認対象としているなど、火害診断時に使用することを前提としている。つまり、被災度 C（倒壊の危険性がある）であるかどうかを判定することだけを目的として作成されている点に注意して使用する。

解説表 3.3.1　鉄筋コンクリート造建築物の被災度 C 判定表

本判定表は、概観調査を行い、被災度 C「構造体（架構）に倒壊の危険性があり、明らかに再使用が不可能な場合」を判定するものである。

■概観調査

下記項目に該当する場合は、○を付けて判定へ。

・一見して危険と判定される場合（建築物全体または一部）。

　a.　建築物全体または一部の崩壊・落階

　b.　建築物全体または一部の著しい傾斜

・構造躯体に関する危険度で判定される場合（被害が最大の階において、損傷を受けた柱の本数を調査する。壁構造の場合は柱本数を壁の長さに読み替える）。

　c.　鉄筋が曲がり、内部のコンクリートも崩れ落ち、一見して柱に高さ方向や水平方向に変形が生じていることがわかる柱（沈下や傾斜が見られるのが特徴。鉄筋の破断が生じている場合もある。）の本数が、被害最大の階の総柱本数の 10%以上。

　d.　大きなひび割れ（幅が 2mm を超える）が多数生じ、コンクリートの剥落も著しく鉄筋がかなり露出している柱の本数が、被害最大の階の総柱本数の 20%以上。

　e.　c.に該当する柱の本数が 1%以上、かつ、d.に該当する柱の本数が 10%以上

■判定

概観調査の 1 項目以上の○がある場合は被災度 C と判定する。

　1.　被災度 C（火害調査不要）

　2.　その他（要火害調査）

損傷の目安は「鉄筋及び鉄骨鉄筋コンクリート造建築物の応急危険度判定調査表の構造躯体（柱）の被害判断」を参考に作成

調査者により予備調査の再確認を行った上で、主に火災室を中心に火害状況の概略を目視により把握し、火災進展状況（火災の開始から拡大状況、火災継続時間および火災最高温度）の推定を行う。調査結果および推定結果をもとに調査範囲の絞込みを行う。

a. 火災進展状況の推定は、一次調査の範囲を決定するため火災室を中心に火害を受けたと見られる部分を対象に行う。

通常の耐火設計は、局所火災か盛期火災を想定するが、局所火災の場合は火災発生場所が限定され、また盛期火災は室全体が一様な火災を想定して行う。しかしながら、実際の火災は設計時に仮定したように一様には進展しない。開口部の位置や大きさ、実際の燃焼物の種類や量などによってさまざまな進展状況を呈する。

一般的には、火災現場における新鮮空気の流入方向、燃焼ガスの流出方向を煤の付着状態や焼失の状況、可燃物の燃焼状況から推定するが、その際、次の原則を念頭に置くとよい。

・熱気は上昇する。
・熱気には流体としての慣性力がある。
・火災当日の風向きで火炎の流れが影響される。
・開口部の数や配置、その開閉状況で火炎の向きが変わる。
・可燃物の量と配置に影響を受ける。

熱気は常に上昇するので、火災時の雰囲気温度は上部ほど高温になるが、隅角部には進展しにくいなどの性質がある。また、火災は新鮮空気の流入および燃焼ガスの流出によって拡大する傾向にあり、開口が複数箇所ある場合は、一方向の流れになって拡大する場合がある。そのため、開口の数、配置、火災時の風向きにも着目して火災の流れを推定する。屋外側開口上部の状況は、火炎の噴出状況を推定するのに役立つ場合がある。さらに、火災当時の可燃物配置がわかっている場合は、その情報も生かして進展状況を推定する。

これらの原則に基づき、被災部分全体を観察した上で、火災進展状況を推定し、全体の火災の流れを把握するようにする。

なお、火災進展状況を推定する際の注意事項を以下に列挙する。

①出火元にとらわれ過ぎないようにする。

出火元がわかっている場合、その近辺がもっとも燃焼が激しかったと思われがちであるが、空気の流出入により、出火元を離れて火災が進展する場合がある。

②火災直後の状況を正確に把握する。

火災直後に調査を行う場合以外は、調査時点と火災直後で状況が異なっている場合がある。直後の状況を写真や聞き取りによって正確に把握しておく必要がある。

③火災による被害か、消火活動による被害かを区別する。

開口部建具が外れている、ガラスが割れている、天井が落下しているなどの現象があった場合、必ずしも火災そのものが原因ではなく、消火活動(放水や進入のための破壊）が原因の場合がある。予備調査で消火状況も正確に把握しておく方がよい。

④煤がない場合、周囲の状況をよく観察する。

煤がない場合、(1)煤が全く付着していない、(2)煤が焼失している、(3)煤が消火活動によって洗い流されている、のいずれかであると考えられる。周囲の状況をよく観察し、(1)～(3)のどの状況であるかを正確に判断する必要がある。

⑤熱気が伝わって離れた場所で進展する場合がある。

ダクトを通して燃え拡がり、ダクト内の油に着火する場合などがある。

被災部の火災継続時間 t（分）は、予備調査で収集する情報（消防署の資料など）によるほか、木材の炭化深さなどからも推定できる（**解説写真 3.3.1**）。調査した木材の炭化深さ d（mm）を木材の平均炭化速度（0.6mm／分）で除す方法[41)]が一般的である（式（3.3.1））。

$$t = \frac{d}{0.6} \qquad (3.3.1)$$

木材の炭化速度は火災状況によって異なり、火災室の温度が高いほど炭化速度が大きくなる傾向がある[42)]。火災温度上昇係数 α が推定できた場合、火災継続時間 t は式（3.3.2）で推定できる。

$$t = \frac{d}{0.0022\alpha - 0.27} \ （スギ）、\ t = \frac{d}{0.0020\alpha - 0.22} \ （ベイマツ） \qquad (3.3.2)$$

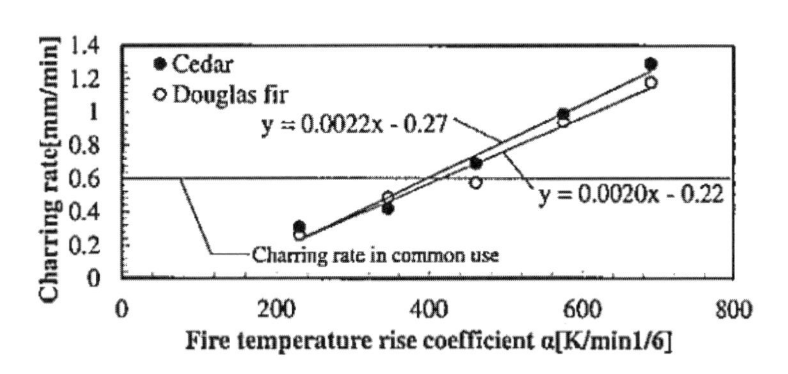

解説図 3.3.2　火災温度上昇係数と炭化速度の関係[42)]

解説図 3.3.2 の横軸は火災温度上昇係数 α［$K/min^{1/6}$］、縦軸は炭化速度［mm/min］である。火災室の温度 T_f は、時間 t（分）と火災温度上昇係数 α に対し $T_f = \alpha t^{1/6} + 20$ の関係があり、文献[42)]に示された実験では α を、230、345、460、575、690 の 5 段階に設定している。α=460 は耐火実験に使われる ISO834 標準加熱温度に相当する。実験結果では α が大きいほど木材の炭化速度が大きくなる傾向を示し、α に対して直線的に増加している。ベイマツ（Douglas fir）の α=460 では炭化速度の慣用値である 0.6mm/min にほぼ一致する結果となっている。同じ α でも密度が高いベイマツの方がスギ（Cedar）よりも炭化速度は小さくなっている。

α は、室内の可燃物の発熱量、界壁、床などの面積と熱慣性、開口の位置と面積がわかれば、平成 12 年建設省告示第 1433 号に基づいて算出可能である。

木材面の加熱温度が推定できた場合は、式（3.3.3）に代入して、火災継続時間を推定すること

$$t = \frac{d^2}{\alpha^2 \left(\theta / 100 - 2.5 \right)^2} \qquad (3.3.3)$$

ここに、t　：火災継続時間（分）
d　：炭化深さ（mm）
θ　：木材面の加熱温度（℃）は周辺部材の諸状況から推定する
α　：材種による常数（スギ：1.0、マツ：0.78、ヒバ：0.60）
一般に比重の大きい木材ほど α は小さくなる。マツは樹脂を含むため、ヒバより比重が大きいにもかかわらず α は大きくなる。

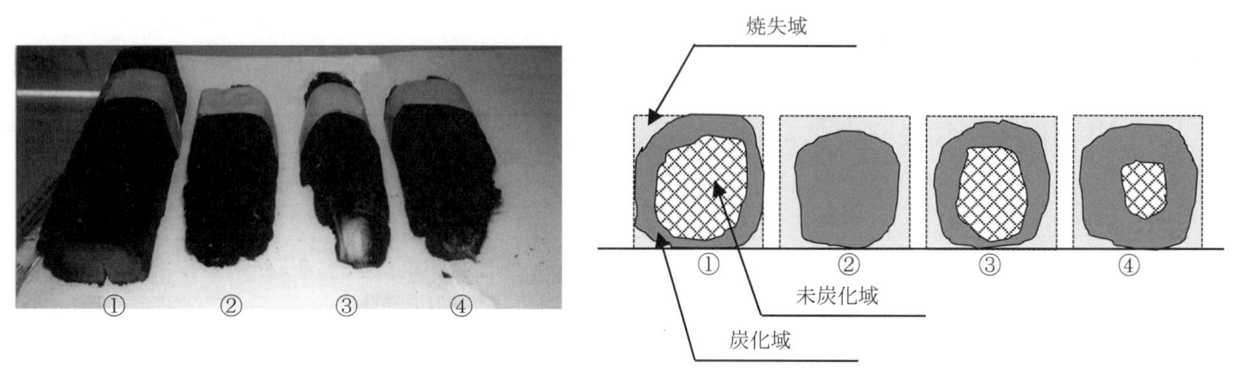

解説写真 3.3.1　木材の炭化状態

ができる[43]。なお、式（3.3.3）は無気流内の気乾木材に対する推定式である。なお、式（3.3.3）で用いている α は、式（3.3.2）の火災温度上昇係数とは異なる。

被災部の火災最高温度の推定は困難であるため、通常は、各使用材料（アルミニウム、銅、鉄およびポリエチレンなど）の燃焼特性や高温特性[44),45)]（溶融温度、引火温度および発火温度など）などから、各種使用材料の受熱温度を推定し、推定された受熱温度の最大値を火災最高温度の目安とする場合が多い。また、コンクリートは高温に曝されると変色などを起こすことから、色やひび割れなどの表面状態から受熱温度を推定することもできる。コンクリートの変色状況や、各種材料の受熱温度の推定指標と受熱温度の関係については、**解説表 3.3.2** および**解説表 3.3.3** に示す。

次に火災進展状況の推定例を**解説図 3.3.3** に示す。10 階建て集合住宅の 3 階住戸で発生した火災について、その進展状況を推定した。この火害調査では、まず大きく、被害の状況を以下のように把握した。

・出火推定室の A 室・玄関および廊下はコンクリートが淡黄色に変色しており、被害が最も大きかった（推定受熱温度 950℃以上）。
・B 室と C 室ならびに D 室の被害は、それに次いだ（950℃以下）。
・開口部 a 外部バルコニー天井部は煤が付着（300℃以下）、開口部 b 外部バルコニー天井部は煤が焼失していた（500℃以上）。
・開口部 c 外部バルコニー天井部はコンクリートが灰白色に変色していた（600～950℃）。
・同じ階の階段室は煤が焼失し、大きな被害を受けていた（500℃以上）。
　階段室上部へは煙が伝わり、最上階まで煤が付着していた（300℃以下）。

このような被害の状況に基づき、以下のように火災の進展状況を推定した。

①A 室にて火災が発生。
②A 室内で火災が進展。
③開口部 a が破られた（ガラスが割れた）ため、開口の下部から給気、上部を排気として火災が継続、拡大。
④玄関扉は何らかの理由により開放されていたと考えられ、玄関扉→階段室→上階と煙が排出される。この時、開口部 a は、給気口としての役割を担ったと考えられる。
（玄関扉が開いたままになった詳細な原因は、ドアの構造、ドアチェックの故障、熱によるドアの変形、人為的にドアが閉まらないようにしていた、などが考えられる。）

⑤廊下から階段室、B 室、D 室に火災が進展。
⑥B 室に進展した火災が乾式壁を破って C 室まで進展。
⑦開口部 b、開口部 c が破壊。どちらの開口部からも火炎が噴出。
⑧開口部 a、開口部 b、開口部 c と玄関扉の 4 か所が開放され、十分な空気が供給されたために火災が継続。煙は階段室を上部に伝わった、と推定できる。

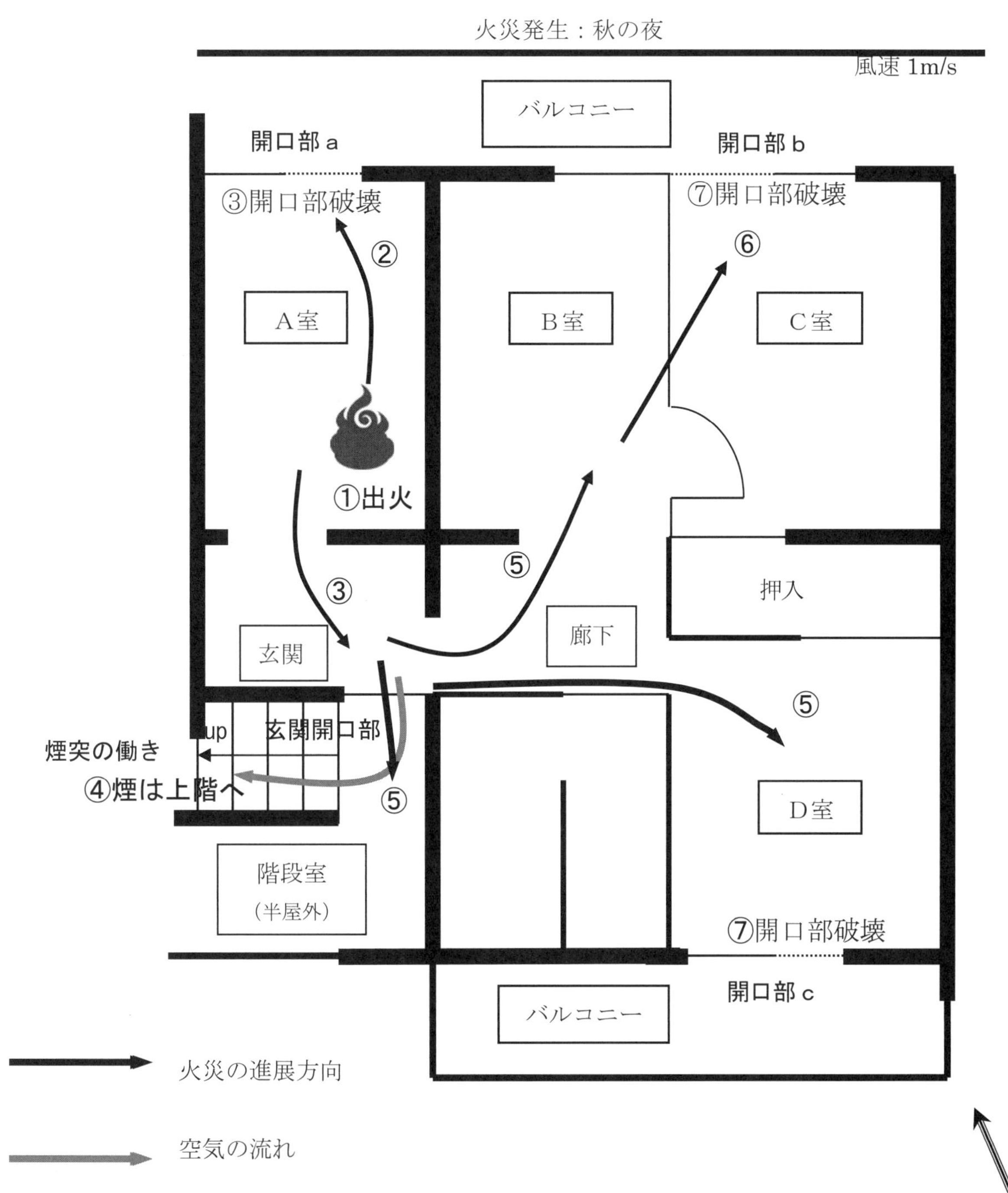

解説図 3.3.3　火災進展状況推定例

b. コンクリート表面の受熱温度の推定は、二次調査を実施するか否かの判断材料を得ることを目的に行う。目視による受熱温度の推定は、表面観察対象材料ごとに以下のように行う。

外観の調査においては、以下に示す火害特有の性状に注目する。

1) コンクリート

・コンクリートの変色
・ひび割れの有無、必要に応じて幅および長さ
・梁、床部材などのたわみや変形
・爆裂や脱落の有無、大きさおよび深さ
・浮きや剥離の有無
・鉄筋の露出状況

RC 造建物が火災を受けた場合の外観上の被害としては、例えば、梁や床スラブのたわみ、柱や梁に生じる構造的な曲げひび割れやせん断ひび割れ、コンクリート表面のひび割れ（**解説写真 3.3.2** 参照）、コンクリートの欠損（浮き、剥離、爆裂、**解説写真 3.3.3**～**解説写真 3.3.5** 参照）などが挙げられる。コンクリート表面のひび割れが火災によるものか、それ以前の地震など他の要因によるものかは、健全部コンクリート表面の観察結果と比較することや、煤の付き方で判断する。表面に煤が付着しているのにひび割れ内部に煤が付着していなければ、火災によるひび割れである可能性が高い。梁や床スラブのたわみと柱や梁の曲げせん断ひび割れは、コンクリートや鉄筋の熱劣化に伴う部材の強度や剛性の低下と火災時に発生する熱応力によるものである。梁や床は、火災階の上階（加熱面の反対側）にひび割れが発生している場合があり、これを観察することも有効な手段である。なお、一次調査で対象とするひび割れは軽微なひび割れであり、構造性能的に影響のあるような亀甲状のひび割れについては二次調査に委ねることとする。火災時のコンクリートの爆裂は、コンクリート内部の水蒸気圧や熱応力などによって、コンクリート表層部が破片になって飛散する現象である。含水率が高いコンクリートや軽量コンクリートならびに緻密な高強度コンクリートなどで観察される。そのため爆裂面積の大小だけで火害の程度を判断するのは適切でない。爆裂後の表面性状もよく観察し、爆裂後にどの程度高温にさらされたかも推定する必要がある。

RC 造部材のたわみ・ひび割れなどの外観上の被害のほかに、コンクリート表面の変色状況や煤の付着状況なども火害の程度を概略判断する指標となる。これは、コンクリート表面が高温を履歴するとその履歴温度に応じて変色状況が異なることや、300℃を超える温度で加熱されると煤が焼失し始め、500℃程度で完全に焼失するという性質を利用するものである。一般的に言われているコンクリートの変色状況と温度の関係を**解説表 3.3.2** に示す。なお、コンクリートの使用材料（特に骨材の種類）によっては変色状況も異なることから、二次調査として、火害建物の健全部から採取したコンクリートのサンプルを 100℃～200℃間隔で加熱して各温度段階における変色状況を調べるのも一手段である（**解説写真 3.3.6** 参照）。煤の付着状況の調査については、消火活動時の放水で煤が洗われてしまう場合や火盛り期（最も火災が激しい期間）以後に煤が付着する場合なども有りうるので、予備調査などから得た火災の進展状況に関する情報も参考にし、コンクリートの表面をよく観察する必要がある。煤が濃く付着している部分は 300℃以下の加熱を受けたと考えてよいが、煤が薄く付着している部分については、300℃を超える温度で加熱され煤が焼失し始めている場合と、火源から離れた場所などに煤が薄く付着している場合（受熱温度は 300℃以下）が考えられる。いずれの状況かは、火災の進展状況を考慮し、周囲の状況をよく観察して慎重に判断する必要がある。

実際のコンクリート系建物における火災後の黒い煤の焼失（白く灰化）、コンクリートの変色、ひび割れ、剥落などの状況例を**解説写真 3.3.7～解説写真 3.3.9** に示す。

解説表 3.3.2　コンクリートの状態と受熱温度 [18),44)]

状　態	温度（℃）
煤の付着	300 以下
煤の焼失	500 以上
ピンク色	300～600
灰白色	600～950
淡黄色	950 以上
溶融	1200 以上
亀甲状の亀裂	300 以上
無水フェノールフタレインで呈色	150 以下

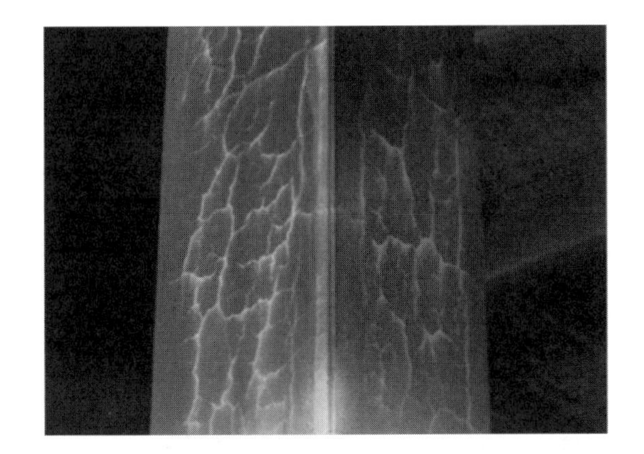

解説写真 3.3.2　表面ひび割れ

解説写真 3.3.3　かぶりの欠損

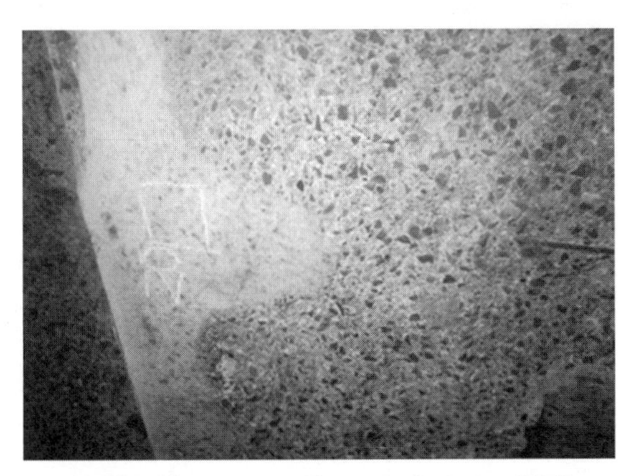

解説写真 3.3.4　床スラブ下面の爆裂

解説写真 3.3.5　柱コーナー部の爆裂

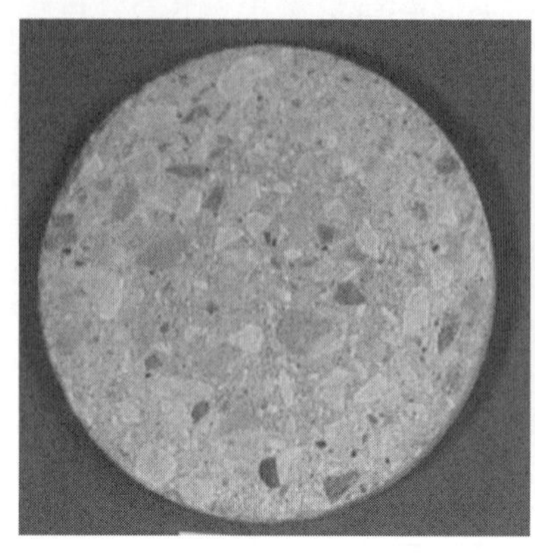
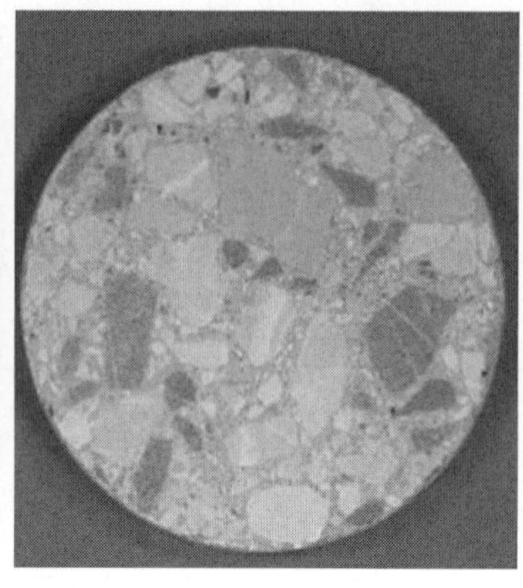
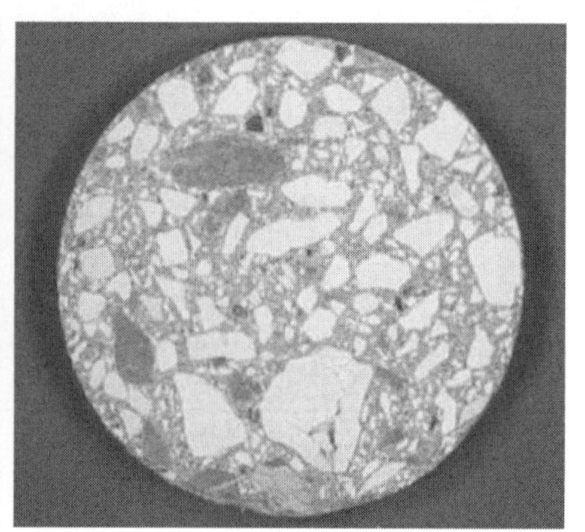

受熱なし　　600℃受熱　　800℃受熱

設計基準強度 30N/mm² 相当の普通コンクリート。セメントは普通ポルトランドセメント、細骨材は陸砂、粗骨材は硬質砂岩砕石を使用。材齢 10 年を超えた試料をマッフル炉にて加熱した。

解説写真 3.3.6　コンクリートの変色状況と受熱温度の関係の例

壁の上部には、煤の焼失、コンクリートの変色・細かなひび割れ・剥落が認められる。

解説写真 3.3.7　火災室の状況（1）

右側壁には煤が残るが、柱、梁および左側壁には、煤の焼失、コンクリートの変色・細かなひび割れ・剥落が認められる。

解説写真 3.3.8　火災室の状況（2）

天井デッキプレートがコンクリートより剥離、鉄骨小梁は変形、壁上部には、煤の焼失、コンクリートの変色・細かなひび割れ・剥落が認められる。

解説写真 3.3.9　火災室の状況（3）

2) コンクリート以外の材料および物品など

火災現場の部材の受熱温度は、周辺部材や仕上げ材料などの損傷状況から推定される火災温度を用いて判断する方法が一般に行われている。各種材料の劣化状況と推定受熱温度の関係を**解説表 3.3.3** に示し、その状況例を**解説写真 3.3.10～解説写真 3.3.14** に示す。

解説表 3.3.3　代表的な材料の劣化状況と推定受熱温度(1)

材料		状態	推定受熱温度(℃)	使用例	引用文献
大分類	小分類				
全般		煤の付着	300 以下	－	44)
		煤の焼失	500 以上		
金属	鋼材	溶融	1400 以上	－	44)
	アルミニウムとその合金	軟化する	400	サッシ、金物、小さな機械部品	46)
		溶融し、しずくができる	650		
	銅	溶融する	1000～1100 (融点1085)	配線、ケーブル、装飾	47)
	亜鉛	しずくができる	400 (融点 420)	衛生設備、樋、デッキプレートのメッキ	46)
塗料	仕上げ塗料	煤や油煙が付着（損傷なし）	100 未満	内・外塗装	45)
		割れや剥離	100～300		
		黒変し、脱落	300～600		
		焼失	600 以上		
	さび止め塗料	健　全	300 未満	鉄骨塗装下地	45)
		変　色	300～600		
		白亜化	350 以上		
		焼失	600 以上		
ガラス系	ガラス	軟化し角が丸くなる	500～600	ガラス部品、びん	46)
		容易に流れる、粘つく	850		
	グラスウール	体積収縮	600 以上	断熱材料	－
		溶　融	650 以上		
木材*		炭化なし	260 未満	－	44) 47)
		炭化あり	260 以上		
有機系材料	ビニル類	軟化	50～100	配線、配管材料	45)
	アクリル	軟化（連続加熱による耐熱温度）	60～95	透光板、装飾材料、塗料	45)
	ポリスチレン	軟化	120～140	断熱材料	46)
		溶融	250		

**木材の炭化開始温度は樹種および全乾密度により辺材の場合 250～290℃程度（一部樹種の芯材の場合 230℃～250℃程度）の範囲で異なることが最近の研究 ）により明らかになっている[47]。

解説表 3.3.3　代表的な材料の劣化状況と推定受熱温度(2)

材　料		状　態	推定受熱温度(℃)	使用例	引用文献
大分類	小分類				
有機系材料	ポリウレタン	軟化（連続加熱による耐熱温度）	90〜120	防水材料、塗床材料、断熱材料	45)
	架橋ポリエチレン	縮んでしわが寄る	120	ケーブル、パイプ、ポリバケツ、包装用品	48)
		軟化、溶融	120〜140		

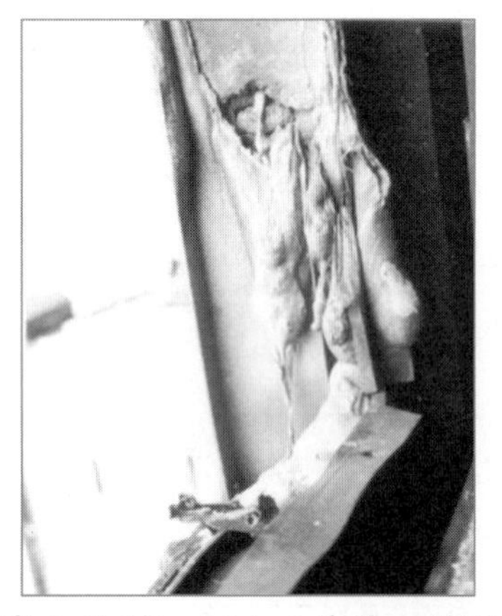

解説写真 3.3.10　アルミ窓枠の溶融
（約 650℃以上）

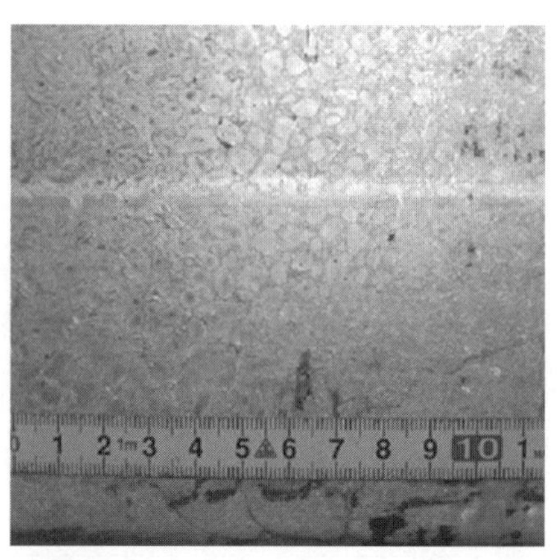

解説写真 3.3.11　亜鉛メッキの溶融
（約 400℃）

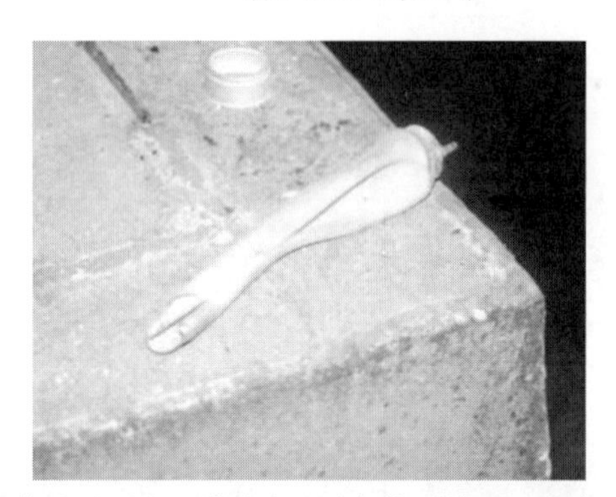

解説写真 3.3.12　蛍光灯の溶融（約 750℃）

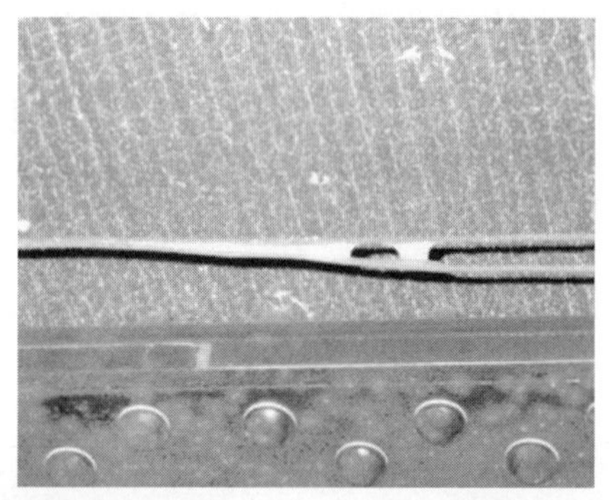

解説写真 3.3.13　ビニル類の溶融・軟化
（約 50℃〜100℃）

解説写真 3.3.14　アクリル類の軟化
（約 60℃〜95℃）

c. 調査範囲は、火災進展状況の推定結果を念頭においた上で、二次調査の範囲を決定する。

調査範囲を決定する際の目視観察は、主に煤の付き方に着目するのがよい。被害のあまり酷くない部分には煤が付着しており、煤の付着のない無被害の部分との境界を定められれば調査範囲を決定する目安となる。躯体が無被害か多少なりとも損傷を受けているかについては、一次調査では主に目視観察によるが、打音検査も併用すると判別しやすくなる。目視では無被害に見えた場合でも、躯体の浮き、剥離などが起こっている場合があり、打音検査によって被害を受けている部位が特定でき、調査範囲を決定する目安となる。

打音検査とは、**解説写真 3.3.15** に示すような打診棒などで壁面を軽く打診し、その音の差異を耳で聞き分け健全部か浮き部かを判別するものである。留意点としては、熟練度によって浮き部の判断に違いが生ずることがあること、長時間作業によって判断力が低下するので休憩を要すること、調査用足場が必要で、経済性や安全性に問題があること、などである。なお、火害等級Ⅲ級以下の被害が想定される場合においては、打診や非破壊試験などに加え、簡易な測定を伴う二次調査の一部を一次調査と併せて実施するとよい。

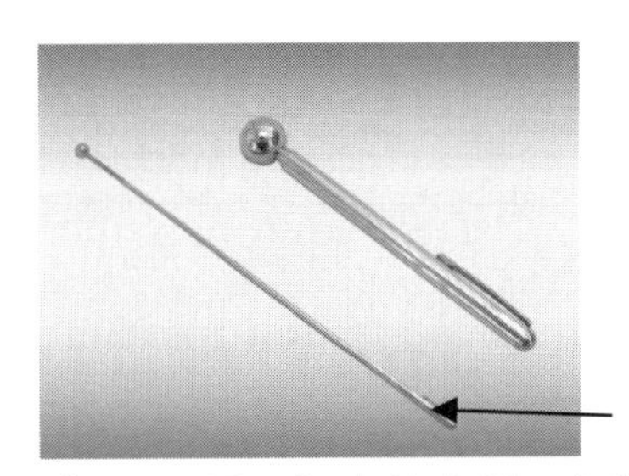

解説写真 3.3.15　打音検査用の打診棒の例

一方、火災による構造体の被害は、火災加熱に直接曝されたことによる材料強度や部材耐力の低下だけではない。建物の床スラブが火災により熱膨張変形したことによって柱がせん断破壊した例もある。このことから、火災後の調査で観察されたコンクリートのひび割れが高温暴露によるもの（**解説写真 3.3.6** 参照）なのか、あるいは周辺部材の熱膨張によるものなのかを見極めることも、被災状況を判断する上で極めて重要である。

3.3.4　二次調査（試験・測定による調査）

二次調査は、3.4 節に示す測定もしくは試験を伴う各種の方法を選択的に適用し、火害等級の決定、断面内部の受熱温度の推定、受熱による劣化深さの評価など、目的に応じた調査を実施することにより、3.5 節に示す 診断に必要な情報を得るために実施する。

（解説）

二次調査は、非破壊試験と破壊試験（微破壊試験を含む）の 2 つに分類される。現地において実施する非破壊試験、コア採取などによる力学試験および測定に加え、構造体コンクリートの火害による劣化の程度を詳細に把握することが必要と調査者が判断した場合には、必要に応じて材料分析や**表 3.1** に示すコンクリートコアによる詳細な試験などを実施するとよい。

一方、火害等級の設定について、調査・診断フロー（**解説図 3.1.2** 参照）に基づき、一次調査を終えた段階で無被害および仕上げ部分のみの被害と推定される箇所は、火害等級がⅠ級もしくはⅡ級と診断されるため、この場合は二次調査の必要はない。また、床スラブの抜落ち・広範囲の爆裂・主筋の座屈・大きなたわみなどの甚大な被害が明確な箇所は、火害等級Ⅴ級と診断できるため、この場合も二次調査を行う必要はない。

3.4　火害調査のための各種試験方法

二次調査では、火害の程度を詳細に把握するために、目視、非破壊試験、力学的試験、材料分析、鉄筋の引張試験、梁・床スラブの載荷試験を行う。

（解説）

RC 部材の火害等級判定フロー（**解説図 3.1.2** 参照）に基づき、一次調査を終えた段階で、無被害および仕上げ部分のみの被害と推定される箇所については、火害等級Ⅰ級もしくはⅡ級と判断できるので、二次調査の必要はない。また、床スラブの抜落ち・広範囲の爆裂・主筋の座屈・大きなたわみなどの甚大な被害が明確な箇所はⅤ級と判断できるので二次調査を行わなくてもよい。二次調査を行うのは上記以外の場合であり、二次調査の結果が、火害等級Ⅱ級～Ⅴ級を判断する指標となる。二次調査では、火害の程度を詳細に把握するために、目視、非破壊試験、力学的試験、材料分析、鉄筋の引張試験、梁・床スラブの載荷試験を行う。

3.4.1　調査項目

火災の規模と火害の程度ならびに想定される補修・補強方法などを考慮し、調査者が**表 3.2** の中から、調査目的に応じて必要と判断した試験方法を選定して実施する。**表 3.2** に示されていないその他の試験方法についても、火害調査に対して有効な手法であり、かつ所要の精度が得られることを信頼できる資料があれば、二次調査として用いてもよい。

表 3.2　調査項目および試験方法(1)

試験方法＼調査項目			コンクリート			鉄筋	部材・架構		
			力学特性	火害の程度	受熱温度	力学特性	変形	剛性	耐力
目視		ひび割れ幅の測定		○					
		たたきによる浮き・剥離の確認		○					
		変色の確認		○					
		梁・床スラブのたわみ測定		○			○		
非破壊試験		リバウンドハンマー試験		○					
		打撃試験		○					
		弾性波法		○					
		表層透気試験		○					
		色彩測定		○	○				
		引っかき傷幅測定		○					
		振動試験						○	
コンクリートコア、コア孔、はつり面を用いる試験	力学試験	コアの圧縮強度試験・静弾性係数試験	○						
		小径コアの圧縮強度試験	○						
		孔内局部載荷試験		○					
		コアをスライスした試験片の曲げ試験		○					
		コア側面の体積ひずみ測定		○					
		コア側面のひずみ分布測定		○					

表 3.2　調査項目および試験方法(2)

試験方法＼調査項目			コンクリート			鉄筋	部材・架構		
			力学特性	火害の程度	受熱温度	力学特性	変形	剛性	耐力
コンクリートコア、コア孔、はつり面を用いる試験	材料分析	フェノールフタレイン溶液の噴霧による受熱温度の推定		○	○ (150℃)				
		過マンガン酸カリウムによる酸素消費量の定量分析			○ (300℃～600℃)				
		全有機体炭素計による有機化合物の定量分析			○ (300℃～600℃)				
		UV スペクトル法			○ (600℃まで)				
鉄筋の引張試験						○			
梁・床スラブの載荷試験							○	○	○

注：○印は、選択した試験によって評価できる項目を示す。

（解説）

二次調査の調査項目と試験方法との関係は、**表 3.2** に示すとおりである。この表から、調査目的に応じた試験方法を調査者が選択して二次調査を実施する。

3.4.2　目視

3.4.2.1　ひび割れ幅の測定

コンクリートのひび割れ幅は、クラックスケールなどを用いて測定する。ひび割れ幅を測定することにより、コンクリート表面の火害の程度を把握できる。そのため、ひび割れ幅の測定は、補修の範囲を決定する際に推奨される試験方法である。

（解説）

コンクリートが火害を受けた場合、受熱温度に応じてコンクリート表面にひび割れが生じる。コンクリート表面のひび割れ幅の測定は、3.6 節の「補修・補強計画」の立案の際に必要となる試験方法の一つである。ひび割れ幅の測定には、**解説表 3.4.1** に示す機器などを使用する。**解説写真 3.4.1** にひび割れ幅の測定状況の例を示す。

解説表 3.4.1　コンクリートのひび割れ幅　−調査項目と使用機器−

調査項目	代表的な使用機器
ひび割れ幅の測定	・クラックスケール ・コンベックスルール ・ノギス

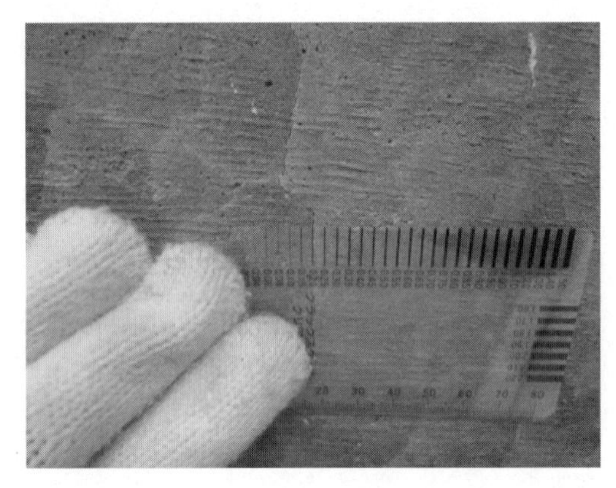

解説写真 3.4.1　ひび割れ幅の測定状況の例

3.4.2.2　たたきによる浮き・剥離の確認

たたきによる浮き・剥離の確認は、ハンマなどを用いてコンクリート表面を打撃し、打音の違いによってコンクリートの浮きの有無を推定する方法である。たたきによる浮き・剥離を把握することにより、コンクリート表面の火害の程度を把握できる。そのため、たたきによる浮き・剥離の測定は、補修の範囲を決定する際に推奨される試験方法である。

（解説）

コンクリートが火害を受けた場合、受熱温度に応じてコンクリート表層に浮きが生じる。コンクリート浮きの測定は、3.6 節の「補修・補強計画」の立案の際に必要となる試験方法の一つである。コンクリート浮きの測定には、ハンマまたは**解説写真 3.3.15** に示す打診棒などを使用するとよい。

3.4.2.3　変色の確認

コンクリートの変色は目視によりコンクリート表面を観察する。コンクリート表面の変色を確認することにより、コンクリート表面の火害の程度を把握できる。そのため、コンクリート表面の変色の確認は、補修の範囲を決定する際に推奨される試験方法である。

（解説）

コンクリートが火害を受けた場合、受熱温度に応じてコンクリート表面の色彩が変色する。コンクリート表面の変色の確認は、3.6節の「補修・補強計画」の立案の際に必要となる試験方法の一つである。変色の確認は目視により行う。

火災を受けたコンクリートの色彩は、セメントや粗骨材の種類などによって変色状況が異なることから、火害部と同調合のコンクリートの健全部と比較することが好ましい。

解説表3.4.2は、300℃、500℃、750℃および950℃に加熱したコンクリート試験体を放水せずに自然冷却した加熱面、または放水により冷却した加熱面の状態を示したものである（比較用に未加熱の試験体の表面も併せて示す）。加熱冷却後のコンクリート加熱面は、水セメント比および放水の有無で色合いは異なるが、概ね**解説表3.3.2**に示されたコンクリート表面の色彩「300℃～600℃：ピンク色、600℃～950℃：灰白色、950℃以上：淡黄色」に近い傾向を示したこと、また、コンクリート表面の温度が 750℃以上でかつ放水した場合においてはコンクリートの剥離が顕著になり、表面の凹凸の状況や骨材の色彩が加熱面の変色に影響することなどが報告されている[49]。

解説表3.4.2　コンクリート加熱面の状態[49]

W/C (%)	加熱なし	冷却方法							
		放水なし				放水あり			
		300℃	500℃	750℃	950℃	300℃	500℃	750℃	950℃
63								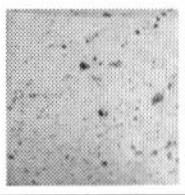	
50								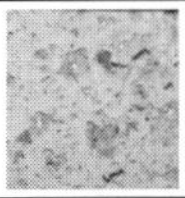	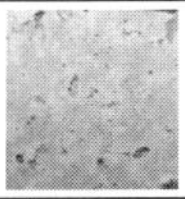
38					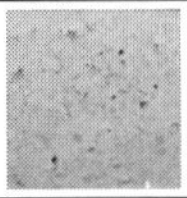			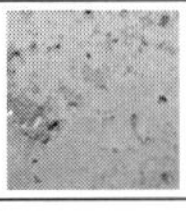	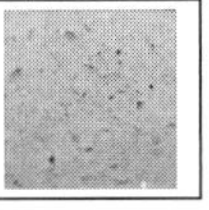

3.4.2.4　梁・床スラブのたわみ測定

梁・床スラブのたわみは、オートレベルなどを用いて測定する。火害部および火害を受けていない健全部のたわみを測定することにより、火害の有無やその程度を把握できる。

（解説）

梁・床スラブなどが火害を受けた場合、部材全体の剛性低下が懸念される。一次調査時に火害を受けた部材を目視において確認するが、その際、たわみを定量的に把握しておくことは重要である。また、火害を受けた梁・床スラブなどと健全部のたわみを比較することにより、火害の有無やその程度を把握できる。たわみの測定には、**解説表 3.4.3** に示す機器などを使用する。**解説写真 3.4.2** にたわみの測定状況の例を示す。

解説表 3.4.3　梁・床スラブなどのたわみ測定　−調査項目と使用機器−

調査項目	代表的な使用機器	備考
梁・床スラブの たわみの測定	・オートレベル＋標尺 ・光波測量器 ・水糸またはピアノ線 ・金属製直尺	・レーザー光線を利用したものもある。 ・三次元測量が可能な測量器もある。

解説写真 3.4.2　たわみの測定状況の例

3.4.3　非破壊試験

3.4.3.1　リバウンドハンマー試験

> リバウンドハンマー試験は、コンクリート表面の反発度を測定する試験方法である。火害の有無やその程度を相対的に把握したい場合に推奨される試験である。

（解説）

リバウンドハンマー試験は、コンクリートに重錘を衝突させ、反発した跳ね返りを指標値として測定する試験である（**解説写真 3.4.3** 参照）。試験方法は、日本産業規格 JIS A 1155「コンクリートの反発度の測定方法」に示されている。

リバウンドハンマー試験では、火害部および火害を受けていない健全部のコンクリートにおいてそれぞれ反発度を測定し、それらを比較することにより、相対的な火害の程度を把握することができる[50),51)]。

解説写真 3.4.3　リバウンドハンマーによる反発度の測定状況の例

1）試験手順

JIS に基づく試験手順を、**解説表 3.4.4** に要約する。

解説表 3.4.4　リバウンドハンマーによる反発度の試験手順と留意点(1)
（JIS A 1155「コンクリートの反発度の測定方法」）

手　順		内　　　容
測定箇所の選定	①-1	測定箇所は、目的に応じて適切に選定する。
	①-2	測定箇所は、厚さが 100mm 以上をもつ床版または壁部材、一辺の長さが 150mm 以上の断面をもつ柱または梁部材のコンクリート表面とする。
	①-3	測定箇所は、部材の縁部から 50mm 以上離れた内部から選定しなければならない。
	①-4	測定箇所は、平滑な平面部とし、豆板、空隙、露出している砂利などの部分および表面剥離、凹凸のある部分を避ける。
表面処理	②-1	測定面にある凹凸および付着物は、研磨処理装置などで平滑に磨いて取り除き、コンクリート表面の粉末その他の付着物を拭き取ってから測定する。
	②-2	測定面に仕上げ層または上塗り層がある場合には、これを取り除き、コンクリート面を露出させた後、②-1 の処理を行ってから測定する。

解説表 3.4.4　リバウンドハンマーによる反発度の試験手順と留意点(2)

手順		内容
表面処理	②-3	測定面に浮き水がある場合には、これを取り除き、コンクリート面を露出させた後、②-1の処理を行ってから測定する。
測定	③-1	測定は、環境温度が0～40℃の範囲内で行う。
	③-2	ハンマーの作動を円滑にさせるため、測定に先立ち数回の試し打撃を行う。
	③-3	リバウンドハンマーが測定面に常に垂直方向になるように保持しながら、ゆっくりと押して打撃を起こさせる。
	③-4	1か所の測定では、互いに25～50mmの間隔をもった9点について測定する。反響、くぼみ具合などから判断して明らかに異常と認められる値、またはその偏差が平均値の20%以上になる値があれば、その反発度の測定値は採用せず、これに替わる測定値を補うものとする。
	③-5	測定後のリバウンドハンマーの点検によって、リバウンドハンマーの反発度が製造時の反発度から3%以上異なっていたら、直前に行った点検以後の測定値は無効とする。
計算	④	反発度（R）は、**式(3.4.1)**によって1か所の有効な測定値から計算した平均値とし、四捨五入によって有効数字2桁に丸める。 R＝（有効な9個の測定値の合計）/ 9　　(3.4.1)

2) 注意事項

① 反発度とコンクリート表面の受熱温度との関係

火害を受けたコンクリートの反発度は、コンクリートの水セメント比、水分状態、受熱温度などによって変化する。**解説図 3.4.1** は、コンクリート表面の受熱温度と反発度比（各受熱温度で得られた反発度を健全部のそれで除した値）との関係を示したものである[50]。コンクリート表面の受熱温度300℃、水セメント比63%、放水なしの場合を除けば、反発度は受熱温度が高いほど低下しており、その傾向は水セメント比が小さいほど顕著になる。一方、**解説図 3.4.2** は、水セメント比が57%のコンクリートを使用した試験体の加熱前および加熱後の反発度の測定結果を示したものである[51]。図によれば、受熱温度が110℃～500℃の範囲の反発度は、加熱温度の上昇に伴い、低下するものの健全部よりも大きくなっている。

以上の研究事例から、受熱温度が 500℃未満の火害を受けたコンクリートの場合は、コンクリートの乾燥状態やひび割れの発生程度など種々の影響により、火害を受けていないコンクリートよりも反発度が大きくなる場合がある。したがって、火害による影響範囲を絞り込む（調査範囲を限定する）目的で使用する場合は、リバウンドハンマー試験で得られる反発度のみから判断するのではなく、その他の試験方法で得られた結果も参考にして、総合的に評価するのが望ましい。

② 反発度を用いた圧縮強度の推定

リバウンドハンマーの反発度から圧縮強度を推定する方法は、日本材料学会[52]や日本建築学会の提案式（「コンクリートの強度推定のための非破壊試験方法マニュアル[53]」）、また、土木学会JSCE-G 504-2013「硬化コンクリートのテストハンマー強度の試験方法[54]」などあるが、いずれも火害を受けたコンクリートを念頭においた推定式ではないため、適用には慎重を期する必要がある。

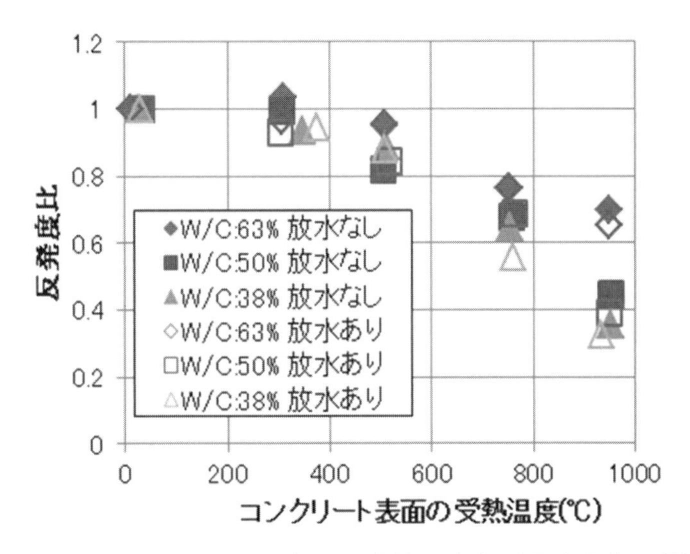

解説図 3.4.1　コンクリート表面の受熱温度と反発度比との関係 50)

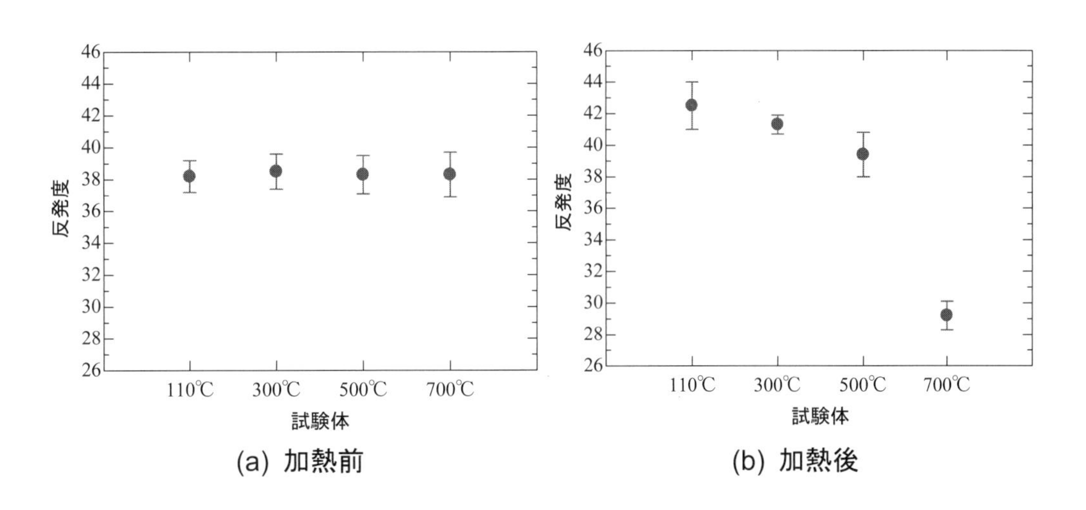

解説図 3.4.2　　反発度の測定結果（水セメント比 57%）51)

3.4.3.2　打撃試験

打撃試験は、コンクリートの機械インピーダンス、打撃ハンマとコンクリートとの接触時間を測定する試験方法である。火害の有無やその程度を相対的に把握したい場合に推奨される試験である。

（解説）

（1）打撃試験（機械インピーダンス）

打撃試験（機械インピーダンス）は、加速度計を取り付けたハンマでコンクリート表面を打撃し、衝突したときに生じる力 F と、その結果生じる力と同じ方向の速度 V の比である機械インピーダンス Z（**式 3.4.2** 参照）を指標値として測定する試験である（**解説写真** 3.4.4 参照）。

$$Z = \frac{F}{V} \tag{3.4.2}$$

ここで、Z: 機械インピーダンス、F: 衝突したときに生じる力、V: 衝突したときに生じる力と同じ方向の速度。

機械インピーダンスは、コンクリートの弾性係数に相当する指標値である。試験方法は、日本非破壊検査協会 NDIS3434-3「コンクリートの非破壊試験－打撃試験方法－第 3 部：機械インピーダンス試験」[55] に示されている。

打撃試験（機械インピーダンス）では、火害部および火害を受けていない健全部のコンクリートにおいてそれぞれ機械インピーダンスを測定し、それらを比較することにより、火害の程度を把握することができる[56]。

解説写真 3.4.4　機械インピーダンスの測定状況の例

1）試験手順

NDIS に基づく試験手順を、**解説表** 3.4.5 に要約する。

解説表 3.4.5　打撃試験（機械インピーダンス）の試験手順と留意点
NDIS3434-3「コンクリートの非破壊試験－打撃試験方法－
第3部：機械インピーダンス試験方法」

<table>
<tr><th colspan="2">手　順</th><th>内　　　容</th></tr>
<tr><td>測定箇所の選定</td><td>①</td><td>測定箇所は、目的に応じて適切に選定する。</td></tr>
<tr><td rowspan="2">表面処理</td><td>②-1</td><td>測定箇所にある凹凸、付着物は、研磨処理装置などで平滑に磨いて取り除いてから測定する。</td></tr>
<tr><td>②-2</td><td>測定面に仕上げ層がある場合には、これを取り除き、コンクリート面を露出させた後、②-1の処理を行ってから測定する。</td></tr>
<tr><td rowspan="3">測定</td><td>③-1</td><td>センサの軸感度がコンクリートの打撃面と垂直になるよう注意しながら、コンクリート表面を打撃体で打撃し、時間波形を測定する。</td></tr>
<tr><td>③-2</td><td>③-1を20点以上行う。打撃音、打撃痕などから判断して明らかに異常と認められる場合、または、その偏差が平均値の20%以上になる値があれば、その値を捨て、これに替わる測定値を補うものとする。</td></tr>
<tr><td>③-3</td><td>測定後の日常点検によって、打撃装置と計測装置の異常が確認された場合は、直前に行った点検以後の値は無効とする。</td></tr>
<tr><td rowspan="4">計算</td><td>④-1</td><td>測定した加速度の時間波形 $A(t)$から、最大加速度 A_{max}と、そのときの時刻 T_2を求める。</td></tr>
<tr><td>④-2</td><td>打撃終了時刻 T_3を求める。</td></tr>
<tr><td>④-3</td><td>式(3.4.3)により、機械インピーダンス（反発過程）Z_Rを算出する。
$$Z_R = \frac{F_{max}}{{V_R}^{1.2}} \approx \frac{MA_{max}}{\left(\int_{T_2}^{T_3} A(t)dt\right)^{1.2}} \qquad (3.4.3)$$
ここで、F_{max}：最大打撃力、V_R：打撃体の反発速度、M：打撃体の質量である。</td></tr>
<tr><td>④-4</td><td>機械インピーダンス（反発過程）は、1か所の有効な測定値から計算した平均値とし、四捨五入によって有効数字3桁に丸める。</td></tr>
</table>

2) 注意事項

解説図 3.4.3 は、コンクリート表面の受熱温度と機械インピーダンスとの関係を示したものである。加熱前の機械インピーダンスは、概ね一定の値を示している。これに対して、加熱後の機械インピーダンスは、受熱温度110℃では加熱前と概ね同じ値を示している。しかしながら、受熱温度が300℃以上では、受熱温度が大きくなると機械インピーダンスが線形的に小さくなる傾向が確認された[56)]。

以上の研究事例より、打撃試験（機械インピーダンス）では、受熱温度が300℃以上において、機械インピーダンスから受熱温度を推定できる可能性が示唆されている。しかしながら、事例数が少なく、また加熱前の同一配合の試験体でも機械インピーダンスの値はばらつき（**解説図 3.4.3**(a)参照)、加えて受熱温度 110℃（**解説図 3.4.3**(b)参照）と健全部の機械インピーダンス（**解説図 3.4.3**(a)参照）は概ね同等の値となる。実際の調査においては、これらを十分に考慮した上で、適用するのが望ましい。

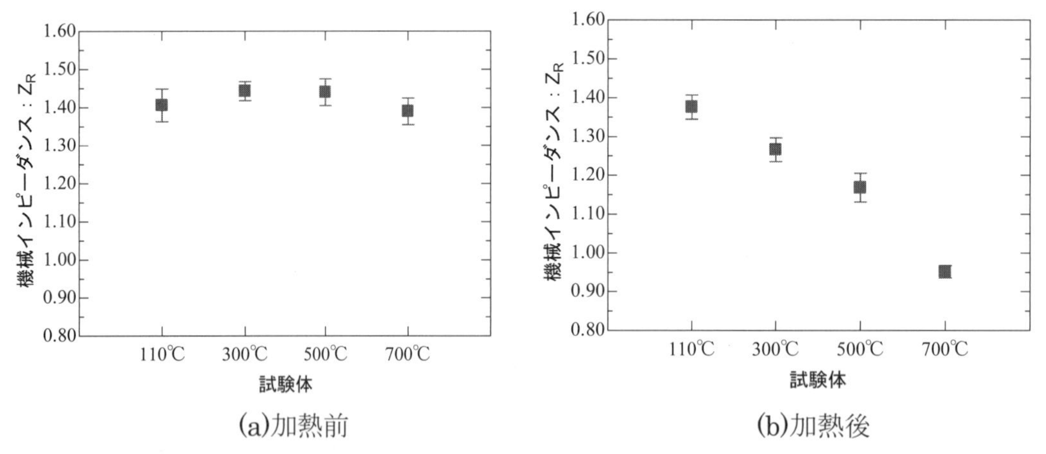

(a)加熱前　　(b)加熱後

解説図 3.4.3　機械インピーダンスの測定結果（水セメント比 57%）[56]

（２）打撃試験（接触時間）

打撃試験（接触時間）は、加速度計を取付けたハンマでコンクリート表面を打撃し、ハンマとコンクリートとの接触時間を測定する試験である（**解説写真 3.4.5** および**解説図 3.4.4** 参照)。試験方法は、日本非破壊検査協会 NDIS 3434-2「コンクリートの非破壊試験－打撃試験方法－第 2 部：接触時間試験方法」[57] に示されている。

打撃試験（接触時間）では、火害部および火害を受けていない健全部のコンクリートにおいてそれぞれ接触時間を測定し、それらを比較することにより、相対的な火害の程度を把握することができる[58]。

解説写真 3.4.5　接触時間試験の測定状況の例

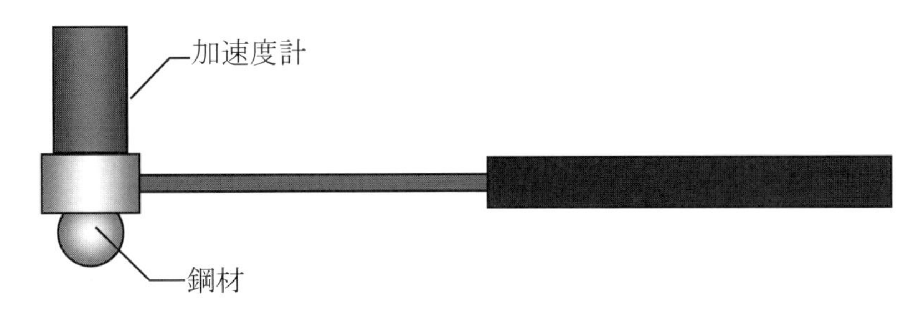

解説図 3.4.4　接触時間試験で使用する打撃ハンマの例

1）試験手順

NDIS に基づく試験手順を、**解説表 3.4.6** に要約する。

解説表 3.4.6　打撃試験（接触時間）の試験手順と留意点
（NDIS3434-2　「コンクリートの非破壊試験－打撃試験方法－第 2 部：接触時間試験方法」）

手　順		内　容
測定箇所の選定	①	測定箇所は、目的に応じて適切に選定する。
表面処理	②	測定箇所のコンクリートにゴミ、ほこり、砂、土などがある場合には清掃する。
測定	③-1	コンクリート表面を打撃装置で打撃する。
	③-2	センサの出力信号を計測装置に記録する。
	③-3	測定点は可能な限り近接する範囲内で 20 点設定する。ただし、一度打撃した点を打撃してはならない
計算	④-1	受信波形からコンクリートと打撃体との接触の開始時刻および終了時刻をそれぞれ読み取り、これらの時刻の差から接触時間を計算する。
	④-2	20 点までの測定に対して、受信波形が明らかに異常である場合、または、測定値の偏差が平均値の 20%以上になる場合には、その測定値を捨て、これに替わる測定値を補うものとする。
	④-3	有効な 20 点の測定値の平均値を接触時間とする。接触時間は、四捨五入によって有効数字 3 桁に丸める。

2）注意事項

既往の研究により接触時間試験の変動係数は 7%以下であることが確認されており、測定点を 20 点とすることにより要求精度は 5%以下になることが示されている [58)]。したがって、火災による劣化の程度がある程度大きくならないと、打撃試験（接触時間）により火害の影響を確認することはできない。

解説図 3.4.5 に既往の研究で確認されたコンクリート表面の受熱温度と接触時間との関係を示す [58)]。加熱前の接触時間が 145μs であるのに対して、受熱温度 500℃以上で測定される接触時間が大きくなり、火害の影響を確認できる。受熱温度 300℃以下で測定される接触時間は、加熱前の接触時間の誤差の範囲内であるため、火害の影響を確認することはできない。

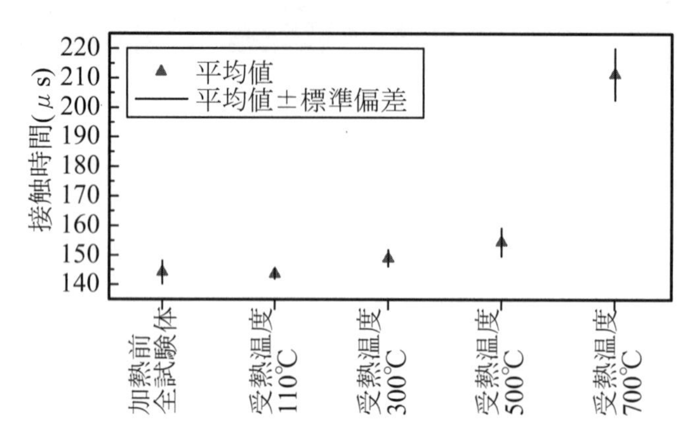

解説図 3.4.5　コンクリート表面の受熱温度と接触時間との関係（水セメント比 57%）[58]

3.4.3.3　弾性波法

> 弾性波法は、コンクリートの縦波や横波の速度を測定する試験方法である。コンクリート表面から深さ方向の火害の程度を把握できる場合がある。

（解説）

（1）弾性波法（縦波）

弾性波法の測定方法の一つに、コンクリート表面から弾性波を入力し、一定距離離間した同一表面に設置した受信点で、コンクリートを伝搬した縦波を受信して、縦波の伝搬時間差を測定する方法（多点表面伝搬時間差法、**解説写真 3.4.6** 参照）がある。多点表面伝搬時間差法は、弾性波を入力する点（入力点）と受信点との距離を変化させて複数点設定し、各距離で縦波の伝搬時間差を測定する方法である。

多点表面伝搬時間差法を火害部のコンクリート表面で適用することにより、コンクリート表面からの各深さの縦波の伝搬速度を推定することが測定原理上可能である。ここで得られた各深さの縦波の伝搬速度を比較することにより、火害を受けているコンクリート表面からの深さおよび各深さでの火害の程度を評価することができる[59]。

解説写真 3.4.6　多点表面伝搬時間差法の測定状況の例

1）試験手順

試験手順を、**解説表 3.4.7** に要約する。

解説表 3.4.7　弾性波法（縦波）による試験手順と留意点(1)
（多点表面伝搬時間差法の測定状況の例）

手順		内容
測定箇所の選定	①-1	測定箇所は目的に応じて適切に選定する。
	①-2	測定箇所は湿潤状態でない箇所から選定しなければならない。
	①-3	入力点と受信点は 1 測定箇所につき入力点と受信点との距離（以下、距離と略記）を変化させて複数点設定する。距離は 200mm から 50mm 間隔で 1000mm まで（計 17 点）とすることを基本とする。
表面処理	②	測定箇所のコンクリートにゴミ、ほこり、砂、土などがある場合には清掃する。

解説表 3.4.7　弾性波法（縦波）による試験手順と留意点(2)

手順		内容
測定	③-1	①-3 で設定した各距離で受信点に加速度計を設置する。次に入力点を加速度計が内蔵された打撃ハンマで打撃し、弾性波を入力する。
	③-2	打撃ハンマに内蔵されている加速度計の出力信号と受信点に設置した加速度計の出力信号とを計測装置に記録する。
	③-3	計測装置に記録された出力信号から、入力点から入力した弾性波が受信点に到達するまでの時間差（伝搬時間差）を測定する。
	③-4	①-3 で設定した全距離において③-1～③-3 を実施する。
計算	④-1	各距離で測定された伝搬時間差を比較する。距離と伝搬時間差は正の相関関係になるが、両者の勾配が変化するときの距離 L_0 を判断する（**解説図 3.4.6** 参照）。 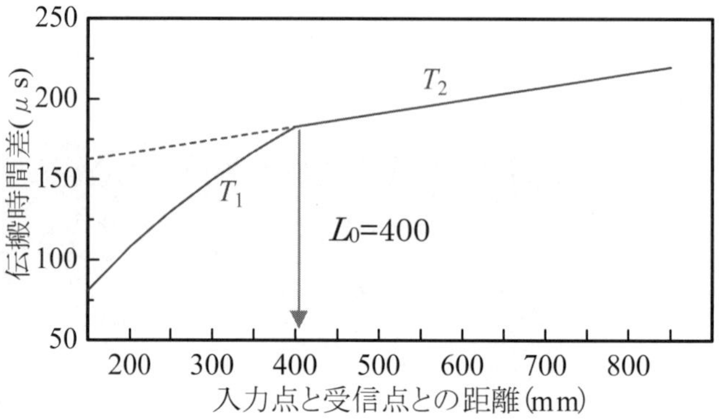 伝搬時間差(μs)　250　200　150　100　50 T_1　T_2　L_0=400 200　300　400　500　600　700　800 入力点と受信点との距離(mm) **解説図 3.4.6**　測定された伝搬時間差と入力点と受信点との距離の例
	④-2	**式(3.4.4)**の V_0 と a_0 を任意に設定し、各距離 L で T_1 を算出する。ここで L は④-1 で判断した距離 L_0 以下の距離とし、実際に伝搬時間差を測定した距離とする。この算出結果と③-4 の距離 L_0 以下で実際に測定された伝搬時間差との差を求め、両者の差が最小となるときの V_0 と a_0 を求める。 $T_1 = \frac{2}{a_0}\sinh^{-1}\left\{\frac{a_0 L}{2V_0}\right\}$　　(3.4.4)
	④-3	④-1 で判断した距離 L_0 以上の各距離で測定された伝搬時間差 T_2 と距離 L を最小二乗法により**式(3.4.5)**に示す一次関数に回帰し、切片 t を求める。 $L = aT_2 + t$　　(3.4.5) ここで L は④-1 で判断した距離 L_0 以上の距離、T_2 は距離 L_0 以上の各距離で測定された伝搬時間差、a は定数である。
	④-4	**式(3.4.6)**の V_m と V_2 を任意に設定し、④-2 で決定した V_0 と a_0 から t_2 を算出する。この結果と④-3 により求めた関係式の切片 t との差を求め、両者の差が最小となるときの V_m と V_2 を求める。 $t_2 = \frac{2}{a_0}\left\{\cosh^{1}\left(\frac{V_2}{V_0}\right) - \cosh^{1}\left(\frac{V_2}{V_m}\right) + \sqrt{1-\left(\frac{V_0}{V_2}\right)^2} - \sqrt{1-\left(\frac{V_m}{V_2}\right)^2}\right\}$　　(3.4.6) ここで V_0 と a_0 は④-2 で決定した値である。

解説表 3.4.7　弾性波法（縦波）による試験手順と留意点(3)

手順		内容
計算	④-5	④-2 で決定した V_0 と a_0、④-4 で決定した V_m から**式(3.4.7)**により Z を求める。 $Z=(V_m-V_0)/a_0$　(3.4.7) ここで V_m は④-4 で決定した値、V_0 と a_0 は④-2 で決定した値である。
	④-6	コンクリート表面からの各深さの弾性波伝搬速度を**式(3.4.8)**、**式(3.4.9)**により求める。 (a)コンクリート表面からの深さが④-5 で求めた Z 以下のとき $V(Z_0)=V_0+a_0Z_0$　(3.4.8) (b)コンクリート表面からの深さが④-5 で求めた Z より大きいとき $V(Z_0)=V_2$　(3.4.9) ここで Z_0 はコンクリート表面からの深さ、$V(Z_0)$ は深さ Z_0 での弾性波伝搬速度、V_0 と a_0 は④-2 で決定した値、V_2 は④-4 で決定した値である。

2) 注意事項

本法は、火害を受けたコンクリートでは以下の状態であることを前提条件としている（**解説図 3.4.7 参照**）[59]。

・火災影響部のコンクリート表面で最も弾性係数が低下している。

・コンクリート表面からの深さがある程度の深さとなるまでは、コンクリート表面からの深さが大きくなると徐々に弾性係数が大きくなるミラージ層となっている。

・コンクリート表面からの深さがある程度の深さ以上になると火害の影響を受けずに、弾性係数は火災前から変化せずにほぼ一定値となる。

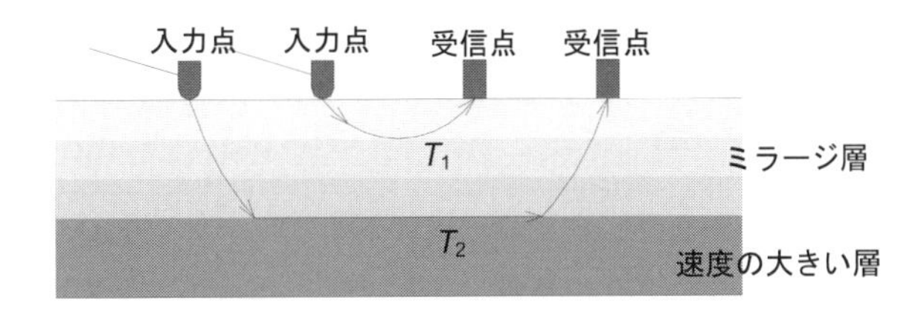

解説図 3.4.7　多点表面伝搬時間差法の前提条件となるコンクリートの状態のモデル図

さらに、測定される縦波の伝搬時間差は**解説図 3.4.7** 中に示す伝搬経路を伝搬した縦波となることを前提条件としている。

ただし、火害の影響によりミラージ層内にひび割れなどの空隙が発生すれば、縦波の伝搬経路は**解説図 3.4.7** 中から変化すると考えられる。この場合、本法の前提条件とは一致せずに誤差要因となることに注意が必要である。

（2）弾性波法（横波）

本手法で使用する装置の一例を、**解説写真 3.4.7** に示す。この装置では、接触媒質を必要としない DPC（Dry Point Contact）センサ（12 列×4 行の合計 48 個）を配列したアレイ型のトランスデューサにより横波を励起し、コンクリートを伝搬した波動を同じく DPC センサで受信している[60]。励起する周波数を 10 kHz～100kHz（5kHz ステップ）と可変できる。装置を躯体面に押付けた状態でトモグラフィ計測ができるため、発信・受信センサを走査する従来のトモグラフィ法[61),62)]と比較して、作業性が優れている。なお、その他の弾性波の測定方法を付録−6.3 に示す。

解説写真 3.4.7　弾性波法（横波）による測定状況の例

1) 試験手順

試験手順を、**解説表** 3.4.8 に要約する。

解説表 3.4.8　弾性波法（横波）による試験手順と留意点

手順		内容
測定箇所の選定	①-1	測定箇所は調査者が、直接アクセス可能な箇所であり、かつ、安全な作業環境であるものとする。
	①-2	比較用の健全部データを得るため、加熱の影響を受けていないと想定される範囲で、測定箇所と同じ厚さの部材を選定する。
	①-3	測定箇所は部材の縁端部から 100mm 以上離れた内部とする。
表面処理	②	横波の伝達に影響を与える煤や異物など測定面の付着物を除去する。同様に表面の著しい凹凸、仕上げの浮きなども適宜処理を行う。
測定	③-1	測定周波数、測定速度および測定感度の決定を①-2 の箇所で行う。同時に健全部データの測定および画像の保存を行う。
	③-2	周波数は測定対象の部材厚さを鑑み選定を行い、速度は原則、測定対象部材の厚さをコンベックスルールなどで計測した実測値（以下、実測値と略記）と、本装置による測定値（以下、測定値と略記）から求める。なお、実測値が計測できない場合、装置に内蔵された自動速度測定機能を用いてもよいこととする。
	③-3	保存した画像が不鮮明であったり、判断が困難であった場合、その周辺部を含め再測定を行い、最終的な測定画像とする。
計算	④-1	画像内における測定箇所裏面からの反射画像の位置と A スコープのピーク位置を合わせ、測定値を決定する。
	④-2	測定箇所の速度を以下の**式(3.4.10)**により求める。 速度(m/s) = 実測値(mm) / 測定値(mm)×1,000×測定速度(m/s)　　(3.4.10)

2) 注意事項

① 測定面の仕上げの浮きなどは横波の伝達に影響がでることから、必要に応じ仕上げを除去して躯体面を現す必要がある。仕上げの除去が困難である場合、測定箇所の変更を行う。

② 周波数の設定は、一般的に部材厚が大きいほど低い周波数を目安とし、被災の状況に応じて適宜決定を行う。
③ 速度の設定は、実測値と測定値から求める方法により、加熱の影響を受けていないと想定される箇所で行う。
④ 画像上にコンクリート裏面からの画像が現れない、また、健全部の速度と比べ明らかな低下が見られる箇所については、火害による熱影響の可能性があるものと判断する。

解説図 3.4.8 は、未加熱および各加熱温度（110℃、300℃、500℃、700℃）の試験体（**解説写真 3.4.8** 参照　寸法 900mm×900 mm×250 mm）全面の測定を行った画像の一例を示したものである。画像は試験体の中心付近のもので、可変させた周波数のうち 50kHz のものを示している。加熱温度が高くなるにしたがい試験体裏面からの画像が不明瞭となり、コンクリートの内部には未加熱試験体と異なり小さな反射源画像が現れている。また、**解説表 3.4.9** に示すように未加熱試験体の横波の伝搬速度より低くなる傾向が見られる。ただし、これは研究事例であることから全てのコンクリートに適用できるものではなく、あくまでも健全部との比較により簡便に傾向を知る一つの手法と考えるのが望ましい。

解説写真 3.4.8　試験体

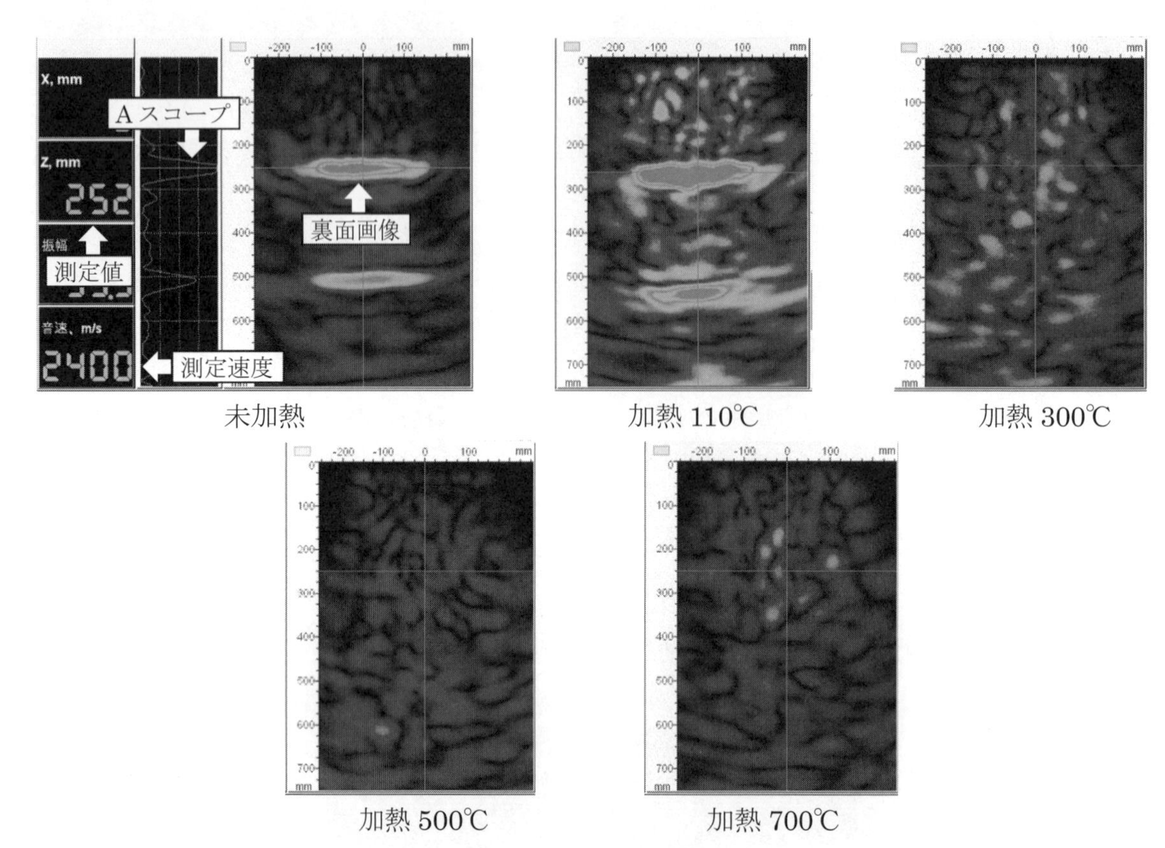

解説図 3.4.8　加熱試験体の実験における受熱温度と横波画像の一例（周波数 50kHz）

解説表 3.4.9　加熱温度と横波の一例

試験体	横波速度(m/s)
未加熱	2316～2448
110℃	2272～2380
300℃	―――――　※
500℃	―――――　※
700℃	―――――　※

※いずれの周波数でも裏面画像の検出不能

3.4.3.4　表層透気試験

表層透気試験は、コンクリート表層の透気係数を測定する試験方法である。火害の有無を把握したい場合に推奨される試験である。

（解説）

表層透気試験は、ダブルチャンバー法の測定装置（**解説写真** 3.4.9 参照）を用いてコンクリートの復圧時間（ダブルチャンバーをコンクリート表面に接触させダブルチャンバー内を減圧した後、測定開始から終了するまでの圧力が変化する時間）を計測することにより、透気係数を測定する試験である（**解説写真** 3.4.10 参照）。試験方法は、日本非破壊検査協会 NDIS 3436-2「コンクリートの非破壊試験－表層透気試験方法－第 2 部：ダブルチャンバー法」[63)]に示されている。

表層透気試験では、火害部および火害を受けていない健全部のコンクリートからそれぞれ透気係数を測定し、それらを比較することにより、相対的な火害の程度を把握することができる[64)]。

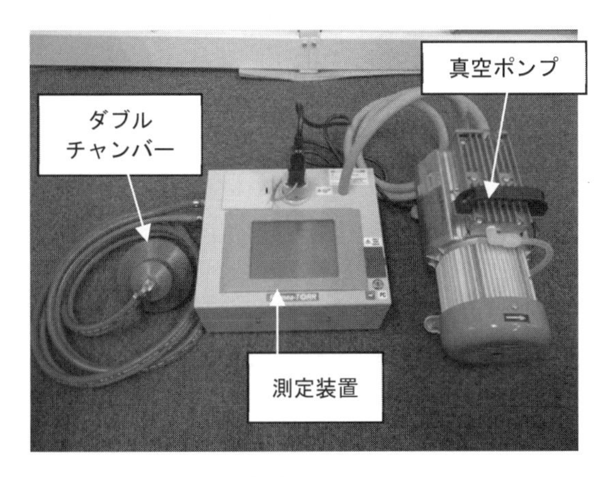

解説写真 3.4.9　ダブルチャンバー法の測定装置

解説写真 3.4.10　表層透気試験の測定状況

1) 試験手順

NDIS に基づく試験手順を、**解説表** 3.4.10 に要約する。

解説表 3.4.10　表層透気試験の試験手順と留意点(1)
(NDIS 3436-2「コンクリートの非破壊試験－表層透気試験方法－第 2 部:ダブルチャンバー法」)

手順		内容
試験箇所の選定	①	測定箇所は目視により、火害部および火害を受けていない健全部のコンクリートの表面を適切に選定する。
準備	②-1	真空ポンプの性能および圧力計の作動状況を確認するため､真空ポンプの暖機運転を実施する。
	②-2	暖機運転の後、ダブルチャンバーを対比試験片に押し当て、③-1～③-4 に示す手順により測定を行う。点検では、ダブルチャンバーから圧力計までの接続部からの漏れと、対比試験片からの透過による圧力の変化の合計が、試験装置ごとに定まる測定終了時間において、所定の圧力以下であることを確認する。

解説表 3.4.10　表層透気試験の試験手順と留意点(2)

手順		内容
測定	③-1	測定前の真空ポンプ停止時において、試験ごとに圧力計を用いて試験箇所における大気圧を測定する。併せて環境温度を測定し記録する。なお、試験は原則として、環境温度が 5℃～40℃の範囲内で行う。
	③-2	真空ポンプを稼働状態にし、ダブルチャンバーを試験箇所に押し当て、測定を開始する。
	③-3	真空ポンプによってダブルチャンバー内を所定時間減圧する。
	③-4	指定時間後から内部チャンバーの気圧の変化量を所定時間まで一定の間隔で測定し、終了する。 注）対比試験片を測定対象とする場合を除き、同一の試験箇所で繰り返し測定が必要な場合は、測定終了後 15 分以上の間隔を設けると良い。
計算	④	透気係数は、式(3.4.11)によって求める。また、t_o～t_f間の圧力増分の ΔPは、測定時刻 t_f 時の圧力値から日常点検を実施し、 t_f時における圧力値を引いた値を用いること。 $$K_T=\left(\frac{V_c}{A}\right)^2\frac{\mu}{2\varepsilon P_a}\left(\frac{log\frac{P_a+\Delta P}{P_a-\Delta P}}{\sqrt{t_f}-\sqrt{t_0}}\right)^2 \qquad (3.4.11)$$ ここに、 K_T ：透気係数（×10^{-16} m^2） V_c ：内部チャンバーの体積（m^3） A ：内部チャンバーの断面積（m^2） μ ：空気の粘性　信頼できる資料か、2.0×10^{-5}（P_a・s）を用いる。 ε ：空隙率　信頼できる資料か、0.15 を用いる。 P_a ：大気圧（P_a(abs)） ΔP ：内部チャンバーにおける t0～tf 間の気圧の変化量（P_a） t_f ：測定の終了時間（s） t_o ：測定開始時間（s）

2) 注意事項

コンクリートの透気試験は、火害により発生したコンクリート表層のひび割れの影響を受けることに注意する。**解説図 3.4.9** は、コンクリート表面の表層透気係数の分布を示したものである。なお、**解説図 3.4.9** の a)～e)に示す点線内は加熱範囲を示す。加熱を受けたコンクリート表層の表層透気係数は、加熱温度 110℃および 300℃では増加し、加熱温度 500℃および 700℃ではコンクリート表層に発生したひび割れの影響により測定は不可であったことが報告されている[64)]。

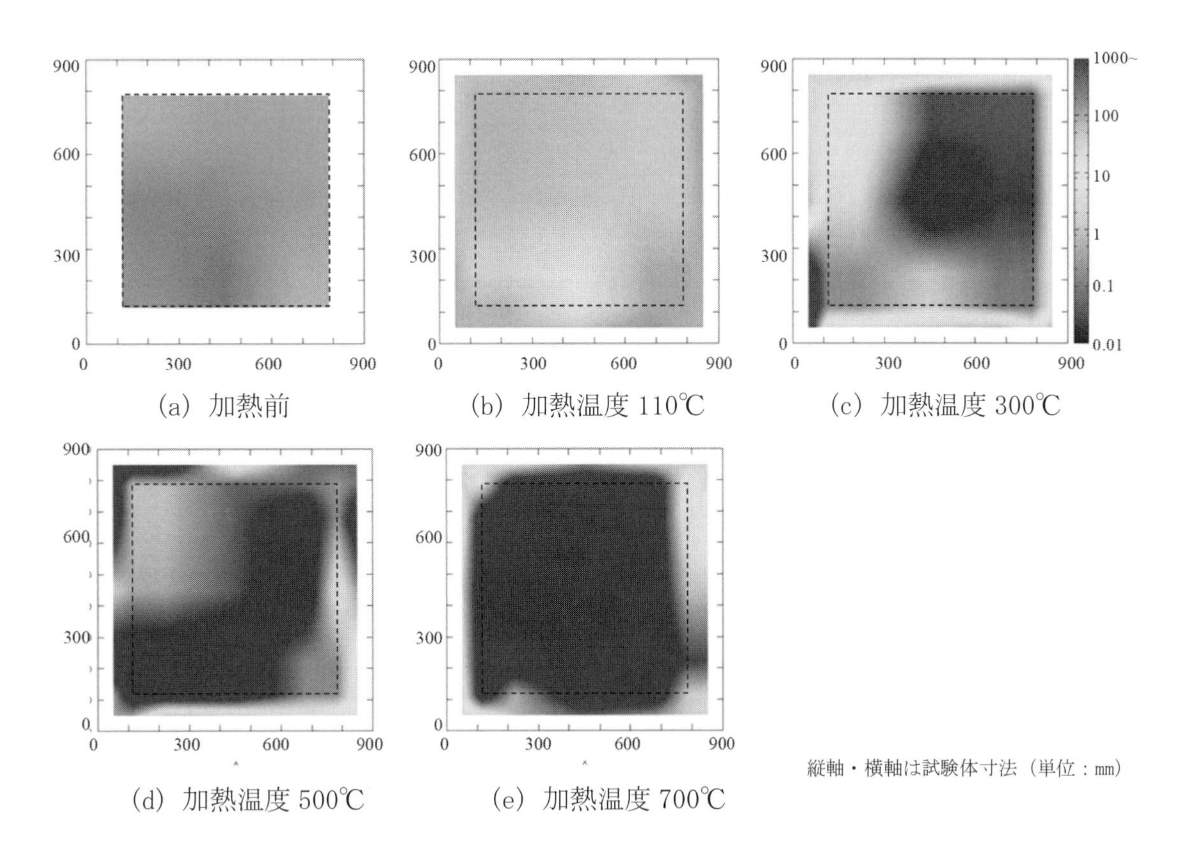

解説図 3.4.9　K_T値の分布[64)]

3.4.3.5　色彩測定

> 色彩測定は、コンクリート表面の色彩を測定する試験方法である。コンクリート表面の受熱温度を推定したい場合に推奨される試験である。

（解説）

コンクリート表面の色彩測定は、分光測色計を用いて、コンクリート表面の色彩を測定する試験である（**解説写真** 3.4.11 参照）。試験方法は、日本産業規格 JIS Z 8724「色の測定方法－光源色」および JIS Z 8781-4「測色−第 4 部：CIE 1976 L*a*b*色空間」に示されている（L*a*b*表示系の色空間の立体イメージは**解説図 3.4.10** 参照）。

コンクリートは受熱温度に応じて変色する（**解説表 3.3.2** 参照）。この変色状況はコンクリートの火害の程度を判断する指標になるため、目視による調査でもコンクリート表面の受熱温度を定性的に評価することができる。一方で、分光測色計を用いた色彩測定は、コンクリート表面の色彩を定量的に数値として測定できるため、暗所などで目視によりコンクリート表面の色を確認しにくい場面において、有効な試験方法になり得る[65),66)]。

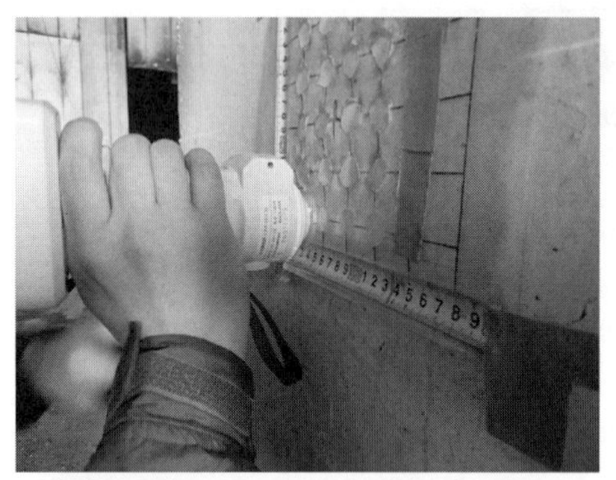

解説写真 3.4.11　色彩測定の状況

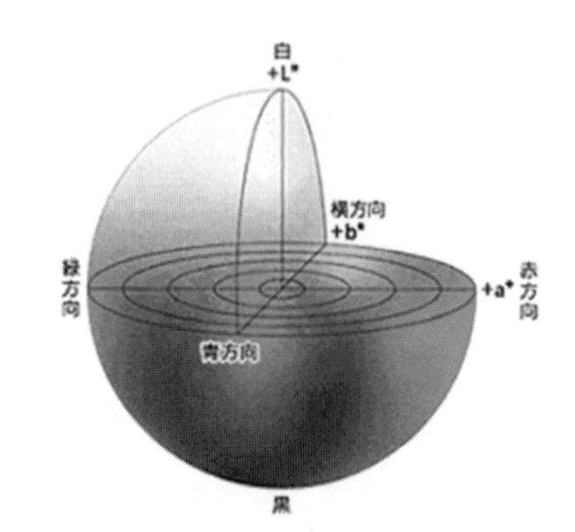

解説図 3.4.10　L*a*b*表示系の色空間立体イメージ

1) 試験手順

JIS を参考にした試験手順を、**解説表** 3.4.11 に要約する。

解説表 3.4.11　分光測色計による色彩の測定手順と留意点(1)
(JIS Z 8724「色の測定方法－光源色」)

手　順		内　　容
測定箇所の選定	①	測定箇所は、目的に応じて適切に選定する。
準備	②−1	分光測色計は、観察条件を 10 度視野、観察光源を D65、正反射光除去（SCE）と設定する。
	②−2	白色校正板（白色反射標準）を用いて校正を行う。
	②−3	測定箇所のコンクリート表面にゴミ、ほこり、砂、土などがある場合には清掃する。

解説表 3.4.11　分光測色計による色彩の測定手順と留意点(2)

手順		内容
測定	③-1	分光測色計の先端が暗室となるように測定面に密着させ、三刺激値 X_{10},Y_{10},Z_{10} を測定する。
	③-2	③-1 を 12 点以上行う。
	③-3	12 点の測定に対して、測定値が明らかに異常である場合はその測定値を捨て、これに替わる測定値を補うものとする。
計算	④	式(3.4.12)、式(3.4.13)および式(3.4.14)により、明度指数 L^*および a^*, b^*座標を算出する。 $L^* = 116f\left(\frac{Y_{10}}{Y_n}\right) - 16$　(3.4.12) $a^* = 500\left[f\left(\frac{X_{10}}{X_n}\right) - f\left(\frac{Y}{Y_n}\right)\right]$　(3.4.13) $b^* = 200\left[f\left(\frac{Y}{Y_n}\right) - f\left(\frac{Z}{Z_n}\right)\right]$　(3.4.14) ここに、　$\left(\frac{X_{10}}{X_n}\right) > \left(\frac{6}{29}\right)^3$ の場合　$: f\left(\frac{X_{10}}{X_n}\right) = \left(\frac{X_{10}}{X_n}\right)^{\frac{1}{3}}$ $\left(\frac{X_{10}}{X_n}\right) \leqq \left(\frac{6}{29}\right)^3$ の場合　$: f\left(\frac{X_{10}}{X_n}\right) = \left(\frac{841}{108}\right)\left(\frac{X_{10}}{X_n}\right) + \frac{4}{29}$ $\left(\frac{Y_{10}}{Y_n}\right) > \left(\frac{6}{29}\right)^3$ の場合　$: f\left(\frac{Y_{10}}{Y_n}\right) = \left(\frac{Y_{10}}{Y_n}\right)^{\frac{1}{3}}$ $\left(\frac{Y_{10}}{Y_n}\right) \leqq \left(\frac{6}{29}\right)^3$ の場合　$: f\left(\frac{Y_{10}}{Y_n}\right) = \left(\frac{841}{108}\right)\left(\frac{Y_{10}}{Y_n}\right) + \frac{4}{29}$ $\left(\frac{Z_{10}}{Z_n}\right) > \left(\frac{6}{29}\right)^3$ の場合　$: f\left(\frac{Z_{10}}{Z_n}\right) = \left(\frac{Z_{10}}{Z_n}\right)^{\frac{1}{3}}$ $\left(\frac{Z_{10}}{Z_n}\right) \leqq \left(\frac{6}{29}\right)^3$ の場合　$: f\left(\frac{Z_{10}}{Z_n}\right) = \left(\frac{841}{108}\right)\left(\frac{Z_{10}}{Z_n}\right) + \frac{4}{29}$ ここで、X_{10},Y_{10},Z_{10} は JIS Z 8781-1 で規定する CIE 表色系の試験色刺激の三刺激値である。X_n,Y_n,Z_n は特定の白色刺激に対応する三刺激値である。

2) 注意事項

火災を受けたコンクリートの色彩は、セメントや粗骨材の種類などによって変色状況が異なることから、火害部と火害を受けていない健全部の測色値を比較することが好ましい。

解説図 3.4.11 は、分光測色計を用いてコンクリート表面の色彩（L^*, a^*, b^*）の変化量を測定し、これと受熱温度との関係を示したものである[65)]。コンクリート表面の色彩は、受熱温度に応じて、測定結果に一定の傾向が確認され、色彩を定量的に数値化することでコンクリート表面の受熱温度の推定が容易になる。

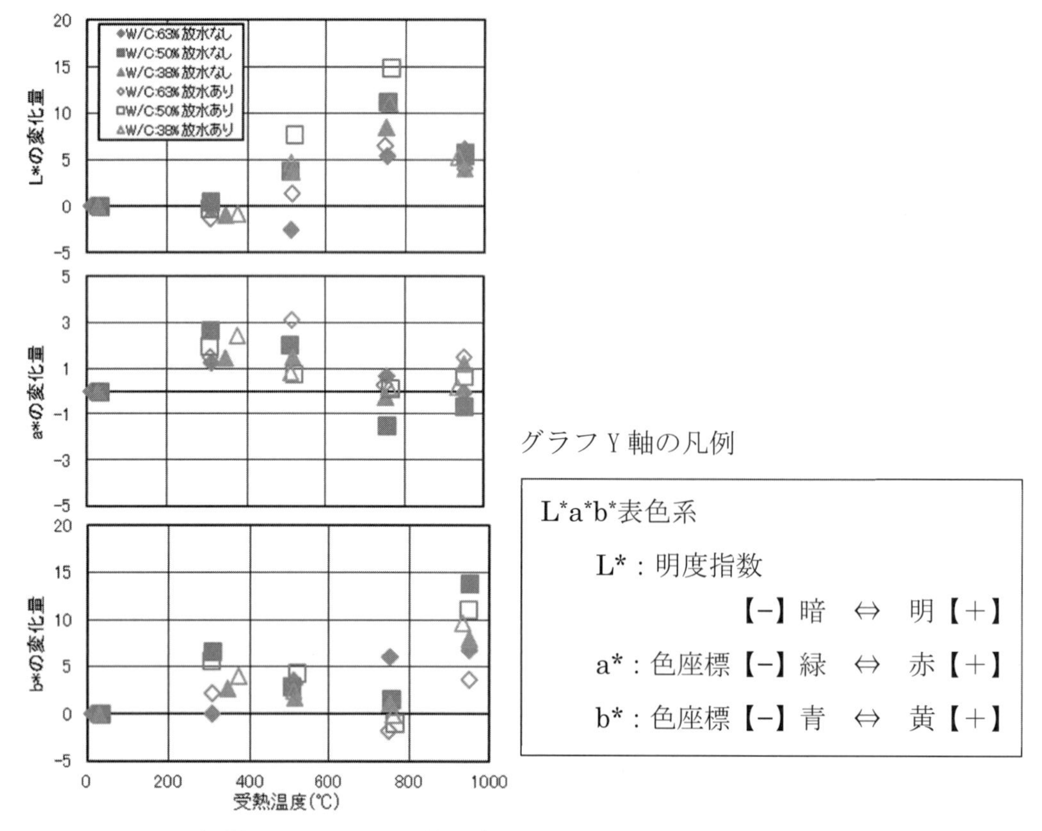

解説図 3.4.11　受熱温度とL*値、a*値、b*値の関係 65)

また、**解説図 3.4.12** は、コンクリートの色彩a*値とb*値との関係を示したものである。コンクリートの色彩は、加熱温度110℃，300℃および500℃では、a*値およびb*値ともに増加傾向を示し、加熱面の赤みや黄みを捉えていることがわかる。一方で，加熱温度が700℃では，一部の測定箇所においてa*値およびb*値が減少し、とくにa*値は加熱前の色彩に戻る傾向を報告している 66)。

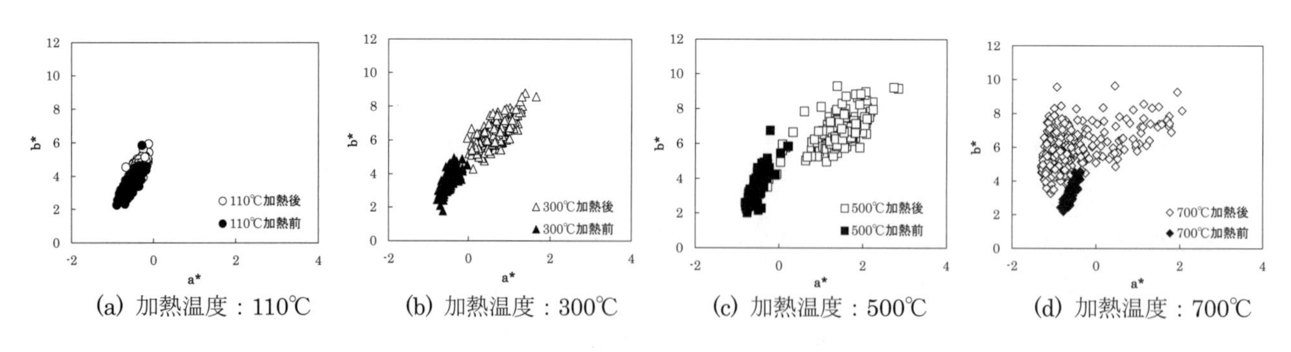

(a) 加熱温度：110℃　(b) 加熱温度：300℃　(c) 加熱温度：500℃　(d) 加熱温度：700℃

解説図 3.4.12　a*値およびb*値の分布 66)

3.4.3.6　引っかき傷幅測定

引っかき傷幅測定は、コンクリート表面に一定の荷重をかけて得られた引っかき傷の幅を測定する試験方法である。火害の影響範囲を推定したい場合に推奨される試験である。

（解説）

引っかき傷幅測定では、日本塗り床工業会の認定品である引っかき試験器や機械式でハンドルを回して秒速 1 cm ~1.2cm で引っかき傷をつける引っかき試験器を用いる。前者の試験器は、コンクリート表面に一定の荷重(9.8N)をかけて引っかき傷を加えた後、ルーペおよびクラックスケールを用いて引っかき傷幅を測定する。測定した引っかき傷幅からコンクリートの圧縮強度を推定する方法[67]も提案されている。**解説写真 3.4.12** に測定状況の例を示す。一方、後者では、光学測定器（CCD カメラで撮影し、画像処理により 0.02mm 単位で引っかき傷幅を測定）を使用して引っかき傷幅を測定[68]する。

火害の調査では、火害部の引っかき傷幅を健全部の引っかき傷幅で除した値（引っかき傷幅比）を指標値にする方法が提案されている[69]。**解説図 3.4.13** に示すように、引っかき傷幅比とコンクリート表面の受熱温度の両者にはある程度の相関があり、引っかき傷幅比の増加により、コンクリート表面の受熱温度を推定できる可能性がある。ただし、火害で劣化したコンクリートの場合、引っかき傷幅から圧縮強度を推定するのではなく、あくまで、火害部と火害を受けていない健全部で相対的に比較し、火害の程度を把握することが望ましい。

（右は、コンクリート面に一定荷重で押しつけられるピンの先端）

解説写真 3.4.12　引っかき傷幅測定の測定状況の例

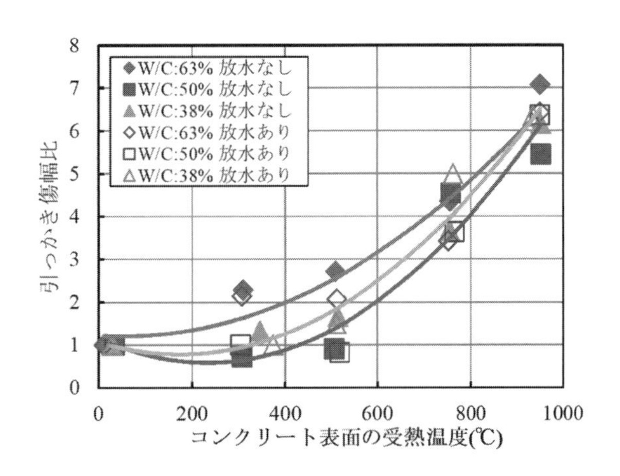

解説図 3.4.13　コンクリート表面の受熱温度と引っかき傷幅比との関係[69]

1)　試験手順

測定手順を、**解説表 3.4.12** に要約する。

解説表 3.4.12　引っかき傷幅測定の手順と留意点

手順		内容
測定箇所の選定	①-1	測定箇所は、目視観察などの結果から火害の程度ごとに選定する。
	①-2	測定面は、コンクリート表面をよく観察し、ひび割れがなく出来るだけ平滑な平面部分とする。ただし、平滑な平面部を選定できない場合は、調査者の判断により測定箇所を選定する。
表面処理	②	測定面にある凹凸および付着物を研磨処理装置などで平滑に磨いて取り除き、コンクリート表面の粉末その他の付着物をブロアなどで除去する。ただし、火害部では、測定面の表面処理を健全部同様に実施できない場合がある。そのような場合は、調査者の判断により測定面の表面処理を実施する。
測定	③-1	測定前に試験器加圧ピンの針先を指触点検および目視点検し、購入時より明らかに針先が減っていないことを確認する。
	③-2	引っかき試験器の加圧ピン側をコンクリート表面に密着させ、できるだけ一定の速さで、長さ5～10cm の引っかき傷をつける。加圧ピンが凹凸などにより引っ掛かり、進まなくなった場合は、適宜場所を変えて測定する。
	③-3	測点数は、火害の程度毎に 3～5 測点とする。
	③-4	測定後に③-1 と同様の点検を行う。加圧ピンの針先が測定前より明らかに減っている場合や欠損などの不具合があれば、直前に行った点検以後の測定値は無効とし、試験器の交換を行った後に無効とした部位を再測定する。
計算	④-1	引っかき傷幅は火害の程度ごとの測定値から**式(3.4.15)**により計算した平均値とする。 引っかき傷幅=（火害の程度ごと毎の測定値の合計）／（測点数）　(3.4.15)
	④-2	評価は、**式(3.4.16)**により計算した引っかき傷幅比で行う。 引っかき傷幅比＝（火害部の引っかき傷幅）／（健全部の引っかき傷幅）　(3.4.16)

2) 注意事項

火害を受けたコンクリート表面の引っかき傷幅は、受熱温度の上昇に伴い増大する傾向にあるが、水セメント比や含水状態によって変化が異なる[69)]。**解説図 3.4.13** はコンクリート表面の受熱温度と引っかき傷幅比との関係を示したものである。水セメント比 63%ではコンクリート表面の受熱温度が 300℃以上、水セメント比 50%および 38%では受熱温度 500℃以上において、引っかき傷幅比が増大する傾向にある。

以上のことから、水セメント比が明確である場合、引っかき傷幅比を用いて火害の影響を判断できる可能性があるものの、**解説図 3.4.13** 以外の水セメント比に対する引っかき傷幅比と受熱温度との関係についての検討がなく、また水セメント比がわかっている状況であっても受熱温度 500℃以下では、引っかき傷幅比のみで火害の程度を判断することは難しいと考えられる。

したがって、火害による影響範囲を絞り込む（力学的試験および材料分析の調査範囲を限定する）目的で使用する場合は、引っかき傷幅測定で得られる傷幅のみから判断するのではなく、その他の方法で得られた結果を参考にして、総合的に評価するのが望ましい。

3.4.3.7　振動試験

> 振動試験は、床スラブや梁などの火災による剛性低下の程度を把握するために実施する試験である。特に使用性などの要求性能が高い場合に推奨される。

（解説）

振動試験は、床スラブや梁などの曲げ振動を実測して振動レベルにおける構造特性を明らかにし、火害部と火害を受けていない健全部の弾性挙動の比較・検討によって、火害部の構造面の健全性と使用性能を判断するために行われる。また、補修前後の部材に対して実施し、補修の効果を確認する場合でも推奨される。実際の床スラブは周辺固定されていることから、固有振動数が単純支持計算値を下回らないかどうかが健全性判定の目安になると考えられる。振動試験には、起振機による強制振動方式と砂袋や衝撃試験装置を用いた衝撃振動試験の二つがある。前者は特別な目的で行われる調査以外に適用される例が最近は少なく、後者の方法が一般的となっているようである。ここでは、加振装置を必要とせず簡便に行える方法として、砂袋を用いる試験方法と測定結果の評価について以下に述べる。

1）試験手順

試験手順を、**解説表 3.4.13** に要約する。

解説表 3.4.13　砂袋を用いた衝撃振動試験手順と留意点(1)

<table>
<tr><th colspan="2">手　順</th><th>内　　　容</th></tr>
<tr><td>測定箇所の選定</td><td>①</td><td>測定箇所は、目的に応じて適切に選定する。</td></tr>
<tr><td rowspan="3">測定</td><td>②-1</td><td>10kg 程度の砂袋を 20～30cm 程度の高さから落下させる。</td></tr>
<tr><td>②-2</td><td>加速度センサを用いて振動波形（常時微動の影響が入らない自由振動波形）を計測しデータロガーに記録する。</td></tr>
<tr><td>②-3</td><td>試験誤差を減らすため、振動測定は同一箇所で 3 回程度実施することが望ましい。また健全性判断のために、床スラブ中央のみならず床スラブ端部でも計測する場合もある。</td></tr>
</table>

解説表 3.4.13　砂袋を用いた衝撃振動試験手順と留意点(2)

手順		内容
計算	③-1	固有振動数は、構造体に固有なものであり、部材寸法、質量、曲げ剛性、周辺支持条件によって定まり、加振力には左右されない。振動試験で基本となる振動数は 1 次固有振動数であり、周辺が単純支持および完全固定の床スラブについては、それぞれ式 (3.4.17) と式 (3.4.18) で表される。 $f_S = \dfrac{\pi}{2a^2}\left(1+\dfrac{a^2}{b^2}\right)\sqrt{\dfrac{D}{\rho h}}$　(3.4.17) $f_C = \beta \cdot f_S$　(3.4.18) ここに、f_S：単純支持 1 次固有振動数（Hz） f_C：完全固定 1 次固有振動数（Hz） β：f_C と f_S の振動数比（解説図 3.4.14）参照 a：床スラブの短辺長さ（解説図 3.4.15 参照）(cm) b：床スラブの長辺長さ（解説図 3.4.15 参照）(cm) h：床スラブの厚さ（解説図 3.4.15 参照）(cm) D：床スラブの剛性：コンクリートのヤング率を E、ポアソン比を v とすれば、$D=Eh^3/12(1-v^2)$で、約 $20{,}000h^3$（kg・cm） ρ：密度（重力加速度で除した値）、鉄筋コンクリートでは約 2.45×10^{-6}（kg・s^2/cm^4） 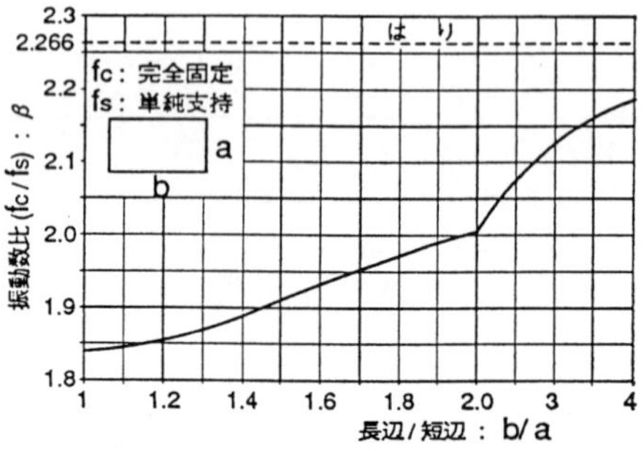 **解説図 3.4.14**　完全固定床スラブの 1 次固有振動数 [70] 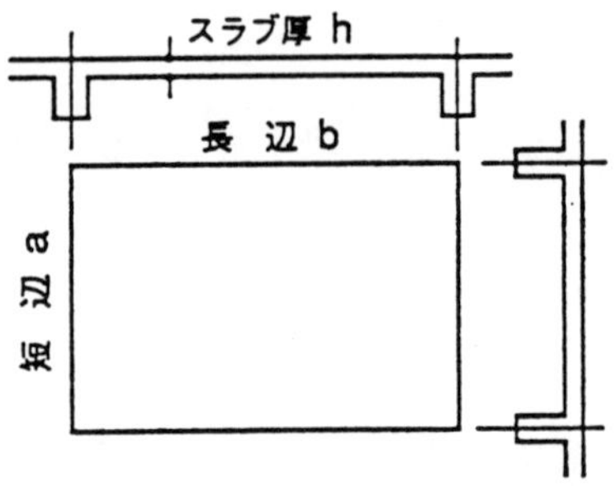 **解説図 3.4.15**　床スラブの諸元の取り方 [70]

解説表 3.4.13　砂袋を用いた衝撃振動試験手順と留意点(3)

手　順		内　　　　容
計算	③-2	自由振動波形から固有振動数・変位振幅などを求め、火害部と健全部で測定値を比較する。亀裂やたわみの多い床スラブは少ない床スラブに比べて固有振動数が小さくなり変位振幅は大きくなる傾向がある。振幅－振動数特性については、同一形状の床スラブが多数ある場合に実測した振幅と振動数の分布図を描くことにより、剛性の劣る床スラブや使用上障害（使用性など）のある床スラブを判定することができる。振幅－振動数特性の一例を解説図 3.4.16 に示す。 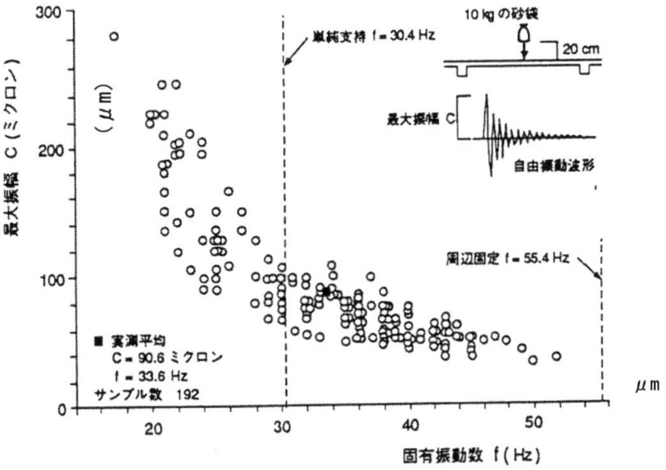 解説図 3.4.16　実在床スラブの振動数・振幅の実測例[70)]

2) 注意事項

振動特性にばらつきをもたらす要因として、仕上げモルタルの浮きや剥離、対象部材の寸法精度やコンクリートの品質などの施工性のばらつき、積載荷重の状態、部材の支持条件、間仕切壁の有無、設備配管の取付け状態などが考えられる。得られた固有振動数を解釈する場面では、これらの影響の有無も考慮する必要がある。

3.4.4　コンクリートコアまたはコア孔を用いる試験（力学試験）

3.4.4.1　コンクリートコアの圧縮強度試験・静弾性係数試験

採取したコンクリートコアによる圧縮強度試験はコンクリートの残存強度を、静弾性係数試験はコンクリートの静弾性係数を測定する試験方法である。火害等級がⅢ級以上の疑いがある場合には、コンクリートコアの圧縮強度試験を行うことを原則とする。

（解説）

コンクリートコアの圧縮強度試験には、日本産業規格 JIS A 1107「コンクリートからのコアの採取方法及び圧縮強度試験方法」がある。

コンクリートコアの圧縮強度試験は、コンクリート部材からコアを採取し、圧縮強度を調べるものであり、火害を受けたコンクリートの残存強度を直接確認できる。そのため、火害等級がⅢ級以上の疑いがある場合には、原則としてコンクリートコアの圧縮強度試験を行うものとする。

コンクリートコアの圧縮強度試験は、火害部および火害を受けていない健全部のコンクリートから採取したコアを用いて行うものである。圧縮強度の試験結果から、火害部と火害を受けていない健全部の比較や設計基準強度以上であるか否かを判断することができる。

1）試験手順

試験手順を**解説表 3.4.14** に要約する。なお、圧縮強度試験については JIS A 1107 に、ひずみの測定については JIS A 1149 による。

解説表 3.4.14　コンクリートコアによる圧縮強度試験・静弾性係数試験の手順と留意点(1)
(JIS A 1107：2012「コンクリートからのコアの採取方法及び圧縮強度試験方法」、
JIS A 1149：2017「コンクリートの静弾性係数試験方法」)

手順		内容
測定箇所の選定	①	目視観察および非破壊試験などの結果により調査範囲を把握し、調査対象部位を選定する。火害を受けていない健全部との強度比較を実施する場合には、健全部のコア採取位置も選定する。
採取・整形	②-1	選定した箇所からコンクリートコアを採取する。コアの直径は、最大骨材寸法の 3 倍以上とする（コアの直径が 50mm 以下となる場合は、3.4.4.2 款を参照)。
	②-2	採取したコンクリートコアを切断・整形し圧縮強度試験の試験体を作製する。また、コアの長さは直径の 2 倍以上であることが望ましいが、不足する場合は JIS A 1107:2012 に示される補正係数によって圧縮強度を補正する。
測定準備	③-1	コアの直径、高さ、質量を JIS A 1107 に従って計測する。
	③-2	コアの上下高さの 1/4 付近及び高さの中央付近で、互いに直交する 2 方向の直径を 0.1 mm まで測定し、その平均値をコアの平均直径とする。
	③-3	コアの高さは、4 か所において 0.1 mm まで測定し、最大値と最小値の平均値を平均高さとする。コアの平行度は平均高さの±1.0 mm 以下とする。平行度はコアの平均高さと最大値及び最小値との差をもって表す。
	③-4	コアの質量は、0.1 g まで測定する。

解説表 3.4.14　コンクリートコアによる圧縮強度試験・静弾性係数試験の手順と留意点(2)

<table>
<tr><th colspan="2">手　順</th><th>内　　容</th></tr>
<tr><td>測定準備</td><td>③-5</td><td>JIS A 1149 に従って、コアの軸方向にひずみゲージを貼付するか、コンプレッソメーターを設置する。</td></tr>
<tr><td>測定</td><td>④</td><td>毎秒 0.06±0.04N/mm^2 で載荷し、最大荷重を計測する。静弾性係数を計測する場合は、荷重とコアのひずみをデータロガーを用いて計測する。</td></tr>
<tr><td rowspan="3">計算</td><td>⑤-1</td><td>計測した最大荷重を用いて、式(3.4.19)により補正前の圧縮強度を算出する。

$$f_c = \frac{P}{\pi \times \left(\frac{d}{2}\right)^2} \qquad (3.4.19)$$
ここに、 f_c ：補正前の圧縮強度（N/mm^2）
P ：最大荷重（N）
d ：コアの直径（mm）</td></tr>
<tr><td>⑤-2</td><td>式(3.4.19)により算出した補正前の圧縮強度を用いて、式(3.4.20)により圧縮強度を算出する。

$$f_{CR} = f_C \times k \qquad (3.4.20)$$
ここに、 f_{CR} ：圧縮強度（N/mm^2）
f_C ：式(3.4.19)により算出した補正前の圧縮強度（N/mm^2）
k ：補正係数

補正係数
<table><tr><th>高さと直径との比
(h/d)</th><th>補正係数
(k)</th></tr><tr><td>2.00</td><td>1.00</td></tr><tr><td>1.75</td><td>0.98</td></tr><tr><td>1.50</td><td>0.96</td></tr><tr><td>1.25</td><td>0.93</td></tr><tr><td>1.00</td><td>0.87</td></tr></table>h/d がこの表に示す値の中間にある場合は、補正係数 k を補間して求める。</td></tr>
<tr><td>⑤-3</td><td>静弾性係数は、式(3.4.21)により算出する。

$$E_C = \frac{S_1 - S_2}{\varepsilon_1 - \varepsilon_2} \qquad (3.4.21)$$
ここに、 E_C ：静弾性係数（kN/mm^2）
S_1 ：最大荷重の 1/3 に相当する応力（N/mm^2）
S_2 ：縦ひずみ 50×10^{-6} のときの応力（N/mm^2）
ε_1 ：S_1の応力によって生じる縦ひずみ（$\times10^{-6}$）
ε_2 ：50×10^{-6}</td></tr>
</table>

2) 注意事項

① コンクリートコアによる圧縮強度試験

火害を受けたコンクリート部材は、表面からの深さ方向で劣化程度が異なるのに対し、この方法では、抜き取ったコア全体の圧縮強度を評価することになる。また、構造体コンクリート強度にはばらつきがあるので、ある程度のサンプリング個数が必要である。サンプルとするコアの本数は、工学的判断が可能となる必要最低限の本数とし、依頼者と調査者などの火害診断に関する知識を有する技術者が、火害の程度や調査方針などを考慮した上で決定することが望ましい。

② コンクリートコアによる静弾性係数の測定

コンクリートコアによる静弾性係数（ヤング係数）の測定は、コアの直径と高さの比が1：2となるコンクリートコアに適用する。JIS A 1149「コンクリートの静弾性係数試験方法」では、ひずみゲージを用いる場合、コア供試体の側面が平滑でないときには、正しいひずみが得られるよう適切な表面処理が必要であるとしている。一方、コンプレッソメーターを用いる方法は表面の凹凸の影響を受けにくいので、特に火災の影響を受けたコアでの測定に適している。

3.4.4.2　小径コアの圧縮強度試験

小径コアの圧縮強度試験は、3.4.4.1 款に規定する直径のコンクリートコアを採取できない場合の試験方法である。また、コンクリート表面から深さ方向の火害の程度を把握する目的でも実施する場合がある。

（解説）

直径が JIS A 1107 の規格値を満足することができないような箇所からコンクリートコアを採取する場合、小径のコアを利用して圧縮強度試験を実施することがある。

コンクリートの火害による劣化深さを特定したい場合は、コンクリート表面から深さ方向の任意の位置において小径コアを採取して圧縮試験を実施し、圧縮強度の低下から劣化深さを判断することができる。小径コアを用いた圧縮試験には、以下に示す方法がある。

① CTM-14「コンクリートからの小径コアの採取方法及び小径コア供試体を用いた圧縮強度試験方法（案）」[71)]

粗骨材の最大寸法が 25mm 以下で、推定圧縮強度が 60N/mm^2 以下のコンクリートから、直径 50mm 以下の小径コアを採取し、小径コアの圧縮強度を求める場合に適用する。

② 小径コアによる構造体コンクリート強度の推定 [72)]

直径が 15～30mm までの小径のコアを採取して圧縮強度試験を行う場合に実施する。直径 ϕ20mm 程度の小径コアと直径 ϕ100mm のコアの圧縮強度に相関関係があることを利用し、小径コアの圧縮強度に独自の補正係数を乗じて、建築構造物のコンクリート強度を推定する。

1) 試験手順

上記①、②を参考に、試験手順を**解説表** 3.4.15 に要約する。

解説表 3.4.15　小径コアによる圧縮強度試験の試験手順と留意点(1)

手順		内容
測定箇所の選定	①	目視観察および非破壊試験などの結果により調査範囲を把握し、調査対象部位を決定する。火害を受けていない健全部との強度比較を実施する場合には、健全部のコア採取位置も決定する。
採取・整形	②	選定した箇所からコンクリートコアを採取する。小径コアの直径は 50mm 以下とする。また、小径コアの高さと直径の比は 1.90～2.10 とする。コアの長さは直径の 2 倍以上であることが望ましいが、小径コアの高さと直径との比が 1.50 以上 1.90 未満の場合は，試験で得られた圧縮強度に補正係数を乗じて直径の 2 倍の高さをもつ小径コアの強度に換算する。なお、補正係数は、信頼されるデータに基づきコア径に応じて適切に定める。
測定準備	③-1	コアの直径、高さ、質量を JIS A 1107 を参考に計測する。
	③-2	小径コアの上下高さの 1/4 付近及び高さの中央付近で、互いに直交する 2 方向の直径を 0.1 mm まで測定し、その平均値を小径コアの平均直径とする。
	③-3	小径コアの高さは、4 か所において 0.1 mm まで測定し、最大値と最小値の平均値を平均高さとする。小径コアの平行度は平均高さの±1.0 mm 以下とする。平行度は小径コアの平均高さと最大値及び最小値との差をもって表す。
	③-4	小径コアの質量は、0.1 g まで測定する。
測定	④-1	小径コアの火害側を上向きにして圧縮試験機に設置する。
	④-2	毎秒 0.06±0.04N/mm^2 で載荷し、最大荷重を計測する。

解説表 3.4.15　小径コアによる圧縮強度試験の試験手順と留意点(2)

手順		内容
計算	⑤-1	計測した最大荷重を用いて、**式(3.4.22)**により補正前の圧縮強度を算出する。 $f_c = \frac{P}{\pi \times \left(\frac{d}{2}\right)^2}$　(3.4.22) ここに、f_c：補正前の圧縮強度（N/mm²） P：最大荷重（N） d：コアの直径（mm）
	⑤-2	式(3.4.22)により算出した補正前の圧縮強度を用いて、**式(3.4.23)**により圧縮強度を算出する。 $f_{CR} = f_C \times k$　(3.4.23) ここに、f_{CR}：圧縮強度（N/mm²） f_C：式(3.4.22)により算出した補正前の圧縮強度（N/mm²） k：補正係数

2) 注意事項

小径コアは、火害を受けていない健全部でも採取が困難なため、火害部の採取には特に注意を要する。小径コアの圧縮強度から構造体コンクリートの圧縮強度を推定するためには、JIS A 1107 で得られるコア圧縮強度と小径コア圧縮強度との関係式（強度推定式）を作成する必要がある。なお、小径コアの試験結果から圧縮強度を推定する方法については、文献[72)]を参照されたい。小径コアの圧縮強度を測定する場合は、小径コアに対して高い知識および熟練した技術を持った技術者によって、小径コアの採取から測定までを行うことが望ましい。

3.4.4.3　孔内局部載荷試験

孔内局部載荷試験は、コンクリートコア孔を利用して貫入抵抗値を測定する試験方法である。コンクリート表面から深さ方向の火害の程度を把握したい場合に推奨される試験である。

（解説）

孔内局部載荷試験は、直径 42mm 以上で削孔した孔内においてコンクリートの力学的性質を測定する方法で、コンクリートの表層から深さ方向における劣化程度やその深さを判断する場合に有効な試験である。これまで、河川樋門や砂防堰堤・橋梁・トンネルといった土木構造物の施工不良や凍害劣化における評価・診断に用いられてきた手法であり、火害を受けた構造物においても、コンクリート表面からの深さ方向における火害の程度を評価できる[73)]。

直径 6mm で半球状の載荷先端を備えた「試験装置本体」（直径 40mm×長さ 270mm）と油圧ポンプおよびデータ収録装置から構成される載荷試験装置（**解説写真 3.4.13** 参照）を用いる。

本試験は、試験装置本体に取り付けられた載荷先端をコンクリート孔内の円周面（以下、孔壁と略記）に接触させ、局部載荷（支圧）した際に得られる荷重と貫入量を測定値として得る。この両者の関係から「貫入抵抗値」を算出し、各測定深さのコンクリートの物性を評価するものである（測定状況：**解説写真 3.4.14** 参照）。

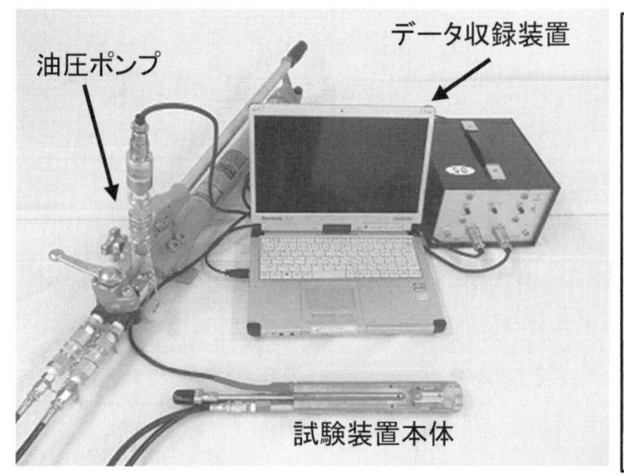

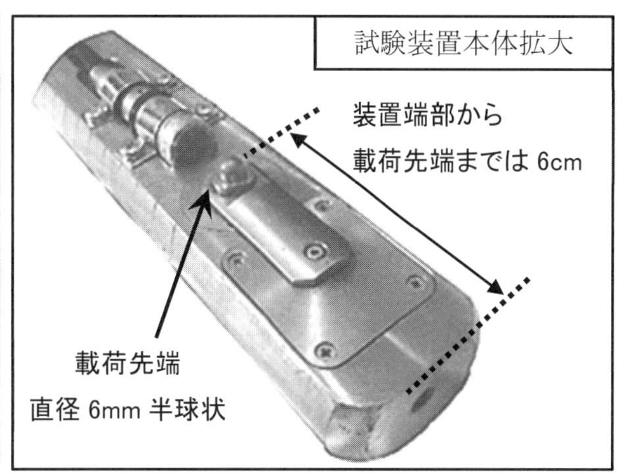

解説写真 3.4.13　孔内局部載荷試験装置

解説写真 3.4.14　測定状況

1)　試験手順

試験手順を、**解説表 3.4.16** に要約する。

解説表 3.4.16　孔内局部載荷試験の試験手順と留意点

手　順		内　　　　　　容
測定箇所の選定	①-1	対象とする測定箇所は、コアボーリングにより削孔した孔内のコンクリート表面とする。
	①-2	以下の箇所は、測定対象外とする。 ・鉄筋、セパレータ、スペーサーなどのコンクリートやモルタル以外の箇所 ・ひび割れ、大きな空隙、大きな気泡などの箇所、またはそれらの近傍 ・豆板、コールドジョイントなどモルタルと粗骨材が均一になっていない箇所
試験孔削孔	②-1	試験孔削孔時にコンクリート内部の鉄筋を傷つけないよう、削孔前に鉄筋探査機を用いてコンクリート内部の配筋状況を確認する。
	②-2	試験孔削孔を行う。削孔直径は 42mm を標準とし、JIS A 1107 に準拠しコアボーリングを行う。
	②-3	試験孔は布やブラシ等で清掃し、削孔した際の粉末やノロなどを可能な限り除去する。
測　定	③-1	試験装置本体をコア孔内に挿入し、測定したい任意の深度・方向に載荷先端が位置するように設置する（例：コンクリート表面から 5cm の深度、12 時方向など）。
	③-2	油圧ポンプ操作を行い、載荷先端により孔壁へ載荷する。コンクリートへ作用させる“荷重”と載荷先端が孔壁へ貫入する“貫入量”が計測データとしてデータ収録装置へ記録される。 なお、載荷は、荷重が 10kN 程度、あるいは変位が 4mm 程度になった時点で終了する。
	③-3	データが記録されたことを確認した後、油圧ポンプ操作により除荷する。 ここまでで 1 点の測定となる。
	③-4	同一深度で円周方向に 6～12 点程度の測定を行った後、次の測定したい任意の深度へ試験装置本体を移動する。深さ方向の移動距離（測定点間の間隔）は、10ｍｍ以上離す。
	③-5	測定したい任意の複数の深度で③-1～③-4 の手順を繰り返し、データ取得を行う。
	③-6	載荷点は、各深度で 6 点以上とする。粗骨材や空隙などにより、測定点が 6 点以上確保できない場合は、深度を変更し、6 点以上試験できる場所を選定する。
コア孔閉鎖	④	試験終了後の試験孔について、閉鎖が必要で特に材料の指定がない場合は、無収縮モルタルにより閉鎖する。
計　算	⑤-1	計測した荷重と貫入量について、荷重を縦軸、貫入量を横軸として近似曲線を描き、その曲線の傾きを「貫入抵抗値」として算出する（解説図 3.4.19 参照）。
	⑤-2	同一深度上の貫入抵抗値を平均した値を、その深度の貫入抵抗値とする。 貫入抵抗値の平均の際は、同一深度の平均値の 50%以上・未満の値を異常値（空隙や骨材）として棄却した上で、残った値の平均値を用いる。この時、残った測定点が 6 点以上であることが望ましい。

2) 注意事項

・載荷先端から試験装置本体先端までは6cmあるため、コア削孔の際は、測定したい最も深い深度よりも最低でも6cmの余掘りが必要（**解説写真3.4.13**、**解説図3.4.17**参照）。

・各深度における測定は、骨材や空隙などにより生ずるばらつきの影響を低減させるため、試験装置本体を孔内で円周方向に回転させる。この時、コア孔を時計の文字盤に見立て、測定方向を決定するとよいほか、円周の角度を示したガイドを用いることで円周方向における測定点の設置が容易となる（**解説図3.4.18**参照）。

・載荷は、荷重－変位の関係を求めることができる時点まで行い、その後ただちに除荷する。貫入量が過大になるとコンクリート構造物が破損する恐れがあるため、試験対象物によって貫入量を調整する。

・火害の劣化を検討するためには、火害部のほかに火害を受けていない健全部でも測定を行い比較することが望ましい。

・**解説図 3.4.20** に加熱試験体におけるコンクリート表面からの深さに対する貫入抵抗値の例を示す[75]。この例では、コンクリートの受熱温度が高くなるにしたがって、貫入抵抗値が低下する傾向が見られ、コンクリート表面からの劣化深さが把握できる。ただし、劣化深さの位置を判断する場合は、火害を受けたコンクリートの孔内局部載荷試験に対して、高い知識を有した技術者によって行うことが望ましい。

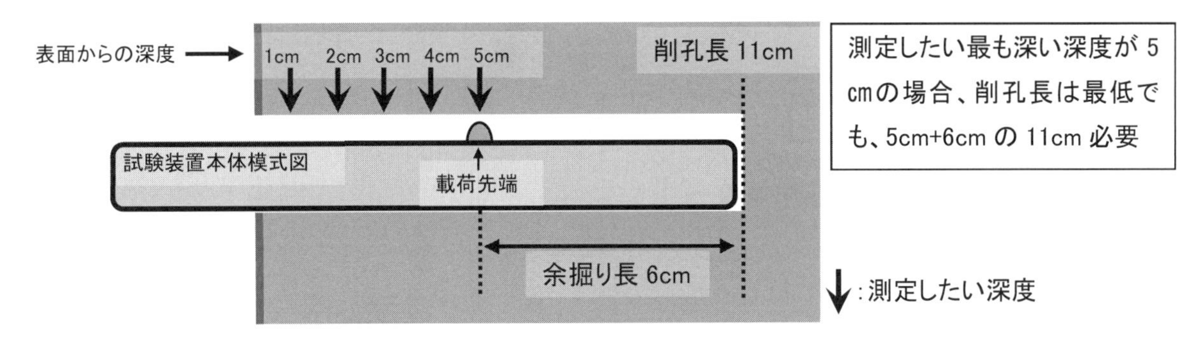

解説図3.4.17　コア削孔時の余掘りの考え方

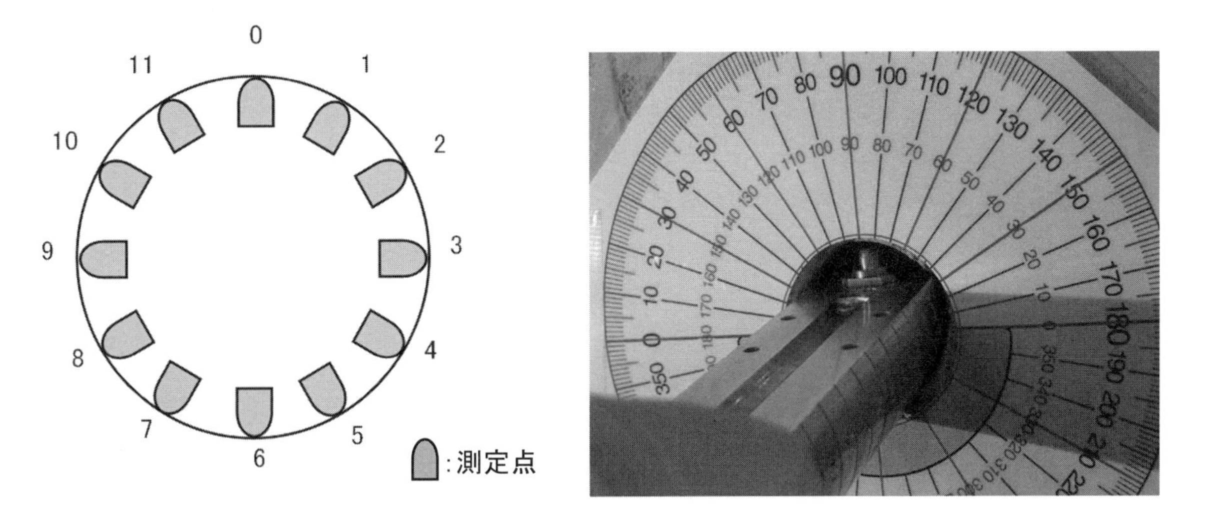

解説図3.4.18　側点における円周方向の測定方向の考え方

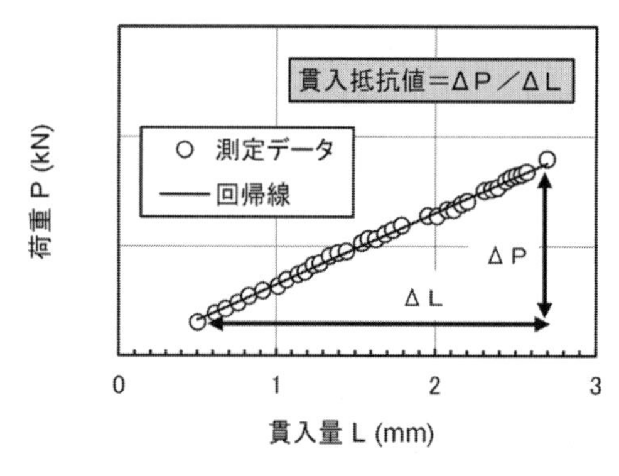

解説図 3.4.19　貫入抵抗値の算出方法 74)

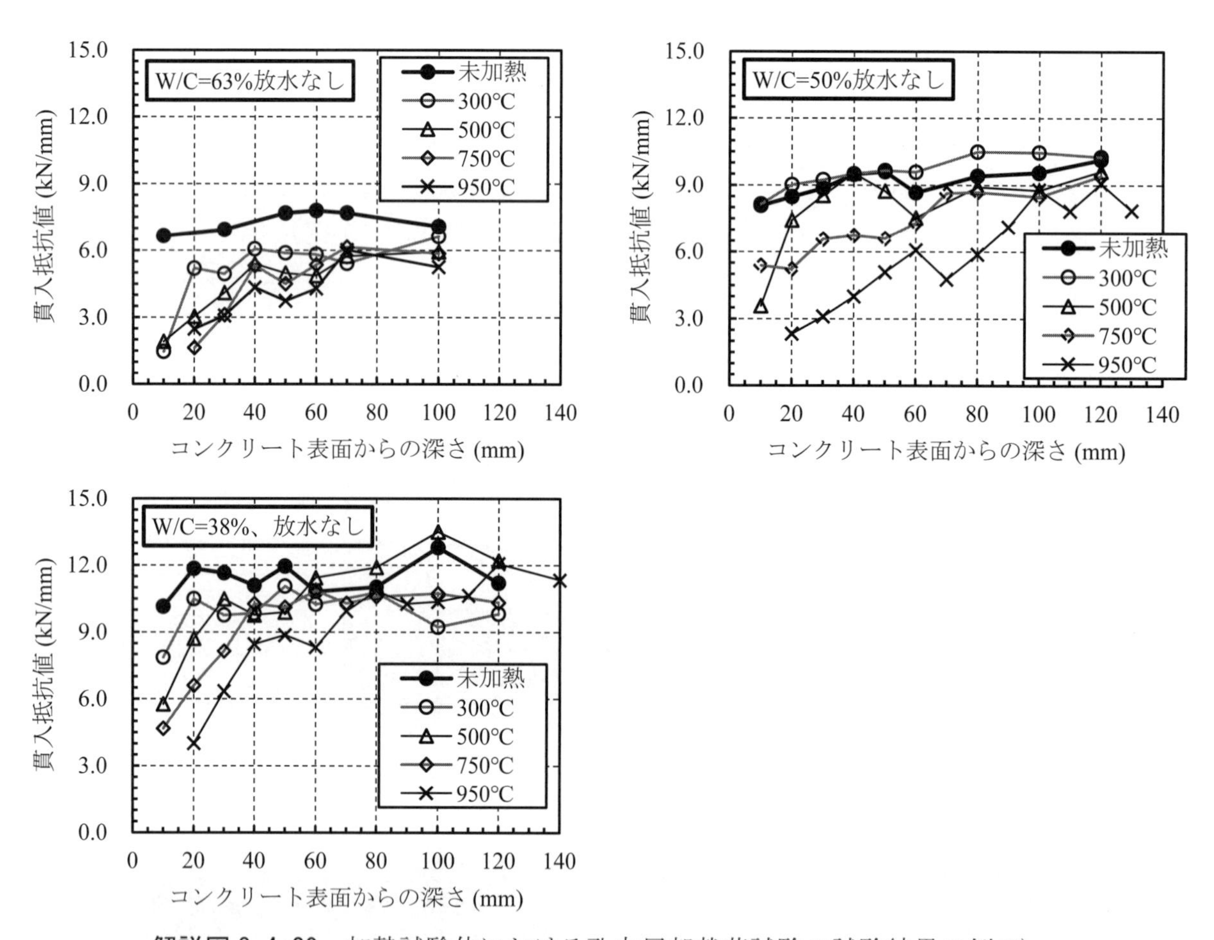

解説図 3.4.20　加熱試験体における孔内局部載荷試験の試験結果の例 75)

3.4.4.4　コアをスライスした試験片の曲げ試験

コンクリートコアを直径方向にスライスした試験片に対して行う曲げ試験は、コンクリートの曲げ強度を測定する試験方法である。コンクリート表面から深さ方向の火害の程度を把握したい場合に推奨される試験である。

（解説）

コアをスライスした試験片の曲げ試験は、日本産業規格 JIS A 1107 にしたがって採取したコアをスライスし整形した曲げ試験用試験片（以下、スライス試験片と略記。**解説図 3.4.21** 参照）を用いて、JIS A 1106 を参考に曲げ試験を実施し（**解説写真 3.4.15** 参照）、コンクリート表面から深さ方向の火害の程度を把握する場合に推奨される試験である[27]。

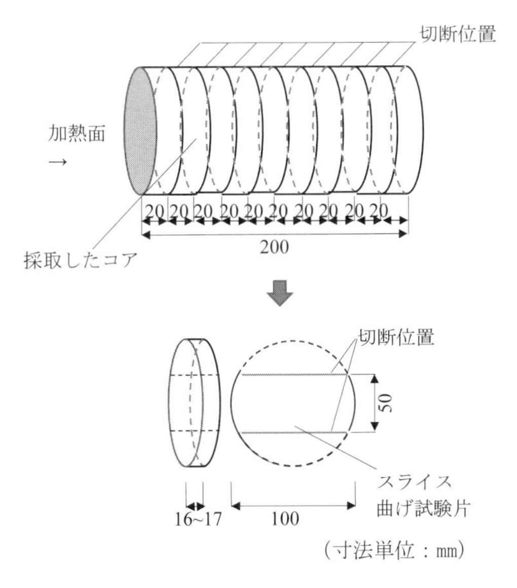

解説図 3.4.21　採取したコアの切断位置および曲げ試験に供するスライス試験片

解説写真 3.4.15　曲げ試験状況

1) 試験手順

JIS を参考にした試験手順を、**解説表 3.4.17** に要約する。

解説表 3.4.17　採取したコアをスライスした試験片の曲げ試験手順と留意点(1)
(JIS A 1106「コンクリートの曲げ試験方法」)

手　順		内　容
測定箇所の選定	①-1	測定箇所は、目的に応じて適切に選定する。
	①-2	選定した箇所から直径 100mm 程度のコンクリートコアを採取する。
試験片作製	②	採取したコンクリートコアを、**解説図 3.4.21** のように切断・整形し試験片を作製する。

解説表 3.4.17　採取したコアをスライスした試験片の曲げ試験手順と留意点(2)

手順		内容
試験準備	③	曲げ試験機は、直径 6mm の棒鋼 2 本を支点間距離 64mm で設置し、その中央を直径 6mm の棒鋼 1 本で載荷できる機構とする（**解説写真 3.4.15** 参照）。
試験	④-1	スライス試験片の火害を受けた面を下向きにして試験機に設置する。
	④-2	スライス試験片に衝撃を与えないように一様な速度で荷重を加える。荷重を加える速度は、縁応力度の増加率が毎秒 0.06±0.04 N/mm² になるように調整し、最大荷重に至るまでその増加率を保つようにする。
	④-3	スライス試験片が破壊するまでに試験機が示す最大荷重を有効数字 3 桁まで読み取る。
	④-4	破壊断面の幅は 3 か所において 0.1mm まで測定し、その平均値を四捨五入によって小数点以下 1 桁に丸める。
	④-5	破壊断面の高さは 2 か所において 0.1mm まで測定し、その平均値を四捨五入によって小数点以下 1 桁に丸める。
計算	⑤	曲げ強度は**式(3.4.24)**によって算出し、四捨五入によって有効数字 3 桁に丸める。 $\sigma_b = \frac{3Pl}{2bh^2}$　　(3.4.24) ここに、σ_b ：曲げ強度（N/mm²） P ：試験機の示す最大荷重（N） l ：支点間距離（mm） b ：破壊断面の幅（mm） h ：破壊断面の高さ（mm）

2) 注意事項

コアをスライスした試験片の曲げ試験では、コアのスライスおよび試験片の成形に注意が必要である。また、試験方法としては、実積がそれほど多くないため、試験または得られた結果の妥当性については、知見が豊富な調査者による判断が必要である。

解説図 3.4.22 は、コンクリート表面からの深さとスライスした試験片の曲げ試験および加熱温度との関係を示したものである [27]。加熱していないコンクリートでは、コンクリート表面からの深さにかかわらず、曲げ強度は概ね 5 N/mm²～8N/mm² を示している。一方、加熱したコンクリートでの曲げ強度は、加熱面から深さ 80mm までは深くなるほど大きくなり、深さ 80 mm～140mm では概ね一定の値、深さ 140mm 以深では再び緩やかに増加する傾向を示した。また、コンクリート表面ほど加熱したものと加熱していないものとの曲げ強度に、明確な差が生じていることが確認できる。実際の調査においては、これらを十分に考慮した上で、適用するのが望ましい。

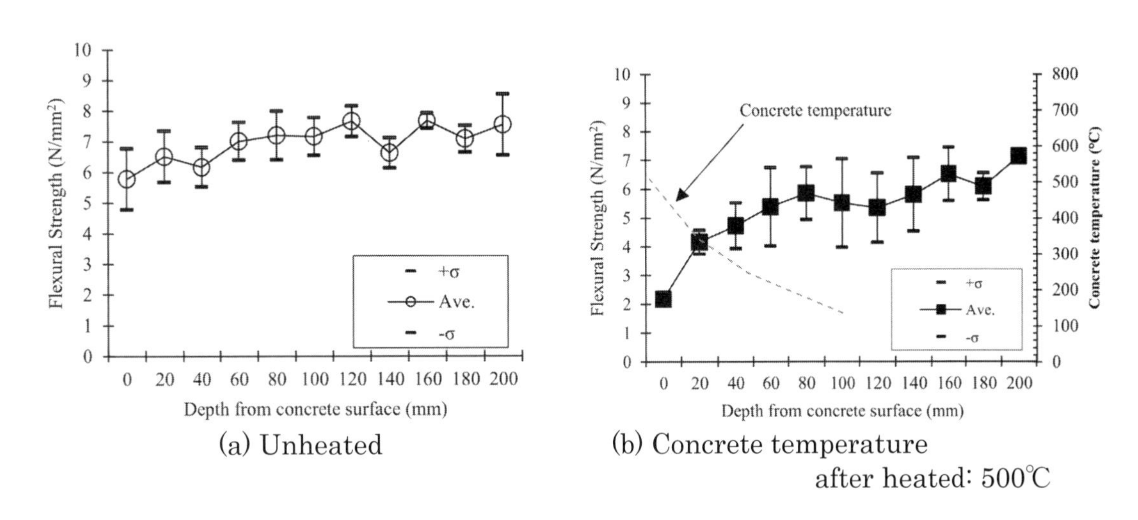

(a) Unheated　　(b) Concrete temperature after heated: 500℃

解説図 3.4.22　コンクリート表面からの深さとスライスした試験片の曲げ強度および加熱温度との関係 27)

3.4.4.5　コア側面の体積ひずみ測定

> コンクリートコア側面の体積ひずみ測定は、コア側面の臨界応力度を算出する試験方法である。コンクリート表面から深さ方向の火害の程度を把握したい場合に推奨される試験である。

（解説）

コア側面の体積ひずみの測定は、**解説写真** 3.4.16 に示すように、日本産業規格 JIS A 1107 を参考に実施するコンクリートコアの圧縮強度試験の際に、コア側面に貼付したひずみゲージ（**解説図** 3.4.23 参照）を用いて、臨界応力度（圧縮応力と体積ひずみとの関係における収縮挙動から膨張挙動に転じる点（変形特異点）の圧縮応力）を算出する方法である。**解説図** 3.4.23 に示すように、採取したコンクリートコアの側面の任意の位置（**解説写真** 3.4.16 では、①～⑦の 7 か所）のコア軸方向とその直交方向にひずみゲージを貼付し、体積ひずみを測定することにより、深さ方向の各臨界応力度を算出する。その臨界応力度の分布からコンクリート表面から深さ方向の火害の程度を把握したい場合に推奨される試験である [76]。

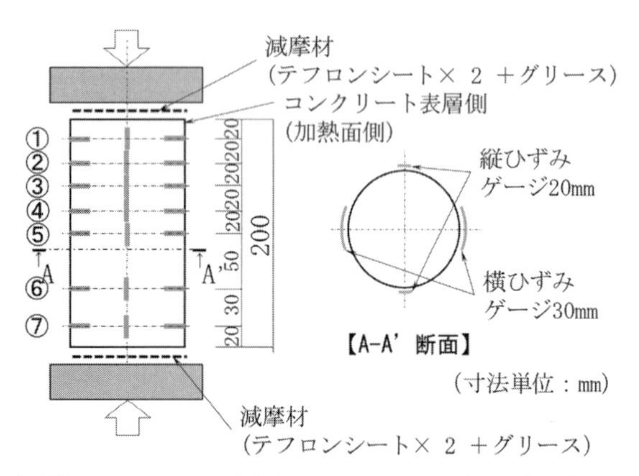

解説図 3.4.23　採取したコアのゲージ貼付位置の例

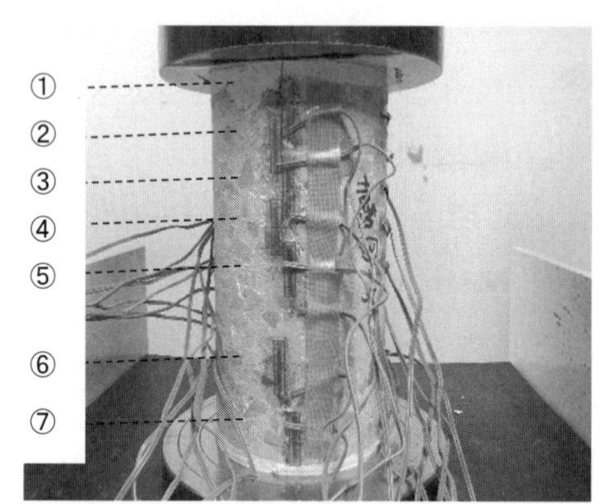

解説写真 3.4.16　コア側面の体積ひずみ測定例

1）試験手順

試験手順を、**解説表** 3.4.18 に要約する。なお、圧縮強度試験については JIS A 1107、ひずみの測定については JIS A 1149 による。

解説表 3.4.18　コア側面の体積ひずみ測定の手順と留意点(1)

手順		内容
測定箇所の選定	①	測定箇所は、目的に応じて適切に選定する。
採取・切断	②-1	選定した箇所からコンクリートコアを採取する。コアの直径は、最大骨材寸法の 3 倍以上とする。
	②-2	採取したコンクリートコアを切断・整形し圧縮強度試験の試験体を作製する。また、コアの長さは直径の 2 倍以上であることが望ましい。

解説表 3.4.18　コア側面の体積ひずみ測定の手順と留意点(2)

手順		内容
測定準備	③-1	コアの直径、高さ、質量を計測する。
	③-2	コアの端面（火害側）から任意の位置にひずみゲージを貼付する（解説図 3.4.23 参照）。
測定	④-1	コアの火害側を上向きにして圧縮試験機に設置する。この際、試験体両端面と試験機耐圧版との間に減摩材（テフロンシート 2 枚を重ねてその間にグリスを塗布）を挿入する。
	④-2	毎秒 0.06±0.04N/mm² で載荷し、最大荷重およびコアのひずみをデータロガーを用いて計測する。
計算	⑤-1	計測した縦ひずみと横ひずみの平均値を用いて、**式(3.4.25)**により体積ひずみを算出する。 $\varepsilon_V = \varepsilon_C - 2\varepsilon_T$　　(3. 4. 25) ここに、ε_V　：体積ひずみ（$\times 10^{-6}$） ε_c　：縦ひずみ（$\times 10^{-6}$） ε_T　：横ひずみ（$\times 10^{-6}$）
	⑤-2	**解説図 3.4.24** のように、圧縮応力と体積ひずみとの関係からその収縮膨張挙動を確認し、変形特異点を求める。変形特異点とは、各ひずみゲージ貼付位置におけるコンクリートコアの収縮挙動から膨張挙動に転じる点を示しており、この応力度を臨界応力度と呼ぶ。 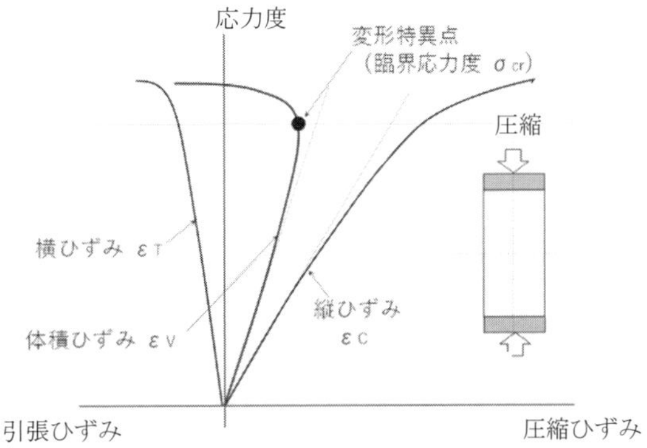 解説図 3. 4. 24　圧縮応力と体積ひずみとの関係
	⑤-3	コンクリート表面から深さ方向の各ひずみゲージ貼付位置ごとに臨界応力度を求めて、その分布から火害の程度を推定する。

2) 注意事項

本測定では、あらかじめコアを採取するコンクリート部材の火害の程度を把握しておき、採取されたコア側面に貼付するひずみゲージの位置を検討する必要がある。

解説図 3.4.25 は、片面から加熱したコンクリート試験体および未加熱の試験体から採取したコンクリートコアの圧縮応力と体積ひずみとの関係および臨界応力度を示したものである。**解説図 3.4.25 a)～c)**は未加熱のコアを示し、体積ひずみは圧縮初期には収縮挙動を示すが、圧縮応力の増加に伴い膨張挙動に転じ、圧縮応力が 60%を超えると臨界応力度に到達する。一方、**解説図 3.4.25**

d)〜f)は500℃加熱後のコアを示し、コアの上端（加熱面側）近傍では載荷初期から膨張挙動に転じ、臨界応力度に達することが報告されている[76)]。また、**解説表 3.4.19** は、コンクリートの臨界応力度の結果とそれに到達する順番を示しており、**解説図 3.4.25 d)〜f)**の加熱後のコアでは、コアの上端（加熱面側）近傍から順に膨張に転じて臨界応力度に達するような傾向にあることが示されている[76)]。

本測定を用いて圧縮試験中の体積ひずみの挙動の変化から臨界応力度を求めることにより、コンクリート表面からの劣化深さがが推定できる可能性がある。ただし、劣化深さの位置を判断する場合は、火害を受けたコンクリートの体積ひずみ測定に対して、高い知識を有した技術者によって行うことが望ましい。

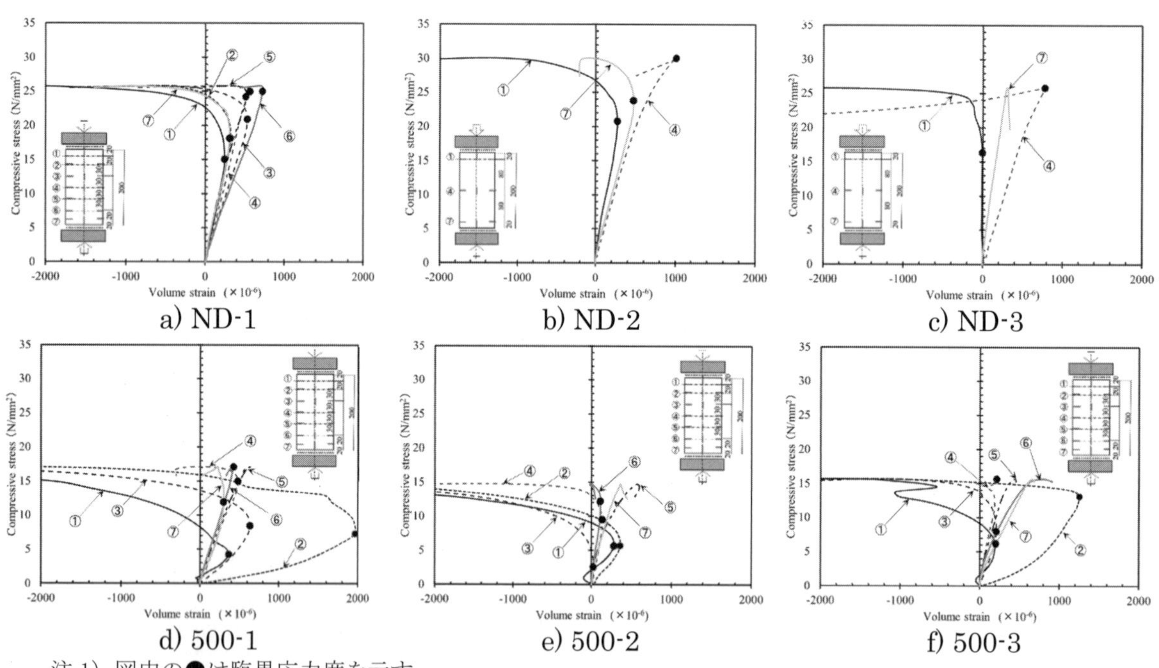

注 1)　図中の●は臨界応力度を示す。
注 2)　図中の①〜⑦はひずみゲージの測定位置を示す（**解説図** 3.4.23 参照）。

解説図 3.4.25　圧縮応力と体積ひずみとの関係 [76)]

解説表 3.4.19　コンクリートの臨界応力度の結果 [76)]

Specimen	critical stress *1						
	①	②	③	④	⑤	⑥	⑦
ND-1	15.1 (1)	18.1 (2)	20.9 (4)	25.0 (6)	24.2 (5)	25.0 (6)	18.1 (2)
ND-2	20.8 (1)	−*2	−*2	30.1 (3)	−*2	−*2	23.8 (2)
ND-3	16.3 (1)	−*2	−*2	25.8 (2)	−*2	−*2	25.8 (2)
500−1	4.2 (1)	7.3 (2)	8.4 (3)	15.0 (5)	−*3	17.1 (6)	11.9 (4)
500−2	5.6 (2)	5.6 (2)	2.5 (1)	9.5 (4)	−*3	12.2 (5)	−*3
500−3	6.2 (1)	13.1 (3)	7.9 (2)	15.7 (4)	−*3	−*3	−*3

＊1: (　) is the order of critical stress
＊2: Not measured in this sepecimen
＊3: No singular deformation point is observed

3.4.4.6　コア側面のひずみ分布測定

コンクリートコア側面のひずみ分布測定は、画像相関法を用いてコア側面のひずみ分布を測定する試験方法である。コンクリート表面から深さ方向の火害の程度を把握したい場合に推奨される試験である。

（解説）

コンクリートコア側面のひずみ分布測定は、日本産業規格 JIS A 1107 にしたがって実施するコンクリートコアの圧縮強度試験の際に、コア側面を高解像度カメラで撮影（**解説写真 3.4.17** 参照）し、デジタル画像相関法によりコア側面のひずみ分布を視覚的に把握するのと同時に任意の位置でのひずみを推定できる試験である。コンクリート表面から深さ方向の火害による損傷の程度を把握したい場合に推奨される試験である[77]。

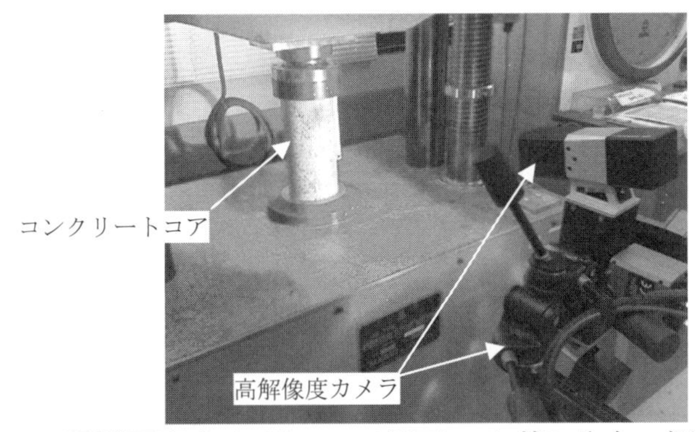

解説写真 3.4.17　コア側面のひずみ分布の測定状況

1) 試験手順

試験手順を、**解説表 3.4.20** に要約する。なお、圧縮強度試験については JIS A 1107 による。

解説表 3.4.20　コア側面のひずみ分布測定手順と留意点(1)
（JIS A 1107「コンクリートからのコアの採取方法及び圧縮強度試験方法」）

手　順		内　容
測定箇所の選定	①	測定箇所は、目的に応じて適切に選定する。
採取・切断	②-1	選定した箇所からコンクリートコアを採取する。コアの直径は、最大骨材寸法の 3 倍以上とする。
	②-2	採取したコンクリートコアを切断・整形し圧縮強度試験の試験体を作製する。また、コアの長さは直径の 2 倍以上であることが望ましい。
測定準備	③	試験体の表面に黒色および白色のカラースプレー等を吹きかける。

解説表 3.4.20　コア側面のひずみ分布測定手順と留意点(2)

手順		内容
測定	④-1	試験体の火害側を上向きにして圧縮試験機に設置する。この際、試験体両端面と試験機耐圧板との間に減摩材（テフロンシート2枚を重ねてその間にグリスを塗布）を挿入する。
	④-2	毎秒 0.06±0.04N/mm² で載荷しながら、2台の高解像度カメラを用いて試験対象物を撮影しひずみを測定するとともに、最大荷重を計測する。
計算	⑤-1	計測した縦ひずみと横ひずみの平均値を用いて、**式(3.4.25)**により体積ひずみを算出する。 $\varepsilon_V = \varepsilon_C - 2\varepsilon_T$　　(3.4.25) ここに、ε_V ：体積ひずみ（×10⁻⁶） ε_c ：縦ひずみ（×10⁻⁶） ε_T ：横ひずみ（×10⁻⁶）
	⑤-2	**解説図 3.4.24** のように、圧縮応力と体積ひずみとの関係からその収縮膨張挙動を確認し、変形特異点を求める。変形特異点とは、各ひずみゲージ貼付位置におけるコンクリートコアの収縮挙動から膨張挙動に転じる点を示しており、この応力度を臨界応力度と呼ぶ。 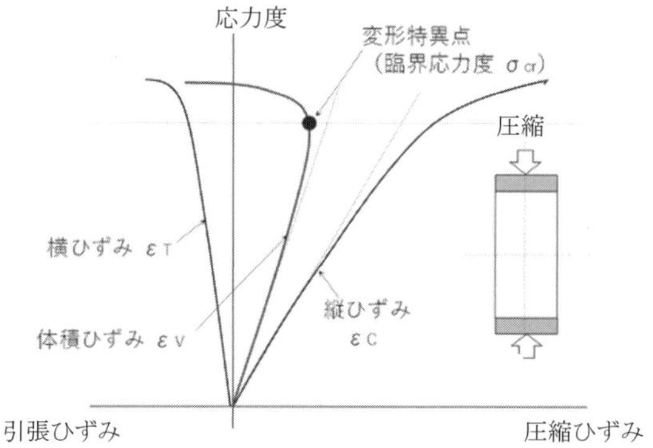 **解説図 3.4.24**　圧縮応力と体積ひずみとの関係
	⑤-3	コンクリート表面からの測定位置毎に変形特異点（臨界応力度）の分布を確認し、劣化の程度を推定する。

2) 注意事項

本測定は、3.4.4.5 款と同様の方法で試験を実施するが、コア側面をすべて測定範囲とすることが可能で、試験前にひずみゲージの貼付を行わないことに利点がある。一方で、ひずみの測定精度については、ひずみゲージで測定した数値よりも劣ることに注意が必要である。

解説図 3.4.26 はコンクリート円柱体を端面から加熱した後に実施した圧縮試験時における圧縮応力と体積ひずみとの関係を、**解説図 3.4.27** はその推定劣化深さを示したものである。本実験では、コンクリートの水セメント比を3種類および加熱時間を3種類設定し、端面から加熱した円柱供試体について、圧縮試験時に高解像度カメラの撮影が実施されている[77]。なお、本実験におけるンクリートの受熱による損傷深さ（火害劣化深さ）の評価の考え方は、圧縮応力が最大値の

90%に達するまでに体積ひずみが負側に連続的に増加する位置（深さ）を、そのコンクリートが受熱によって損傷を受けた深さとみなすこととされている。**解説図 3.4.26** より、未加熱では最大応力に達する直前（90%～95%）に体積ひずみが負側に推移しているが、それ以外の体積ひずみには変化はほぼ生じていないこと、また、加熱後では載荷途中に体積ひずみが負側に推移し、加熱継続時間が長いほどその傾向が顕著な様相を呈することが示されている。

本測定を用いてデジタル画像相関法により算出される圧縮試験中の体積ひずみの挙動の変化から臨界応力度を求めることにより、コンクリート表面からの劣化深さが推定できる可能性がある。ただし、劣化深さを判断する場合は、火害を受けたコンクリートのひずみ分布に対して、高い知識を有した技術者によって行うことが望ましい。

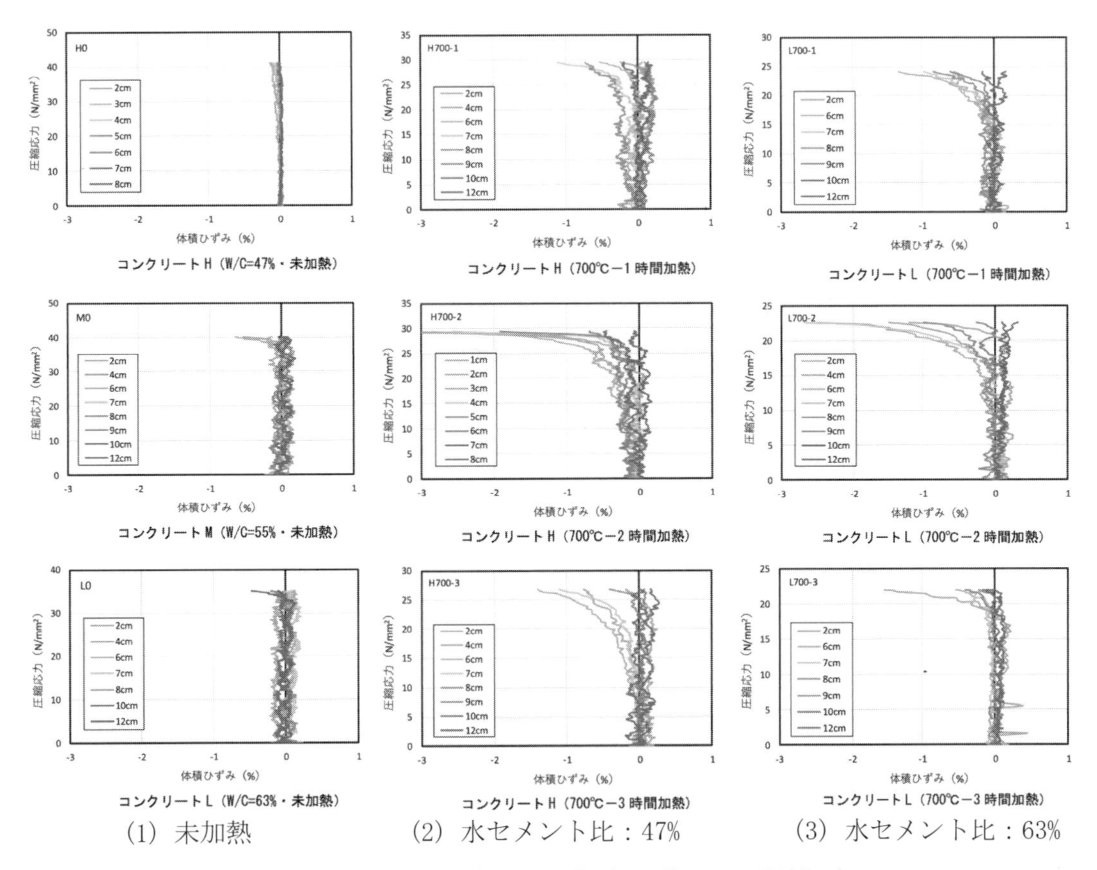

解説図 3.4.26　圧縮応力と体積ひずみとの関係 77)

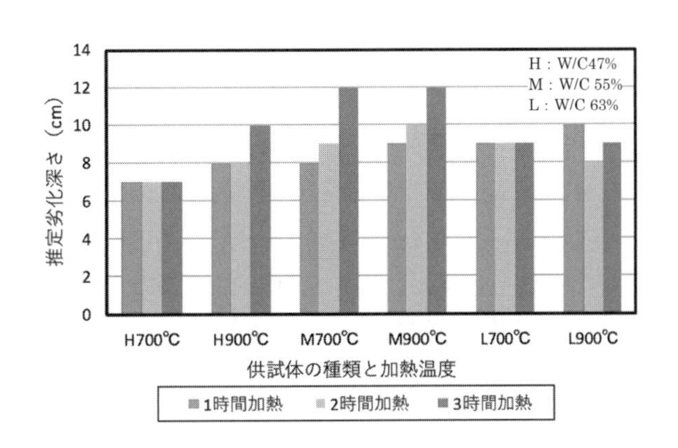

解説図 3.4.27　コンクリート表面から深さ方向の受熱による推定劣化深さ 77)

3.4.5　フェノールフタレイン溶液の噴霧による受熱領域の推定および中性化深さの測定

(1) コンクリート表面から深さ方向における受熱150℃以下の領域を推定するために、健全部および火害部のコンクリートコア、コア孔、またははつり面に水を含まないフェノールフタレイン溶液を噴霧する。なお、コア採取は乾式で行う必要がある。

(2) 健全部と比較して火害部の中性化が進行していないかを評価する場合は、水を含むフェノールフタレイン溶液を噴霧し、中性化深さを測定する。なお、コア採取は湿式または乾式で行う。

（解説）

火害調査において、コンクリートにフェノールフタレイン溶液を噴霧し、呈色状態を観察する手法が従来から用いられてきた。一般的にコンクリートの「中性化深さ」を測定するために用いられる試験方法である。以下に、前回の本指針が発行された 2015 年版以降に報告された新たな知見を整理し、従来の試験方法から見直した点を解説した上で、本指針で提案するフェノールフタレイン溶液の種類および試験方法を**解説表 3.4.22** および**解説表 3.4.23** に要約する。

1)　2015 年版の本指針以降に報告された新たな知見

2015 年版の本指針では、「フェノールフタレイン溶液で赤色を呈する部分は受熱 500℃以下とみなしてよい」としていた[78]。これは、岸谷と森[79]が、「高温によりセメント水和物が分解されて CaO が主体となった領域は、水で希釈しないフェノールフタレイン溶液を噴霧することで、定性的に判断できる」と報告し、$Ca(OH)_2$ が 500℃以上で分解して CaO が主体となった領域では「水で希釈しない」フェノールフタレイン溶液は呈色せず、$Ca(OH)_2$ が残存している（受熱 500℃以下の）領域では呈色すると考えられていたためである。

このようなフェノールフタレイン溶液の呈色に関する従来の知見に対し、2020 年以降に新たな実験結果が報告された。木野瀬らは、火害を模擬して作製した試験体に、「水で希釈した」フェノールフタレイン溶液（以下、有水 PP 溶液と略記）と「水で希釈しない」フェノールフタレイン溶液（以下、無水 PP 溶液と略記）を噴霧した[80]。有水 PP 溶液はフェノールフタレイン粉末 1g を 90mL のエタノールに溶解し、約 10mL の水を加えて 100mL に定容したもので、無水 PP 溶液は水を加えずにエタノールで 100mL に定容したものである（**解説図 3.4.28 参照**）。

解説図 3.4.29 に、左端面から加熱したセメントペーストの円柱試験体の割裂面に有水 PP 溶液と無水 PP 溶液を噴霧した直後の写真を示す。写真には、受熱温度の測定結果（試験体に埋め込んだ熱電対で測定）、試験体の含水率の測定結果、粉末 X 線回折（XRD）により「CaO（lime）」が同定された範囲を重ねて示している。この結果より、いずれのフェノールフタレイン溶液を用いても、噴霧直後の呈色状態を観察することで「約 150℃以上」の熱を受けて乾燥が進んだ領域を判断できること（呈色が認められない（または薄い）領域（深さ約 90mm までの範囲）は、約 150℃以上の熱を受けて含水率が低下した領域である）、無水 PP 溶液の方が呈色状態の異なる境界を明瞭に判断できること、および CaO が生成した領域（深さ約 30mm までの範囲）は判別できないことが分かる。これは、先述した 2015 年版の本指針とは異なる結果である。フェノールフタレインは、「溶液」の pH（約 8.2～12.0）によって分子構造が変化することで吸光して呈色するため、細孔溶液がほぼ存在しない乾燥領域ではコンクリートは呈色しないものと考えられる。また、有水 PP 溶液で薄く呈色しているのは、有水 PP 溶液に含まれる少量の「水」に、CaO または $Ca(OH)_2$ が溶解してアルカリ性を呈するためと考えられる。このため、無水 PP 溶液を利用した方が、呈色状態の異なる境界を明瞭に判断できている。

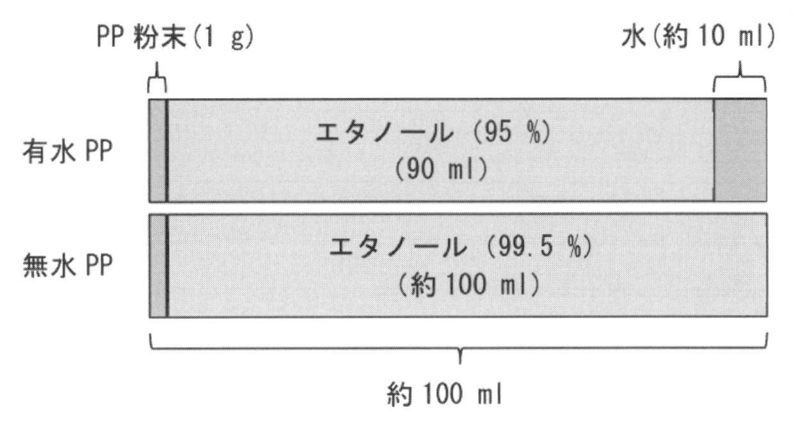

解説図 3.4.28　フェノールフタレイン溶液の調製方法

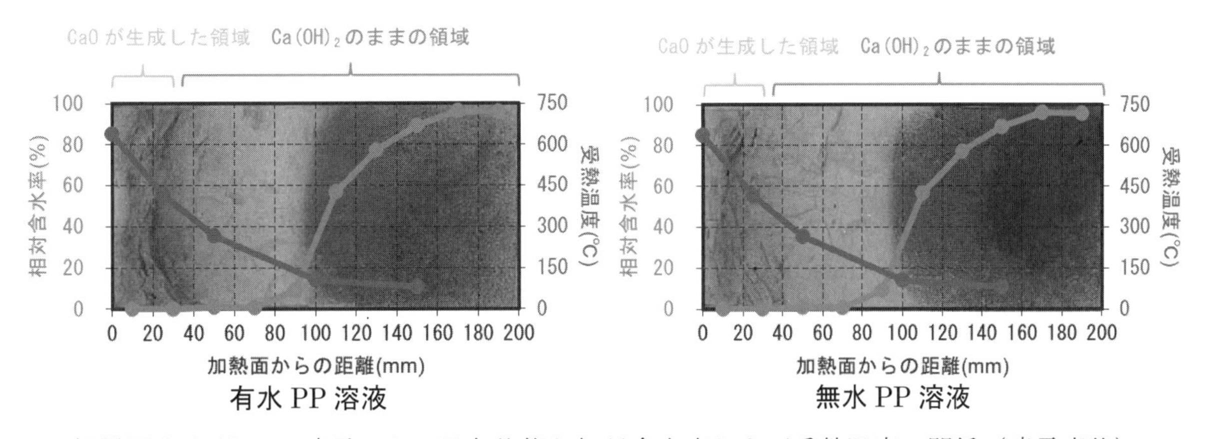

解説図 3.4.29　PP 噴霧による呈色状態と相対含水率および受熱温度の関係（噴霧直後）

以上より、無水 PP 溶液を噴霧した直後に赤色を呈する部分は受熱 150℃以下とみなしてよい。なお、実構造物の供用中における乾燥の影響や、既に中性化が進行している可能性があることを考慮すると、健全部にも同様にフェノールフタレイン溶液を噴霧して呈色状態を比較することで、受熱 150℃以下の領域を推定する必要がある。また、本試験においてコア採取やはつりを行う際には水を使用してはならず、乾式で行う必要がある。

2)　2015 年版から見直した点

2015 年版の本指針以降に報告された新たな知見を踏まえ、フェノールフタレイン溶液を用いた試験方法について、以下の箇所を見直した。

①　2015 年版の本指針では「フェノールフタレイン溶液で赤色を呈する部分は受熱 500℃以下とみなしてよい」としていたが、今回の改定では新たな知見を踏まえて「水を含まないフェノールフタレイン溶液を噴霧した直後に赤色を呈する部分は受熱 150℃以下とみなしてよい」とした。なお、自然乾燥や中性化の影響を考慮すると、健全部と火害部を比較したうえで、受熱 150℃以下の領域を推定する必要がある。

②　受熱 150℃以下を推定するために用いるフェノールフタレイン溶液には、「水を含まないフェノールフタレイン溶液（無水 PP 溶液）」を用いる。なお、JIS A 1152「コンクリートの中性化深さの測定方法」では、「有水 PP 溶液」を用いることが通常であるため、火害調査を実施する際には「無水 PP 溶液」を準備するよう、注意が必要である。

③　2015年版の本指針では、フェノールフタレイン溶液を用いる試験を全て「中性化深さの測定」と呼んでいたが、上述した方法は「コンクリートの中性化深さ」を測定するものではない。誤解のないよう、「フェノールフタレイン溶液の噴霧による受熱領域の推定」と呼ぶことにした。

④　フェノールフタレイン溶液の噴霧による受熱領域の推定試験において、コア採取やはつりを行う際には水を使用してはならず、乾式で行う必要がある。

⑤　通常の「中性化深さ」を測定する場合は、JIS A 1152によって測定する。「受熱領域の推定」のための試験方法とは、分けて表記することとした。フェノールフタレイン溶液には水を含むフェノールフタレイン溶液（有水PP溶液）を用いる。また、コア採取やはつりには水を使用してもよい。

各試験項目について、コア採取時の乾湿の区別、試験に用いるフェノールフタレイン溶液の種類を**解説表 3.4.21** に整理する。

解説表 3.4.21　試験に用いるフェノールフタレイン溶液の種類

試験項目	コア採取時の乾湿の区別	試験に用いるフェノールフタレイン溶液の種類
フェノールフタレイン溶液の噴霧による受熱領域の推定	乾式	無水PP溶液
中性化深さの測定	湿式または乾式	有水PP溶液

3)　測定方法

測定方法を**解説表 3.4.22** および**解説表 3.4.23** に示す。

解説表 3.4.22　フェノールフタレイン溶液の噴霧による受熱領域の推定手順と留意点

手順		内容
測定面の準備	①-1	コンクリートコアを使用する場合は、乾式で採取する。割裂面を測定する場合は、圧縮試験機などで供試体を割裂し、割裂面に付着するコンクリートの小片、粉などをはけ、電気掃除機などで除去する。側面は測定対象としない。
	①-2	コンクリート構造物のはつり面で測定する場合は、表面に付着するコンクリートの小片、粉などをはけ、電気掃除機などで除去する。
受熱領域の推定	②	測定面の処理が終了した後、水を含まないフェノールフタレイン溶液（無水PP溶液）をただちに測定面に噴霧器で液が滴らない程度に素早く噴霧する。
	③	測定は、溶液を噴霧した直後に素早く行う。測定箇所について、コンクリート表面から赤紫色に呈色した部分までの距離を 0.5mm の単位で測定する。コア割裂面を測定する場合は10mm~15mm間隔ごとに1か所、コア側面を測定する場合は5か所以上とするのがよい。はつり面の場合は、はつり面の大きさに応じて4~8か所程度とするのがよい。

解説表 3.4.23　中性化深さの測定手順と留意点

（JIS A 1152：2018「コンクリートの中性化深さの測定方法」による）

手　順		内　　容
測定面の準備	①-1	コンクリートコアを使用する場合は、湿式または乾式で採取する。コンクリートコアの割裂面を測定する場合は、圧縮試験機などで供試体を割裂し、割裂面に付着するコンクリートの小片、粉などをはけ、電気掃除機などで除去する。
	①-2	コンクリートコアの側面を測定する場合は、コア採取後、その側面に付着するのろを水洗いによって除去する。
	①-3	コンクリート構造物のはつり面で測定する場合のはつり面は、付着するコンクリートの小片、粉などをはけ、電気掃除機などで除去する。
中性化深さの測定	②	測定面の処理が終了した後、水を含むフェノールフタレイン溶液をただちに測定面に噴霧器で液が滴らない程度に噴霧する。測定面を空気中に長時間放置しておくと測定面が中性化して正確な中性化深さが測定できなくなるおそれがあるので、ただちに測定ができない場合には、ラッピングフィルムなどで測定面を密封する。
	③	測定箇所について、コンクリート表面から赤紫色に呈色した部分までの距離を 0.5mm の単位で測定する。コア割裂面を測定する場合は 10mm~15mm 間隔ごとに 1 か所、コア側面を測定する場合は 5 か所以上とするのがよい。はつり面の場合は、はつり面の大きさに応じて 4~8 か所程度とするのがよい。
	④	測定は、呈色した部分が安定してから行う。呈色した部分は、数分から 3 日程度放置すると安定する。時間の経過とともに呈色する部分が拡大する場合は、呈色した部分が安定するまで放置するか、再度試薬を噴霧してただちに測定するとよい。鮮明な赤紫色に着色した部分より浅い部分にうす赤紫色の部分が現れる場合は、鮮明な赤紫色の部分までの距離を中性化深さとするとともに、うす赤紫色の部分までの距離も測定しておく方がよい。
計算	⑤	平均中性化深さは、測定値の合計を測定箇所数で除して求め、四捨五入によって小数点以下 1 桁に丸める。なお、健全部の中性化の速さを表す方法として、中性化深さ(mm)を養生終了時からの期間(年)の平方根で除して求めた中性化速度係数（mm/√年）が用いられることがある。

4)　注意事項

フェノールフタレイン溶液を用いた調査を行う際には、呈色のメカニズムをよく理解したうえで実施する必要がある。以下に、注意点を解説する。

①　呈色状態の経時変化

フェノールフタレイン溶液の噴霧による受熱領域の推定試験について、呈色状態の観察および受熱深さの測定は無水 PP 溶液を噴霧した直後に行う。

噴霧直後に観察および測定を行う理由について、**解説図 3.4.30** に試験体の呈色状態の変化を示す[81)]。各試験体の左端が加熱を受けた表面側である。無水 PP 溶液を噴霧した試験体に着目すると、噴霧直後から時間の経過とともに受熱約 150℃以上の乾燥した領域の呈色が徐々に濃くなり、相対含水率が高い部分の呈色が徐々に薄くなる。コンクリート表面の含水状態の変化が呈色に影響を及ぼしているものと推察されている[81)]が、メカニズムの詳細は明らかになっていない。

以上より、フェノールフタレイン溶液の噴霧によるコンクリートの呈色状態は経時的に変化するため、噴霧直後に観察および測定をただちに行うこととした。

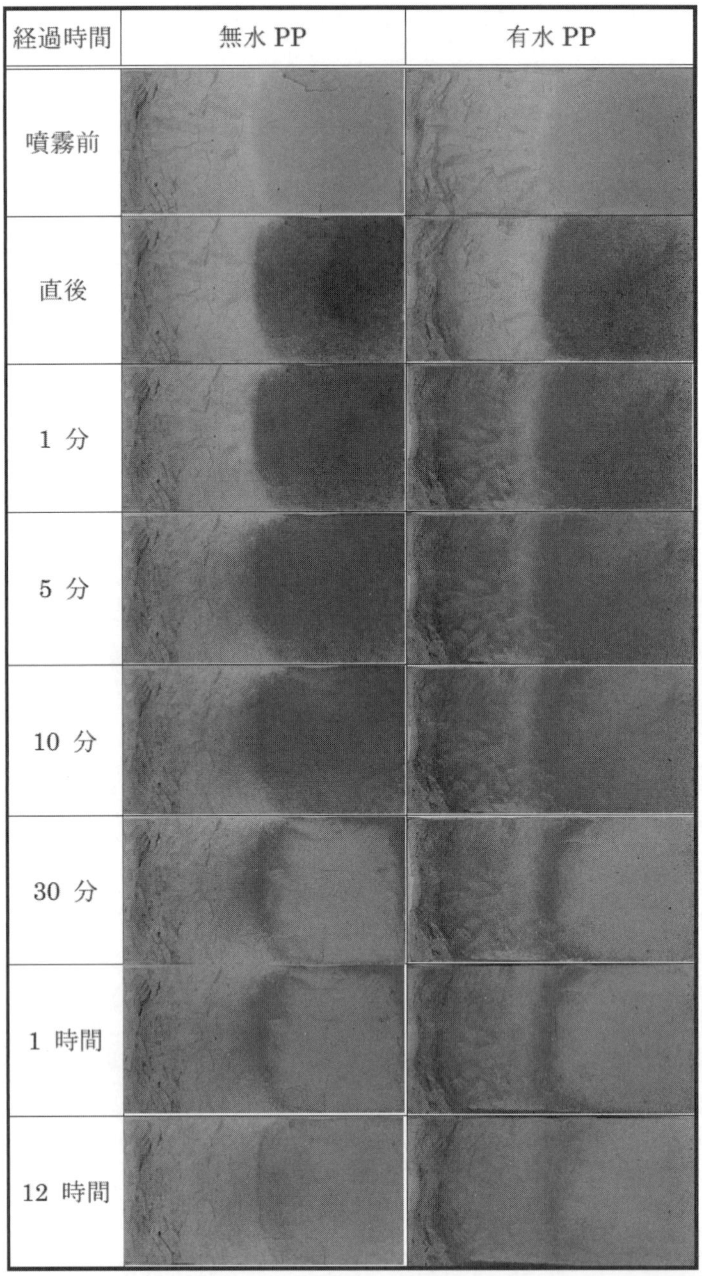

経過時間	無水 PP	有水 PP
噴霧前		
直後		
1 分		
5 分		
10 分		
30 分		
1 時間		
12 時間		

解説図 3.4.30　フェノールフタレイン溶液を噴霧した試験体の呈色状態の経時変化

② 消火活動や降雨などによる吸水の影響

火災時の消火活動や、火災後の降雨などによりコンクリートが吸水すると、受熱領域の推定試験における無水 PP 溶液の呈色状態に影響を及ぼすと考えられる。**解説図 3.4.31** は、高温加熱したセメントペースト試験体に吸水させ、無水 PP 溶液による呈色状態を観察した実験結果の一例であり、加熱面からの距離、相対含水率および受熱温度の関係が示されている[82)]。

コンクリート表面は500℃、700℃、900℃で加熱されているが、「吸水なし」と比較すると、吸水による含水率分布の曲線は「V 字」を描く結果となり、含水率の低い V 字の「谷」では、無水 PP 溶液が明瞭な呈色を示していないことがわかる。つまり、消火活動などによりコンクリートへの吸水が考えられる場合においても、受熱領域を推定できる可能性があるため、無水 PP 溶液による呈色状態を注意深く観察する必要がある。

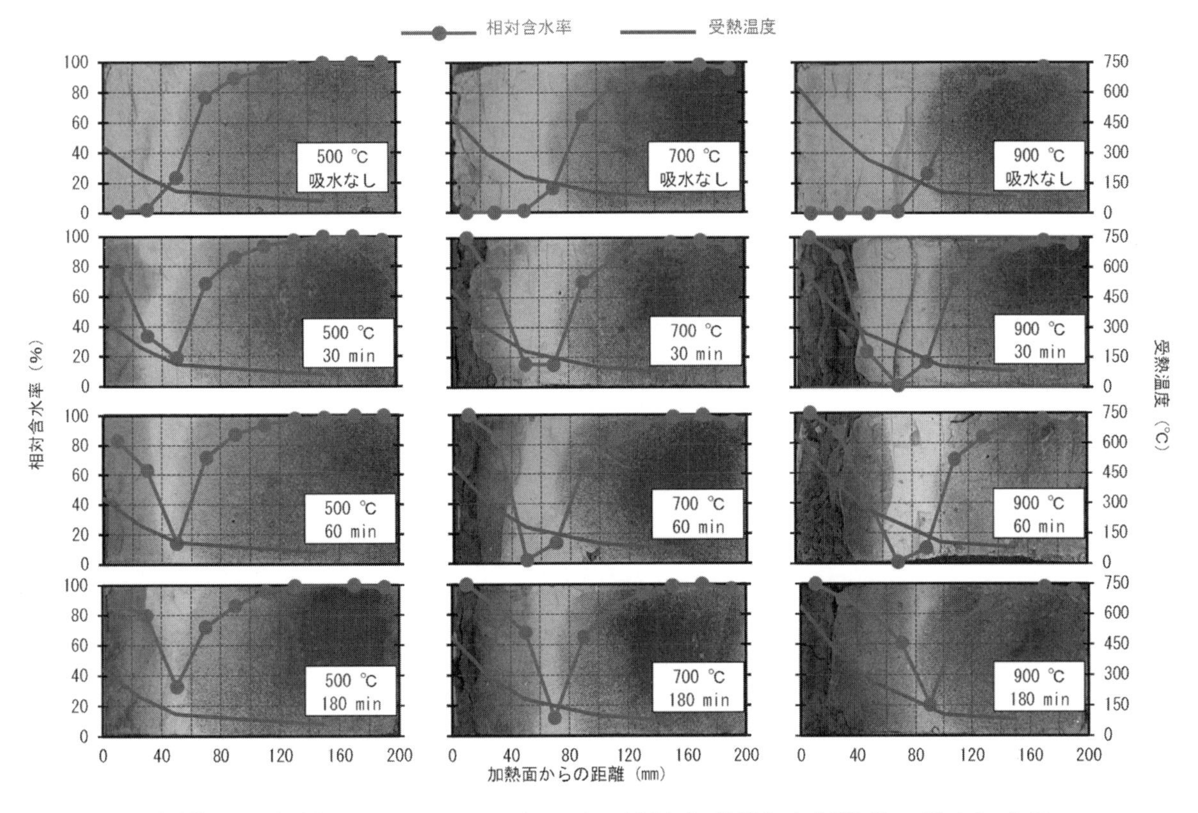

解説図 3.4.31　フェノールフタレイン溶液を噴霧した試験体の吸水による呈色状態の経時変化（図中の凡例は、加熱温度および吸水時間を示す）

なお、上述した結果はセメントペースト試験体によるものであり、コンクリートの場合は吸水速度などが異なる可能性がある。さらに詳しくは、今後、情報を更新していくことが望まれる。

③　中性化深さの測定

中性化深さを測定する際には、有水 PP 溶液を噴霧する。なお、経年（自然風化）でもコンクリートの中性化は、空気中の二酸化炭素（CO_2）の作用を受けて、コンクリート中の水酸化カルシウム（$Ca(OH)_2$）が徐々に炭酸カルシウム（$CaCO_3$）に変化して進行する（炭酸化と呼ばれることもある）。したがって、特に打設後長期間経過したコンクリートについては、中性化の進行が経年劣化によるものか、または火災によるものかの判断が困難なので注意が必要である。この場合、火害部とは別に、その建物できわめて火害程度の少ない部分（健全部）のコンクリートを探し出し、数箇所において中性化深さを測定し、それを標準の値として火害部の中性化を判断する必要がある。ここで、数箇所としたのは、環境の二酸化炭素濃度・湿度やコンクリートの含水状態によって、経年変化による中性化の進行速度が異なるためである。健全部の調査が不可能な場合は、一般的な（経年による）コンクリートの中性化の進行具合を**解説表 3.4.24** に示す推定方法によって推定することが可能である。

解説表 3.4.24　一般的な（経年による）コンクリートの中性化の進行推定方法

計算方法	健全部の調査が不可能な場合は、一般的なコンクリートの中性化の進行具合を式 (3.4.26) によって推定する。 $C=A\sqrt{t}$　　(3.4.26) ここに、C：コンクリートの平均中性化深さ（cm） t：材齢（年） A：コンクリートの材料、調合、環境条件により決定する中性化速度係数 Aは信頼できる資料または試験などに基づいて定めることとなっているが、準拠する情報がない場合は式 (3.4.27) で求める。 $A=k\cdot\alpha_1\cdot\alpha_2\cdot\alpha_3\cdot\beta_1\cdot\beta_2\cdot\beta_3$　　(3.4.27) ここに、k：定数（岸谷式では 1.72、白山式では 1.41） α_1：コンクリート（骨材）の種類による係数（普通コンクリート 1.0、軽量 1 種 1.2、軽量 2 種 1.4） α_2：セメントの種類による係数（普通ポルトランドセメントは 1.0 など） α_3：調合（水セメント比）による係数（w/c-0.38） β_1：気温による係数（東京 1.0 など） β_2：湿度による係数（東京 1.0 など） β_3：二酸化炭素濃度による係数（屋外 1、屋内 2） 各係数の詳細は、本会「鉄筋コンクリート造建築物の耐久設計施工指針（案）・同解説」[78] 参照。
計算例	水セメント比 55%の普通コンクリートで、一般的な屋内環境下にあるコンクリートの中性化深さの計算例は次のようになる。 [計算例]　材齢　　中性化深さ 10 年　　1.85 cm　←　$1.72\times1.0\times1.0\times(0.55\text{-}0.38)\times1.0\times1.0\times2\times\sqrt{10}$ 30 年　　3.20 cm 50 年　　4.14 cm

④　中性化深さの測定における有水 PP 溶液の特異な呈色状態の例

解説図 3.4.32 は、約 40mm の深さまで経年により中性化しているコンクリート試験体を対象として、試験体の左端から 900℃で加熱し、有水 PP 溶液を噴霧した実験結果の例である [83]。加熱面から深さ 10 mm までは、中性化により生成した $CaCO_3$ は分解し、CaO が生成していることから、約 600℃以上の熱を受けた領域と推定される（$CaCO_3$ は、約 600℃以上で分解する）。このようなコンクリートに有水 PP 溶液を噴霧すると、$CaCO_3$ の熱分解により CaO が生成した領域が、有水 PP 溶液の H_2O と反応して $Ca(OH)_2$ となり、呈色が濃くなる。中性化深さの測定において、火害部の呈色状態が**解説図 3.4.32** のように着色した場合、約 600℃以上の熱を受けた領域を判断できる可能性がある。

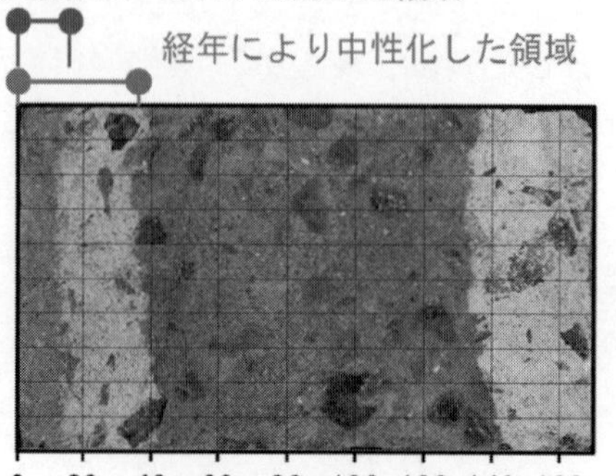

解説図 3.4.32　経年により中性化した試験体を 900℃に加熱し有水 PP 溶液を噴霧したのちの呈色状態（噴霧から 1 時間後）

3.4.6　受熱温度の推定試験

> 受熱温度の推定試験では、過マンガン酸カリウムによる酸素消費量の定量分析、全有機体炭素計による有機化合物の定量分析およびUVスペクトル法などから適切な方法を選択し、受熱温度の推定を行う。

（解説）

受熱温度の推定試験には、過マンガン酸カリウムによる酸素消費量の定量分析（以下、$KMnO_4$法と略記）、全有機体炭素計による有機化合物の定量分析（以下、TOC法と略記）およびUVスペクトル法（以下、UV法と略記）などがある。

$KMnO_4$法、TOC法およびUV法は、いずれもコンクリートに含まれる化学混和剤（有機物）の高温性状に着目し、健全部試料を加熱冷却後分析することで予め検量線を作成し、火害部試料の分析結果を検量線にあてはめることで、受熱温度を推定する。なお、UV法では、ベンゼン環を有する芳香族化合物の化学混和剤（ナフタレンスルホン酸系、リグニンスルホン酸系化学混和剤など）にのみ適用が可能となるため、注意が必要である。

1)　分析準備の方法

分析準備（コンクリートコア採取、検量線用試料の作製・加熱、受熱温度推定用試料の採取、試料粉末の作製）の方法について、$KMnO_4$法、TOC法およびUV法のいずれも共通であり、手順の一例を以下に示す。

ｉ）コンクリートコア採取：一次調査結果より調査範囲の絞込みを行った調査対象部位および健全部（検量線用試料）において、コンクリートコアを採取する。なお、コンクリートコアは圧縮強度試験を実施したもの（粉砕されていないもの）を使用してもよいが、フェノールフタレイン溶液を噴霧したものは使用できない。コア径は小径でも構わないが、その場合深さ方向の分解能が粗くなる。深さ方向に15mmの分解能を持たせようとすれば、直径75mm程度のコアが必要である。

ⅱ）検量線用試料の作製・加熱：検量線試料は、健全部のコンクリートコアを分割し、試料を8個採取する。その後、電気炉内にて所定温度（110℃、150℃もしくは160℃、200℃、250℃、300℃、400℃、500℃および600℃）で1個ずつ1時間以上加熱する。コア分割数は健全部コアの状況によって減らしてもよいが、その場合でも6個は確保し、例えば加熱温度を110℃、200℃、250℃、300℃、400℃および500℃とする。

ⅲ）受熱温度推定用試料の採取：火害部より採取したコンクリートコアを、火害側の表層（10mm程度）を除いた部位よりコア内部で10mm厚毎に切断し、試料を数個採取する。コアの直径が小さい場合、切断間隔を大きくすれば、規定量以上の試料粉末が得られ、分析が可能になる。なお、火害側の表面をカットして除外する理由は、コンクリート表面に仕上げ材の残存物や煤が付着している場合や、火害を受けた際に有機化合物の燃焼ガスがコンクリート内部に浸透している可能性があるためであり、これらの要因による分析結果への影響を除外するためである。

ⅳ）試料粉末の作製：10mm厚に切断した試料を、乳鉢内でコンクリート中の粗骨材が原状のまま残る程度に粉砕した後、36メッシュ（425μm）のふるいを通過した部分を振動ミルで微粉砕化し、試料粉末とする。

2)　注意事項

通常は、火害側の受熱温度が高い推定結果が得られるが稀に逆転する場合がある。これは、推定受熱温度が低かった火害側の表層に近い試料に、測定対象とした化学混和剤以外の接着剤や塗料等の有機物が混入していたことが原因と考えられる。推定受熱温度が低くなったところ以外の受熱推定温度は正しいと考えられるが、最も火害側に近い試料でこのような現象となった場合には、最高受熱温度が推定できないことになるので注意が必要である。

3.4.6.1　過マンガン酸カリウムによる酸素消費量の定量分析（$KMnO_4$法）[84]

> $KMnO_4$法は、コンクリートの深さ方向の受熱温度を推定するために実施する。コンクリートの劣化深さを特定する場合など、補修範囲を明確にしたい場合に推奨される。多くの化学混和剤に対応して有機化合物を定量できる。

（解説）

有機系化合物中の炭素を対象とした過マンガン酸カリウムによる酸素消費量の定量分析（$KMnO_4$法）の特徴は、多くの化学混和剤に対応して有機化合物を定量できることである。なお、受熱温度の推定範囲は、化学混和剤の種類によって異なるが、一般的には約200℃～500℃までの受熱温度の推定が可能である。

1) 分析方法

$KMnO_4$法の手順を以下に示す。なお、この方法はJISなどで規定されたものではなく、精度が確認できれば、これに類する方法を用いてよい。

i）定量分析：定量分析は以下の手順で行う。

- 試料粉末0.5gを約10mLの水で分散させ、硫酸(1+8)（注：1+8は、硫酸1：水8の割合で調整したもの。以下同じ）10mLを加え、加熱分解する。
- 水を加え、全容量約50mLとし、再加熱後にアンモニア水(1+1)にて中和した後、鉄イオンを除去するためさらにアンモニア水を2～3滴過剰に加える。
- JIS K 0102:2019-14.1「懸濁物質」によりガラス繊維ろ紙を用いて吸引ろ過し、アンモニア水(1+1)にて数回洗浄し、ろ液を300mLのフラスコに採取する。
- 上記のろ液に水を加え100mLとし、硫酸(1+1)10mLを加えた後に硫酸銀の微粉末1gを加え、撹はんする。
- N/40しゅう酸ナトリウム10mLを加え、60℃～80℃に保持しながら、N/40過マンガン酸カリウム溶液で逆滴定する。
- 液の色が薄紅色を呈する点を終点として、N/40過マンガン酸カリウム消費量を求める。

ii）受熱温度の推定：検量線用試料の定量分析により、加熱温度とN/40過マンガン酸カリウム消費量の関係を示す検量線を作成する（**解説図3.4.33**参照）。次に、受熱温度測定用試料のN/40過マンガン酸カリウム消費量を測定し、検量線から受熱温度を求める。

iii）測定結果の評価：推定した受熱温度がコンクリートの強度に影響を及ぼす温度であるか評価する。

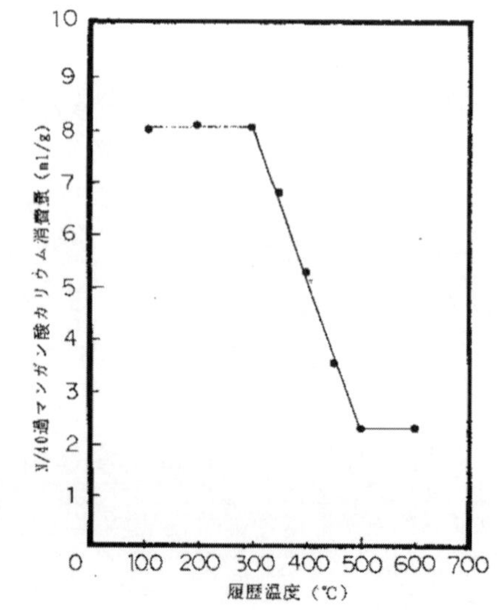

解説図3.4.33　加熱温度とN/40過マンガン酸カリウム消費量の関係

2) 注意事項

3.4.6項に示したとおり。

3.4.6.2　全有機体炭素計による有機化合物の定量分析（TOC 法）[85]

TOC 法は、コンクリートの深さ方向の受熱温度を推定するために実施する。コンクリートの劣化深さを特定する場合など、補修範囲を明確にしたい場合に推奨される。試料の前処理が簡便であり、多くの化学混和剤に対応して有機化合物を定量できる。

（解説）

コンクリート中に含まれている化学混和剤に着目し、火害を受けたコンクリートを全有機体炭素計（TOC 計）で分析し、全有機体炭素濃度と加熱温度の関係から受熱温度の推定を行うものである。$KMnO_4$法より粉砕や抽出作業の省力化を図ることができ、多くの化学混和剤に対応して有機化合物を定量できる。なお、受熱温度の推定範囲は、一般的には約 200℃～500℃までである。

1)　分析方法

TOC 法の手順を以下に示す。なお、この方法は JIS などで規定されたものではなく、精度が確認できれば、これに類する方法を用いてよい。

ⅰ）定量分析：定量分析は以下の手順で行う。

・試料粉末 200 mg に、塩酸(1+1)を 1 mL 添加して 110 ℃の雰囲気で乾燥させる。

・固体試料燃焼装置を備えた TOC 計で有機体炭素濃度を分析する。

ⅱ）受熱温度の推定：検量線用試料の定量分析により、加熱温度と有機体炭素濃度の関係を示す検量線を作成する。次に、受熱温度測定用試料の有機体炭素濃度を測定し、検量線から受熱温度を求める。

ⅲ）測定結果の評価：推定した受熱温度がコンクリートの強度に影響を及ぼす温度であるか評価する。

2)　注意事項

3.4.6 項に示したとおり。

3.4.6.3　UV スペクトル法（UV 法）[84),86]

UV 法は、コンクリートの深さ方向の受熱温度を推定するために実施する。コンクリートの劣化深さを特定する場合など、補修範囲を明確にしたい場合に推奨される。$KMnO_4$法より簡便であるが、芳香族化合物以外の化学混和剤には適用できない。

（解説）

コンクリート中に含まれている混和剤に着目し、火害を受けたコンクリートを UV スペクトル分析し、吸光度と加熱温度の関係から受熱温度の推定を行うものである。UV 法は、主に芳香族化合物（リグニン系やナフタレン系）の化学混和剤入りコンクリートに対する分析に有効である。

1) 分析方法

UV 法の手順を以下に示す。なお、この方法は JIS などで規定されたものではなく、精度が確認できれば、これに類する方法を用いてよい。

ⅰ）試料粉末の作製：10mm 厚に切断した試料を、鉄鉢内でコンクリート中の砕石が原状のまま残る程度に粉砕した後、36 メッシュ（425μm）のふるいを通過した部分を振動ミルで微粉砕化(5μm～10μm)し、試料粉末とする。

ⅱ）試料溶液の作製：試料粉末 3g をビーカーに採取し、90mL の純水を加えて 1 時間煮沸した後、吸引ろ過を行う。予め塩酸(1+1)1mL を入れたメスフラスコにろ液を採取し、ろ過後 100mL の定容とする。また、ろ過後のろ紙上の残留物は、再び上記使用のビーカーに水にて洗い落とし、100mL として 1 時間再煮沸し、以降は同様な操作を行い、2 回目抽出の試料溶液とする。

iii) UV スペクトルの測定：試料溶液を石英セルに移し、分光光度計を使用して UV スペクトルを測定する。波長 260nm における吸光度は、1 回目抽出試料溶液の吸光度と 2 回目抽出試料溶液の吸光度との合計量（合計吸光度）とする。

iv) 受熱温度の推定：検量線用試料溶液の UV スペクトルの波長 260nm における吸光度を読みとり、加熱温度と吸光度の関係を示す検量線を作成する。次に、受熱温度測定用試料溶液の波長 260nm における吸光度を測定し、検量線から受熱温度を求める。

v) 測定結果の評価：推定した受熱温度がコンクリートの強度に影響を及ぼす温度であるか評価する。

2) 注意事項

3.4.6 項に示したとおり。

3.4.7　鉄筋の引張試験

鉄筋の引張試験は、鉄筋の残存強度を確認する場合に実施する試験方法である。鉄筋に被害が及んでいることが明白な場合には、鉄筋の引張試験を行うことが推奨される。

（解説）

コンクリートの爆裂により鉄筋が露出して鉄筋に火害が及んでいることが明白な場合は、鉄筋の引張試験を行うことが推奨される。鉄筋の引張試験では、部材から採取した鉄筋を用いて、日本産業規格 JIS Z 2241「金属材料引張試験方法」により、火害部の鉄筋の機械的性質（降伏点・引張強さ・伸びなど）が JIS などの規格値以上であるかを確認する。鉄筋の鋼種や強度などが不明な場合は健全部の値と同等であるかを確認する。

1) 試験方法

JIS を参考にした試験手順を、**解説表 3.4.25** に要約する。

解説表 3.4.25　鉄筋の引張試験手順と留意点(1)
（JIS Z 2241:2011「金属材料の引張試験方法」）

手　順		内　容
測定箇所の選定	①	測定箇所は、目的に応じて適切に選定する。
採取	②	調査対象部位および火害を受けていない健全部（必要に応じて、強度比較を実施するため）において、JIS Z 2241:2011「金属材料引張試験方法」に従って鉄筋を採取し、試験場所に搬入する。採取にあたっては、試験片のつかみから適切な距離に標点がくるように、十分なつかみの間隔がなければならない。
測定準備	③-1	円形断面の試験片の原断面積 S_o を求めるための直径は、互いに直交する 2 二方向について測定した値の平均値とする。
	③-2	原標点距離 L_o の両側に明瞭なしるし、けがき線またはポンチマークをつける。ただし、その傷が早期破断を引き起こす原因にならないようにする。
	③-3	引張試験時にヤング係数を測定する場合は、試験片の中央部の直交する 2 方向にひずみゲージを貼付する。
測定	④	試験片の両端を引張試験機でつかみ、鋼種に応じて JIS Z 2241 に規定された載荷速度で上降伏応力、最大試験力などを計測する。なお、必要に応じて JIS Z 2241 に示すその他の項目（例えば、耐力、下降伏応力など）についても計測する。なお、ヤング係数を計測する場合は、試験片の試験力とひずみをデータロガーを用いて計測する。
計算	⑤-1	計測した最大試験力を用いて、**式(3.4.28)**により上降伏応力を算出する。 $$R_{eH} = \frac{F_{eH}}{S_o} \qquad (3.4.28)$$ ここに、 R_{eH} ：上降伏応力（N/mm²） F_{eH} ：上降伏応力に対応する最大試験力（N） S_o ：原断面積（mm²）

解説表 3.4.25　鉄筋の引張試験手順と留意点(2)

手順		内容
計算	⑤-2	計測した最大試験力を用いて、**式(3.4.29)**により引張強さを算出する。 $R_m = \frac{F_m}{S_o}$　　(3. 4. 29) ここに、 R_m ：引張強さ（N/mm^2） F_m ：最大試験力（N） S_o ：原断面積（mm^2）
	⑤-3	計測した標点間距離を用いて、**式(3.4.30)**により破断伸びを算出する。 $A = \frac{L_u - L_o}{L_o} \times 100$　　(3. 4. 30) ここに、 A ：破断伸び（%） L_o ：原標点距離（mm） L_u ：破断後の最終標点距離（mm）

2) 注意事項

通常の鉄筋であれば、加熱冷却後の残存引張強さに関する実験資料は比較的多数あるので、鉄筋位置の温度がわかれば残存引張強さは概ね推定できる。しかしながら、鉄筋に火害が及んでいることが明白な場合には、鉄筋の引張試験により残存引張強さを確認する必要も生じる。

3.4.8　載荷試験

載荷試験は、梁・床スラブの火災による剛性および耐力低下の程度を把握するために実施する試験方法である。火害等級がⅣ級以上で、構造体として損傷を受けている可能性が高い場合、また、火災後に部材を再度利用したい場合に推奨される試験である。

（解説）

載荷試験は、梁部材や床スラブに設計荷重またはその何倍かの荷重を載荷し、たわみなどを測定することにより、梁・床スラブの火災による剛性および耐力低下の程度を判断する試験方法である。火害等級がⅣ級以上で、構造体として損傷を受けている可能性が高い場合、また、火災後に部材を再度利用したい場合に推奨される試験である。

火災を受けた部材に対して載荷試験を実施することにより、損傷状況を把握できる可能性がある。たとえば、梁部材は火災により鉄筋に付着の損失がある場合、曲げひび割れおよびせん断ひび割れが分散しにくく、ひび割れ本数も少なくなるため、その損傷程度によりひび割れパターンが、付着が有効な場合と異なる。したがって、ひび割れ本数とひび割れ幅は同じたわみを生じた場合であっても異なってくる。

載荷方法には、袋に入れた砂、砂利、セメントや水などの重量物を積載して分布荷重を与える方法と、油圧ジャッキを用いて集中荷重を与える方法がある。現在、載荷試験方法の規格は見当たらないが、1957年版のJASS 5[87]では前者をA法、後者をB法として規定していた。A法は、実施上かなりの労力と時間を要するが、実情に即している点で望ましい。B法は、A法に比較して簡便であり、多くの部材を試験する場合に適している。

1) 試験手順

試験手順を、**解説表 3.4.26** および**解説表 3.4.27** に要約する。

解説表 3.4.26　部材の載荷試験手順と留意点（A法）

手順		内容
測定箇所の選定	①	測定箇所は、目的に応じて適切に選定する。
準備	②-1	構造物のたわみに追従する袋に入れた砂、砂利、セメントや水などの重量物を準備する
	②-2	設計に用いられた長期荷重の分布状態に従うように、梁・床スラブ上に重量物を徐々に並べる。なお、荷重の不連続による影響を除くため、梁の荷重分担面積のみでなく隣接した梁にも同様に載荷する。
測定	③	規定荷重を載荷後、4 時間放置したときの最大のたわみを測定し、荷重除去 1 時間後に残留たわみを測定する

解説表 3.4.27　部材の載荷試験手順と留意点（B 法）

手順		内容
測定箇所の選定	①	測定箇所は、目的に応じて適切に選定する。
準備	②	載荷しようとする梁部材の中央と、直上階の梁部材の間に油圧ジャッキとロードセルなどの荷重計を介して支柱を立てる。
測定	③	油圧ジャッキによって徐々に力を加え、設計荷重の 2 倍に達した時点で最大たわみを測定し、荷重を降下させて残留たわみを測定する。なお、設計荷重の 2 倍とするのは、隣接した梁は無加力であることと、2 倍程度の加力を行わないと判定が不明瞭となるという経験的な知見から定められている。また、A 法と異なり、最大たわみ・残留たわみとも、最大時および除荷時に計器の安定を待ってただちに計測するとしている。

2) 注意事項

A 法は、重量物の配置を適切に行う必要がある。水張りの場合は、床・梁のたわみによって荷重の分布状態が変化する場合があるので注意する。また、測定計器を長時間放置するため、温度変化による変位計設置架台の伸縮・振動などに注意する。B 法は、反力を受ける部材が必要になるため、最上階の梁の試験は難しい。また、いずれの載荷方法も、被害を受けている部材へ載荷するため、試験時には安全に十分注意する必要がある。

3.5　診断

診断では、予備調査と一次調査および二次調査の結果に基づき、火害等級および被災度の判定を行い、補修・補強の要否を判断する。

（解説）

調査結果は、その後の補修・補強計画立案に利用する資料であることを考慮して、部位・部材ごとに整理する。診断は、調査結果に基づいて部位・部材ごとの火害等級を判定し、火害等級に基づいて建物の被災度を判定することにより行う。RC 造の火害等級は 5 段階、被災度は 3 段階に区分し、その内容は**解説表 3.1.1** および**解説表 3.1.2** に示したとおりである。

火害等級は、部材の再使用の可否と部材の補修・補強さらには部材の交換または新部材の挿入などを決定する上で、重要な拠り所となる。そのため特に外観調査である一次調査の結果において火災による損傷が認められた部材にあっては、二次調査によって内部のコンクリートや鉄筋の受熱温度を正確に推定・把握し、材料・部材の力学的試験の結果とも照らし合わせる。複数の調査結果に基づき、補修・補強計画を想定して各部材の火害等級をできる限り正確に判定することが、重要である。

被災度は、外観調査の結果および部材の火害等級に応じて判定されるものであり、建物としての再使用の可否を表す。被災度 A の建物は、構造体に火災の影響がないものであり、補修・補強を行わなくても再使用可能である。被災度 B の建物は、構造体が火災の影響を受けているものの本指針に示す一般的な補修・補強により再使用可能と判断されるものであり、3.6 節の補修・補強計画の対象となるものである。被災度 C の建物は、本指針では再使用不可能と判定するものであるため、3.6 節の補修・補強計画の適用範囲外である。再使用を行う場合には別途の検討が必要である。

3.5.1　一次調査による診断

a. 一次調査による火害等級の判定は、次の(1)～(3) により部材ごとに行う。 (1) 無被害の場合はⅠ級とする。 (2) 表層や仕上げ部分のみの被害の場合はⅡ級とする。 (3) 上記(1)、(2)以外の場合は、二次調査の結果に基づいて火害等級の判定を行う。 b. 一次調査による建物の被災度の判定は、次の(1)～(3) により行う。 (1) 全ての部材が火害等級Ⅱ級以下である場合は被災度を A とする。 (2) 外観調査のみで明らかに再使用が不可能な場合は被災度を C とする。 (3) 上記(1)、(2) 以外の場合は、二次調査に基づいて被災度 B または被災度 C の判定を行う。

（解説）

火害等級判定のフローは**解説図 3.1.2** に示したとおりである。一次調査は、目視により外観上の被害状況を観察し、火害状況を概略把握し、火災進展状況を推定するものである。一次調査のみで判定できる部材の火害等級は、無被害の場合のⅠ級、表層や仕上げ部分のみの被害の場合のⅡ級である。一次調査のみで判定できない火害等級は二次調査の結果に基づいて判定を行う。また、被災度は、全ての部材が火害等級Ⅱ級以下である場合は建物の被災度を A、外観調査のみで明らかに再使用が不可能な場合は被災度を C と判定し、これら以外は二次調査の結果も含めて被災度の判定を行う。

3.5.2　二次調査による診断

a. 二次調査による火害等級の判定は、次の(1)～(5) により部材ごとに行う。
　(1) 表層に限定される被害がある状態はⅡ級とする。
　(2) コンクリート表面から鉄筋までの位置に被害がある場合はⅢ級以上とする。
　(3) 主筋との付着に支障のある被害がある場合はⅣ級以上とする。
　(4) 主筋座屈など実質的な被害が明白な場合はⅤ級とする。
　(5) 構造耐力上、甚大な被害がある場合はⅤ級とする。
b. 二次調査による建物の被災度の判定は、次の(1)、(2) により行う。
　(1) Ⅴ級の柱部材の割合が火災階の全柱の 20%を超える場合は被災度を C とする。
　(2) 上記(1)以外は被災度を B とする。

（解説）

解説図 3.1.2 の火害等級判定のフローに示したように、二次調査では、一次調査により絞り込まれた調査対象箇所について、詳細な調査を実施する。

ここで、Ⅱ級と判定される「表層に限定される被害」とは、わずかな表面劣化はみられても、構造耐力に影響するようなものではない場合が該当し、また、表層に限定した微細なひび割れがあっても、補修における注入施工などが困難な範囲（幅 0.2mm 以下）に限定している場合などが相当する。Ⅲ級以上と判定される「コンクリート表面から鉄筋までの位置の被害」とは、かぶり部分のコンクリートの強度低下・ひび割れ（幅 0.3mm 以上）・部分的な浮きなどが見られる場合が該当し、ひび割れの注入やかぶりコンクリートの撤去を必要とする補修が必要な場合に相当する。Ⅳ級以上の「主筋との付着に支障のある被害」とは、数ミリ幅のひび割れや局部的な爆裂が多数見られる場合などが該当し、構造耐力の回復が必要な場合に相当する。Ⅴ級の「主筋座屈など実質的な被害」や「構造耐力上、甚大な被害」には、広範囲に爆裂が生じている場合などが含まれる。

二次調査による火害等級の判定では、Ⅱ級およびⅢ級のように、部材表面および内部の推定受熱温度を、拠り所とする場合がある。これは、コンクリートや鉄筋の受熱温度が、これらの強度を著しく低下させる温度に達しているか否かによって、補修・補強の範囲や方法が異なってくるからである。コンクリートの強度を著しく低下させる温度の境界値については、種々の考え方があるが、本指針では 300℃を目安とした。この理由は、3.2.1 項の 3)および**解説図 3.5.1～解説図 3.5.3** に示すように、コンクリートの冷却後の各種強度の残存比は、500℃を超えると 50%を下回るが 300℃以下であれば圧縮強度および付着強度のいずれも 70%以上であるとする、既往の実験結果が多いためである。なお、加熱を受けたコンクリートの圧縮強度は、受熱温度 500℃以下であれば時間とともに自然回復するという実験結果がよく知られているが、これは比較的低い強度のコンクリートに関するものである。高強度コンクリートでは、**解説図 3.5.4**、**解説図 3.5.5** に示すように、空気中での強度回復は遅々として進まず、設計基準強度 100N/mm^2 を超える超高強度コンクリートでは、**解説図 3.5.6** に示すように、養生条件によらず強度回復は認められないため、圧縮強度の自然回復には期待しないこととした。一方、鉄筋コンクリート造に用いられる鋼材の加熱冷却後の残存強度については、3.2.2 項の 1) および**解説図 3.5.7**、**解説図 3.5.8** に示すように、通常の鉄筋は 500℃程度まで、PC 鋼棒は 400℃程度までであれば受熱前と同等である。なお、PC 鋼棒や一部の高強度鉄筋などの調質鋼の残存強度は、焼戻し温度に依存する。焼戻し温度以上の加熱は強度を低下させる。焼戻し温度は、一般に 300℃以上であるが、メーカーに確認するとよい。

火害等級の判定は、予備調査と一次調査および二次調査の結果を、**解説表 3.1.1** に示した火害等級と部材状況の一覧表に照らし合わせるとともに、3.6 節の補修・補強計画を想定して行うとよい。表面の受熱温度が 300℃以下かどうかは煤の付着の状態、内部の受熱温度は、3.4.6 項の試験により判断できる。しかし、火害等級の判定は、受熱温度によってのみ行うのではなく、コンクリートコアの試験結果や孔内局部載荷試験の結果などと比較・検討し、材料に要求される性能および部材に要求される性能をも勘案し、総合的に判断することが必要である。

二次調査による建物の被災度の判定は、火害等級Ⅴ級の柱部材が火災を受けた階の総柱本数の 20%超あれば、被災度 C と判定する。また、3.3 節の**解説表 3.3.1** に示したように、これよりも被害がひどい柱が火災を受けた階の総柱本数の 10%を超えるような場合があれば、被災度 C と判定する。二次調査によって被災度「C」と判定されたもの以外は、被災度「B」と判定する。

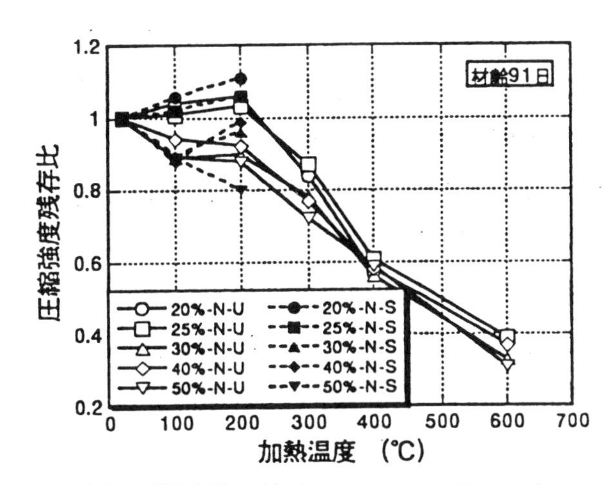

（高温履歴前の強度は 37～110N/mm²）

解説図 3.5.1　コンクリートの圧縮強度残存比（1）[88)]

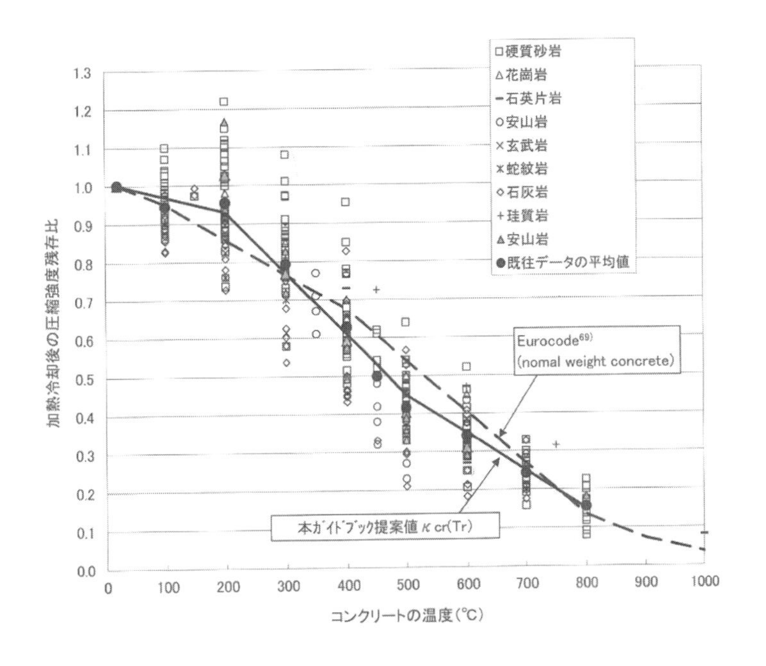

解説図 3.5.2　コンクリートの圧縮強度残存比（2）[25)]

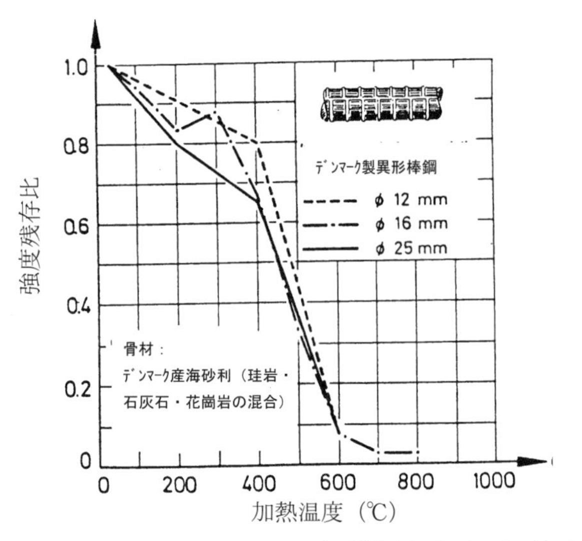

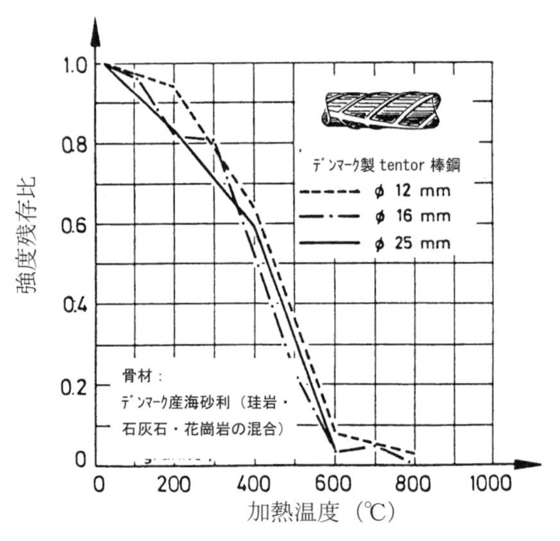

解説図 3.5.3　加熱冷却後の付着強度残存比 89)

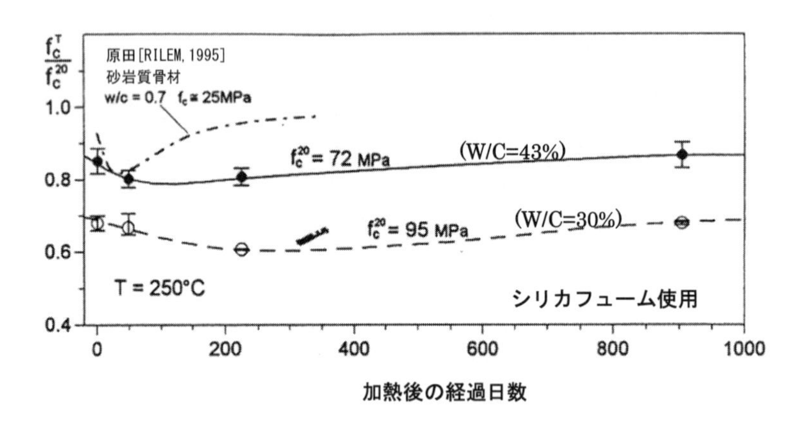

解説図 3.5.4　加熱を受けたコンクリートの強度回復の例 90)

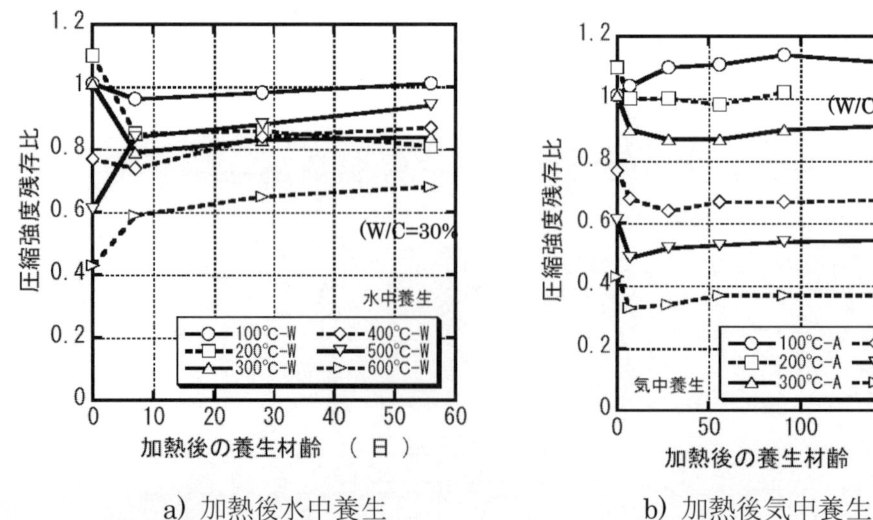

a) 加熱後水中養生

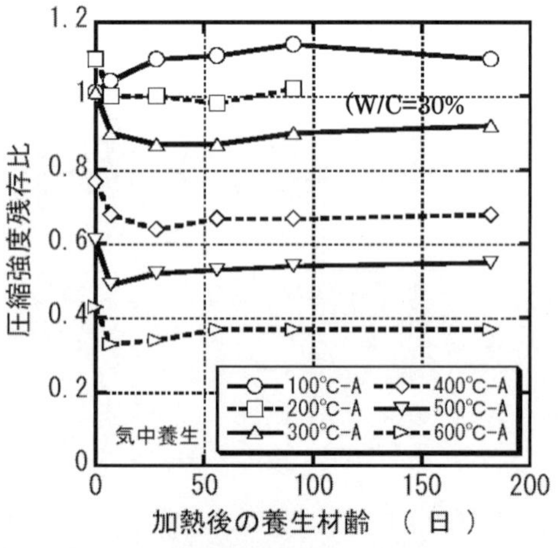

b) 加熱後気中養生

解説図 3.5.5　加熱を受けた高強度コンクリートの強度回復の例 91)

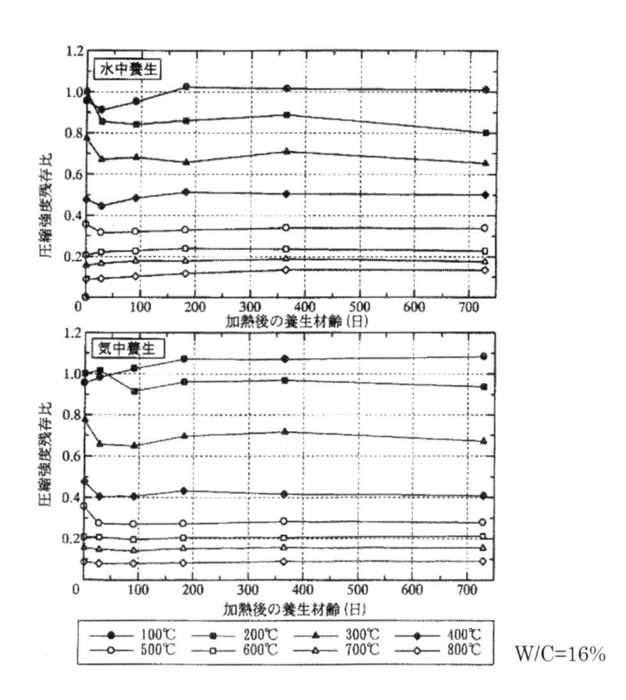

解説図 3.5.6　加熱を受けた超高強度コンクリートの強度回復の 92)

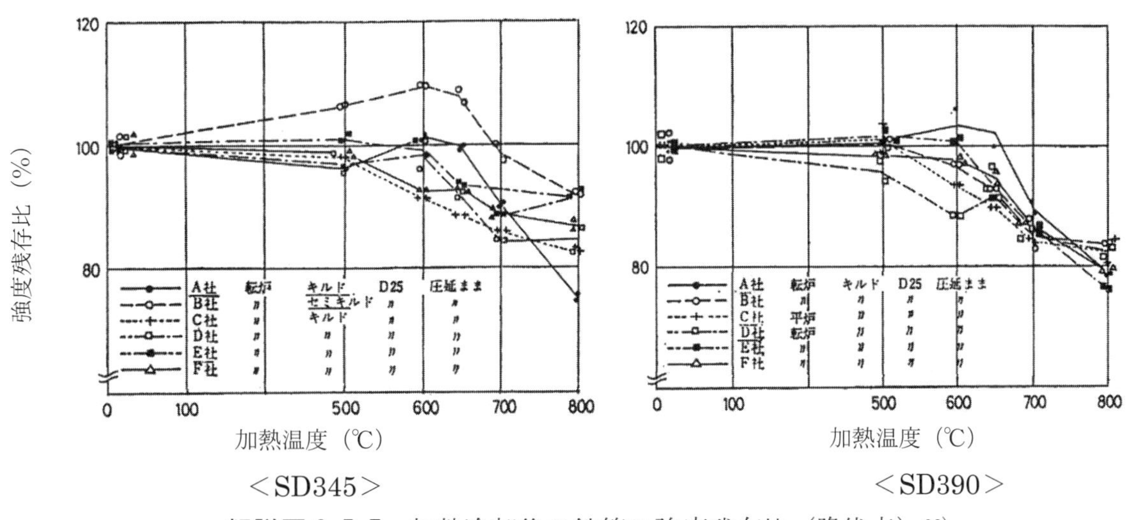

<SD345>　<SD390>

解説図 3.5.7　加熱冷却後の鉄筋の強度残存比（降伏点）93)

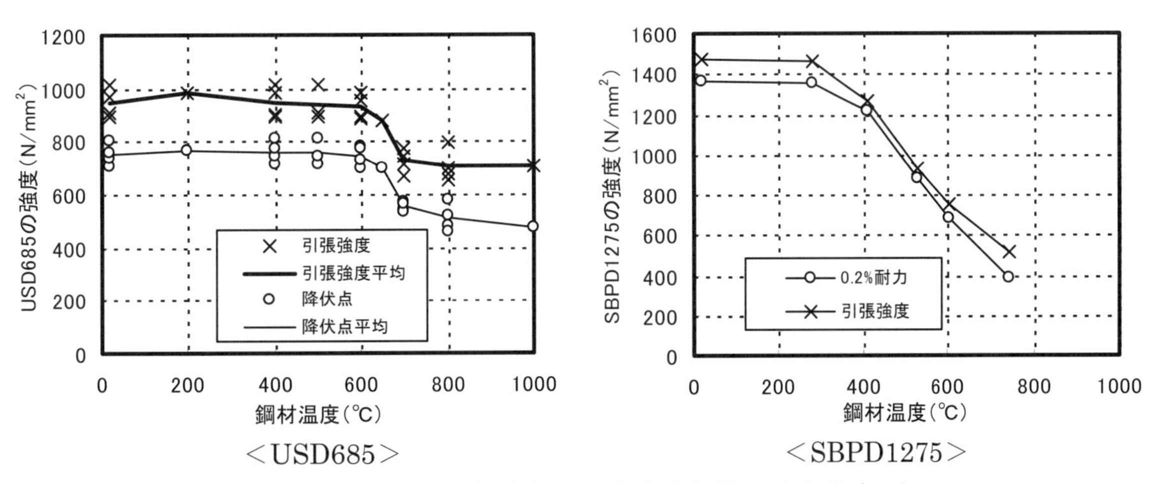

<USD685>　<SBPD1275>

解説図 3.5.8　加熱冷却後の高強度鉄筋の残存強度 28)

3.6　補修・補強計画

補修・補強計画は、火害の程度と被災後の建物の使われ方を考慮して立案する。その際は、設定された回復目標を満たす補修・補強方法を選定する。

（解説）

火害を受けた建物の補修・補強は、火害等級がⅡ級～Ⅴ級かつ被災度 B の建物が対象となる。火害の程度と被災後の建物の使われ方を考慮して、構造体の回復目標を設定する。補修・補強範囲の決定を行った後、範囲内の構造体の部位ごとに補修・補強工法を選定する。

3.6.1　回復目標の設定

回復目標は、火害建物の所有者・管理者・使用者からの要求に基づいて、構造安全性・耐火性・耐久性・使用性その他の必要な性能を満たすように設定する。

a. 構造安全性の回復目標は、設計条件を満足することを標準とする。

b. 耐火性の回復目標は、設計条件を満足することを標準とする。

c. 耐久性の回復目標は、補修・補強後の計画供用年数および維持管理期間により決定する。

d. 使用性その他の必要な性能に対する回復目標は、補修・補強後の使用条件により決定する。

（解説）

本項の目的は、火災を受けた RC 造建物の構造体の性能を補修または補強によって回復させる目標を示すことである。回復の対象とする主な性能は、構造体の構造安全性・耐火性・耐久性などである。さらに回復目標としては床部材の防振性などの使用性および補修・補強の方法によっては大きな影響を受ける機能性や美観性なども考慮すべき性能としてあげられる。これらの性能に対する回復目標は、火害建物の所有者・管理者・使用者らが今後どのように使っていくか、また、供用期間として今後何年程度を予定しているかなどにより異なってくる。本指針において「標準」とする回復目標を次項以降に先ずは示してはいるが、補修・補強を担う設計者は、所有者・管理者・使用者らの要求に基づいて回復目標を設定すべきであり、法的・社会的要件を満足できれば、「標準」以外の回復目標を設定してもよい。

a.　構造安全性に対する補修・補強の回復目標は、損傷の程度に関わらず、設計時の条件を満足させることを標準とした。回復目標には、2.2 節「補修・補強の方針」の解説に示したようにいくつかのレベルがある。ここで標準としたものは、多少の余裕をもって施工された建物に対しては、火災によってこの余裕分が失われたとしても、設計時に期待した性能を現時点において保証できればよいとするものである。そのため、現時点以降の経年劣化への対策については、c 項の耐久性の回復目標で検討されるべきものである。

一方、かぶりコンクリートを除去して補修を行う場合は、補修材の強度や性能が設計時の材料規格値を満足している材料であれば問題がない。補修部分の割合が大きい場合には安全側の方法を検討すべきである。

なお、設計当初の用途や積載荷重などの条件が今後の使用条件に対して危険側になる場合には別途の検討が必要となる。また大規模な補修・補強になる場合は、現行法規に対応しているかの確認も必要となる。さらに火害等級Ⅴ級などでは新部材の増設による補強が採用される場合は構造耐力などの検討を別に行う必要がある。

b.　火害後の建物に要求される耐火性は火害前と何ら変わらないと考えて、耐火性に対する補修・補強の回復目標は設計時の条件を満足することを標準とした。ここで、耐火性が要求される居室などにおいて設計時の条件を満足することとは、建築基準法に規定されるかぶり厚さまたはそれに要求される性能を確保することである。火災によって劣化した表層部を除去した後にかぶり厚さが不足する場合は、その部分を増し厚により補修する必要がある。

補修材料としては一般にエポキシ樹脂系の材料を使用することが多いが、必ずしも全ての材料に耐火性が要求される訳ではない。しかし、かぶりコンクリートは鋼材の耐火被覆としての役割と錆び防止機能を担っているため、コンクリート以外の材料を用いる場合は、補修材料の耐火性能に加え、既存コンクリートとの一体性も含めて選定し、鋼材の防錆処理を行う必要がある。

c.　耐久性に対する補修･補強の回復目標は、使用条件、補修･補強後に期待される計画供用年数および維持管理期間から決定されるものである。設計時の性能を満足することや火害前の状態に戻す必要はない場合がある。

d.　床部材の防振性などの使用性と増設部材の影響を受ける動線や採光などの機能性ならびに美観性などの回復目標に関しては、補修･補強後の使用条件によって決定することとした。これらの回復目標は、建物の所有者・管理者の十分な理解の基に定めるべき事項である。

3.6.2　補修・補強範囲の設定

補修・補強すべき範囲および補修のレベルは、調査・診断結果をもとに定めた火害等級および回復目標に応じて決定する。

（解説）

補修・補強を担当する設計者は、3.2 節（コンクリートおよび鉄筋の火害による変状）、3.3 節（調査方針および調査方法）、3.4 節（火害調査のための各種試験方法）および 3.5 節（診断）の結果をもとに定めた火害等級ならびに回復目標に応じて、補修・補強すべき範囲と部材を決定する。その際、設計者は火害の程度に加えて建物用途・社会的重要性などを考慮する必要がある。

RC 造建物の火害等級に対応する補修・補強の基本方針を整理したものを**解説表 3.6.1** に示す。部材性能への影響の程度を段階に分けて表中には併記した。火害等級および部材性能への影響の程度に応じて、設定された回復目標を満足するように補修・補強を行う。

RC 造では、内部の鉄筋よりも表層コンクリートに劣化の症状が表れる。補修前にひび割れの有無などを調査し、この症状の程度により補修・補強範囲の設定を行う。火害を受けた箇所から採取したコア強度が設計基準強度よりも高い場合、原則として仕上げの補修だけ行えばよい。ただし、受熱温度が低い場合でもひび割れが生じている場合はその後の耐久性を低下させる可能性があるので、ひび割れ補修、表面被覆、表層改質処理などの対策が必要である。

補修の要否に関するひび割れ幅の限度の一例を**解説表 3.6.2** に示す。これらは、鋼材腐食の観点からみたひび割れ幅が部材性能に及ぼす影響の程度を示している。火害を受けたコンクリートの表層部は、熱の影響を受けて物質移動抵抗性が低下していることも考えられる。そのため、構造物の置かれる環境条件に応じて許容ひび割れ幅を定め、それ以上のひび割れが発生している場合は、コンクリートの補修や表面被覆など、鋼材の防錆処理を行うとよい。

一方、火害を受けた箇所から採取したコア強度が設計基準強度よりも低い場合、劣化部分のコンクリートをけい酸塩系表面含浸工法によって表面部を改質処理するか、劣化部分を除去して設計基準強度を満足するコンクリートを打ち直すか、またはコア強度に応じた構造計算により構造安全性を確認するなどを設計者が判断する必要がある。

なお、コンクリートは火災による受熱で、コンクリート中の $Ca(OH)_2$ が CO_2 と反応して $CaCO_3$

になる現象が促進されることによって中性化することがある。これによって、鉄筋腐食に対する抵抗力は低下し、鉄筋コンクリート構造物としての耐久性は著しく損なわれる。構造計算により構造安全性が確認されても、火災により中性化が進行している状況下では、コンクリートのアルカリ性の回復や鋼材の防錆処理などによって、耐久性を回復させるための処置が必要となる。

解説表 3.6.1　火害等級と部材性能への影響に応じた補修・補強の基本方針

火害等級（柱・床・梁・壁）	火災による被害の目視状況	部材性能への影響			補修・補強の基本方針
		（極小）小	中	大（甚大）	
Ⅰ級	無被害の状態	●			補修・美観性回復の必要なし
Ⅱ級	表層のみに被害がある状態（煤・煙・汚れ・仕上材のみ）	●			仕上（ボード、塗料等）施工、張替え、塗装、洗浄、美観性回復
Ⅲ級	表層から鉄筋位置までのかぶりコンクリートに被害がある状態（強度低下・中性化進行）		●		ひび割れ補修、表面被覆、含浸工法による改質、鉄筋の防錆、強度または耐久性低下を生じた部分の除去・打直し、構造安全性の確認、仕上施工、美観性回復
Ⅳ級	主筋との付着に支障のある被害がある状態（強度低下・耐久性劣化・中性化進行）		●	●	かぶりコンクリートの含浸工法による改質、補強、打直し、鋼材防錆処理、仕上施工、構造安全性の確認、美観性回復
Ⅴ級	かぶりコンクリートが剥落し、多くの鉄筋が露出しているなどの被害がある状態			●	構造検討、劣化部材の除去および新設（再施工）、断面修復、繊維シート・鋼板による補強、仕上施工、美観性回復

解説表 3.6.2　補修の要否に関するひび割れ幅の限度[94]の一例
（乾燥収縮ひび割れなどに適用される鋼材腐食の観点からのひび割れの部材性能への影響）

環境条件		塩害環境下	水掛かりあり	水掛かりなし
ひび割れ幅：w(mm)	0.5＜w	大（20年耐久性）	大（20年耐久性）	大（20年耐久性）
	0.4＜w≦0.5	大（20年耐久性）	大（20年耐久性）	中（20年耐久性）
	0.3＜w≦0.4	大（20年耐久性）	中（20年耐久性）	小（20年耐久性）
	0.2＜w≦0.3	中（20年耐久性）	小（20年耐久性）	小（20年耐久性）
	w≦0.2	小（20年耐久性）	小（20年耐久性）	小（20年耐久性）

※ 評価結果「小」「中」「大」の意味は下記のとおりである。
小 ：ひび割れが性能低下の原因となっておらず、部材が要求性能を満たしている。
中 ：ひび割れが性能低下の原因となるが、軽微（簡易）な対策により要求性能を満たすことが可能である。
大 ：ひび割れによる性能低下が顕著であり、部材が要求性能を満たさない。
※※ カッコ内の数値は鋼材腐食に対する耐久性の評価結果を保証できる期間の目安としての年数を示しており、（20年耐久性）はひび割れの評価時点から15～25年後程度を保証できる期間の目安を設定したものであり、15～25年の平均をとって示している。

解説表 3.6.3 に、調査結果と補修・補強方法の組合せの一例を示す。

【表中①】コンクリート表面の受熱温度が 300℃以下であれば、内部で強度がほとんど低下しないと考えられる。表面が 300℃以下またはコア強度が設計基準強度以上で、許容ひび割れ幅以下の構造体は健全であり、美観性回復のための仕上げ補修でよい。

【表中②】受熱温度が 300℃以下またはコア強度が設計基準強度以上でも、許容幅以上のひび割れがある場合は、ひび割れ補修、表面被覆、表面含浸工法による改質処理などによって、中性化抵抗性などの耐久性回復のための処置が必要である。

【表中③-a)、④-a)】表面の受熱温度が 300℃を超え 500℃以下の場合は、コア強度が設計基準強度以上であるかどうかを確認し、設計基準強度以上であれば必要に応じてひび割れに対する処置を行う。

【表中③-b)、④-b)】表面の受熱温度が300℃を超え500℃以下の場合で、コア強度が設計基準強度を下回る場合は、コンクリート躯体自体の処置が必要となる。強度が低下した部分のコンクリートをけい酸塩系の表面含浸や圧力注入工法によって改質・増強するか、それを除去して打ち直すか、脆弱部のみを除去した状態でコンクリートを増打ちする。劣化部分の除去厚さは、3.4.4項に示したコンクリートコア孔を利用した孔内局部載荷試験の結果や3.4.6項に示した$KMnO_4$法、TOC法、UV法による推定受熱温度を参考にして決めるとよい。また、コアを複数本用意して段階的に表面を切削して圧縮強度試験を実施する方法もある。

解説表 3.6.3　調査結果と補修・補強方法の組合せの一例

<table>
<tr><td colspan="2" rowspan="2"></td><td colspan="3">受熱温度、コア強度</td></tr>
<tr><td>表面が300℃以下、または
コア強度が設計基準強度以上</td><td>表面が300℃超、500℃以下</td><td>表面が500℃超</td></tr>
<tr><td rowspan="3">ひび割れ幅</td><td>解説表3.6.2
などより定める許容値未満</td><td>①
・火害等級：Ⅱ級
・症状：構造体健全
・処置：仕上げの補修</td><td>・火害等級：Ⅲ級
・症状：強度劣化
・処置：
③-a)コア強度≧設計基準強度：仕上げの補修
③-b)コア強度＜設計基準強度：劣化部分の含浸工法による改質、除去後打ち直し、あるいは構造安全性の確認などの設計者判断</td><td rowspan="2">⑤
・火害等級：Ⅲ級
・症状：強度劣化、耐久性低下（中性化）
・処置：劣化部分除去後打ち直し、または補強と表面被覆などの防錆処置</td></tr>
<tr><td>解説表3.6.2
などより定める許容値以上</td><td>②
・火害等級：Ⅲ級
・症状：耐久性低下
・処置：コンクリートのひび割れ補修、表面被覆、含浸工法による改質などの防錆処置</td><td>・火害等級：Ⅲ級
・症状：強度劣化、耐久性低下
・処置：
④-a)コア強度≧設計基準強度：ひび割れ補修、表面被覆または含浸工法による改質などの防錆処置
④-b)コア強度＜設計基準強度：劣化部分の含浸や圧力注入工法による改質、除去後打ち直し、あるいは構造安全性の確認などの設計者判断</td></tr>
<tr><td>数mm以上</td><td colspan="3">・火害等級：Ⅳ級
・症状：構造耐力の低下、耐久性低下
・処置：劣化部分除去後打ち直し、または補強とひび割れ補修や表面被覆などの防錆処置</td></tr>
</table>

なお、表層に若干の強度劣化があっても計算などにより部材耐力が十分である場合は、設計者などがひび割れ補修のみでよいと判断する場合もある。

【表中⑤】表面の受熱温度が500℃を超えた部分は、強度も大きく低下し、完全な強度回復も期待できず、中性化進行により耐久性も低下していると想定されるため、脆弱化したコンクリートを除去して断面修復するなどの処置が必要である。

一方、大規模火災の補修・補強範囲の設定にあたっては、材料の強度のみではなく部材・架構レベルまでの配慮が必要になる。3.2.2項に火災後の部材の構造性能に関するいくつかの実験例を紹介した。火災を受けた部材は剛性劣化を生じるが、補修では部材剛性の完全な回復は難しい。

部分的に建物が損傷を受けている場合、地震時の崩壊機構を変化させる恐れがある。また、新部材の増設による補強では建物の剛性や偏心に対する配慮が必要である。したがって、このような場合には、構造計算などによる確認を行うことが必要である。

補修の規模に関する法的な取扱いは、2001 年国土交通省告示第 1372 号および告示の解説 [95] に示されている。この解説によれば、補修材を除いた断面による部材または架構を想定し、建築基準法施行令第 79 条第 1 項などに規定するかぶり厚さを満足する部材または架構と比較して、著しい構造耐力の低下のないものを同告示に従って補修できるとしている。

一方、当初の設計上の断面性能が変化して改めて構造計算によって安全性を確認する必要があると判断される大規模な補修については、政令に規定されているとおり大臣認定を取得する必要があるとしている。また、告示 1372 号で想定する補修の範囲については同告示第 2 項第 5 号に規定 [95] されているが、例えば、次のように判断することができるとしている。

① 告示 1372 号第 2 項の一に示される規定を満足する補修材（ポリマーセメントモルタルおよびエポキシ樹脂モルタル）による、断面の 5%以下の補修。

② 母材と同等以上の圧縮強度を有する補修材による、断面の 30%以下の補修（架構の一部の部材のみの補修とする場合に限る）。

火害調査結果と予定供用期間に基づく補修レベルの設定のための具体的なフローの例を**解説図 3.6.1** に示す。火害等級と**解説表 3.6.4** に示す所有者による予定供用期間（回復目標）が設定されれば、要求性能に応じた補修のレベルが決まる。補修レベルに対する具体的な補修内容については**解説表 3.6.5** を参考にして決定すればよい。

解説表 3.6.4　所有者による予定供用期間(回復目標)と火害等級による補修･補強の要否の一例

火害等級	所有者による予定供用期間（回復目標）		
	10 年未満	10～20 年	20 年以上
Ⅰ級相当	補修不要	補修不要	補修不要 (定期的なひび割れ調査を実施)
Ⅱ級～Ⅲ級相当	基本的には補修不要 (場合によっては補修必要)	基本的には補修不要 (場合によっては補修必要、 定期的なひび割れ調査を実施)	補修必要
Ⅲ級～Ⅳ級相当	基本的には補修必要 (場合によっては補修不要)	補修必要	補修必要 (部材の撤去・再施工)

解説表 3.6.5　補修のレベルおよび補修内容

補修レベル	補修内容						
	美観性回復	仕上げ補修	表面被覆	ひび割れ補修	断面修復	かぶり補修	（補強）
レベル1	○	○		●			
レベル2	○	○	○	○			
レベル3	○	○	○	●	○		
レベル4	○	○	○	●	○	○	○

●幅が 0.4mm を超えるひび割れのみ補修

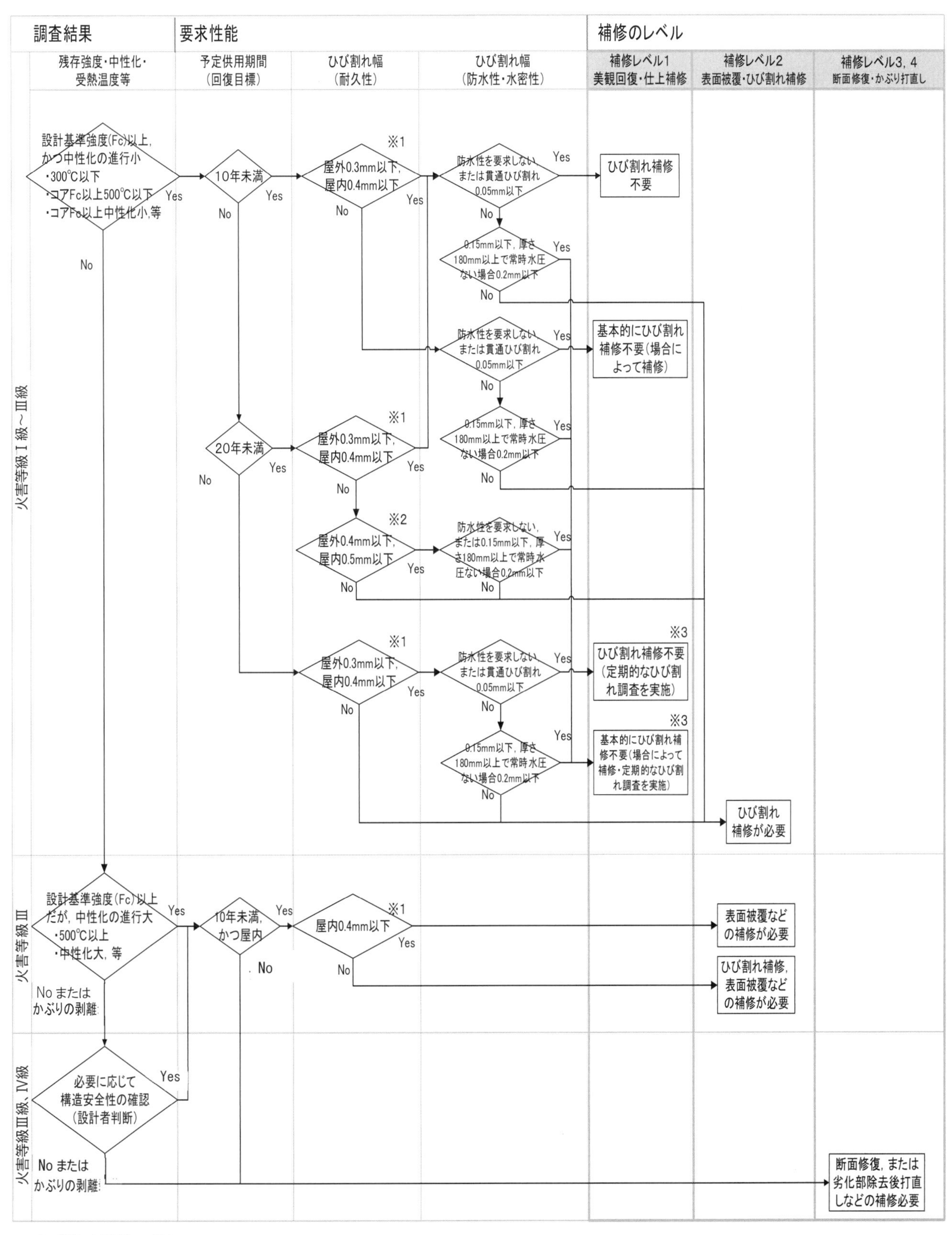

※1：塩害・腐食環境下の場合，0.2mm以下
※2：塩害・腐食環境下の場合，0.3mm以下
※3：予定供用期間が20年以上の場合で，受熱温度が300℃程度を超える場合は，中性化抵抗性の回復のために珪酸塩系表面含浸材などを塗布する。

解説図 3.6.1　火害調査結果と予定供用期間に基づく補修レベルの設定のためのフローの例

3.6.3　補修・補強工法および補修材料の選定と実施

補修・補強工法は、火害建物の所有者・管理者・使用者の意向に基づき火害診断者と構造設計者・施工者が十分検討した上で決定する。3.6.1 項で定めた回復目標に達するように、3.6.2 項で定めた補修・補強すべき範囲ごとに補修・補強工法を選定し、適切な材料を用いて補修・補強を実施する。

a. 補修・補強工法は、次の(1)〜(5)を標準とする。

(1) ごく表層コンクリートの補修

ごく表層のコンクリートの補修が必要な場合は、表面含浸工法、表面被覆工法およびひび割れ注入工法などから適切な方法を選定する。

(2) かぶりコンクリートの補修

かぶりコンクリートの補修が必要な場合は、ポリマーセメントモルタル断面修復工法・モルタルグラウト法・モルタル吹付け法・けい酸塩系含浸材の表面塗布や圧力注入・コンクリート打替え法などから、耐火性の確保の要否と補修部の部材厚さや面積に配慮し、適切な補修・補強工法を選定する。

(3) 部材表面強化による補強

火害等級Ⅳ級またはⅤ級相当の部材の補強が必要な場合は、柱・梁を対象にするRC・鋼板・新素材などによる部材巻立て（巻付け）法や床・梁を対象とする鋼板接着法・増打ち法などから適切な方法を選定する。

(4) 新部材の増設による補強、部材の再施工

火害部材の損傷が著しく新部材の増設による補強が必要な場合は、小梁の増設・壁の増設・ブレースの増設・そで壁の増設・バットレスなどの外部架構の増設などから適切な方法を選定する。補強が困難な場合は、部材の撤去・再施工も含めて検討を行う。

(5) その他（表面処理・汚れ除去・脱臭）

汚れの除去や脆弱部の除去などの表面処理・補修工事の前処理・仕上施工・脱臭などが必要となる場合は、施工場所の周辺環境に配慮して適切な方法を選定する。

b. 補修材料は、使用実績あるいは信頼できる資料によって、その品質および性能が確かめられたものを用いる。

c. 適切な前処理の後、火害状況に応じた補強工事または断面修復、ひび割れ注入、けい酸塩系含浸材の表面塗布や圧力注入および仕上げなどを施すことにより、設定された回復目標を満足するよう補修または補強を行う。

（解説）

部材ごとに火害の程度は異なるので、3.5 節の診断において部材ごとに火害等級は決定されている。本項では、3.6.1 項で定めた回復目標に達することができる補修・補強工法を、3.6.2 項で定めた補修・補強すべき範囲と部材に対応して選定する。なお、本指針では、「補修」を「火災を受けた建物の部材や材料を設計条件に適合する状態に回復させること」、「補強」を「火災を受けた建物に部材や材料を付加して、必要な耐力や強度を確保すること」と、定義した。損傷の大きい部材に対する補強には、耐震補強に近い工法が検討されるべきである。このような工法の計画にあたっては、構造力学的な検討と確認が不可欠であり、日本建築防災協会「既存鉄筋コンクリート造建築物の耐震改修設計指針」[96] などが参考になる。

a. 部材の補修・補強工法に関しては、耐力低下や耐久性劣化に対する補修や補強工法などが、参考になる。火害等級が比較的低い場合の表面被覆・ひび割れ補修・断面修復工法・表面含浸工法

などは、耐久性劣化の補修方法としての実績がある。けい酸塩系表面含浸工法は、コンクリートの表層部の品質改善によく使われている[97]。火害のあるコンクリートに表面含浸工法を適用する場合に、けい酸塩系含浸材が浸透しやすくなるが、改質深さと改質効果を確認した上で補修を実施する。また、火害等級が高い場合、巻立て補強や鋼板補強などは、RC造の耐震補強技術としての実績がある。これらの技術は、火災を受けた建物の補修・補強工法としても適用できる。**解説表3.6.6**に劣化現象と適用可能な補修・補強工法の一覧を、**解説表3.6.7**に補修・補強工法の特徴を示す。劣化現象に応じてこれらの工法を組み合わせて適用して補修・補強を実施すればよい。なお、ここでは一般的な工法を挙げており、特殊な場合は含めていない。

解説表 3.6.6　劣化現象と適用可能な補修・補強工法

補修・補強の種類	適用工法＼劣化現象	汚れ	表面や内部脆弱	爆裂	ひび割れ	浮き・剥落	鉄筋座屈	たわみ変形
(1) ごく表層のコンクリートの補修	1) 表面被覆工法				○			
	2) 注入工法				○			
	3) 充填工法				○			
	4) 表面含浸工法		○		○			
(2) かぶりコンクリートの補修	1) ポリマーセメントモルタル断面修復	○	○	○		○		
	2) モルタルグラウト法		○	○		○		
	3) モルタル吹付け法		○	○		○		
	4) けい酸塩系表面含浸・圧力注入法		○		○			
	5) コンクリート打替え法			○		○		
(3) 部材表面強化による補強	1) 部材巻立て（巻付け）法					○		
	2) 増打ち法、鋼板接着法					○	○	○
(4) 新部材の増設による補強・部材の再施工	1) 新部材増設法						○	○
	2) 部材の再施工			○		○	○	○
(5) 表面処理・汚れ除去・脱臭	1) 高圧洗浄・ウォータージェット	○						
	2) サンドブラスト	○						
	3) ドライブラスト（ドライアイス）	○						

(1) ごく表層のコンクリートの補修

コンクリート表層の強度低下、ひび割れ、緻密さの低下などによる耐久性の低下が懸念される場合などに用いられる補修方法としては、1)表面被覆工法、2)注入工法、3)充填工法、4)表面含浸工法がある。表面被覆工法はごく微細なひび割れ（一般に 0.2mm 以下）が目立つ場合に用いられ、注入工法は一般に0.2～1mm のひび割れの補修に用いられる。注入材としては樹脂系とセメント系があり、樹脂系の注入材の中ではエポキシ樹脂が最も一般的である。低圧樹脂注入工法の例を**解説図3.6.2**に示す。エポキシ樹脂の品質については、JIS A 6024：2015「建築補修用注入エポキシ樹脂」のなかで硬化物の引張破壊伸びと粘性および施工時期によって区分して、規定されている。セメント系の注入材として、ポリマー入りセメントスラリーは、ポリマーを含まないものに比べて接着強度や収縮率に優れているため、広く使用されている。充填工法は、1mm 以上の幅のひび割れ補修に用いられる。ひび割れ部をUカットし、その部分にシーリング材や可とう性エポキシ樹脂またはポリマーセメントモルタルを充填する工法である。

表面含浸工法は、けい酸塩系などに代表される含浸材をコンクリート表面にはけやローラーにて塗布、含浸させることにより、外部からの劣化因子の侵入を遮断する工法である。コンクリートの表層部の水分調整、含浸材の塗布および施工後の含浸面養生の 3 つの工程が含まれる。けい酸塩系含浸材は反応型と固化型に区別される。前者は、けい酸ナトリウムやけい酸カリウムの単体もしくはその両者が混合されているものである。コンクリート中の $Ca(OH)_2$ との反応によりけい酸カルシウム(C−S−H ゲル)を生成し、コンクリート中の空げきを充てんすることによって改質効果を発揮する。後者は、けい酸リチウムが含有されるものである。含浸後の初期段階では反応型けい酸塩系表面含浸材と同様に、けい酸カルシウムを生成して、改質効果を生じる。時間が経過すると、けい酸リチウム自体の乾燥によって固化が進行し、その固形物によってコンクリート中の空げきを充てんする改質効果もある。けい酸塩系表面含浸材の浸透深さは通常数ミリであるため、表層部のみを改質することができる[98]。反応型けい酸塩系表面含浸材では湿潤状態で塗布や養生することが規定されているが、固化型では乾燥状態で塗布や養生する[97]。

改質により、コンクリートの表層部が緻密になり、強度は増加する。また、透気性・透水性・塩化物イオン浸透性が低下するため、凍結融解抵抗性、塩害抵抗性・アルカリ骨材反応抵抗性などが向上する。しかし、けい酸カルシウムの生成反応は、逆効果として改質部のアルカリ性を低下させる。したがって、補修後の中性化の進行は、相反する影響（緻密、アルカリ性低下）のバランスにより決定される。また、中性化により $Ca(OH)_2$ が少なくなったコンクリートに対して改質効果が低い。特に、反応型表面含浸材の場合には効果が得られない。したがって、火災を受けたコンクリート構造物にけい酸塩系表面含浸工法を適用する際に、CaO や $Ca(OH)_2$ の存在を確認する必要がある。

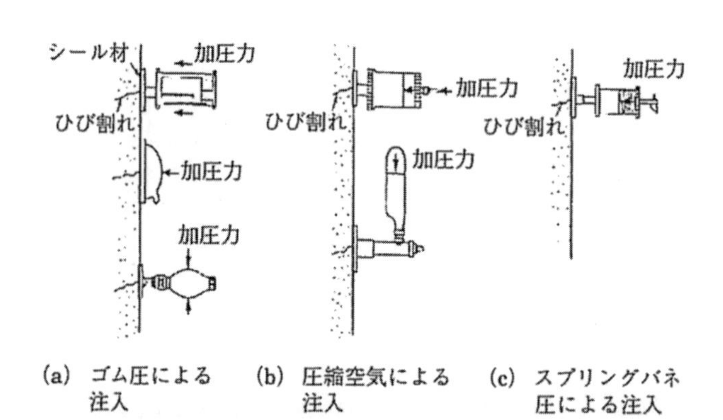

解説図 3.6.2　低圧樹脂注入法の例[94]

解説表 3.6.7　補修・補強工法の特徴

	対象等級の例	補修・補強のための適用工法		長所	短所	推奨される使用方法
補修・補強	II級 III級	(1)ごく表層のコンクリートの補修	表面被覆工法	・施工が容易	・ひび割れ部の挙動が大きい場合は追従し難い	・コンクリートの浮きが無く、微細なひび割れがある箇所など
			注入工法	・施工が容易	・0.10mm 以下のひび割れには充填されにくい	・コンクリートの浮きが無く 0.2〜1mm のひび割れがある箇所など
			充填工法	・施工が容易	・仕上面に影響する場合がある	・コンクリートの浮きが無く 1mm以上のひび割れがある箇所など
			表面含浸工法	・施工が容易、工期が短い ・構造物の外観を変えない ・他の工法と併用できる	・$Ca(OH)_2$(または火災後に CaO) 含有量が少ないコンクリートの場合、補修効果が低い。	・微細なひび割れがある箇所 ・表層部が脆弱になる場合
	III級 IV級	(2)かぶりコンクリートの補修	ポリマーセメントモルタルの断面修復	・施工が容易 ・界面の接着力も高い	・添加される樹脂が多い場合、耐火性の懸念がある	・小範囲[*1]でコンクリートの断面欠損が見られる箇所など
			モルタルグラウト法	・デッキプレートなどを型枠として併用可能 ・グラウトの注入も容易	・型枠の取付け間隔が広い場合はらむことがある	・たわみや断面欠損が見られるスラブなど
			モルタル吹付け法	・不陸のある下地にも対応 ・型枠不要	・表面の平滑な仕上がりを得にくい	・非耐力壁など
			けい酸塩系表面含浸・圧力注入法	・施工が容易 ・被覆工法の施工前に下地強化として施工が可能 ・再施工可能 ・構造物の外観を変えない ・他の工法と併用できる	・$Ca(OH)_2$(または火災後に CaO) 含有量が少ないコンクリートの場合、補修効果が低い。 ・補修範囲の確認が必要	・微細なひび割れや内部損傷の補修 ・火災後の強度、耐久性が低下した部位 ・火災後にアルカリ性を失った部位(含浸材と水酸化物の併用が必要)
			コンクリート打替え法	・新設コンクリートにより鉄筋防錆効果が付与される	・型枠設置など作業が大がかりとなる	・中性化が進行した部位・部材など
	V級	(3)部材表面強化による補強	巻立て(巻付け)法	・補強工法の種類が豊富	・柱などは太くなる	・耐力低下が認められる柱・梁など
			増打ち法、鋼板接着法	・床スラブ全体を一度に施工可能	・躯体の重量が増すため強度が足りない箇所には使用不可 ・接着剤で貼る場合は耐火性が低下する	・耐力低下が認められる梁や床スラブなど
	IV級 V級	(4)部材の増設、部材の再施工	部材増設法 部材再施工	・建設時の状態へ復旧可能、補修より容易な場合あり	・工事が大がかりとなる	−
その他	I級 II級	(5)表面処理・汚れ除去	高圧洗浄・ウォータージェット	・粉じんの発生が少ない	・水処理が必要	・煤の除去 ・劣化塗膜の除去 ・ごく表層の脆弱化したコンクリート層の除去 ・美観性を回復させる部位の補修
			サンドブラスト	・汎用装置である ・安価	・ショット材が廃棄物として残る ・粉塵発生、養生必要	
			ドライブラスト	・ドライアイスが気化するためショット材が廃棄物として出ない	・二酸化炭素が発生するため作業者の安全管理が必要 ・ドライアイスの手配	
		仕上補修	塗装	・作業が容易 ・安価	−	・煤の除去 ・劣化塗膜の除去 ・ごく表層の脆弱化したコンクリート層の除去
			ボード・壁紙などの張り替え	・作業が容易 ・美観性回復	−	

*1：告示 1372 号および建告 1399 号の規定を参考にして適用

(2) かぶりコンクリートの補修

かぶりコンクリートの補修は、かぶりコンクリートのうち火害による脆弱化など劣化した部分を改質するまたは除去し、コア部分を残してコンクリートを打替え、増打ちするものである。火害による強度低下や中性化促進が認められる部分のコンクリートを**解説表 3.6.7** に示す表面処理などによって取り除き、断面をもとの形状に修復させる工法である。工法には、劣化深さによって、1) ポリマーセメントモルタル修復法、2) モルタルグラウト法、3) モルタル吹付け法、4) けい酸塩系表面含浸・圧力注入法、5) コンクリート打替え法がある。

劣化の範囲がかぶり厚さの途中で留まっているときは、ポリマーセメントモルタルの断面修復法、モルタルグラウト法などが用いられる。ポリマーセメントモルタルやグラウト材には、①圧縮と曲げおよび引張強度などが既存コンクリートと同等以上であること、②熱膨張係数と弾性係数およびポアソン比などが既存コンクリートと同等であること、③乾燥収縮が小さく接着性が高いことなどが要求される。

一方、劣化の範囲が深く鉄筋位置（かぶり厚さ）まで至っているときなどは、鉄筋表面までコンクリートを取り除き、メッシュ筋を配するなどして、コンクリートや無収縮モルタルなどで打ち直す。さらには、脆弱部を除去した後に構造上必要となる断面を確保できるようコンクリートなどで増打ちすることも考えられる。

なお、幅が数 mm 単位のひび割れが認められる場合は、主筋とコンクリートの付着が損失し、部材耐力が低下している恐れが高い。かぶりコンクリートを取り除き、主筋を完全に露出させ、メッシュ筋を配するなどしてコンクリートなどで打ち直すとよい。以下に、かぶりコンクリートの補修に適用できる工法の詳細を示す。

1) ポリマーセメントモルタルの断面修復法

ポリマーセメントモルタルやエポキシ樹脂モルタルなど、コンクリート以外の材料をかぶりコンクリートの補修に使用する場合は、補修材の量や補修面積によっては、爆裂・剥離・脱落などの防火上の支障がない材料であることを確認して適用することが求められている。詳細には、平成 13 年国土交通省告示第 1372 号にある曲げ強さ・圧縮強さ・接着強さ・接着耐久性に加え、平成 12 年建設省告示第 1399 号の解説[95]にあるポリマーセメントモルタルの層厚さ 20mm 以下かつポリマーセメント比 4%以下を満足させる必要がある。また、告示 1372 号で示した補修材料により想定される構造体コンクリートの断面修復のための補修の範囲は、3.6.2 の解説に示したように、補修部分の断面積が部材断面の 5%以下（ただし母材と同等以上の強度を有し架構の一部のみである場合には部材断面積の 30%以下）とされている。これらの補修材料の剥離・落下防止やひび割れ防止のためには、アンカーピンと補強用メッシュなどを組み合わせる[99]とよい。

なお､構造上必要な断面寸法が確保された上でのかぶりコンクリートの厚さ 10mm～30mm の範囲の補修において、防火上支障のない補修材料の選定および剥落防止のための工法を選定する際には、独立行政法人建築研究所の建築研究報告 No.147「鉄筋コンクリート造建築物のかぶり厚さ確保に関する研究」[99]（研究結果の概要を付－3【参考データ２】に示す）が参考になる。

2) モルタルグラウト法

モルタルグラウト法は、**解説図 3.6.3** に示すように、損傷箇所を取り除き、その部分を囲むように既存あるいは新たに溶接したセパレーターを利用して型枠を固定し、その中にモルタルを充填して被災前の柱を復元する方法である。

3) モルタル吹付け法

モルタル吹付け法は、**解説図 3.6.4** に示すように、型枠を用いないで直接モルタルを吹き付けられることが特徴である 。その反面、平滑な面を得ることが難しい。広範囲にわたる施工や綺麗な仕上がりが意匠上必要な場合は避けた方がよい。吹付け厚さは 5cm～10cm が標準的であり、付着性を確保するため金網などによる補強が必要な場合がある。

4) けい酸塩系表面含浸・圧力注入法

コンクリートは加熱を受けると、物質分解によりその緻密さが低下する。火害が顕著な場合、ポーラス状態になる。そのため、けい酸塩系表面含浸材は火災後のコンクリートの内部に浸透しやすくなり、かぶりコンクリートの全体を改質や補修することが可能である。しかし、含浸材の浸透性は、コンクリートの加熱前の強度や劣化程度などによって変わるため、改質範囲を確認する必要がある。含浸材が必要な深さまで浸透できない場合に、加圧注入や アルカリ金属の水酸物（NaOH、KOH など）の混合で浸透性を増加する対策を講じる [100)]。また、かぶりコンクリートは鉄筋の腐食を防止する役割がある。火災時に $Ca(OH)_2$ の炭酸化でかぶりコンクリートのアルカリ性が低下する場合、アルカリ性の回復が必要である。けい酸塩系表面含浸材にアルカリ金属の水酸物を添加すれば、アルカリ性や中性化抵抗性の向上に有効である。しかし、けい酸塩系表面含浸材と $Ca(OH)_2$ の反応生成物が火災後のコンクリートの強度を回復させる程度は、加熱前の強度、受熱温度、冷却方法、再養生方法などの多岐な要因の影響を受けている [101)]。したがって、強度、耐久性の回復目標、火災前の強度、受熱温度などを考慮して表面含浸工法を選定し、補修後に適切な養生を行う。

5) コンクリート打替え法

中性化が火害により促進され、鉄筋との付着強度が低下するような幅の大きなひび割れが発生したコンクリート部材については、かぶりコンクリートを除去し、流動性の高いコンクリートなどを用いてその部分を打ち直す。乾燥収縮によるひび割れが生じることもあるので、収縮の小さいコンクリートを用いることが望ましい。コンクリートの打替え法の例を**解説図 3.6.5** に示す。

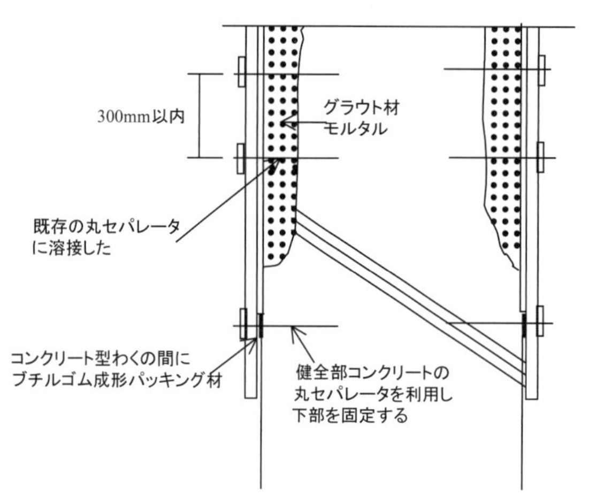

解説図 3.6.3　モルタルグラウト法の例[102]

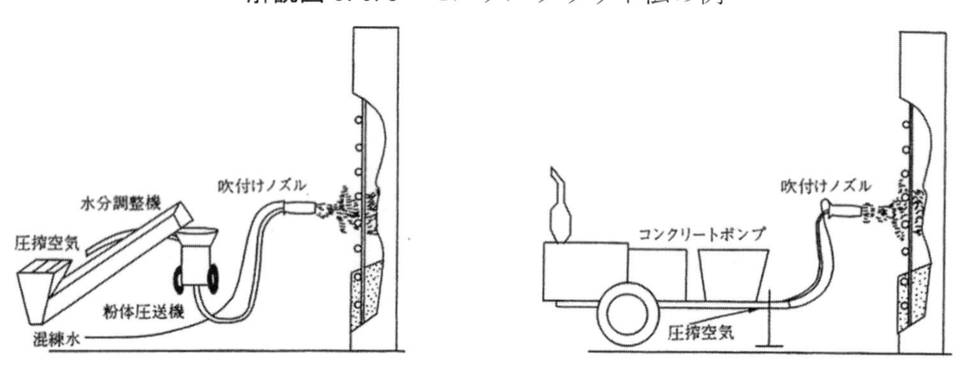

解説図 3.6.4　モルタル吹付け法の例[103]

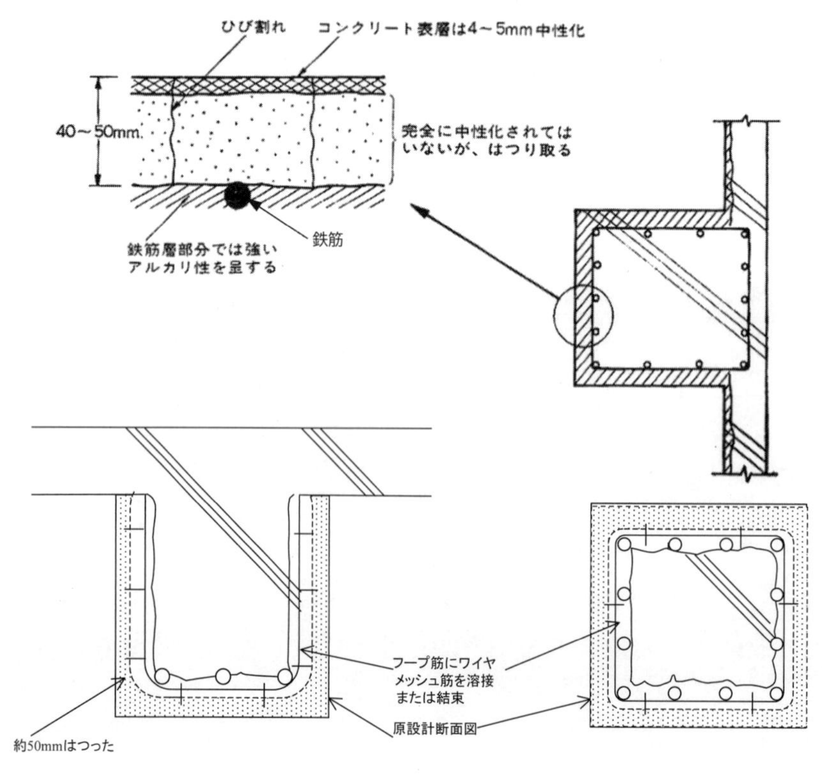

解説図 3.6.5　コンクリートの打替え法の例[103]

(3) 部材表面強化による補強方法

火害等級V級相当の部材の補強が必要な場合は、柱・梁を対象にする 1) 部材巻立て（巻付け）法と梁・床スラブを対象とする 2) 増打ち法・鋼板接着法などから、適切な工法を選定する。

1) 部材巻立て（巻付け）法

劣化が特に激しい柱には、脆弱化したコンクリートを除去し新たにコンクリートを増打ちする RC 巻立て補強や、鋼板や帯板を部材表面に設置してモルタルなどを充填する鋼板巻立て補強などが用いられる。RC 巻立て補強は、**解説図 3.6.6** および**解説図 3.6.7** に示すように、既存柱の外周部を 10cm～15cm 程度の厚さの鉄筋コンクリートで巻き立てて補強する工法である。補強の目的によって柱端部にスリットを設ける場合がある。鋼板巻立て補強には、**解説図 3.6.8** に示すように、厚さ 4.5mm～9mm の薄鋼板を角形や円形に巻き、その隙間に高流動モルタルを充填する方法や柱の四隅にアングル材を建て込んで平板を溶接した裏側にモルタルを充填する帯板補強法などがある。RC 巻立て補強は、変形能力の改善、曲げ耐力の増大および軸耐力の増大に寄与できる工法であり、鋼板巻立て補強工法は、変形能力の改善と軸耐力の増大をさせるものである。しかしながら、柱主筋の内部（コア部分）を一部が通る副帯筋や比較的高温履歴の影響を受けやすい熱処理された高強度棒鋼などが劣化している場合、部材のせん断耐力回復のための検討が必要である。

2) 増打ち法および鋼板接着法

過大なひび割れが発生するなど劣化が激しい床スラブと梁の補強には、帯状の薄鋼板を接着して補強する方法あるいは増打ちによる方法などが採用される。鋼板の接着には、エポキシ樹脂を塗り付けた鋼板を圧着する方法と、配置した鋼板の周辺を完全にシールした後にエポキシ樹脂を注入する方法がある。一般には、曲げ性能が低下している梁の場合は梁の下端や上端に鋼板を貼り付けて補強し、せん断性能が低下している梁の場合は鋼板を側面に貼り付けて補強する。補強後の経年による鋼板の剥れを防止するため、細径のあと施工アンカーを要所に配すること、鋼板には十分な余長を考慮して接着長さを設定することが必要である。樹脂による接着は耐熱性に問題があるため耐火性の回復を期待できないので、耐火被覆の施工を検討する必要がある場合もある。

樹脂を用いる接着系あと施工アンカーの耐火性については、いくつかの調査研究がある。斎藤らの研究 [104]によれば、樹脂系のアンカーの場合、コンクリート打継部の最高温度が 200℃～300℃の範囲では常温の定着耐力の 70%～80%、400℃～600℃では 20%～40%に低下している。寺村らの研究 [105]によれば、3 時間の加熱試験の場合、コンクリート表面からの距離を 150mm 以上とることにより、付着性状への影響は少ないとしている。また、豊田ら [106]は、あと施工アンカーを用いた耐震補強壁の防火区画としての性能を検討している。接着系あと施工アンカーを使用する際にはこれらの特性を理解し、場合によってはコンクリート表面からの距離を十分に取る、部材への埋込み深さを通常より深くするなどの配慮が必要である。

増打ち法は、新旧コンクリートの一体化を図ることが重要であり、既存コンクリート表面には十分な目荒しを施す。さらに、シアコネクタとしてのあと施工アンカーなどを配するとよい。また、梁主筋を新設する際には、既存柱にあと施工アンカーにより定着させる必要がある。新しいコンクリートの増打ちを行う前に、既存コンクリートを含浸や加圧注入工法で改質してもよい。帯状の薄鋼板を接着する場合は、前処理として劣化したコンクリートの除去と含浸工法による表面改質を行う。

床スラブの増打ち補強の場合は、**解説図 3.6.9** に示すようにシアコネクタを用いてグラウト注入のための空間を空け、鋼板や薄型のフラットパネルを床スラブ下面に設置する。グラウトは鋼板グラウト充てん口から注入し、床スラブには空気抜きを設ける必要がある。

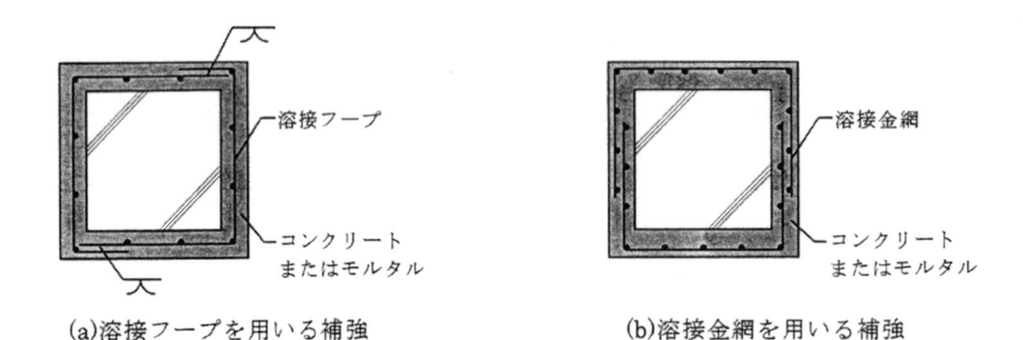

解説図 3.6.6　RC 巻立て補強の例(1) 96)

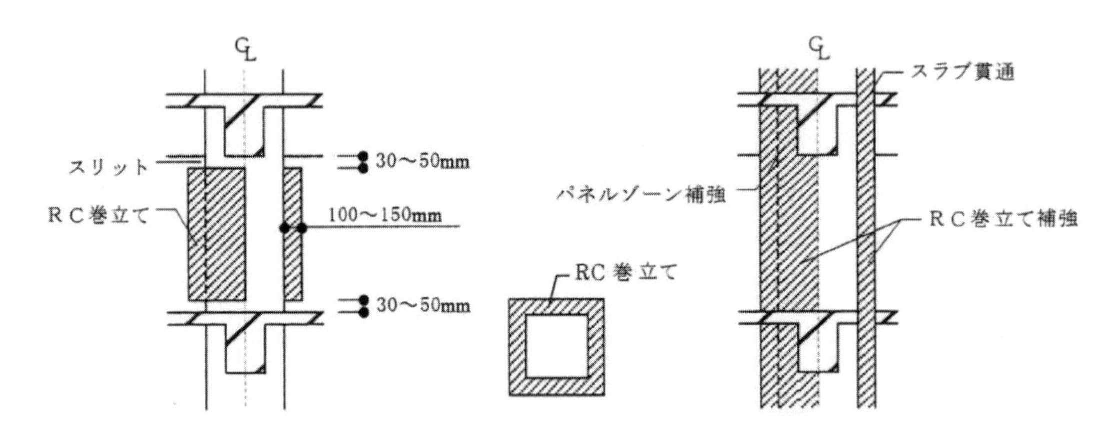

解説図 3.6.7　RC 巻立て補強の例(2) 96)

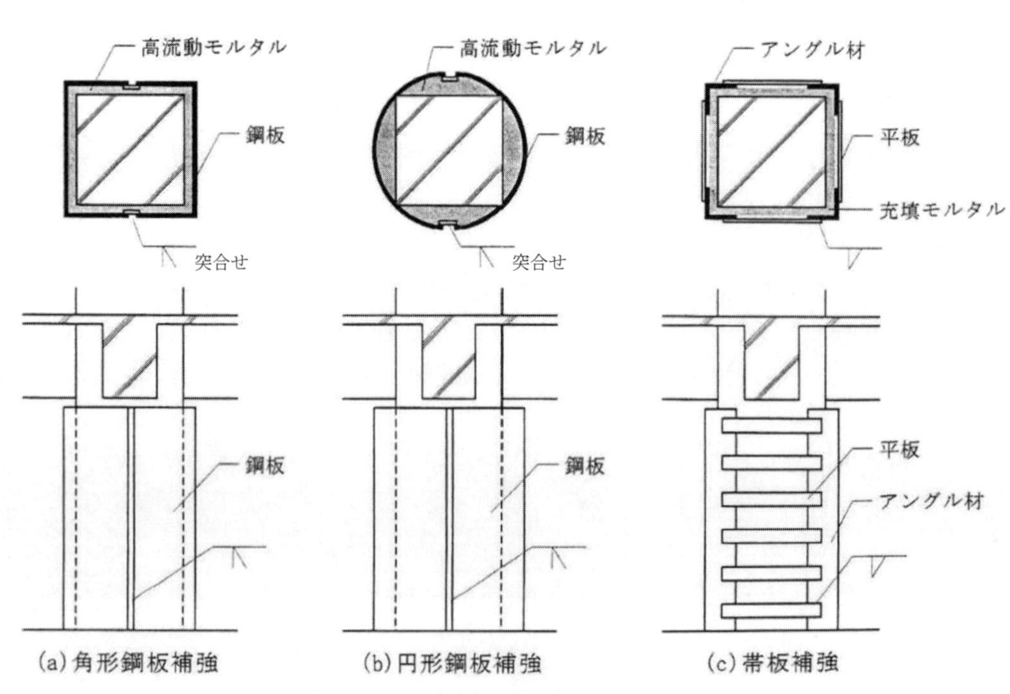

解説図 3.6.8　鋼板巻立て補強の例 96)

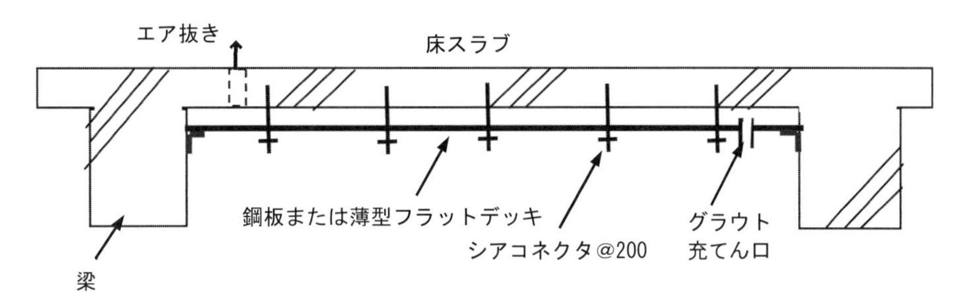

解説図 3.6.9　床スラブの増打ちによる補強の例

(4) 部材の増設および部材の再施工

コンクリート断面の内部まで高熱に曝され、部材全体の剛性低下、柱軸方向筋の座屈、梁の押出し現象による柱のせん断破壊、梁・床スラブ主筋が高温に加熱されたために生ずる曲げ破壊と垂れ下がりなどが認められた場合は、部材を増設するかあるいは部材全体を取り替える必要がある。この場合は、架構全体の剛性バランスなどを考慮し、1) 部材の増設による補強、2) 部材の再施工による補強などによる方法を検討する必要がある。

1) 部材の増設

部材増設法とは、新たな RC 造や鉄骨造の柱や壁あるいは梁部材を設置したり、断面内のコンクリートの大部分あるいは全てを打ち替える補強方法である。**解説図 3.6.10** に新部材の増設による補強の例を示す。

①無開口壁を増設または増し厚する方法

②柱の回りにそで壁をつける方法

③ブレースを設ける方法

④バットレスの新設による方法

部材を増設する場合、地震時などに接合部で破壊しないように既存の躯体と一体化させることが重要である。そのため、接合部の補強は特に注意して施工する必要がある。あと施工アンカーを用いる場合は火災に対する配慮も必要である。**解説図 3.6.11** に増設壁と既存躯体との接合方法の例を示す。

2) 部材の撤去・再施工

垂れ下がった床スラブなどの場合には、床スラブ全体を打ち替える方が補強するより容易な場合がある。この場合も既存躯体との接合部には、部材の増設による補強と同様の配慮が必要となる。

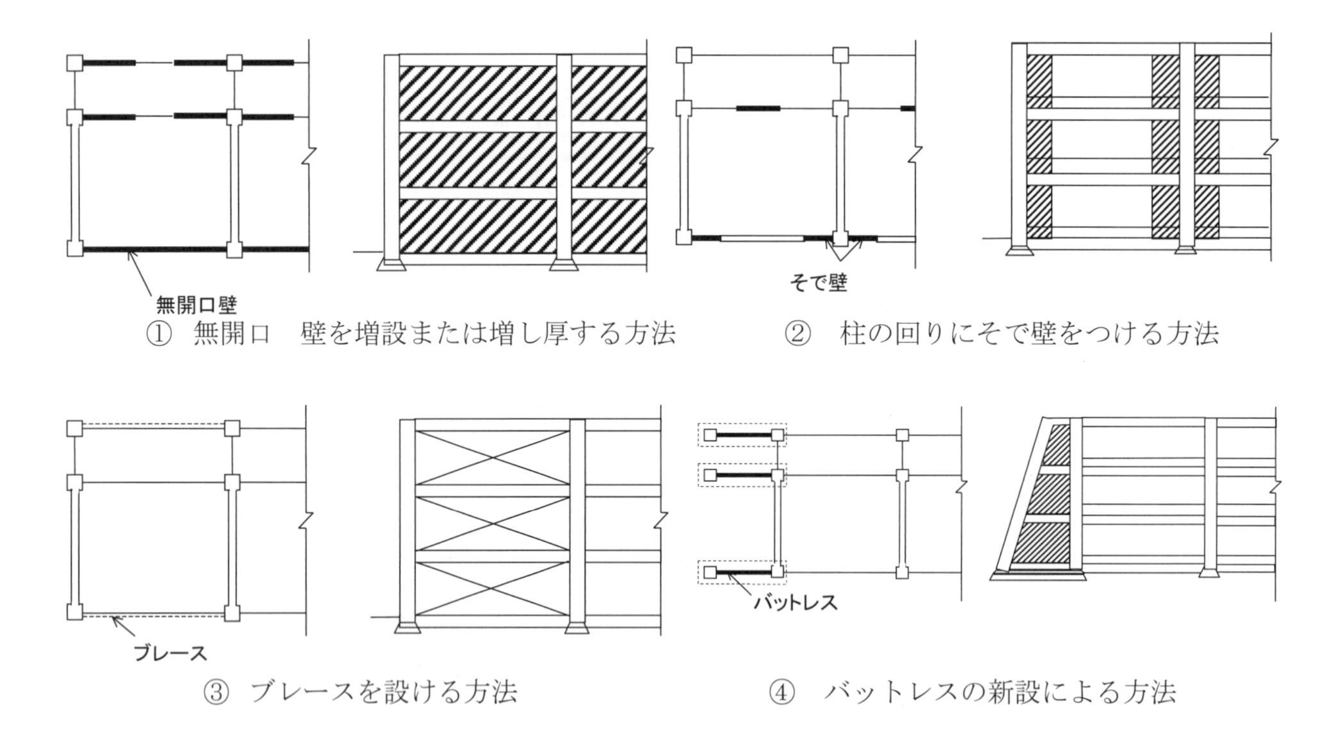

① 無開口　壁を増設または増し厚する方法　　② 柱の回りにそで壁をつける方法

③ ブレースを設ける方法　　④ バットレスの新設による方法

解説図 3.6.10　新部材増設法の例 [107]

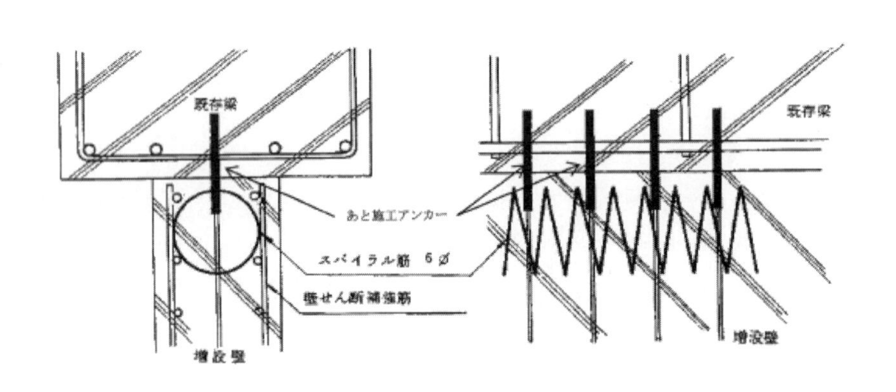

① スパイラル筋による割裂補強例

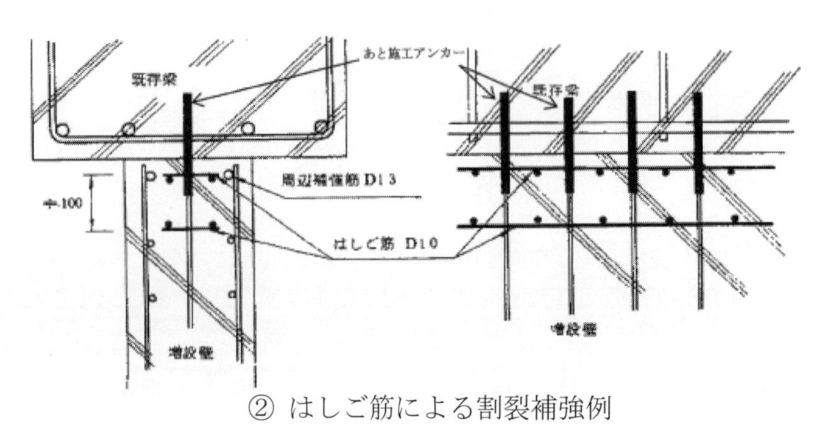

② はしご筋による割裂補強例

解説図 3.6.11　増設壁と既存躯体との接合方法(1) [96]

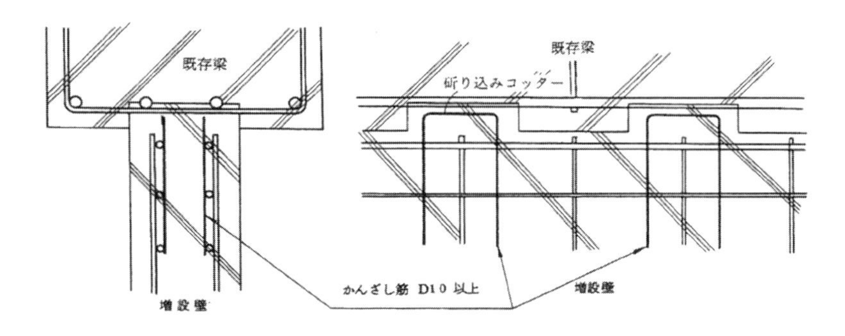

③ はつり込みコッター接合補強例

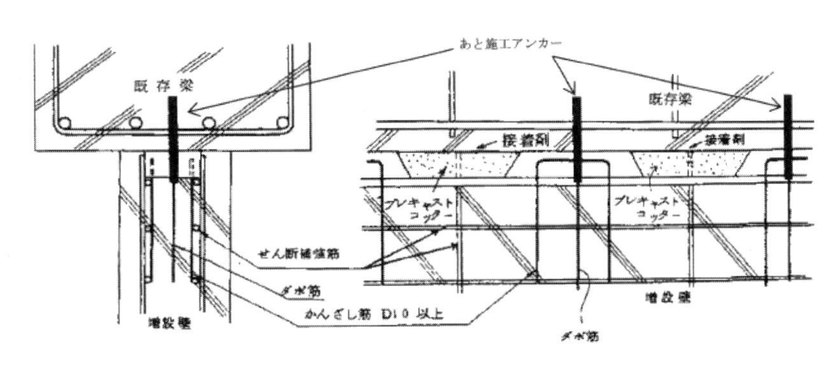

④ 接着コッター接合補強例

解説図 3.6.11 増設壁と既存躯体との接合方法(2) [96)]

(5) その他（表面処理・汚れ除去・脱臭）

汚れの除去や脱臭は火害特有の問題である。これらの処置が必要となる場合は、使用実績あるいは信頼できる資料を参考に、適切な方法を選定する。表面処理、汚れの除去の概要と特徴は、**解説表 3.6.6** および**解説表 3.6.7** に併記した。

汚れの除去の方法としては、高圧洗浄や超高圧水をコンクリート面に吹き付けるウォータージェット、砂をショット材として利用して表面の汚れを落とすサンドブラスト、高圧のドライアイスをコンクリート面にぶつけ汚れを落とすドライブラストなどがある。ドライブラスト工法は、ドライアイスが昇華して気体になることから、作業部位にショット材が残らないメリットがある。

一方、ウォータージェット工法は使用済みの汚染された水の回収が必要となること、またドライブラスト工法では多量の二酸化炭素が発生することなどに注意が必要である。そのため、表面処理や汚れ除去のための方法については、補修部位の周辺環境を十分に検討して採用するとよい。

表面処理や脆弱部の除去などにウォータージェット工法やブラスト工法を適用する場合は、施工のための機器類の設置や、施工中の養生など、施工場所の周辺環境や施工効率を十分に検討した上で選定する。

脱臭に関しては、換気だけではこげ臭さを取り除くことが困難なことが多い。煤が残存しているとそこが臭気の発生源となり完全除去に時間がかかるため、臭源の除去が重要である。オゾン脱臭はその一例であり、オゾン発生器により空気中の酸素をオゾンに変え、悪臭源を酸化分解し消臭するものである。ただし、オゾンはその強い酸化力で内装材や家具などを劣化させる可能性があり、人や動植物にも有害であるため、作業は極力短時間で行い、完了後はすみやかにオゾン分解装置により無害化するなど、取扱いには注意が必要である。

b.　補修材料は、本来は構造部材と同一の材料で補修することが望ましいが、欠損部の大きさなどにより同一の材料での補修が困難な場合が多い。そのため、補修対象の構造体に最も適した材料を選定することが重要であり、工法や材料の特徴を十分理解した上で補修材料を選定する必要がある。

補修材料は多種にわたっており、基本的な性質も異なり品質規格もさまざまである。そのため、材料の選定に際しては、補修の目的や工法に適した性能を有しているか否かを必ず確認する。その性能を満足する補修材料を工事監理者の承認を得て選定することが重要である。**解説表 3.6.8** に、補修材料の区分と分類を示す。補修・補強工法に応じた材料選定を行う際の参考にするとよい。

解説表 3.6.8　補修材料の分類

<table>
<tr><th>区分</th><th colspan="2">分類</th></tr>
<tr><td rowspan="5">ひび割れ注入材料</td><td rowspan="2">有機系注入材</td><td>エポキシ樹脂注入材</td></tr>
<tr><td>アクリル樹脂注入材</td></tr>
<tr><td rowspan="3">無機系注入材</td><td>ポリマーセメントスラリー</td></tr>
<tr><td>超微粒子セメントスラリー</td></tr>
<tr><td>超微粒子高炉スラグスラリー</td></tr>
<tr><td rowspan="3">Uカット充填材料</td><td colspan="2">可とう性エポキシ樹脂充填材</td></tr>
<tr><td colspan="2">シーリング材（ウレタン樹脂・シリコン樹脂）</td></tr>
<tr><td colspan="2">ポリマーセメントモルタル</td></tr>
<tr><td rowspan="8">表面塗布材料</td><td colspan="2">ポリマーセメントペースト</td></tr>
<tr><td colspan="2">ポリマーセメントモルタル</td></tr>
<tr><td colspan="2">エマルション系下地調整塗材</td></tr>
<tr><td colspan="2">塗膜防水材</td></tr>
<tr><td colspan="2">エポキシ樹脂シール材</td></tr>
<tr><td colspan="2">建築用仕上塗材</td></tr>
<tr><td colspan="2">浸透性吸水防止材</td></tr>
<tr><td colspan="2">無機系浸透防水材・含浸材</td></tr>
<tr><td rowspan="4">断面修復材料</td><td colspan="2">補修用コンクリート</td></tr>
<tr><td rowspan="3">補修用モルタル</td><td>モルタル</td></tr>
<tr><td>ポリマーセメントモルタル</td></tr>
<tr><td>エポキシ樹脂モルタル</td></tr>
</table>

c.　火害調査の結果と所有者による予定供用期間に対応した回復目標と補修・補強工法を選定する。表面処理など適切な前処理の後、火害の程度に応じた補修・補強工事を行う。断面修復・ひび割れ注入・表面塗布・仕上げ施工および塗装などを施すことにより、設定された回復目標を満足するような補修・補強を確実に実施する。

【引用・参考文献】

3.1 節

1)　日本建築防災協会：被災建築物応急危険度判定マニュアル，1998.1

3.2 節

3.2.1 項

2)　新大軌，吉田夏樹，俵あかり，高橋周：加熱によるセメント硬化体の化学的変化，コンクリート工学年次論文集，2017

3)　S.K. Handoo, et al.: Physicochemical, mineralogical, and morphological characteristics of concrete exposed to elevated temperatures, Cem. Concr. Res., Vol.32, pp.1009-1018, 2002

4)　C. Alonso, L. Fernandez: Dehydration and rehydration process of cement paste exposed to high temperature environments, Journal of materials science, Vol.39, pp.3015-3024, 2004

5)　J. DeJong, F Ulm: The nanogranular behavior of C-S-H at elevated temperatures (up to 700°C), Cem. Concr. Res., Vol.37, pp.1-12, 2007

6)　W. Lin, et al.: Microstructures of fire-damaged concrete, ACI Mater. J., Vol.93, No.3, pp.199-205, 1996

7)　原田有：コンクリートおよび部材の火災特性について，コンクリートジャーナル，Vol.11，No.8，pp37-65，1973.8

8)　U，Schneider 著，森永繁監修，山崎庸行，林章二訳：コンクリートの熱的性質，技報堂出版，1983.12

9)　高正遠，柳東佑，兼松学，野口貴文：火災加熱環境下におけるコンクリート中の熱・水分移動および爆裂に関する研究，日本建築学会構造系論文集，第 71 巻，第 607 号，pp.23-30，2006.9

10)　Ayman Nassif，Postfire full stress-strain response of fire-damaged concrete，Materials Science，pp.135-136，2001

11)　E. Annerel, L. Taerwe: Revealing the temperature history in concrete after fire exposure by microscopic analysis, Cem. Concr. Res., Vol.39, pp.1239-1249, 2009

12)　M. Castellote, et al.: Composition and microstructural changes of cement pastes upon heating, as studied by neutron diffraction, Cem. Concr. Res., Vol.34, pp.1633-1644, 2004

13)　B. Georgali, P.E. Tsakiridis: Microstructure of fire-damaged concrete. A case study, Cem. Concr. Compos., Vol.27, pp.255-259, 2005

14)　木野瀬透，吉田夏樹，奥村勇馬，新大軌：高温加熱を受けたセメントペーストの含水率および構成化合物とフェノールフタレイン溶液による呈色状態の関係，コンクリート工学年次論文集，Vol.42，No.1，pp.1582-1587，2020

15)　吉田夏樹，奥村勇馬，木野瀬透，新大軌：高温下における二酸化炭素の作用がセメントペースト硬化体の表面から深さ方向への化学的変化に及ぼす影響，コンクリート工学年次論文集，Vol.42，No.1，pp.467-472，2020

16)　吉田夏樹，新大軌，木野瀬透，俵あかり：火災の影響を受けたコンクリートの化学的変化に関する一検討，コンクリート工学年次論文集，Vol.39，No.1，pp.643-648，2017

17)　岸谷孝一，森実：火害を受けた鉄筋コンクリート造建物の火害度と受熱温度の推定，火災，No.85，pp.8-20，1972.5

18)　木野瀬透，吉田夏樹，新大軌，今本啓一：フェノールフタレイン溶液を用いた加害調査手法に及ぼすコンクリートの自然乾燥および中性化の影響，日本建築学会大会学術講演梗概集，pp.305-306，2022

19)　Y.F.Fu，Y.L.Wong，C.S.Poon and C.A.Tang，Stress-Strain behaviour of high-strength concrete at elevated temperature，Magazine of concrete Research，57，No.9，pp.535-544，2005.11

20)　奥山治也，奥野亨，佐藤忠博，崇英雄：コンクリートの耐熱性におよぼす骨材の影響に関する研究（その 1 高温加熱を受けた骨材およびコンクリートの性状の変化，その 2　20～300℃の高温に長時間さらされたコンクリートの諸性能），日本建築学会大会学術講演梗概集（東北），pp.217-220，1973.10

21)　Yngve Anderberg，Sven Thelandrsson，: Stress and Deformation Characteristics of Concrete at High Temperatures, Lund Institute of Technology Lund Sweden 1976, Division of Structural Mechanics and Concrete Construction, 1976.11

22)　一瀬賢一，川口徹，長尾覚博：高温加熱後における高強度軽量コンクリートの各種強度特性，日本建築学会大会学術講演梗概集（関東），pp.135-136，2001.9

23)　Eurocode4，Design of Concrete Steel and Concrete Structures-Part 1-2：General Rules -Structural Fire Design, CEN EN 1994-1-2:2005

24)　原田有：建築耐火構法，工業調査会，1973

25)　日本建築学会：構造材料の耐火性ガイドブック，p.31，2017.2

26)　日本建築学会：構造材料の耐火性ガイドブック，p.47，2017.2

27) 春畑仁一，新井真，池田憲一：鉄筋コンクリート造集合住宅における火災によるコンクリートの強度低下に関する研究，日本建築学会構造系論文集，第 85 巻，第 769 号，pp.439-447，2020.3

3.2.2 項

28) 日本建築学会：構造材料の耐火性ガイドブック，p.188，2017.2

29) 日本鋼構造協会：鉄筋コンクリート用棒鋼及び PC 鋼棒・鋼線の高温時ならびに加熱後の機械的性質,JSSC,Vol.5,No.45, 1969

30) Schneider,U.（森永ほか訳）：コンクリートの熱的性質，技報堂，pp.17-24，1982

31) 森田武：鉄筋コンクリート構造の火災挙動に関する検討，日本建築学会大会学術講演梗概集（防火），pp.59-62，2002.8

32) 林成俊，太田周平，阪口明弘，田中義昭，田坂茂樹，谷昌典，原田和典，西山峰広：鉄筋コンクリート柱梁接合部を有する不静定ラーメン架構の耐火実験　その 1～その 3，日本建築学会大会学術講演梗概集（防火），pp.21-26，2011.8

33) 田中礼治，長谷俊明，佐賀武司，大芳賀義喜：火害を受けた鉄筋コンクリート建物の耐震性能に関する研究（その 1 はり部材の正負くり返し曲げせん断実験），日本建築学会大会学術講演梗概集，pp.2769-2770，1983.9

34) 斎藤秀人，熊谷仁志，森田武：高温を受けた高強度コンクリート部材の力学特性（その 2．梁の曲げ実験），日本建築学会大会学術講演梗概集，pp.1017-1018，1992.8

35) 熊谷仁志，斎藤秀人，森田武：高温を受けた高強度コンクリート部材の力学特性（その 3．柱の曲げせん断実験），日本建築学会大会学術講演梗概集，pp.1019-1020，1992.8

36) 高木仁之，白石一郎：火熱を受けた鉄筋コンクリート柱の強度・変形性能の劣化に関する研究，コンクリート工学年次論文集，Vol.30，No.3，pp.121-126，2008

37) 白石一郎，河井隆朗，高木仁之：火熱を受けた RC 柱の耐震性能と炭素繊維シート補強の効果，コンクリート工学年次論文集，Vol.31，No.2，pp.211-216，2009

38) 馬場重彰，道越真太郎，今井和正：火害を受けた高強度鉄筋コンクリート柱の構造性能　その 2　火災後の耐力・変形性能，日本建築学会大会学術講演梗概集，pp.81-82，2015.9

39) Mohammad Mahdi RAOUFFARD，谷昌典，西山峰広：RC 架構の火災後の残存性能，日本建築学会大会学術講演梗概集，pp.121-122，2016.8

40) 卯野恵美，衣笠秀行：梁崩壊型 RC 構造物の火災による部分的性能劣化が崩壊機構に及ぼす影響，コンクリート工学年次論文集，Vol.29，No.3，pp.883-888，2007

3.3 節

41) 鈴木一正：公庫融資住宅における構造区分の見直しについて，－簡易耐火構造の住宅の定義変更－，GBRC，Vol.8, No.1，1983.1

42) 野秋政希，鈴木淳一，大宮喜文：様々な加熱温度曲線下における木材の炭化深さ，平成 25 年度日本火災学会研究発表会概要集，pp.94-95，2013

43) 浜田稔：木材の燃焼速度，火災，Vol.2，No.3，1953

44) 日本火災学会：火災便覧新版，共立出版，p.952，1984.3

45) 長友宗重，他：既存建物の耐力診断と対策，鹿島出版会，pp.94-96，1978.6

46) 日本火災学会：火災便覧第 3 版，共立出版，p.950，1997.5

47) 今福康平，原田和典，小宮祐人，鈴木淳一，豊田康二：樹種・密度が炭化の速さしやすさへ及ぼす影響に関する実験的検討，日本建築学会大会学術講演梗概集，pp.243-244，2021.9

48) fib：Fire design of concrete structures - structural behaviour and assessment. State-of-art report, fib Bulletin No. 46, 2008

3.4 節

3.4.2 項

49) 阪口明弘，春畑仁一，皿井剛典：火害を受けたコンクリート構造物の劣化診断手法の検討 その 2　コンクリート加熱面の非破壊・微破壊試験結果, 日本建築学会大会学術講演梗概集, pp.233-234, 2014. 9

3.4.3 項

3.4.3.1 款

50) 春畑仁一，阪口明弘，山根政夫，皿井剛典：火害を受けたコンクリートの劣化診断手法の検討，コンクリート工学年次論文集，Vol.36，No.1，pp.1366-1371，2014

51) 内田慎哉，春畑仁一，小松由弥，池田憲一：反発度および機械インピーダンスによる火害を受けたコンクリートの劣化評価手法に関する基礎的研究，コンクリート工学年次論文集，Vol.39，No.1，pp.1903-1908，2017

52) 日本材料学会：シュミットハンマーによる実施コンクリートの圧縮強度判定方法指針，1958

53)　日本建築学会：コンクリート強度判定のための非破壊試験方法マニュアル，1983

54)　土木学会：JSCE-G 504-2013「硬化コンクリートのテストハンマー強度の試験方法」，2017

3.4.3.2 款

55)　日本非破壊検査協会　NDIS3434-3：コンクリートの非破壊試験－打撃試験方法－第3部：機械インピーダンス試験，2017

56)　内田慎哉，春畑仁一，小松由弥，池田憲一：反発度および機械インピーダンスによる火害を受けたコンクリートの劣化評価手法に関する基礎的研究，コンクリート工学年次論文集，Vol.39，No.1，pp.1903-1908，2017

57)　NDIS 3434-2：2017：コンクリートの非破壊試験―打撃試験方法―第2部：接触時間試験方法，日本非破壊検査協会，p22，2017

58)　岩野聡史，内田慎哉，春畑仁一，渡部正：弾性波法で得られた接触時間・伝搬時間による火害を受けたコンクリートの劣化評価手法に関する基礎的研究，コンクリート工学年次論文集，Vol.39，No.1，pp.1915-1920，2017

3.4.3.3 款

59)　岩野聡史，内田慎哉，春畑仁一，渡部正：火害を受けたコンクリートの衝撃弾性波法による劣化深さの評価方法の検討，コンクリート工学年次論文集，Vol.40，No.1，pp.1653-1658，2018

60)　Alexandr V.BISHKO，Andrey A.SAMOKRUTOV，Victor G.SHEVALDYKIN：ULTRASONIC ECHO-PULSE TOMOGRAPHY OF CONCRETE USING SHEAR WAVES LOW-FREQUENCY PHASED ANTENNA ARRAYS 17th World Conference on Nondestructive Testing,25-28 Oct 2008,Shanghai,China

61)　木村芳幹，谷川恭雄：超音波速度法による高強度コンクリート構造体の推定，コンクリート工学年次論文集，Vol.23，No.1，pp.577-582，2001.7

62)　林口幸子，谷川恭雄，朴相俊，寺西浩司，木村芳幹：超音波トモグラフィー法によるコンクリートの火害度推定方法に関する研究（その1：実験概要および音速分布の結果，その2：超音波トモグラフィー法と小径コア法による比較），日本建築学会大会学術講演梗概集，A-1，pp.799-802，2008.9

3.4.3.4 款

63)　日本非破壊検査協会 NDIS 3436−2：コンクリートの非破壊試験－表層透気試験方法－第2部：ダブルチャンバー法，2022

64)　春畑仁一，迫井裕樹，内田慎哉，池田　憲一：表層透気試験および色彩測定による火害を受けたコンクリートの劣化評価手法に関する基礎的研究，コンクリート工学年次論文集，Vol.39，No.1，pp.1075-1080，2017

3.4.3.5 款

65)　阪口明弘，春畑仁一，皿井剛典：火害を受けたコンクリート構造物の劣化診断手法の検討 その2　コンクリート加熱面の非破壊・微破壊試験結果，日本建築学会大会学術講演梗概集，pp.233-234，2014. 9

66)　春畑仁一，迫井裕樹，内田慎哉，池田　憲一：表層透気試験および色彩測定による火害を受けたコンクリートの劣化評価手法に関する基礎的研究，コンクリート工学年次論文集，Vol.39，No.1，pp.1075-1080，2017

3.4.3.6 款

67)　湯浅昇，笠井茂夫，松井勇，篠崎幸代：引っかき傷によるコンクリートの圧縮強度試験方法の提案，日本非破壊検査協会シンポジウム「コンクリート構造物の非破壊検査への期待」論文集，Vol.1，pp115-122，2003.8

68)　辻奈津子，山根政夫，谷川恭雄，鈴木計夫：各種非破壊試験法による低強度コンクリートの強度推定方法に関する研究 その4 垂直コンクリート面に対する引っかき傷法の適用性，日本建築学会大会学術講演梗概集，材料施工，pp.233-234，2010.9

69)　春畑仁一，阪口明弘，山根政夫，皿井剛典：火害を受けたコンクリート劣化診断手法の検討，コンクリート工学年次論文報告集，Vol.36，pp.1366-1371，2014.7

3.4.3.7 款

70)　磯畑脩監修：実務者のための建物診断，テクネット，1990.12

3.4.4 項

3.4.4.1 款

3.4.4.2 款

71)　日本建築学会：鉄筋コンクリート造建築物の品質管理および維持管理のための試験方法，pp.411-415，2007.3

72)　日本非破壊検査協会　NDIS 3439：コンクリートからの小径コア採取方法及び小径コアを用いた圧縮強度試験方法，2022

3.4.4.3 款

73) 皿井剛典，澤口啓希，春畑仁一，坂口明弘：火害を受けたコンクリートの孔内局部載荷法による劣化深さ測定および他手法との比較検討，コンクリート工学年次論文報告集，Vol.36，2014.7
74) 皿井剛典，田中徹，清水陽一郎，高橋輝：孔内局部載荷試験によるコンクリート性状の把握に関する研究，コンクリート工学年次論文報告集，Vol.29，2007.7
75) 澤口啓希，春畑仁一，内田慎哉，池田憲一：火害を受けたコンクリートの孔内局部載荷法による劣化評価に関する基礎的研究，コンクリート工学年次論文報告集，Vol.39，2017.7

3.4.4.4 款
3.4.4.5 款
76) 春畑仁一，新井真，池田憲一：火災を受けたコンクリート部材から採取したコアの圧縮応力−体積ひずみ曲線による変形特異点を用いた火害損傷深さの推定に関する基礎的研究，日本建築学会構造系論文集，第 84 巻，第 765 号，pp.1497-1502，2019.11
3.4.4.6 款
77) 山﨑順二，春畑仁一，加藤猛，荒木朗：画像相関法を適用した表層コンクリートの火害劣化深さの推定，コンクリート工学年次論文集，Vol.44，No.1，pp.730-735，2022
3.4.5 項
3.4.5.1 款
78) 日本建築学会：鉄筋コンクリート造建築物の耐久設計施工指針（案）・同解説，pp.99-108，2004.3
79) 岸谷孝一，森実：火害を受けたコンクリート建物の受熱温度推定，セメント・コンクリート，No.302，pp.13-22，1972
80) 木野瀬透，吉田夏樹，奥村勇馬，新大軌：高温加熱を受けたセメントペーストの含水率および構成化合物とフェノールフタレイン溶液による呈色状態の関係，コンクリート工学年次論文集，Vol.42，No.1，pp.1582-1587，2020
81) 木野瀬透，吉田夏樹，奥村勇馬，新大軌：フェノールフタレイン溶液を利用したコンクリートの火害調査手法の検討，GBRC，Vol.46，No.1，pp.12-18，2021
82) 木野瀬透，吉田夏樹，奥村勇馬，新大軌：高温加熱したセメントペーストの水分浸透に関する基礎的検討，コンクリート工学年次論文集，Vol.43，No.1，pp.1187-1192，2021
83) 木野瀬透，吉田夏樹，新大軌，今本啓一：フェノールフタレイン溶液を用いた火害調査手法に及ぼすコンクリートの自然乾燥および中性化の影響，日本建築学会大会学術講演梗概集，pp.305-306，2022.9
3.4.6 項
84) 吉田正友，岡村義徳，田坂茂樹：コンクリートの受熱温度推定方法の展開，コンクリート系構造物の火害診断手法に関する研究（その 2），日本建築学会構造系論文集，第 472 号，pp.177-184，1995.6
85) 吉田夏樹，奥村勇馬，新大軌：化学混和剤濃度に着目したコンクリートの受熱温度推定手法の改良，コンクリート工学年次論文集，Vol.41，No.1，pp.551-556，2019
86) 吉田正友，岡村義徳，田坂茂樹：コンクリートの受熱温度推定方法の提案，コンクリート系構造物の火害診断手法に関する研究（その 1），日本建築学会構造系論文集，第 465 号，pp.155-162，1994.11
3.4.7 項
3.4.8 項
87) 日本建築学会：建築工事標準仕様書・同解説 JASS 5 鉄筋コンクリート工事，pp.320-321，1957
3.5 節
88) 一瀬賢一，長尾覚博，中根淳：高温加熱を受けた高強度コンクリートの力学的性質に関する研究，コンクリート工学年次論文報告集，Vol.19，No.1，pp.535-540　1997
89) Hertz.K.：Bond between concrete and deformed bars exposed to high temperatures，Institute of Builiding Design，Technical University of Demmark，DK-2800 Lingby，A paper presented at CIB W 14 meeting，Athens，1980.5
90) Roberto Felicetti and Pietro G. Gambarova：The Effects of High Temperature on the Residual Compressive Strength of High-Strength Siliceous Concretes，ACI Materials Journal，V95，No.4，pp.395-406，1998.7
91) 一瀬賢一，川口徹，長尾覚博，河辺伸二：高温加熱を受けた高強度コンクリートの強度回復，コンクリート工学年次論文集，Vol.25，No.1，pp.353-358，2003
92) 松戸正士，西田浩和，片寄哲務，安部武雄：高温加熱後の超高強度コンクリートの力学的性質に関する実験的研究，日本建築学会構造系論文集，No.603，pp.171-177，2006.5
93) 日本鋼構造協会：鉄筋コンクリート用棒鋼及び PC 鋼棒・鋼線の高温時ならびに加熱後の機械的性質，JSSC，Vol.5，No.45，1969

3.6 節

94)　日本コンクリート工学協会：コンクリートのひび割れ調査，補修・補強指針，2022
95)　日本建築センター：平成 17 年 6 月 1 日施行　改正建築基準法・同施行令等の解説
96)　日本建築防災協会：既存鉄筋コンクリート造建築物の耐震改修設計指針・同解説　2001 年改訂版　国土交通省住宅局建築指導課監修
97)　土木学会: けい酸塩系表面含浸工法の設計施工指針(案), コンクリートライブラリー 137, 2012.7
98)　染谷望, 加藤佳孝,ケイ酸塩系表面含浸材の浸透機構および改質効果に関する基礎的検討, コンクリート工学, Vol.25, pp.181-189, 2014
99)　鉄筋コンクリート造建築物のかぶり厚さ確保に関する研究，建築研究所　建築研究報告，No.147
100)　田場祐道, 李柱国, 北田達也, 江良和徳：高温加熱されたコンクリートの高浸透性型補修剤による性能回復とその影響要因に関する研究, Vol.42. No.1, pp.1450-1455, 2020
101)　北田達也, 江良和徳, 田場祐道, 李柱国：高温加熱を受けたモルタルの性能回復に及ぼす冷却・再養生・補修条件の影響, Vol.42. No.1, pp.1462-1466, 2020
102)　荒井光興：火災を受けた鉄筋コンクリート造建物の補修，建築技術，No.351，p.84，1980
103)　コンクリート工事ハンドブック編集委員会：最新コンクリート工事ハンドブック，建設産業調査会，p.984，p.1081，1998.3
104)　斎藤光，上杉英樹，太田達見，丹羽亮，竹内正博：ケミカル・アンカーの耐火性，日本建築学会大会学術講演梗概集，pp.2771-2772，1983.9
105)　寺村悟，沢出稔，秋山友昭，丹羽亮，松崎育弘：加熱されたコンクリートの耐火性評価とあと施工アンカーに関する研究（その 1 一面 3 時間加熱），日本建築学会大会学術講演梗概集，pp.691-692，1994.9
106)　豊田康二，今西達也，榎本浩之：有機系あと施工アンカーを用いた耐震補強鉄筋コンクリート壁の耐火性能に関する実験，GBRC，vol.34，No.2，pp.40-44，2009.4
107)　長友宗重ほか：既存建物の耐力診断と対策，pp.247-270，鹿島出版会，1978.6

第４章　鉄骨造

4.1　基本事項

本章は、鉄骨造建物の火害調査・診断および補修・補強方法を示すものであり、火害調査と火害診断および補修・補強計画で構成される。

（解説）

本章は、一般的な鉄骨造建物の火害調査・診断および補修・補強方法を示すものである。火害調査の対象となる部材は、鉄骨造の柱・大梁・小梁・間柱、ブレース・座屈止めおよびその接合部・床・アンカーボルトである。デッキプレート床スラブは、鉄骨造建物の床として最も一般的であるため本章で扱う。このうち診断の対象となる部材は、柱・大梁・小梁・長期荷重を支持する間柱とする。また、非耐力外壁・非耐力防火区画壁・金属屋根・鉄骨階段・制震部材などについては、製造者の判断に委ねることとする。なお、鉄骨造建物内で使用されるコンクリート系部材については、第 3 章で扱う。鉄骨造部材の火災後特性を 4.2 節に示す。近年増加している高強度鋼なども含め、鉄骨造部材の火災後の特性を解説しており、火害調査前もしくは火害調査に際しても参照しやすいものにした。なお、コンクリート充填鋼管（CFT）柱については、火災を受けた場合、鋼管とコンクリートそれぞれの強度低下だけでなく、両者の付着のはがれによる劣化などのメカニズムに未解明な部分が多くあり、また、鋼管柱内のコンクリートを調査する方法が未開発であるため、今回の指針の対象とはしていない。

1）火害調査と火害診断および補修・補強計画の流れ

火害調査と火害診断および補修・補強計画は、火害調査（予備調査・一次調査・二次調査）、火害診断（調査結果に基づく部材の火害等級および建物の被災度の判定）、補修・補強計画（回復目標の設定、補修・補強範囲の設定、補修・補強方法の選定）の順に進める。これを図示すると**解説図 4.1.1** のようになる。

2）火害調査の概要

火害調査は、**解説図 4.1.1** のフローに基づき、予備調査から一次調査さらに二次調査の順に詳細な調査へ進む。

予備調査では、設計図書と過去の被災記録から火災前の建物の状況を把握し、消防活動記録と目撃者や新聞記事などから情報を収集し、火災状況を把握する。

予備調査の詳細は 4.4 節に示す。

一次調査では、調査建物が火災により大きく損傷を受けているような場合、まず被災度 C かどうかの判定を行う。被災度判定については、4.5 節で詳しく述べる。鉄骨造建物の被災度 C 判定表は**解説表 4.5.1** に示すとおりである。この解説表は、（一財）日本建築防災協会「被災建築物　応急危険度判定マニュアル」[1)] に記載された項目を参考に作成した。

被災度 C 判定表で被災度 C と判定された建物は倒壊の危険性があるため、調査者に危険が及ばないよう、この時点で調査を終了する。被災度 C と判定されなかった建物については、目視により外観上の被害状況を観察し、変形の有無を確認し、受熱温度や火災進展状況を推定する。これらの調査と推定結果をもとに、調査範囲を決定し、二次調査の要否を確定する。

一次調査の詳細は 4.5 節に示す。

二次調査では、一次調査により決定した調査範囲について詳細な調査を実施する。この調査は、柱・梁部材の残留変形量の測定と機械的性質の測定および高力ボルト接合部の調査ならびにデッキプレート床スラブの調査からなる。調査項目には柱の倒れ、梁のたわみなどがあり、火害等級の判定にはこれらを用いる。

二次調査の詳細は 4.6 節に示す。

3) 火害診断の概要

火害建物の再使用または補修・補強を検討するには、火害調査結果に基づいて各部材の火害等級を正確に診断することが重要である。部材の火害等級の判定に基づき、建物の被災度について判定する。診断の対象となる部材は、前述の通り鉄骨造の柱・大梁・小梁・長期荷重を支持する間柱とする。

解説図 4.1.2 に鉄骨造部材（主として柱および梁）の火害等級判定フローを、**解説表 4.1.1** に鉄骨造部材の火害等級と部材状況の一例を示す。火害等級の判定は、一次調査により推定した受熱温度および二次調査により測定した残留変形量や材料強度などを基に、Ⅰ級からⅤ級のいずれかを選定して行う。火害等級判定フローの中で、判断に用いた推定受熱温度を 300℃以上、500℃以上、720℃以上とした理由は次の通りである。300℃を超えるとボルト接合部に変形・すべりやボルトの材質変化が生じ、500℃を超えると部材の降伏強度の低下が生じやすくなり、720℃が鋼の変態点と言われているためである。

鉄骨造建物は鉄筋コンクリート造（以下、RC 造と略記）建物と異なり、部材および架構の変形が問題となる。目視で明らかに変形している場合は、火害等級をⅤ級としている。また、小規模な火災などで、火災が一定区画内に収まっており、仕上げ材料に熱的な影響が見られなかった場合、熱変形の影響が及ぶ可能性のある隣室等の部材に倒れや変形が発生していないことを確認した上で、火害等級をⅠ級としてよいことにしている。ここで、梁の曲がり（水平方向の変形）については、変形量（たわみ）をみておけば火害等級の判定が可能であるので、調査項目とはしていない。ただし、補強・補修の対象となりうるので、補強・補修フローの中では取り扱っている。

被災度の判定は、**解説表 4.1.2** 建物の被災度の定義と判定方法に従い、部材の火害等級との関係から被災度 A から被災度 C を選定して行う。

診断の詳細は 4.7 節に示す。

4) 補修・補強計画の概要

補修・補強計画は、火害の程度と被災後の建物の使われ方を考慮して立案する。その際は、設定された回復目標を満たす補修・補強方法を選定する。回復目標は、火害建物の所有者・管理者・使用者からの要求に基づいて、構造安全性・耐火性・耐久性・使用性その他の必要な性能を満たすように設定する。このうち、構造安全性の回復目標は、設計条件を満足することを標準とする。補修・補強すべき範囲は、調査・診断結果をもとに定めた火害等級および回復目標に応じて決定する。補修・補強方法は、火害建物の所有者・管理者・使用者の意向に基づき火害診断者と構造設計者・施工者が十分検討した上で決定する。また、補修・補強方法および部位は、架構全体の剛性バランスへの影響を考慮して選定する。

補修・補強計画の詳細は 4.8 節に示す。

なお、補修・補強工事の設計・施工法は施工各社特有の内容となるため、本書で詳細に取り扱うのは補修・補強方法の選定までとした。ただし、設定した回復目標を満足するような補修・補強を確実に実施することが重要である。

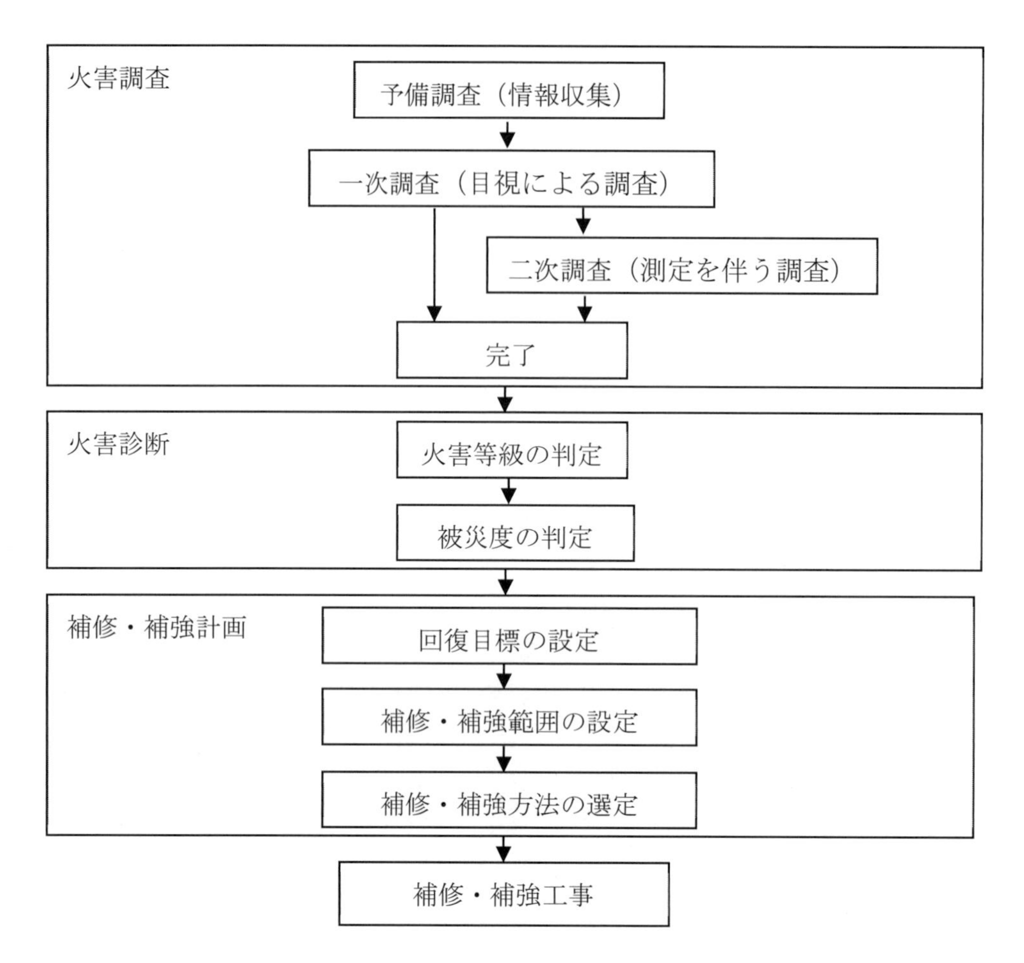

解説図 4.1.1　鉄骨造の火害診断および補修・補強の概略

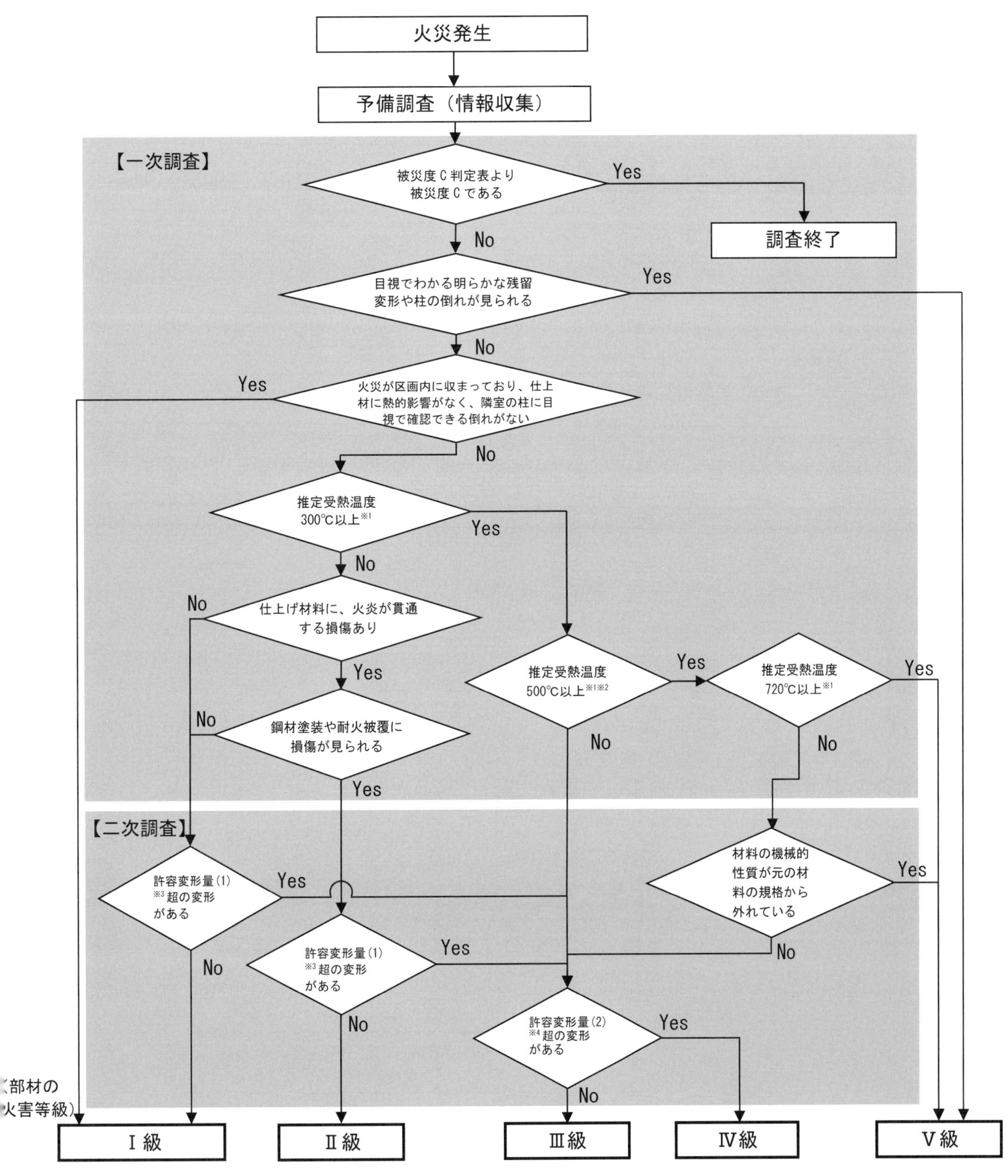

解説図 4.1.2　鉄骨造部材（主として柱および梁）の火害等級判定フロー

※1　受熱温度を推定できる状況の例は下記の通り。詳細は**解説表 4.5.2** 参照

- 鋼材表面に煤がついている→300℃以下
- 煤が焼失している→500℃以上
- 亜鉛の融点（鋼製デッキプレートのめっき）→420℃
- さび止め塗料が白亜化している→350℃以上
- アルミニウム自重で変形→400℃以上
- アルミニウムの溶融→650℃以上
- 銅の溶融→1000～1100℃

※2　500℃という数字は、非調質鋼に限定する。調質鋼は「350℃」または「焼戻し温度－50℃」に置き換える。

※3　許容変形量(1)：柱の倒れ H/700 [2]、梁のたわみ L/250 [3]などを目安とする。(H:階高、L:スパン長)

※4　許容変形量(2)：柱の倒れ H/200 [1]、梁のたわみ L/250 [3]などを目安とする。(H:階高、L:スパン長)

解説表 4.1.1 鉄骨造部材の火害等級と部材状況の一例

火害等級	定義	説明	状況		
			推定受熱温度	部材の残留変形※1	高力ボルト接合部※2の残留変形・すべり
Ⅰ級	構造耐力上、火災の影響を全く受けていない	鋼材の塗装および耐火被覆に火災の影響がない状態	100℃未満	柱の倒れ H/700 以下 梁のたわみ L/250 以下	なし
Ⅱ級	構造耐力上の影響はないが、表面劣化などの被害はある	鋼材の塗装および耐火被覆のみに損傷がある状態	100℃以上 300℃未満	柱の倒れ H/700 以下 梁のたわみ L/250 以下	なし
Ⅲ級	構造耐力上、影響が少ない （軽微な補修で再使用可能）	ボルト接合部（高力ボルト接合部含む）※2の変形・すべりやボルトの材質変化がある状態	300℃以上※3 500℃※4未満	柱の倒れ H/200 以下 梁のたわみ L/250 以下	あり
Ⅳ級	構造耐力上、影響が大きい （補修・補強によって再使用可能）	部材に変形が残っている状態	500℃※4以上、 720℃未満※5	柱の倒れ H/200 超 梁のたわみ L/250 超	あり
Ⅴ級	構造耐力上、甚大な被害がある （部材の交換が必要）	部材に構造性能を担保できない変形や材質の変化がある状態	720℃以上※5	梁の過大なたわみ・ねじれ、 柱の過大な倒れ・全体座屈など	あり

※1　H:階高、L:スパン長

※2　ボルト接合部は「ボルト」「ナット」「座金」を含む。

※3　300℃以上で、高力ボルトの材質に変化がある。材質の変化とは、引張試験における降伏点の変化を言う。

※4　500℃は、非調質鋼に限る。調質鋼は「350℃」または「焼戻し温度から 50℃減じた値」に読み替える。

※5　720℃は、Ar1 変態点（付－4.1 参照）の下限の目安。720℃以上になると、材料規格値を満たさない可能性が高くなる。

解説表 4.1.2　建物の被災度の定義と判定方法

被災度	定　義	火害調査における被災度の判定方法 （部材の火害等級との関係）
A	構造体に火災の影響がない場合	すべての部材がⅡ級以下の場合
B	構造体が火災の影響を受け、補修・補強により再使用が可能な場合	被災度 A,C 以外の場合
C	倒壊の危険性があり、再使用が困難な場合	・大半の柱部材がⅤ級で倒壊の危険性がある場合 ・解説表 4.5.1 で被災度 C と判定された場合

4.2 鉄骨造部材の火災後特性

調査・診断および補修・補強計画に先立ち、火災を受けた鉄骨造部材および高力ボルトの性質、ならびに部材や架構の耐力・変形性状に関する一般的な特性を把握する。

（解説）

鉄骨造部材は、RC 造部材や木質部材と異なり、火災加熱を受けても断面欠損や材質の変化が生じにくい。一般構造用圧延鋼材（SS400）などに代表される一般的な強度レベルの鋼材の場合、受熱温度があまり高くなければ、その機械的性質は火災前の状態に戻る。このため材料性能上は再使用が容易な材料であるといえるものの、鋼材製造時に冷間塑性加工された鋼材、焼入れと焼戻し処理が施された調質鋼の代表例である高力ボルトや PC 鋼材では火災時の受熱温度によって機械的性質が変化する場合もあるので注意が必要である。さらに火災時の鉄骨造部材は熱応力等の影響により塑性変形する場合も多く、火災後の鉄骨架構の残留変形の検討も重要となる。

1) 火災時の鉄骨造部材温度

火災時の鉄骨造部材の温度は、火災の激しさ、耐火被覆の有無とその仕様、鉄骨断面の熱容量などによって異なる。例えば、無耐火被覆部材は耐火被覆部材と比べて温度上昇が大きく、薄肉の鉄骨造部材では、肉厚の部材に比べてより温度上昇しやすくなる。建築鉄骨造に用いられるH形鋼梁の上フランジは、上部床への熱伝導により下フランジやウェブよりも低温になり、上フランジと下フランジで 300℃を超える温度差が生じることもある。鋼製デッキプレートを使用した床スラブ（デッキ合成スラブ）ではデッキプレートの耐火被覆が省略されるケースも多く、このような場合はスラブの表裏面で 900℃近い温度差が生じることもあり、デッキプレートの温度はコンクリート断面の平均温度よりもかなり高くなる。火災時の受熱温度は，火災後の機械的性質と変形性状に大きな影響を与えることから、火害調査時の鉄骨造の受熱温度推定は重要な調査項目となる。

2) 鋼材の加熱履歴に伴う機械的性質の変化

火災温度上昇に伴って鋼材は膨張し、その強度とヤング係数は低下する。火災の衰退期には温度が下がり鋼材は収縮に転じるが、強度の回復は材種ごとに異なる。さらに破壊靭性や伸びも変化する可能性がある。

解説図 4.2.1 (a)、**解説図 4.2.1 (b)**には、加熱処理を施した後の常温素材引張試験から評価された各種鋼材の降伏点（0.2%オフセット耐力）と引張強さを示す。これらは、普通鋼材 SS400（引張強さの規格値：400MPa）と SM490（同：490MPa）、部材製造時に冷間塑性加工を受ける角形鋼管 STKR400（同：400MPa、解説図には断面内平滑部のデータを記載）、高強度鋼材の高力ボルト F10T（同：1000MPa）、PC 鋼棒 SBPR1080/1230（同：1230MPa）、およびケーブル構造で用いられるワイヤロープ JIS G 3549（同：1570MPa）の試験結果である。図の横軸は加熱履歴時の受熱最高温度、縦軸は各種鋼材などの素材引張試験結果を降伏点もしくは引張強さの規格値でそれぞれ除して無次元化した値である。SS400 と SM490 では、700℃までの加熱履歴の場合はほとんど強度低下しておらず、800℃の加熱履歴でも強度低下は小さい。したがって、これらの火災後再利用の際には、構造性能上の降伏点の低下は特に問題にならない。STKR400 では、引張強さの強度低下の傾向は SS400、や SM490 と類似しているが、降伏点は受熱温度の上昇とともに低下する。これは、火災加熱時において鋼材の「焼きなまし」と似た熱処理が加わり、冷間塑性加工時の加工硬化の影響が受熱により徐々に小さくなるためである。さらに高力ボルト、PC 鋼棒とワイヤロープでは、規格強度が高くなるにつれて強度低下をきたす受熱温度が低くなり、さらに強度低下の幅も大きくなる。これらの鋼材は普通鋼材とは化学成分が異なり、さらに「焼入れ」、「焼戻し」、もしくは「伸線加工」などの工程を経て製造されることから、普通鋼材と比べて受熱による強度低下の影響がより顕著となる。さらに、施工時に大きな引張力が導入される高力ボルト、PC 鋼棒とワイヤロープでは、火災時の昇温に伴う線膨張や応力緩和（リラクセーション）が進展して施工時に導入した引張力が低下する現象も発生する。

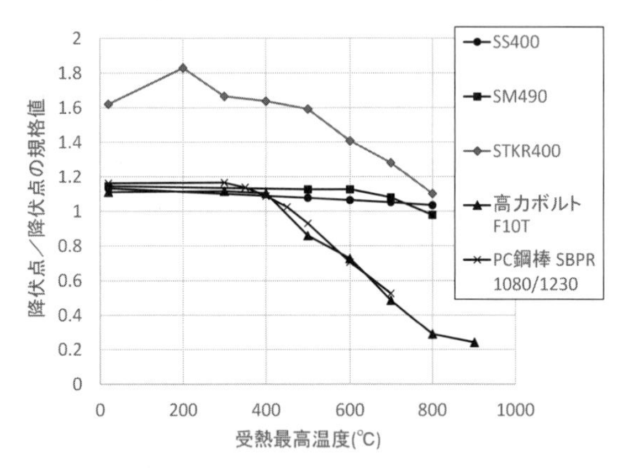

解説図 4. 2. 1 (a)
加熱履歴後の各種鋼材の降伏点

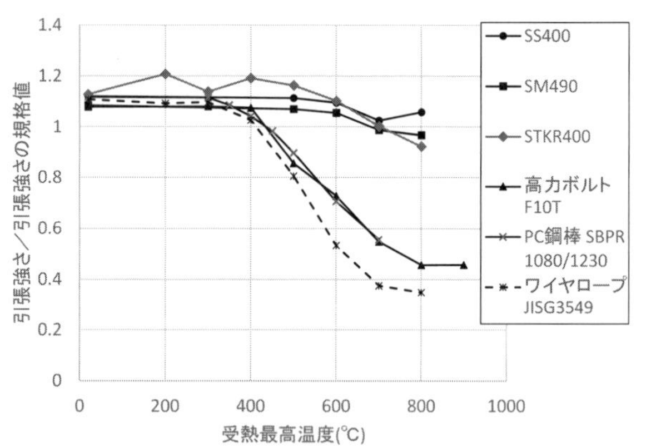

解説図 4. 2. 1 (b)
加熱履歴後の各種鋼材の引張強さ

解説図 4.2.2 (a)～**解説図 4.2.2 (c)**には、一般鋼材と調質鋼（高力ボルト含む）の加熱後の残存強度や残存ボルト張力の概念図を示す。ここに「焼入れ」とは、鋼材を 720℃程度まで加熱してから急冷する熱処理である。鋼材の硬さを増大させる目的で行われるが、靭性は一般に低下する。「焼戻し」は、焼入れした材料を 300℃～650℃に再熱してから徐冷する熱処理である。硬化した鋼材に靭性を与える目的で行われる。「焼入れ」と「焼戻し」を組み合わせて行った鋼材を調質鋼と呼ぶ。一方、「焼なまし」は、鋼材を 720℃程度まで加熱してから徐冷する熱処理で、加工硬化による内部ひずみを取り除き、組織を軟化させ、展延性を向上させる熱処置である。

火災によって変態点温度（概ね 720℃）を超える加熱履歴を受け、さらに火災後急激に冷却した場合（例えば消火水をかけ続けられたような場合）には、「焼入れ」に類似した熱処理を受けたこととなり、**解説図 4.2.2 (a)**の点線で示す残存強度になる。また火災後徐冷される場合（空冷など）には「焼なまし」と類似した熱処理を受けたこととなり、実線で示す残存強度になる。

一般的に、調質鋼では、焼戻し温度以上の加熱履歴を受けた場合、加熱後残存強度が低下することが知られている。高力ボルトは調質鋼に分類され、焼戻し温度が 300℃～650℃に設定される場合が多く、その温度以上の火災による熱履歴の場合には加熱後の残存強度が低下している可能性が高い。

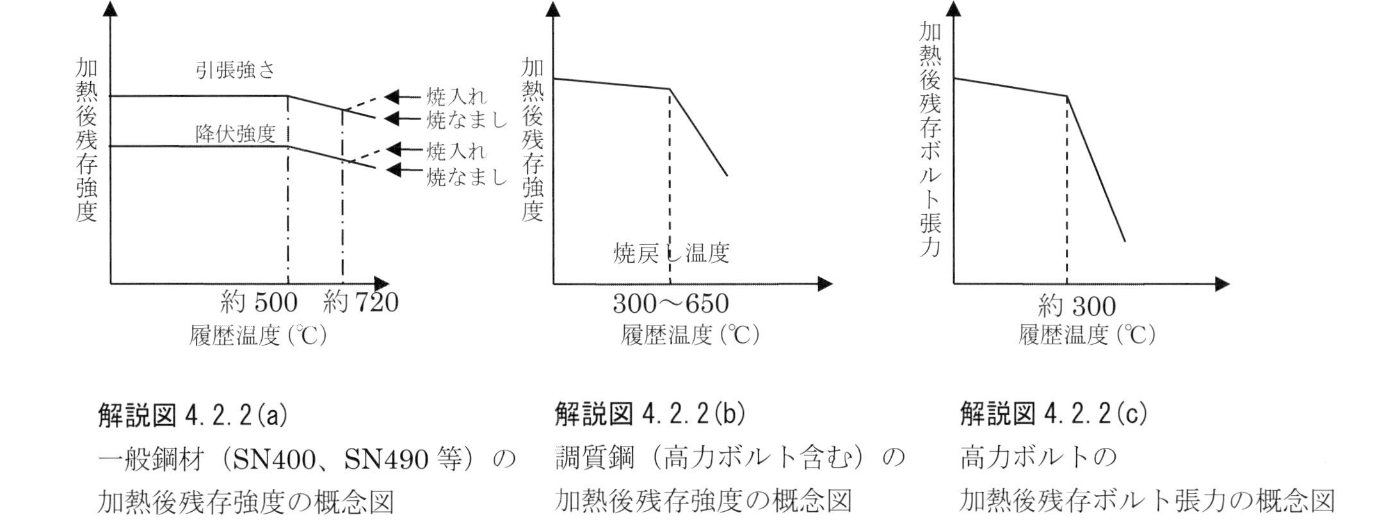

解説図 4.2.2(a)
一般鋼材（SN400、SN490 等）の
加熱後残存強度の概念図

解説図 4.2.2(b)
調質鋼（高力ボルト含む）の
加熱後残存強度の概念図

解説図 4.2.2(c)
高力ボルトの
加熱後残存ボルト張力の概念図

3) 鋼材の加熱履歴に伴う部材および架構の変形性状

＜鋼梁部材の挙動＞

火災成長期の梁部材は、鋼材の温度上昇に伴うヤング係数の低下により、弾性たわみの増加が生じる。また、温度上昇により線膨張する梁が、周囲の架構部に拘束されることで軸方向に圧縮力（熱応力）が発生し、熱たわみの増加の他に、横座屈や局部座屈が生じることがある。

一方、火災減衰期の梁部材では、温度低下に伴う収縮とヤング係数の回復により、線膨張による熱たわみや弾性変形が元に戻ろうとする。しかしながら、火災成長期に発生した塑性成分のたわみ、横座屈や局部座屈に関しては、火災鎮火後も残留することとなり、火災後の梁断面の応力状態は、火災発生前のそれと比べて変化する。特に、火災後の残留たわみが大きな梁の場合には、曲げモーメントの状態変化が大きく、さらに梁内には大きな引張力が残留するので、構造設計の段階で想定した応力状態とは大きく異なる。

＜鋼柱部材の挙動＞

火災成長期の柱部材では、鋼材の温度上昇に伴うヤング係数の低下や線膨張により、材軸方向の変形は増減する。特に火災区画内の柱の線膨張が周辺架構により拘束される場合には、熱応力による柱軸力が大きく増加し、柱に曲げ座屈や局部座屈が発生する可能性がある。さらに火災区画内の梁が熱膨張することで柱が水平方向に押し出され、柱の上下端部には局部座屈が生じることがある。ただし火災時において柱に曲げ座屈および局部座屈が発生したとしても、ただちに荷重支持能力を喪失するわけではない。柱の座屈後残余耐力と柱断面内および周辺架構への応力再配分効果により、火災後も軸力を支持する柱も存在する。ただし、このような柱に対しては火災後の残留座屈変形や応力状態は大きく変化しており、鉛直・水平力の荷重支持能力も低下している可能性が高い。

＜高力ボルト接合部の挙動＞

高力ボルト鋼材は、一般鋼材に比べて温度上昇に伴う強度低下が大きく、火災成長期において、高力ボルト接合部では耐力と剛性低下が生じる。特に高力ボルトの初期導入張力は温度上昇とともに大きく低下し、火災の早期段階で高力ボルト接合部にすべり変形が生じる可能性が高い。すべり変形が生じた後は、高力ボルトのせん断支圧状態になることで荷重伝達が可能となるが、上述の通り、高力ボルトの高温せん断耐力が大きく低下するために、接合部が高温破断する可能性がある。さらに火災鎮火後においては、温度低下とともに被接合部材（梁、柱、およびブレース材）の応力状態が変化し、特に冷却時には引張軸力が作用することで、高力ボルトがせん断破断する可能性がある。大梁や小梁に設けられるせん断接合（ピン接合）の場合には、高力ボルト本数が少ないこともあり、火災高温時および火災後冷却時にボルト破断が発生しやすくなる。

＜鋼製デッキプレートの挙動＞

鋼製デッキプレートを使用した合成床スラブでは、火災成長期の温度上昇に伴い熱たわみが増加する。デッキプレートが無耐火被覆の場合には、デッキプレートが急加熱されることでデッキプレートとコンクリート床が剥離するケースもある。床スラブのたわみの増加に伴いコンクリート断面にも亀裂が発生する。火災時の床スラブに大きなたわみが発生したとしても荷重支持能力を保持している場合も多く、近年ではそのような現象に着目した耐火設計も提案されている[4)~7)]。ただし、火災時に発生した亀裂や剥離、および塑性的なたわみは、冷却後に元に戻ることはなく、これらが火災後のデッキ合成スラブの荷重支持能力や曲げ剛性を低下させることとなる。

＜屋根・トラス材の挙動＞

トラス材や水平ブレースは、断面サイズが小さい鉄骨で構成されているため、火災時には塑性変形や座屈（曲げ座屈および局部座屈）が生じやすい。特に、構造設計時に鉛直荷重を支えるように設計されたトラス梁やK型ブレース材の場合には、火災時にそれらの荷重支持能力が喪失すると架構の部分的もしくは全体的な倒壊を招く危険性がある。またブレース材や屋根材などは無耐火被覆とされる場合も多く、火災後において大きな残留変形が発生しているケースも多い。非火災区画にあるこれらの部材であっても、火災発生区画内で発生した部材変形により、火災後の残留変形が生じやすくなる。

＜鉄骨架構の挙動＞

鉄骨架構は、火災区画内の部材に生じた塑性変形や各種座屈変形などが、冷却後に元に戻らず残留変形となる。上述の通り残留変形は、柱や梁などの応力状態を変化させる。加熱履歴を受けた鋼材は降伏点と引張強さが低下し、さらに高力ボルト接合部のすべり耐力も低下することとなる。**解説図 4.2.3(a)**、**解説図 4.2.3(b)**は、建物中央区画で火災が発生した場合において、鉄骨架構に想定される残留応力と残留変形の状態を表す概念図である。

加熱冷却後における残留応力・変形性状は、火災区画内の火災発生状況、火災継続時間、耐火被覆の有無とその断熱性能、区画内の部材仕様やそれらに作用する荷重、火災区画外の部分架構による拘束効果などによって大きく変化する。これらの影響は非線形熱応力解析による検討が最も効果的であり、後掲の付-4.2には鉄骨架構の弾塑性熱応力変形解析結果を示している。それらの解析結果によれば、冷却後の梁の残留引張軸力は、最高履歴温度が高い程大きくなっている。さらに冷却過程の引張軸力により、火災発生層の上下階2層分の柱に対して曲げモーメントの状態が変化する。すなわち、火災区画内の柱や梁だけではなく、その周辺の健全な架構に対しても火災後の応力状態を変化させる結果となっている。区画内部材の最高履歴温度が500℃の場合には、柱の残留曲げモーメントは常温降伏曲げモーメントと同等かそれ以上に達する結果になっており、梁の残留引張軸力の影響は非常に大きいことがわかる。また、冷却後の常温における柱の残留柱頭水平変位および、梁の残留中央たわみは、最高履歴温度が高い程大きくなっている。

一方、柱や梁の残留変位によって床・屋根・壁にも残留変位（不陸）が発生し、外壁や屋根の防水性能や壁や扉の遮煙性能などを低下させるケースもあり、構造部材と非構造部材の両者への適切な残留変形調査が必要となる。

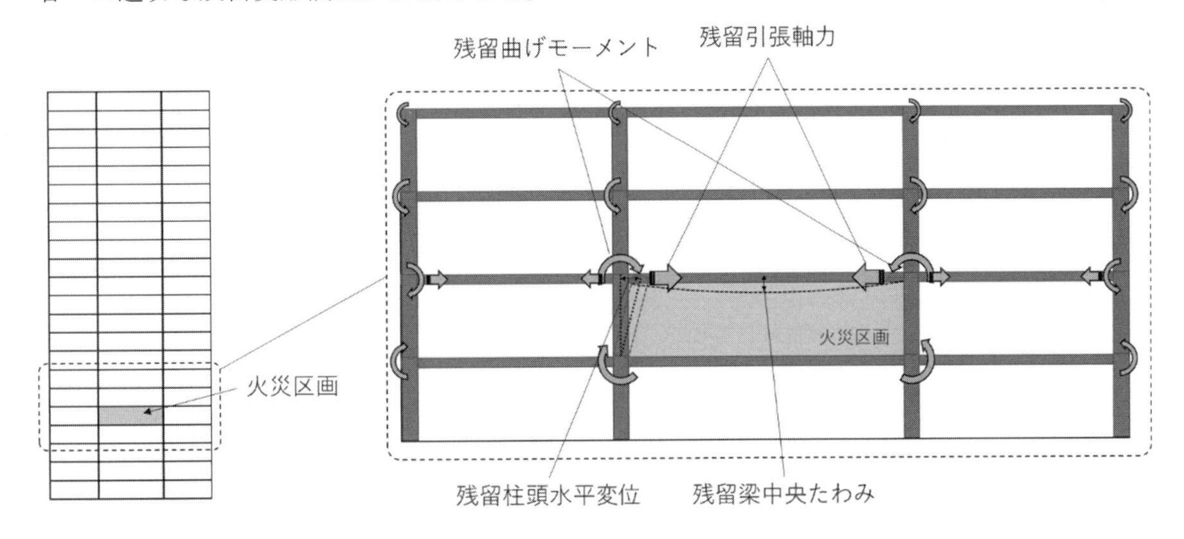

解説図 4.2.3(a)　鉄骨架構モデル　　**解説図 4.2.3(b)**　鉄骨架構モデル火災区画周辺拡大図

なお、架構の挙動などに着目した海外の火害調査事例や火災実験などの文献[8)~10)]も参考にされたい。

4.3　調査方針および調査計画の立案

調査方針の決定および調査計画の立案に際しては、調査者が調査対象建物の特性および調査対象範囲の火害の程度に応じて火害調査の方針を決定し、適切な調査方法を選定して調査計画を立案する。

（解説）

火害調査と火害診断の方針および調査計画は、**解説図 4.1.1** に示す流れに従い実施することを原則とする。すなわち、火害調査（予備調査・一次調査・二次調査）、火害診断（調査結果に基づく部材の火害等級および建物の被災度の判定）、補修・補強計画（回復目標の設定、補修・補強範囲の設定、補修・補強方法の選定）の順に進める。

火害調査の対象となる部材は、鉄骨造の柱・大梁・小梁・間柱、ブレース・座屈止めおよびその接合部・床（デッキプレート床を含む）・アンカーボルトである。このうち柱・大梁・小梁・長期荷重を支持する間柱には、火害等級判定の基準が設けられており、診断の対象とする。

本指針では、各調査項目に対して、現状の技術レベルで実施可能な方法を紹介しているが、調査対象建物の特性および調査対象範囲の火害の程度によって、適切な結果が得にくい方法や実施に時間や労力を要する方法もある。そのため、調査者は**解説表 4.3.1** に示す各調査方法の適用範囲や特性を十分理解した上で、調査対象建物の特性および調査対象範囲の火害の程度に応じた適切な調査方法を選択し、調査計画を立案する必要がある。調査方法選定の際には付-9.2 のモデルケースを参考にするのも一つの方法である。

調査方針の決定および調査計画の立案を行う調査者は、火害調査・火害診断に関する知識および構造設計に関する知識を有する技術者とした。火害調査・火害診断に特化した技術資格はないが、一級建築士・構造一級建築士・技術士・建築施工管理技士・コンクリート主任技士または技士・コンクリート診断士の資格を有し、火害調査・火害診断の知識を有する者が調査を実施する。

調査方針の決定や調査計画の立案の際には、調査者が単独で行うのではなく、調査関係者（建物の所有者・管理者・使用者のうち、火害調査後の建物の使用方法や補修・補強方法の決定に関係する人をいう。）と綿密な打ち合わせを行い、合意をとって進めるほうがよい。

調査対象建物の特性とは、構造種別（ラーメン、トラス、ラチス等）、鋼材の種別、接合部の種類、ボルトの種類、床の種類（デッキスラブ、RC スラブ、ALC）、屋根の種類、耐火被覆材の種類などを指す。

調査対象範囲は、煤が付着しているなど目視で火災が及んだと判断される範囲とするのが一般的である。しかし鉄骨造の場合、直接的には火災の被害がない場所に鋼材の熱変形による被害が及んでいる場合があるため、部材の残留変形調査の範囲は広めとするのがよい。特に、火災区画から直線的に延ばした建物端部の躯体の変形が大きい場合があるので、確認する方がよい。

調査者は**解説図 4.1.2** 鉄骨造部材（主として柱および梁）の火害等級判定フローに基づき、まず被災度 C の判定、目視での火害等級Ⅴ級およびⅠ級の判定を行う。この段階で調査終了となることもあるが、多くの場合は目視だけでは火害等級を決められない。そのため、調査者は**解説表 4.3.1** に示す各調査方法の適用範囲や特性を十分理解した上で、調査対象建物の特性および調査対象範囲の火害の程度に応じた適切な調査方法を選択し、各部材の火害等級を決定する。

一般に、推定受熱温度が 500℃以上でない場合は、部材の残留変形量によって火害等級が決定されるので部材の残留変形調査（①②）は重要な調査となる。非破壊で行うことができ、判定値が直接得られる長所がある。推定受熱温度、変形量に基づく補修・補強フロー（**解説図 4.8.3**）を用いる場合は、梁の曲りの計測（③）も推奨される。柱、梁以外でも、使用性に影響のある部材については残留変形量を調査した方がよい（④）。

500℃以上に加熱された可能性のある高強度鋼材等の調質鋼以外の一般的な鉄骨造部材であれば、部材の機械的性質を調査することになる。その場合、鋼材を抜き取って、降伏点・引張強さ・伸びなどを調査することになる（⑤）。一次調査（目視による調査）で、直接火災を受けた区画から離れた場所で同程度の被害があると確認できた場合、それをランク付けしておくと以後の調査を効率的に実施できることがある。試験片を採取する調査の場合は、各ランクを代表する試験片を抜き取る形がとれるからである。

試験片採取による鋼材の損傷を小さく抑える方法として、⑧小型試験片による引張強さ、ヤング率の計測（コア引張試験）を実施する方法がある。被害が広範囲に及んでいて、網羅的な調査が求められる場合は、⑥硬さ試験による鋼材の引張強さの推定が推奨される。精度は落ちるが非破壊で、迅速に行える長所がある。

高強度鋼材を使用している場合や、水冷されたことが明白な場合などは靱性低下などの特性変化が懸念される。このような場合には⑦鋼材の衝撃性能試験が有効である。

接合部は隅角部にあることが多く、火災が発生した場合でも比較的温度が上昇しにくい箇所である。しかし、接合部に使用されているボルト類は調質鋼で作られていることが多く、受熱温度が低い場合でも張力（軸力）の低下が懸念される。そのため接合部が無被覆の場合や接合部の耐火被覆が損傷を受けている場合は接合部の調査を行う必要がある。

接合部の調査を行う場合、ボルトを抜き取って引張強さの試験（⑪）を行うことが一般的である。より簡易に調査したい場合は、引張試験ではなくボルトのビッカース硬さ（⑭）やロックウェル硬さ（⑮）の計測を行い、硬さから引張強さを推定する方法がある。

⑫超音波ボルト張力計を使ったボルト張力の測定は、非破壊であり広範囲を対象に実施しやすい。ただし、健全部を適切に選んで調査した上で、測定誤差も考慮した判断が求められる。t検定など統計的手法を使う方法も推奨されている。

溶接部の損傷が顕著な場合は、⑬溶接部の亀裂有無の観察を行うことが推奨される。⑯座金のロックウェル硬さ測定は、焼戻し温度が入手可能で、正確な受熱温度を推定したい場合に推奨される。

金属組織や化学成分の調査は、特定の目的がある場合に推奨される方法である。⑨金属組織観察は、受熱の影響を受けて一般的な鋼材の状態であるか否かを推定する場合に有効である。⑩化学成分分析は、鋼材を溶接補強するようなときに、溶接割れの発生を推定する場合に有効な方法である。

鉄骨部材（躯体、接合部）以外を対象とした調査をその他の調査としてまとめた。鉄骨造建物であっても、床や雑壁などにコンクリートを使用している場合も多いので、コンクリートに関する調査も併せて行うことが望ましい。コンクリートが火害等級Ⅲ級以上の疑いがある場合、コンクリート強度の確認（⑱）が必要である。詳細は３章を参照頂きたい。デッキ複合スラブ・デッキ構造スラブで、床に剥離、変形等がなく、継続使用したい場合、⑲デッキプレート鋼材の降伏点、引張強さ試験が推奨される。また、コンクリート床スラブに損傷が見られる場合は、⑰床スラブのたわみを調査することが推奨される。

解説表 4.3.1 (1)　二次調査の項目の特徴と選択

	調査事項	代表的な使用機器	調査対象の性能	長所	短所	注意点	望まれる使用法	備考
部材の残留変形調査	①柱の倒れ・ブレースの変形（各部の節点位置）	・下げ振り＋鋼製定規 ・鉛直視準器 ・トランシット（レーザー光利用）（三次元測量が可能な測量器もある）	残留変形量	判定値が直接得られる		変形が火災によるものか、元々のものかの判断が必要	火災区画内の主要な部材は測定する	大空間での測定や対象部位の足元が不安定な場合には、トランシットを利用した測量法が有用
	②梁のたわみ	・水糸またはピアノ線 ・コンベックスルール ・金属製直尺 ・トランシット（レーザー光利用）	残留変形量	判定値が直接得られる		変形が火災によるものか、元々のものかの判断が必要	火災区画内の主要な部材は測定する	
	③梁の曲り（水平変形）	・コンベックスルール ・金属製直尺 ・水糸またはピアノ線	残留変形量	推定受熱温度・変形量に基づくフローで判定値となる		変形が火災によるものか、元々のものかの判断が必要	推定受熱温度・変形量に基づくフローを使う場合推奨される	
	④その他の部材の変形	同上	残留変形量				使用性に影響のある部材など	
部材の機械的性質の調査	⑤鋼材の降伏点(または耐力)・引張強さ・伸び	・アムスラー型引張試験機 ・ねじ式引張試験機 ex)オートグラフ ・伸び計 ・非接触伸び計 ・ひずみゲージ (試験片切出) ・スチールカッター ・ガス切断機	鋼材の残存強度・伸び・ヤング率	鋼材の機械的性質が直接計測可能	試験片の採取が必要	ガス切断機を利用する場合は、切断線を試験片の標点部から 30mm 以上離すなど、標点部に新たな熱影響を与えないように注意する	500℃以上に加熱された可能性のある鉄骨造部材を対象とする	試験方法および試験片の形状・寸法は JIS Z 2241:2011「金属材料引張試験方法」[11]による。JIS に規定される引張試験片の採取が困難な場合は、⑧を行う場合もある
	⑥硬さ試験による鋼材の引張強さの推定	・ポータブル硬さ試験機（ビッカース硬さ） UCI 硬さ試験機 TIV 硬さ試験機 エコーチップ硬さ試験機	鋼材の残存強度	非破壊で行える	精度が粗い	測定必要回数について記載追加（５回以上計測） 測定精度について慎重に対応する	広範囲の調査を迅速に行う際に推奨される 迅速な調査が望まれる場合	引張強さ(N/mm^2)≒ビッカース硬さ(HV)÷0.3 (4.6.3)
	⑦鋼材の衝撃性能	・シャルピー衝撃試験機	鋼材の靭性・脆性	受熱による脆化の状態を把握できる	試験片の作成が必要	遷移温度付近での吸収エネルギーと破面率はばらつきが大きいので、試験片が複数必要	高強度鋼材など靭性が重要な材料。 水冷時など靭性低下が懸念される場合に推奨される	試験方法は JIS Z 2242:2018「金属材料のシャルピー衝撃試験方法」[12]による

解説表 4.3.1 (2)　二次調査の項目の特徴と選択

	調査事項	代表的な使用機器	調査対象の性能	長所	短所	注意点	望まれる使用法	備考
部材の機械的性質の調査	⑧小型試験片による引張強さ、ヤング率の計測（コア引張試験）	(試験装置) ・ねじ式引張試験機 ex)オートグラフ ・ひずみゲージ ・データロガー (試験片採取) ・放電切断機 ・機械加工 ・ボルト孔加工機 ex)アトラ	鉄骨材の残存強度、ヤング率	小さな試験片（Φ30 程度）で計測可能で部材の損傷が小さい	精密な試験片加工（放電加工等） 微小ひずみゲージの設置が必要	破断伸びの値については参考値	JIS Z2241 定型引張試験片の採取が難しい場合に推奨される	JIS による方法と±10%の精度で測定可能
金属組織や化学成分の調査	⑨金属組織観察	(試験装置) ・光学式顕微鏡 ・レーザー顕微鏡 ・走査電子顕微鏡 (試験片採取・加工) ・放電切断機 ・湿式砥石切断機 ・樹脂埋込装置 ・湿式研磨機	金属組織の変化の有無	コアの残部を用いて行える	試験片の作成が必要 試験片作成および試験に時間を要する	試験片作成には専用設備が必要	受熱の影響を受けても一般的な鋼材の状態であるか否かを推定する場合に有効	受熱温度推定の可能性あり
	⑩化学成分分析	(試験装置) ・炭素・硫黄分析装置 ・ICP 発光分析装置 他 (試験片採取) ・鉄鋼ドリル ・超鋼バー ・湿式砥石切断機	化学成分の変化の有無	コア採取時の切クズもしくはコアの残部で分析可能。 Ceq(炭素当量) Pcm(溶接割れ感受性組成)の測定が可能	試験片の作成が必要 試験に時間を要する	専用の分析装置が必要	鋼材を溶接補強するような場合、溶接割れの発生を推定する場合に有効	C, Si, Mn, P, S, Cr, Ni, Mo, V, Cu, B など
接合部の調査	⑪高力ボルトの引張強さ	・アムスラー型引張試験機 (ボルトの取外し) ・インパクトレンチ（シャーランナー） ・ボルト頭部チャック用レンチ（共回り防止用） ・ヘッドストッパー（共回り防止用） ・ガス切断機	ボルトの残存強度	ボルトの残存強度が直接計測できる	ボルトの抜き取りが必要	ナットが焼き付き、取り外せない場合は、ガス切断機を使用してナットを溶断する	300℃以上に加熱された可能性のある高力ボルト接合部に対して実施する	試験方法は、JIS B 1186:2013「摩擦接合用高力六角ボルト・六角ナット・平座金のセット」[13]と JIS Z 2241:2011「金属材料引張試験方法」[11]による
	⑫ボルト張力の測定	・超音波ボルト張力計	ボルトの残存張力	健全部と比較することで健全性が判断できる。 広範囲の調査がしやすい	健全部との比較、測定誤差の考慮が必要	健全部を測定した上で、統計的検定（t 検定）を実施する方法もある	接合部の被害が広範囲に及んでおり、張力の低下が懸念される場合に実施する	ナットの側面から送信した超音波を対面の受信側探触子で受信しその透過量を測定する

解説表 4.3.1 (3)　二次調査の項目の特徴と選択

	調査事項	代表的な使用機器	調査対象の性能	長所	短所	注意点	望まれる使用法	備考
接合部の調査	⑬溶接部の亀裂有無	・超音波探傷試験機 ・表面研削機（グラインダー、やすりなど）	溶接部の損傷有無	非破壊で検査できる		探傷面に凹凸があると正確な亀裂探索ができなくなるため、不要な凹凸は研削機で除去する。元々の溶接欠陥との区別が必要	溶接部の損傷が顕著な場合に実施する	試験方法は、本会の「鋼構造建築溶接部の超音波探傷検査規準・同解説」[14]による
	⑭高力ボルトのビッカース硬さ	ビッカース硬さ試験機	ボルトの残存強度	⑪より簡易に調査できる	ボルトの抜き取りが必要		ボルトの残存強度を比較的簡易に把握したい場合に推奨される	引張強さ(N/mm^2)≒ビッカース硬さ(HV)÷0.3
	⑮高力ボルトのロックウェル硬さ	ロックウェル硬さ試験機						引張強さ(N/mm^2)≒ロックウェル硬さ÷0.03
	⑯座金のロックウェル硬さ	ロックウェル硬さ試験機	受熱温度の推定	焼き戻し温度を知れれば、正確な受熱温度が推定できる	ボルトの抜き取りが必要		正確な受熱温度を知りたいときに推奨される	試験方法は、JIS B 1186:2013「摩擦接合用高力六角ボルト・六角ナット・平座金のセット」[13]およびJIS Z 2245:2011「ロックウェル硬さ試験方法」[15]による
その他の調査	⑰床スラブのたわみ	・トランシット ・水準器	床スラブのたわみ	非破壊で検査できる		変形が火災によるものか、元々のものかの判断が必要	床スラブに損傷が見られる場合に推奨される	水準器は、使用性評価にも有効
	⑱コンクリート強度	（試験装置） ・アムスラー型圧縮試験機 （試験片抜取） ・コア抜き装置 ・鉄筋探査装置	コンクリート強度	判定値が直接得られる	コア抜きが必要		コンクリートが火害等級Ⅲ級以上の疑いがある場合に実施する	試験方法などは、本指針第3章による
	⑲鋼材（デッキプレート）の降伏点、引張強さ	（試験装置） ・アムスラー型引張試験機 ・変位測定ゲージ （試験片切出） ・折板カッター	デッキプレートの残存強度	判定値が直接得られる	試験片の抜き取りが必要	デッキスラブの場合、種類の見極めが重要。 デッキプレート切断時にコンクリートに新たな熱影響を与えないようにガス切断機の使用は避ける	デッキ複合スラブ・デッキ構造スラブで、床に剥離、変形等はないが、継続使用したい場合に推奨される	試験方法および試験片の形状・寸法は、JIS Z 2241:2011「金属材料引張試験方法」[11]による

解説表 4.3.1 (1)～**解説表 4.3.1 (3)**に基づいて、調査方針の決定および調査計画の立案を行うが、実務においては現場の状況による制約や、調査日数・結果報告までの日数などの制約がある場合が多い。また、フロー図通り調査を実施することが困難であったり、非効率となってしまう場合がある。このような時は、調査を効率よく行うことも念頭に置いて調査方針の決定および調査計画の立案を行うことが推奨される。

調査を効率よく行うための視点を以下に示す。

・一次調査（目視による調査）の実施前に、現場を下見してもよい。この際に、一次調査（目視による調査）の一部を行うことも可能である。
・下見を終えた段階で、ある程度、調査範囲、二次調査の方法の選択案など調査計画の立案が可能となる。
・調査範囲を決定する際は、再利用しないと決めた範囲を対象外とするなど、調査範囲をなるべく限定する。
・一次調査と二次調査を同日に行うなど、効率的な調査スケジュールを念頭に置いて調査計画を立案する。
・推定受熱温度・変形量に基づく補修・補強方法を決める方法（**解説図 4.8.3 (a),(b)**）を選ぶことも可能である。

4.4　予備調査（情報収集）

予備調査では、一次調査の方針を定めるために、建物概要と構造概要の調査および発生した火災に関する情報収集を行う。

4.4.1　建物概要の調査

建物概要の調査では、火害建物の建物概要と竣工後の諸履歴および適用された関連法規などの基本情報を収集する。

（解説）

火災現場での調査および補修・補強方法を決める前に、火災前の情報として建築構造上の特徴および関連法規を把握することを目的として、建物概要の調査を行う。

1) 建物概要

建物概要は、以下の項目で構成される。これらは、設計図書によって調査する。

- 竣工年次
- 用途（建物全体・室毎）
- 設計者、施工者、所在地
- 構造種別（RC 造・鉄骨造・木造など）
- 建築面積、延床面積、階数
- 構造形式（ラーメン構造・ブレース構造など）
- 内装仕上げ
- 耐火被覆種別
- 開口配置（換気性状）

2) 建物の竣工後の諸履歴

竣工後の諸履歴は、以下の項目がある。これらは、維持管理記録によって調査する。

- 過去の火害状況および補修・補強記録
- 過去の地震などによる被害経歴および補修・補強記録
- 改装、改築、用途変更

3) 関連法規

竣工時および火災時の関連法規を調査する。これらは、設計図書および維持管理記録によって調査する。

- 建築基準法（建築基準法施行令・告示および各種通達）
- 消防法関連法規
- 各地方行政庁の建築関連法規（例：東京都安全条例）
- 各地方行政庁の消防関連法規（例：火災安全条例－東京都）

設計図書には、以下のものがある。

- 各階平面図、平面詳細図
- 断面図、断面詳細図
- 立面図（東西南北）
- 仕上げ表、各室展開図
- 防火区画図
- 設備関係系統図（特に、防災関係）
- 構造図（床梁伏図・軸組図・部材断面リスト・鉄骨詳細図など）
- 構造計算書
- 検査済証

「竣工年次」は、当時の関連法規や過去の地震などの被害状況を知る上で重要であり、最初に把握すべき情報である。竣工前（工事中）の火災の場合は、防火区画の施工が完了していない段階で火災が発生することもあり、被害が拡大する場合がある。「用途」は、火災時の可燃物量を推定する際の手がかりとなりうる。「内装仕上げ」は、可燃性の内装仕上げであれば、フラッシュオーバーが発生しやすかったと考えられ、火災進展状況の推定の参考になる。「開口配置」は空気の流れを把握することにより、火災進展状況の推定の参考になる。内装仕上げや開口配置から部材周辺にある材料を事前に把握することは、一次調査時に材料の劣化状況から構造躯体の受熱温度を推定する際、重要な情報となる。鉄骨造の場合、どのような被覆材や塗料が使われていたかを把握しておくことも、目視観察を行う上で重要である。

「過去の火災や地震による被害」がある場合は、観察された現象（特にひび割れや変形）が今回の火災によるものかどうかを見極める必要があるため、以前の被害と補修・補強内容を知っておく方がよい。「改装・改築」が行われていた場合は、竣工時の設計図書だけでなく、改装・改築後の設計図書を入手する。

「関連法規」は、調査建物の竣工年次のものと、火災時のものの両方を調べるのがよい。火災時の関連法規を調べるのは、消防法が改正された場合、改正時の建物への遡及処置がとられ、必ずしも竣工時の法規に基づいていない状態が起こり得るためである。

火害調査の実務では、予備調査の段階で建物の所有者・管理者と予め打ち合わせし、調査の概要について意向を確認しておくと、その後の調査をスムーズに実施できる場合が多い。また、この段階で調査スケジュールを決めるための情報も入手した方がよい。火災直後で現場に立ち入れない期間や、高所に存在する部材を調査するための足場設営に必要となる期間などの情報である。調査者にとっては、火災後の現場を片付けずに現場の状況を保持してあるのが望ましいが、所有者や使用者には早く片付けたいという要望が強い。現場の片付けも含めた調査スケジュールを打ち合わせするのがよい。

4.4.2 構造概要の調査

構造概要の調査では、火害建物の構造概要の情報を収集する。

（解説）

火災現場での調査を行う前に、火害建物の構造概要の情報を収集する。鉄骨造建物の場合、収集すべき情報は以下のようなものが挙げられる。

- 柱・大梁・小梁・間柱の断面形状・寸法および鋼材種別（SN490B など）
- 継手形式（高力ボルト接合、溶接接合）、高力ボルトの種別（S10T、F8T など）、焼戻し温度（硬さ変化で受熱温度を推定する場合。）
- デッキプレート床スラブの種類・断面形状・寸法および構成材料

これらの情報は、設計図書もしくは建物の施工管理記録から入手できる。構造概要の情報は、二次調査の力学的試験の測定結果を評価する際には必ず使用する。予備調査の段階で入手し、構造概要を念頭に置いた上で目視調査を実施するのがよい。

デッキプレート床スラブについては、**解説表 4.4.1** に示すように 4 種類に分けられ、設計図書で確認する。設計図書だけでは当該デッキプレートが構造体として使用されているか否か不明な場合がある。**解説表 4.4.1** には、デッキ形状の特徴などを含む床スラブ工法の分類を示す。この表を参考に、当該デッキプレートの役割を確認しておく。

解説表 4.4.1　鋼製デッキプレートを利用した床スラブ工法

	①デッキ合成スラブ※4	②デッキ複合スラブ※4	③デッキ構造スラブ	④デッキ型枠スラブ
概要 8)	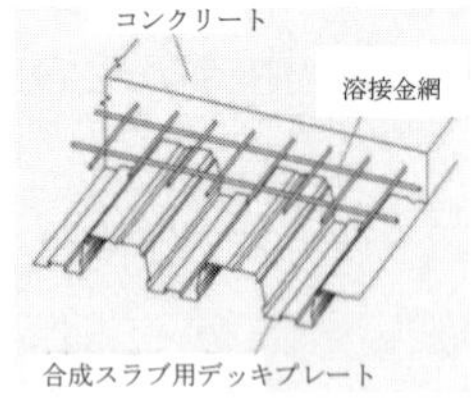	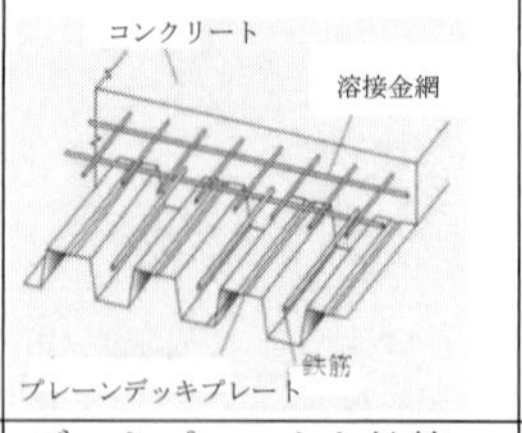	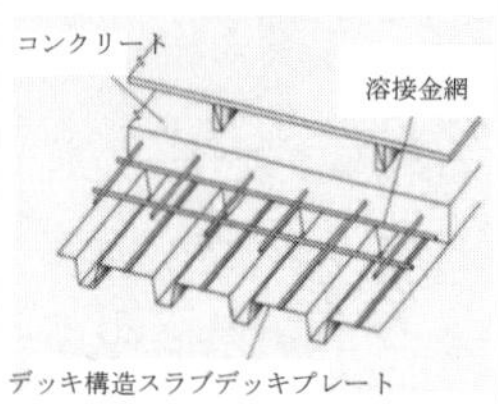	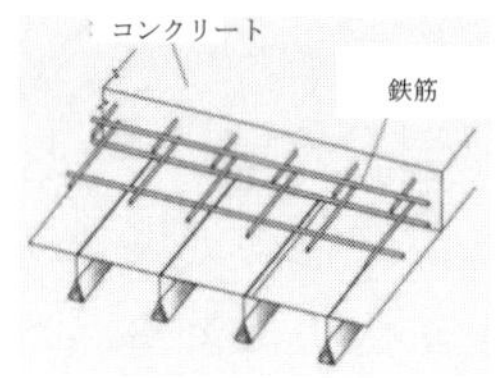
	デッキプレートがコンクリートと一体となって荷重を支持する床構造	デッキプレートと鉄筋コンクリートで荷重を支持するが、一体性は求められていない床構造	デッキプレートのみで荷重を支持する床構造	鉄筋コンクリートのみで荷重を支持する床構造
デッキプレート形状の例 8)	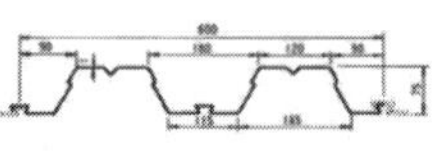	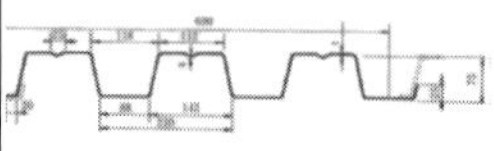	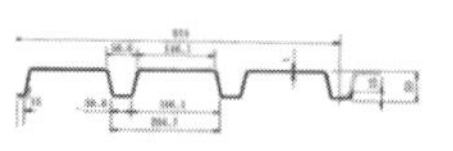	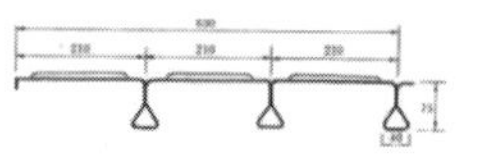
よく使われる場所	事務所ビルのテナント部分の床	事務所ビルのテナント部分の床	工場の床	事務所、集合住宅、店舗、病院、倉庫など様々な用途の床
必要構造要素	デッキプレート コンクリート 溶接金網※5	デッキプレート コンクリート 溶接金網※5 鉄筋	デッキプレート	コンクリート 鉄筋
耐火被覆	不要※1	不要※2	耐火構造とする場合は必要	不要
使われるデッキプレート	・合成スラブ用デッキプレート	・プレーンデッキプレート※3	・プレーンデッキプレート※3	・プレーンデッキプレート※3 ・床型枠用鋼製デッキプレート（フラットデッキプレートなど）
一体性	デッキプレートとコンクリートの剥離は不可。	デッキプレートとコンクリートの一体性は不要	デッキプレートとコンクリートの一体性は不要	デッキプレートとコンクリートの一体性は不要
備考	・デッキ形状は JIS G 3352 に適合し合成スラブ用に限る。 ・耐火上鉄筋が必要な場合もある。	・デッキ形状は JIS G 3352 に適合するものに限る。 ・構造計算書がある。	・デッキ形状は JIS G 3352 に適合するものに限る。 ・構造計算書がある。	・デッキ形状は自由

※1：耐火構造認定の仕様に定められたスパン・荷重・コンクリート厚などの条件を満たした場合に限る。

※2：デッキプレートの溝に配筋する一方向性スラブは、耐火構造の認定を受けたものを用いる。

※3：プレーンデッキプレートは、平板状の板要素を折り曲げた折板構造で、合成スラブ用デッキプレートのようにエンボス（突起）や複雑な折り曲げリブのない断面形状である。

※4：①と②どちらであるか判断できない時は、①と判断する。①はデッキプレート（鋼板）とコンクリートが一体であることが必要条件であり、打音検査で異音が出た場合はデッキプレート（鋼板）がコンクリートから剥離していることを疑う必要がある。

※5：①および②は長辺方向および短辺方向両方に 0.2%以上の鉄筋量が必要となるため、溶接金網は必須である。

4.4.3 火災情報の収集

> 火災情報の収集では、新聞や消防署および当該建物の関係者などから、出火原因・出火位置・可燃物の量と種類・消火の状況・出火時刻・鎮火時刻など、火災状況に関する具体的な情報を収集する。

（解説）

火災中の情報を得て調査方針を立てることを目的として、新聞情報・インターネット情報・消防署および建物関係者から以下の項目について情報収集を行う。火災中の状況を把握し、火害調査票（付―7.2参照）を作成する。

- 出火原因
- 出火位置
- 可燃物の量と種類
- 消火の状況（消防隊の活動状況）
- 出火時刻、鎮火時刻（火災継続時間）
- 延焼経路および火害の範囲（最大被災個所）
- 天候および気象要素（気温・風向きなど）
- その他の特記事項（部材の崩壊、脱落など）

新聞記事は、新聞記者がいわゆる5W1Hで事実を素早く報道し、また、目撃者のインタビューを掲載する場合もあるので、火災の進展を推定するためには貴重な情報である。また、インターネットの情報は新聞より即時性が高く、動画も配信される場合があるので利用価値は高い。しかし、新聞記者やインターネットの情報発信者は火災の専門家ではないので、記事の内容の信憑性については、火害調査者が工学的根拠に基づいて判断する必要がある。

また、いち早く火災現場に到着する消防からの情報は、消火の専門家であることも含め、信頼性が高い重要な情報である。火災が発生すると、119番通報により通常はおおよそ20分程度で消防隊が到着し、消火作業にはいる。その後、火災原因を推定するための現場検証となる。その時には、消防あるいは警察など公的機関の職務執行上、火害調査者も含め、関係者以外の者は現場に立ち入ることはできない場合が多い。これらの作業の後に、消防の見解や報告をヒアリングすることは可能であるが、建物所有者以外には情報を開示しない場合も多く、ヒアリングは建物所有者に同席してもらう必要がある。公共的な建物であれば、このような制限は少なく、情報を得られる場合が多い。構造体の損傷を推定するためには、できるだけ早く火災後の状況を検証することが必要であり、それが正確な診断につながる。消防の見解と報告は極めて重要な情報となる。

建物関係者（目撃者、住民など）からの情報が得られる場合は、積極的に活用すべきである。特に住民からは火災前後で建具のがたつき等の使用感の変化がなかったかの情報が得られれば、火災室から離れた部分の建物の変状を把握できる可能性がある。ただし、建物関係者は火災の専門家ではないので、情報の信憑性については、火害調査者が工学的根拠に基づいて判断する必要がある。

調査段階では火災の残存物がすでに撤去されている場合も多いが、その場合は火災直後に撮影した写真などを入手し、可燃物の残存状況を把握するのがよい。

4.5　一次調査（目視による調査）

一次調査では、二次調査の要否を確定するために、部材の表面状況による火災進展状況の把握・調査範囲の決定・各鉄骨造部材の変形状態の把握・表面受熱温度の推定を主に目視観察により行い、部材および建物の火害の程度を判断する。

（解説）

一次調査は、火災室および火害建物の火害の程度を目視によって調査し、部材および建物の火害の程度を判断することを目的とする。

調査建物が火災により大きく損傷を受けているような場合、まず応急危険度判定を行う。応急危険度判定は、**解説表 4.5.1** に示す「鉄骨造建物の被災度 C 判定表」に基づき、目視で行う。構造躯体が被災度 C と判定された建物は倒壊の危険性があるため、この時点で調査を終了する。ここで用いる被災度 C 判定表は、（一財）日本建築防災協会「被災建築物 応急危険度判定マニュアル」[1)]に記載された項目を参考にして作成したものであるが、特に火災による被害が著しい建物を確認対象としているなど、火害診断時に使用することを前提としている。つまり、被災度 C であるかどうかの判定だけを目的として作成されている点に注意して使用する。

解説表 4.5.1　鉄骨造建物の被災度 C 判定表

■概観調査

下記項目に該当する場合は○を付けて判定へ。

・一見して危険と判定される場合（建築物全体または大半）

　a. 建築物全体または大半の崩壊・落階

　b. 建築物全体または大半の著しい傾斜

・構造躯体に関して危険と判定される場合

　c. 大半の部材が全体座屈あるいは著しい局部座屈

　d. 大半のブレースが破断

　e. 大半の柱梁接合部および継手が破壊

　f. 大半の柱脚が破壊

　g. 大半の梁が大きくたわむ

　h. 大半の免震装置が損傷

■判定

概観調査の１項目以上の○がある場合は被災度 C と判定する。

　1. 被災度 C（火害調査不要）

　2. その他（要火害調査）

（一財）日本建築防災協会「被災建築物　応急危険度判定マニュアル」[1)]に記載された項目を参考に作成

本判定表は、概観調査を行い、被災度 C「倒壊の危険性があり、再使用が困難な場合」を判定するものである。被災度 C と判定する基準としては次の２点を想定した。

①建物の崩壊などにより調査者に危険が及ぶと考えられる場合

②再使用するための被災部分などの補修・補強が困難であると思われる場合

これらの基準に対して判定するために、建物全体または大半を対象にする場合と、特に火災による被害が著しい階を対象として構造躯体に関する危険を判定する場合の二通りの概観調査を行うことにした。ただし、上記②に関しては、火災による被害の程度がほぼ同程度であったとしても、建物の最下階で生じた崩壊等でどのような補修・補強を施しても建物全体の再使用する見通しが立たない場合と、建物の最上階で生じた崩壊などで補修・補強を施せば建物全体の再使用の可能性が認められる場合や細長い建物の一部が崩壊しているが建物全体の再使用の可能性がある場合とで、判定結果が異なることが考えられる。したがって、本判定表による判定は慎重に行わなければならず、判定に際しては火害調査者、構造設計者などが協議し、ケースバイケースの運用をすべきである。最終的な建物の再使用の判断は、判定結果を踏まえ、建物所有者などを交えて行うこととする。

次に予備調査の再確認を行った上で、主に火災室を中心に火害状況の概略を目視などで把握し、火災進展状況の推定を行う。火災進展状況の推定とは、火災の開始からの拡大状況と火災継続時間および火災最高温度などの推定である。推定結果を念頭においた上で、調査範囲を決定する。その際、煤の付着状態や塗料の変色状態などを確認し、その結果を用いて調査範囲を決めてもよい。ただし、鉄骨造の場合、残留変形は火災区画に留まらず、火災時の部材の膨張・収縮や応力再配分に起因して、非火災区画に及ぶ場合がある。非火災区画の変形は、火災区画と同一通り線上に存在するサイズの小さい柱・梁・ブレースに発生しやすい。そのため、調査範囲を決定する際には注意する必要がある。また、内装材で覆われている場合は、内装材などの損傷状況から残留変形部位を推定できる。

調査範囲が決まれば、その範囲をさらに詳細に目視観察し、各鉄骨造部材の変形を把握し、残留変形や柱の倒れなどが見られるかを確認する。また、部材表面の受熱温度を推定して、火害等級の判定時に用いるデータを得る。目視による調査の対象となる部材は、鉄骨造の柱・大梁・小梁・間柱、ブレース・座屈止めおよびその接合部・床・アンカーボルトである。

調査結果および推定結果を基に調査範囲の絞り込みを行い、二次調査の要否を確定する判断材料を整える。

火害が無被害の状態もしくは仕上げ部分のみの被害であれば、調査は終了する。

4.5.1 火災進展状況の推定

火災進展状況の推定は、煤の付着状態や木材の炭化深さ、可燃物の燃焼状況などから行う。

（解説）

火災進展状況の推定は、一次調査の範囲を決定するため、火災室を中心に火害を受けたと見られる部分を対象に行う。

通常の耐火設計は、局所火災か盛期火災を想定するが、局所火災の場合は火災発生場所が限定され、また盛期火災は室全体が一様な火災を想定して行う。しかしながら、実際の火災は設計時に仮定したように一様には進展しない。開口部の位置や大きさ、実際の燃焼物の種類や量などによって様々な進展状況を呈する。一般的に、火災進展状況の推定は、火災現場における新鮮空気の流入方向・燃焼ガスの流出方向・煤の付着状態や焼失の状況・可燃物の燃焼状況から行うが、その際、次の原則を念頭に置くとよい。

・熱気は上昇する。

・熱気には流体としての慣性力がある。

・火災当日の風向きで火炎の流れが影響される。
・開口部の数や配置とその開閉状況で火炎の向きが変わる。
・可燃物の量と配置に影響を受ける。

熱気は常に上昇するので、火災時の雰囲気温度は上部ほど高温になるが、隅角部には進展しにくいなどの性質がある。また火災は新鮮空気の流入および燃焼ガスの流出によって拡大する傾向にあり、開口が複数箇所ある場合は、一方向の流れになって拡大する場合がある。そのため、開口の数、配置、火災時の風向きにも着目して火災の流れを推定する。屋外側開口上部の状況は、火炎の噴出状況を推定するのに役立つ場合がある。さらに、火災当時の可燃物配置がわかっている場合は、その情報も生かして進展状況を推定する。

上記原則に基づき、被災部分全体を観察した上で、火災進展状況を推定し、全体の火災の流れを把握するようにする。

なお、火災進展状況を推定する際の注意事項を以下に列挙する。

①出火元にとらわれ過ぎないようにする。
出火元がわかっている場合、その近辺がもっとも燃焼が激しかったと思われがちであるが、空気の流出入により、出火元を離れて火災が進展する場合がある。

②火災直後の状況を正確に把握する。
火災直後に調査を行う場合以外は、火災直後と調査時点で状況が異なっている場合がある。直後の状況を、写真や聞き取りによって正確に把握しておく必要がある。

③火災による被害か、消火活動による被害かを区別する。
開口部建具が外れている、ガラスが割れている、天井が落下しているなどの現象があった場合、必ずしも火災そのものが原因ではなく、消火活動（放水や進入のための破壊）が原因の場合がある。消火状況も予備調査で正確に把握しておく方がよい。

④煤がない場合、周囲の状況をよく観察する。
煤がない場合、(1)煤が全く付着していない、(2)煤が焼失している、(3)煤が消火活動によって洗い流されている、のいずれかであると考えられる。周囲の状況をよく観察し、(1)～(3)のどの状況であるかを正確に判断する必要がある。

⑤熱気が伝わって離れた場所で進展する場合がある。
ダクトを通して燃え拡がり、ダクト内の油に着火する場合などがある。

標準的な火災に置き換えた場合の被災部の火災継続時間 t（分）は、予備調査で収集する情報（消防署の資料など）によるほか、木材の炭化深さなどからも推定できる。調査した木材の炭化深さ d（mm）を木材の平均炭化速度（0.6mm／分）で除す方法が一般的である（**式（4.5.1）**）。

$$t = \frac{d}{0.6} \qquad (4.5.1)$$

木材の炭化速度は火災状況によって異なり、火災室の温度が高いほど炭化速度が大きくなる傾向がある[16)]。火災温度上昇係数 α が推定できた場合、火災継続時間 t（分）は式（4.5.2）で推定できる。

$$t = \frac{d}{0.0022\alpha - 0.27} \ \text{（スギ）}\quad、\quad t = \frac{d}{0.0020\alpha - 0.22} \ \text{（ベイマツ）} \qquad (4.5.2)$$

火災温度上昇係数 α と炭化速度の関係の詳細は 3.3.1 項に示す。

木材面の加熱温度が推定できた場合は、**式(4.5.3)** [17)]に代入して、火災継続時間を推定することができる。**式(4.5.3)**は無気流内の気乾木材に対する推定式である。なお、**式(4.5.3)**で用いているαは、**式(4.5.2)**の火災温度上昇係数とは異なる。

$$t = \frac{d^2}{\alpha^2 \left(\theta/_{100} - 2.5 \right)^2} \tag{4.5.3}$$

ここに、t　：　火災継続時間(分)

d　：　炭化深さ(mm)

θ　：　木材面の加熱温度（℃）は周辺部材の諸状況から推定する

α　：　材種による常数（スギ:1.0、マツ:0.78、ヒバ:0.60）

一般に比重の大きい木材ほど α は小さくなる。マツは樹脂を含むため、ヒバより比重が大きいにも拘わらず α は大きくなる。

木材の炭化状況の例を**解説写真 3.3.1**（3.3.3 項）に示す。

次に火災進展状況の推定例を示す。

鉄骨造 2 階建て（一部、中 2 階有り）倉庫兼事務所の 1 階庇下で発生した火災について、その進展状況を推定した（**解説図 4.5.1**）。

この火害調査では、被害の状況をまず大きく以下のように把握した。

- ・火災の継続時間は 2 時間弱であった。
- ・1 階天井スラブと梁および Y 通柱の中 2 階部分の被害がひどく、CD 間 YZ 間（▒部分）の被害が最も大きかった（推定受熱温度は塗料の焼失から 600℃以上と推定し、2 階梁に変形があった）。
- ・BC 間 YZ 間と CD 間 XY 間ならびに DE 間 YZ 間（░部分）および出火元付近の庇の被害はそれに次いだ（推定受熱温度 600℃以上、目視による変形なし）。
- ・開口部 b の上部壁外部には炎が噴出した形跡が見られた。
- ・1 階事務室・2 階倉庫・エレベーターおよび階段室はほとんど被害がなかった。

上記の状況に基づき、以下のように火災の進展状況を推定した。

①火災発生（庇下の可燃物より出火）。

②燃焼拡大し、可燃物上部の庇を炙る。

③開口部 a のガラスが割れ、屋内 1 階倉庫の可燃物に燃え移る。

この後、この倉庫は容積が十分大きいために、フラッシュオーバーには至らず、燃料支配型火災として進展した。

④高く積まれた可燃物を火が伝わり、1 階倉庫の柱と壁および天井を炙る。

⑤横に置かれた可燃物にも燃え拡がる。

⑥事務室の間仕切壁は耐火壁であったため燃え拡がらず、上部の可燃物から中 2 階倉庫へと燃え拡がる。

⑦中 2 階倉庫で平面的に燃え拡がる。

⑧開口部 b が破られる。開口部 a が給気口となり、開口部 b を排気口として、十分な空気が供給されたために火災が継続した。

⑨消防隊の消火により、2 階倉庫へは燃え拡がらない状態で鎮火に向かった。

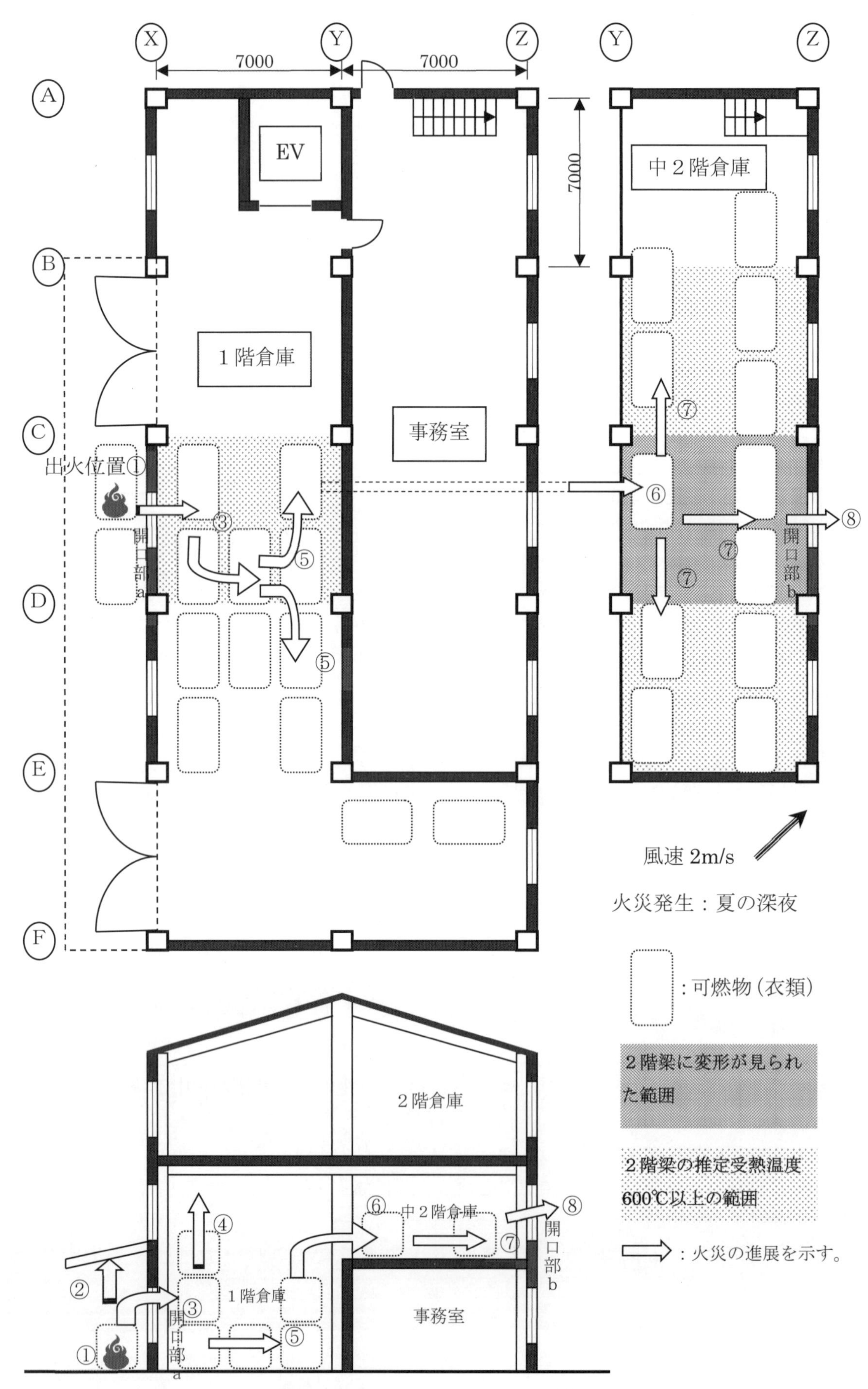

解説図 4.5.1　火災進展状況の推定例

4.5.2 調査範囲の決定

調査範囲は、火災進展状況の推定結果を考慮し、主要な鉄骨造部材の変形や損傷状態を目視観察することによって決定する。

（解説）

火災進展状況の推定結果を念頭においた上で、主要な鉄骨造部材の変形や損傷状態を目視観察し、一次調査を行う調査範囲の決定を行う。ここで、主要な鉄骨造部材とは、火害を受けた部材はもちろんのこと、建物の端部などにあって熱伸びの影響が及んだ部材などをいう。

調査範囲を決定する時の目視観察は、主に煤の付き方に着目するのがよい。被害のあまり酷くない部分には煤が付着しており、煤の付着のない無被害の部分との境界を定められれば調査範囲を決定する目安となる。なお、調査範囲の決定は、火災進展状況の推定時に並行して実施することができる。

鉄骨造の場合、直接加熱を受けた部材から離れた場所で残留変形が生じることがあり、調査範囲を決定する際には十分注意する必要がある。

4.5.3 鉄骨造部材の変形状態の把握

鉄骨造部材の変形状態は、調査範囲内の部材について、柱の倒れや梁のたわみなどの残留変形と高力ボルトの破断および接合部のすべりの有無を目視によって確認し把握する。 ブレース、座屈止めなどの耐震部材については、残留変形の有無を目視によって確認する。

（解説）

一次調査での鉄骨造部材の変形状態の把握は、柱の倒れ・梁のたわみ・部材の座屈・ボルトの破断などが見られるかを観察し、「4.5.4 表面の受熱温度の推定」と合わせ、二次調査の要否を確定する判断材料を得ることを目的に行う。

鉄骨造部材の変形を調査するポイントを以下に示す。

・全体座屈（**解説写真 4.5.1～解説写真 4.5.4**）：全体座屈は目視によって容易に観察できる。
・局部座屈（**解説写真 4.5.5**）：部材の端部から覗くように観察する。
・部材のねじれ変形（**解説写真 4.5.6**）：部材の端部から覗くように観察する。
・部材のむくりとたわみ：部材のむくりとたわみも部材の端部から覗くように観察する。変形量が少ない場合は、水糸を利用して確認する。ただし、被災前の鉛直荷重を受けた状態でも部材にはたわみが生じているので、元たわみか否かを構造設計の観点から判断する必要がある。
・柱の倒れ：目視によって明らかではない場合は、柱の中間部から下げ振りによって概略の見当をつけることができる。
・高力ボルトの破断：母材が変形している場合は、接合部の高力ボルトが破断している場合がある。破断の有無は、ボルトの頭とナットの両側から確認した方がよい。（**解説写真 4.5.7**）
・高力ボルト接合部のすべり：高力ボルトの破断が見られなくても、シアプレート（またはガセットプレート）端部と母材の境界部に煤が付着していない部分が見られるなど、接合部がすべっているか否かを観察する。（**解説写真 4.5.7**）

鉄骨梁に取り付くデッキプレート床スラブは、通常、頭付きスタッドもしくは焼き抜き栓溶接または打込み鋲で接合されている。この接合部が、火災時の温度上昇による強度低下や床スラブと梁の温度差による変形量差に起因して破断すると、地震時に発生する床スラブの慣性力が梁に伝わらなくなる、構造設計の前提である剛床仮定が成立しなくなるなど、重大な支障が発生する。そこで、接合部破断の有無を調べるため、鉄骨梁とデッキプレート床スラブとのずれの有無を確認する。

また、デッキ合成スラブのデッキプレートとコンクリートが剥離すると、両者の一体性が損なわれ、耐力低下や剛性低下が発生する。デッキプレートとコンクリートの剥離の有無は、デッキプレート下面を木槌などで叩くことにより、音色で確認できる。

ここで、デッキプレート床スラブの火害の事例を示す。**解説写真 4.5.8** は床スラブの火災後残留たわみの例、**解説写真 4.5.9** はフラットデッキプレートの変形の例、**解説写真 4.5.10** は凹凸のあるデッキプレートの変形の例である。デッキプレート床スラブは**解説表 4.4.1** に示すように4つの種類がある。これらは構造耐力上から、鋼製プレートが型枠の役割のみを果たしている場合と鋼製プレートが型枠であると同時に荷重を支持する構造体の一部である場合とに分けられる。

一次調査では、調査範囲内のスラブに変形が発生しているかどうかを目視によって調査するとともに、前述したように叩いた時の音色でコンクリート剥離の有無を確認する。

変形が小さく、目視観察のみで変形が確認しにくい場合は、水糸（**解説写真 4.5.11～解説写真 4.5.13**）や鋼製定規などを補助的に利用して変形の有無を把握することもできる。トランシットなどの測定器を用いた残留変形量調査は二次調査となる。

解説写真 4.5.1　鉄骨造柱の全体座屈

解説写真 4.5.2　鉄骨造トラス下弦材の全体座屈

解説写真 4.5.3　鉄骨造トラスの全体座屈(1)

解説写真 4.5.4　鉄骨造トラスの全体座屈(2)

解説写真 4.5.5 鉄骨造梁フランジの局部座屈

解説写真 4.5.6 鉄骨造梁のねじれ変形

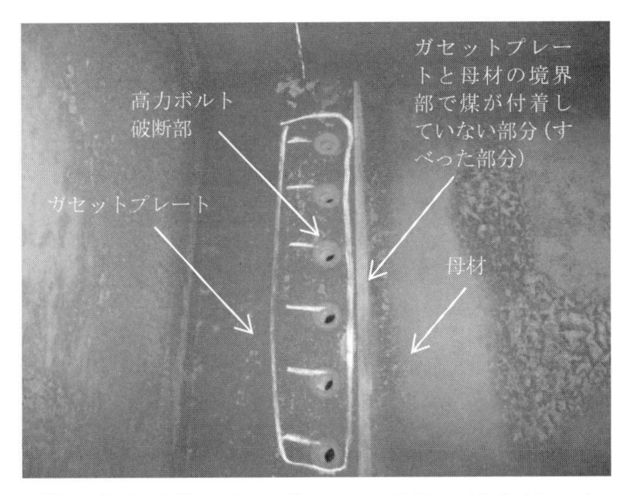

解説写真 4.5.7 高力ボルトの破断・接合部のすべりが見られた梁－梁接合部

解説写真 4.5.8 床スラブの火災後残留たわみ

解説写真 4.5.9 フラットデッキプレートの変形

解説写真 4.5.10　凹凸のあるデッキプレートの変形

解説写真 4.5.11　水糸固定端部(1)

解説写真 4.5.12　水糸固定端部(2)

解説写真 4.5.13　鉄骨造梁フランジに発生している局部座屈

鉄骨ブレースや座屈止めなどの耐震部材は、主に全体座屈・局部座屈や破断の有無を目視によって調査する。柱・梁など大断面の部材には残留変形が生じていない場合でも耐震部材は断面が小さいため変形が生じている場合がある。また、直接熱を受けていない部材でも変形が集中する建物端部などに残留変形や破断が生じる場合がある。このため、鉄骨ブレースや座屈止めなどの耐震部材の変形調査は調査範囲を決定する資料となり得る。

低降伏点鋼やオイルを用いた制震部材や制震装置については、製造者に確認するなど個々に再使用可能か調査する。

4.5.4　表面の受熱温度の推定

表面の受熱温度の推定は、当該部材および周辺にある材料と物品などの熱による損傷状態を観察することによって行う。

（解説）

表面の受熱温度の推定は、4.5.3 項で述べた鉄骨造部材の目視による変形の調査と合わせて、二次調査の要否を確定する判断材料を得ることを目的に行う。

鉄骨造の調査範囲内にある以下の材料と物品ごとに目視による調査をして、鉄骨造部材表面の受熱温度の推定を行う。**解説表 4.5.2** に代表的な材料の劣化状況と推定受熱温度を示す。より詳細な推定受熱温度の表は付－2 に示している。

各種使用材料（アルミニウム・銅・鉄およびプラスチックなど）の燃焼特性や高温特性 [18)~23)]（溶融温度、引火温度および発火温度など）などから各種使用材料の受熱温度を推定し、推定された受熱温度の最大値が得られれば、その値を火災最高温度の目安とする場合が多い。また、コンクリートは高温に曝されると変色などを起こすことから、色やひび割れなどの表面状態から受熱温度を推定することもできる。被災部の火災最高温度の推定は、火災進展状況の推定にも使うことができる。

1）鋼

①鉄骨

外観の調査においては、以下に示す火害特有の性状に注目する。

・仕上げ塗料などの剥離・ひび割れ
・仕上げ塗料、さび止め塗料の変色
・さび止め塗料などの白亜化・焼失

鉄骨造建物が火災を受けた場合の外観上の被害としては、変形を除けば、鉄骨造部材表面の仕上げ塗料、さび止め塗料の剥離･ひび割れ･変色･白亜化･焼失（**解説写真 4.5.14～解説写真 4.5.21**）などが挙げられる。塗料の変色・白亜化などは、母材の直接的あるいは間接的な加熱による塗料の変化に伴い生じるものである。なお、さび止め塗料の白亜化とは、さび止め塗料が必ずしも白色になっているわけではなく、塗膜の表層が次第に劣化し、元の色相よりも白くなり、塗膜が粉状になって消耗している現象を指している。

鉄骨造部材表面の仕上げ塗料、さび止め塗料の変色・部材のたわみ・変形などの外観上被害のほかに、煤の付着状況なども火害の程度を概略判断する指標となる。これは、300℃を超える温度で加熱されると煤が焼失し始め、500℃程度で完全に焼失するという性質を利用するものである。煤の付着状況の調査については、消火活動時の放水で煤が洗われてしまう場合や火盛り期（最も火災が激しい期間）以後に煤が付着する場合なども有り得るので、予備調査などから得た火災の進展状況に関する情報も参考にし、煤が付着している表面をよく観察する必要がある。煤が濃く付着している部分は 300℃以下の加熱を受けたと考えてよいが、煤が薄く付着している部分については、300℃を超える温度で加熱され煤が焼失し始めている場合と、火源から離れた場所などに煤が薄く付着している場合（受熱温度は 300℃以下）が考えられる。いずれの状況かは、火災の進展状況を考慮し、周囲の状況をよく観察して慎重に判断する必要がある。

解説表 4.5.2 (1)　代表的な材料の劣化状況と推定受熱温度

材料 大分類	材料 小分類	状態	推定受熱温度（℃）	使用例	引用文献
全般		煤の付着	300 以下		18)
		煤の焼失	500 以上		
コンクリート		ピンク色に変色	300〜600		18)
		灰白色に変色	600〜950		
		淡黄色に変色	950 以上		
		溶融	1200 以上		
		亀甲状の亀裂	580 以上		
		無水フェノールフタレインで呈色	150 以下		24)
金属	鋼材	溶融	1400 以上		18)
	アルミニウムとその合金	軟化する	400	サッシ、金物、小さな機械部品	19)
		溶融し、しずくができる	650		
	銅	溶融する	1000〜1100 (融点1085)	配線、ケーブル、装飾	20) 21)
	亜鉛	しずくができる	400 (融点 420)	衛生設備、樋、デッキプレートのメッキ	19) 21)
塗料	仕上げ塗料	煤や油煙が付着（損傷なし）	100 未満	内・外塗装	23)
		割れや剥離	100〜300		
		黒変し、脱落	300〜600		
		焼失	600 以上		
	さび止め塗料	健　全	300 未満	鉄骨塗装下地	23) 25)
		変　色	300〜600		
		白亜化	350 以上		
		焼失	600 以上		
ガラス系	ガラス	軟化し角が丸くなる	500〜600	ガラス部品、びん	19)
		容易に流れる、粘つく	850		
	グラスウール	体積収縮	600 以上	断熱材料	−
		溶　融	650 以上		
木材		炭化なし	260 未満※		18)
		炭化あり	260 以上※		
有機系材料	ビニル類	軟化	50〜100	配線、配管材料	23)
	アクリル	軟化（連続加熱による耐熱温度）	60〜95	透光板、装飾材料、塗料	23)
	ポリスチレン	軟化	120〜140	断熱材料	19)
		溶融	250		

※：木材の炭化開始温度は樹種および全乾密度により辺材の場合 250〜290℃程度（一部樹種の芯材の場合 230〜250℃程度）の範囲で異なることが最近の研究[26]により明らかになっている。

解説表 4.5.2 (2)　代表的な材料の劣化状況と推定受熱温度

<table>
<tr><th colspan="2">材　料</th><th rowspan="2">状　態</th><th rowspan="2">推定受熱温度（℃）</th><th rowspan="2">使用例</th><th rowspan="2">引用文献</th></tr>
<tr><th>大分類</th><th>小分類</th></tr>
<tr><td rowspan="7">有機系材料</td><td>ポリウレタン</td><td>軟化（連続加熱による耐熱温度）</td><td>90～120</td><td>防水材料、塗床材料、断熱材料</td><td>23)</td></tr>
<tr><td rowspan="2">架橋ポリエチレン</td><td>縮んでしわが寄る</td><td>120</td><td rowspan="2">ケーブル、パイプ、ポリバケツ、包装用品</td><td rowspan="2">20)</td></tr>
<tr><td>軟化、溶融</td><td>120～140</td></tr>
<tr><td rowspan="4">ポリ塩化ビニル</td><td>有機化合物の分解</td><td>100</td><td rowspan="4">ケーブル、パイプ、ダクト、ノブ、家庭用品</td><td rowspan="4">20)</td></tr>
<tr><td>煙を出す</td><td>150</td></tr>
<tr><td>茶色に変色</td><td>200</td></tr>
<tr><td>炭化</td><td>400～500</td></tr>
<tr><td rowspan="13">耐火被覆等</td><td>アルカリアースシリケート(AES)</td><td>硬化</td><td>1000</td><td>耐火被覆</td><td>27)</td></tr>
<tr><td rowspan="2">ロックウール</td><td>収縮</td><td>700 超</td><td rowspan="2">耐火被覆・充填材</td><td rowspan="2">28)29)30)</td></tr>
<tr><td>大きく収縮し融着</td><td>800 超</td></tr>
<tr><td rowspan="3">耐熱ロックウールフェルト(巻き付け耐火被覆)</td><td>厚さ方向に収縮</td><td>600 超</td><td rowspan="3">耐火被覆</td><td rowspan="3">30)</td></tr>
<tr><td>変色・表面硬化</td><td>800 超</td></tr>
<tr><td>大きく収縮、変色、表面硬化</td><td>1000 超</td></tr>
<tr><td rowspan="2">けい酸カルシウム板(0.8FK,1.0FK)</td><td>有機繊維の炭化による黒色化</td><td>260～500</td><td rowspan="2">壁の被覆</td><td rowspan="2">31)</td></tr>
<tr><td>有機繊維の焼失</td><td>500℃超</td></tr>
<tr><td>けい酸カルシウム板(0.2TK,0.5TK)</td><td>収縮の発生</td><td>1000 超</td><td>耐火被覆</td><td>32)</td></tr>
<tr><td rowspan="3">せっこうボード
強化せっこうボード</td><td>表面紙の変色</td><td>200～260</td><td rowspan="3">耐火被覆・壁の被覆</td><td rowspan="3">33)</td></tr>
<tr><td>表面紙の炭化・灰化</td><td>260～400</td></tr>
<tr><td>亀裂</td><td>800 超</td></tr>
</table>

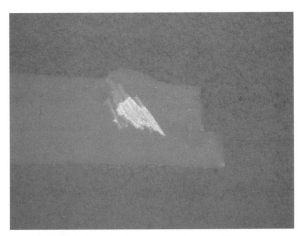

解説写真 4.5.14　さび止め塗料健全（約 300℃未満）

解説写真 4.5.15　仕上げ塗料の剥離・ひび割れ（約 100～300℃）

解説写真 4.5.16　仕上げ塗料の黒変・剥離（約 300～600℃）

解説写真 4.5.17　さび止め塗料の白亜化(1)（約 350℃以上）

解説写真 4.5.18　さび止め塗料の白亜化(2)

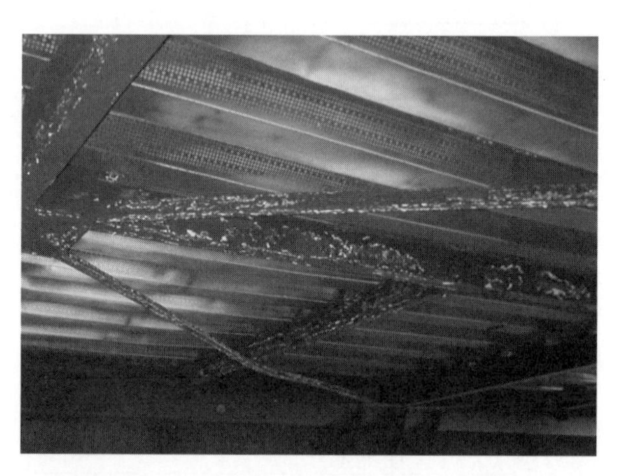

解説写真 4.5.19　さび止め塗料の白亜化(3)

解説写真 4.5.20　さび止め塗料の変色（約 300～600℃）

解説写真 4.5.21　仕上げ塗料・さび止め塗料焼失（約 600℃以上）

②アンカーボルト

アンカーボルトの受熱温度は、アンカーボルト周辺のコンクリートや塗料の状態から推定する。鉄骨造柱の柱脚部にあるアンカーボルトは鉄骨造架構の一部として最終的な変形を受け止める位置にある重要な部分であるため、火災時の架構の変形に起因する鉄骨造柱脚ベースプレート近傍のコンクリートの損傷状態も確認する。

③高力ボルト

高力ボルトの受熱温度は、さび止め塗料や周囲の材料の損傷状況から推定する。

ここで、**解説図 4.5.2** に、部材などの受熱温度の判断指標と材料特性の変化を示す。鉄骨造の基本構成要素である鋼材と高力ボルトに関して、目視によって推定できる受熱温度と材料特性の変化点を対比して示した。

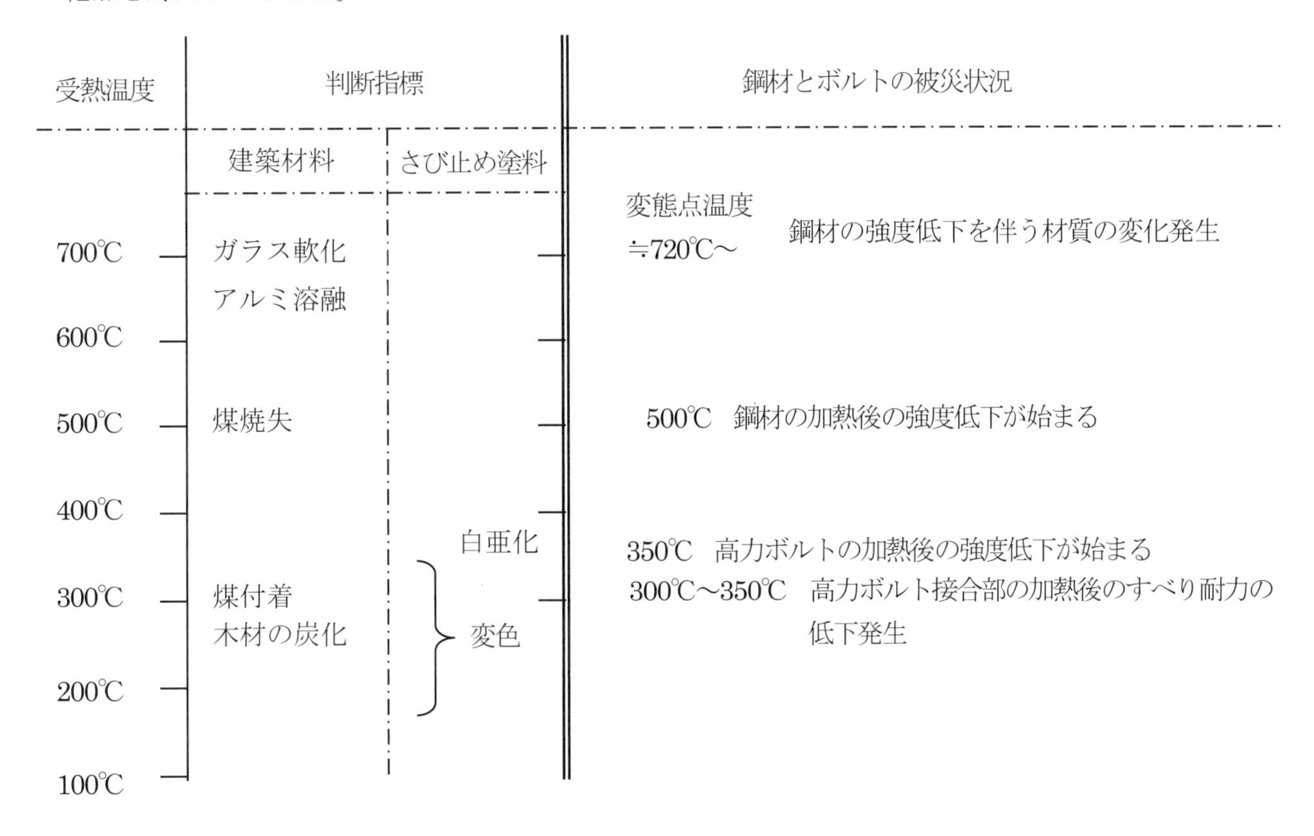

解説図 4.5.2　部材受熱温度の判断指標と材料特性変化

解説表 4.5.3 および**解説表 4.5.4** には、各種さび止め塗料の推定受熱温度を示した。また、**解説図 4.5.3** に、各種さび止め塗料の加熱後の状況を示す。これらの図表を用いると、さび止め塗料の変色や白亜化を判断指標に鋼材の受熱温度の推定ができる。

解説表 4.5.3　各種さび止め塗料の推定受熱温度

（一般用さび止め塗料、鉛丹さび止め塗料）

推定受熱温度	一般用さび止め塗料 表面色：概ね赤さび色	鉛丹さび止め塗料 表面色：赤橙色（オレンジ）	
		表面処理が無い場合	表面処理をした場合
400℃	↑	↑ 白亜化(400℃以上)	↑
	白亜化 (350℃以上)	焼き付き (300℃～350℃)	白亜化 (350℃以上)
300℃	著しい変色 (200℃～300℃)	段階的に黒くなる (150℃～300℃)	板に焼き付き同時にふくれを生じる (250℃～300℃) 段階的に黒くなる (150℃～300℃)
200℃		剥離が始まる(150℃) 著しい変色(150℃)	著しい変色(150℃)
	表面処理のない場合、受熱時間が長い場合、剥離が激しくなる。	受熱時間が長い場合は焼き付き白亜化が激しくなる。	受熱時間が長い場合は焼き付き白亜化が激しくなる。

注）表面処理が無い場合：ミルスケールが付いたままの状態
　　表面処理をした場合：ショットブラストがけによりミルスケールを取り除いた状態

解説表 4.5.4　各種さび止め塗料の推定受熱温度

（亜酸化鉛さび止め塗料、シアナミド鉛さび止め塗料、鉛丹ジンククロメートさび止め塗料２種）

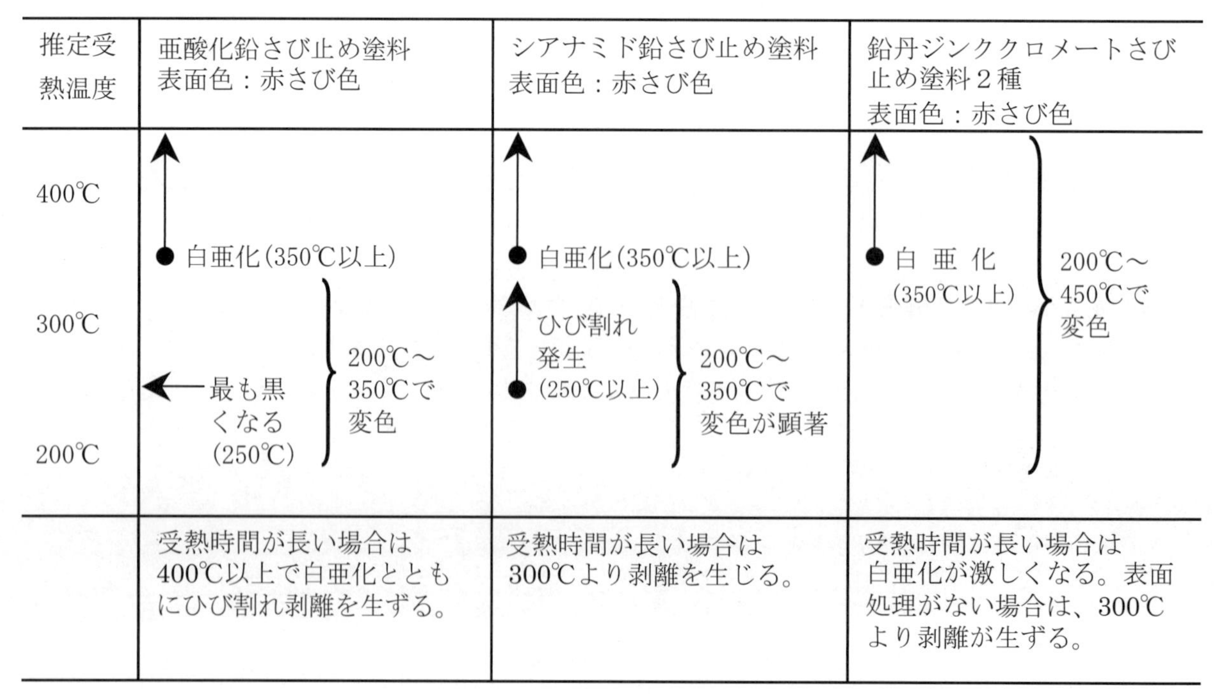

推定受熱温度	亜酸化鉛さび止め塗料 表面色：赤さび色	シアナミド鉛さび止め塗料 表面色：赤さび色	鉛丹ジンククロメートさび止め塗料２種 表面色：赤さび色
400℃	↑	↑	↑
	白亜化(350℃以上)	白亜化(350℃以上)	白 亜 化 (350℃以上) 200℃～450℃で変色
300℃	200℃～350℃で変色	ひび割れ発生 (250℃以上) 200℃～350℃で変色が顕著	
200℃	最も黒くなる (250℃)		
	受熱時間が長い場合は400℃以上で白亜化とともにひび割れ剥離を生ずる。	受熱時間が長い場合は300℃より剥離を生じる。	受熱時間が長い場合は白亜化が激しくなる。表面処理がない場合は、300℃より剥離が生ずる。

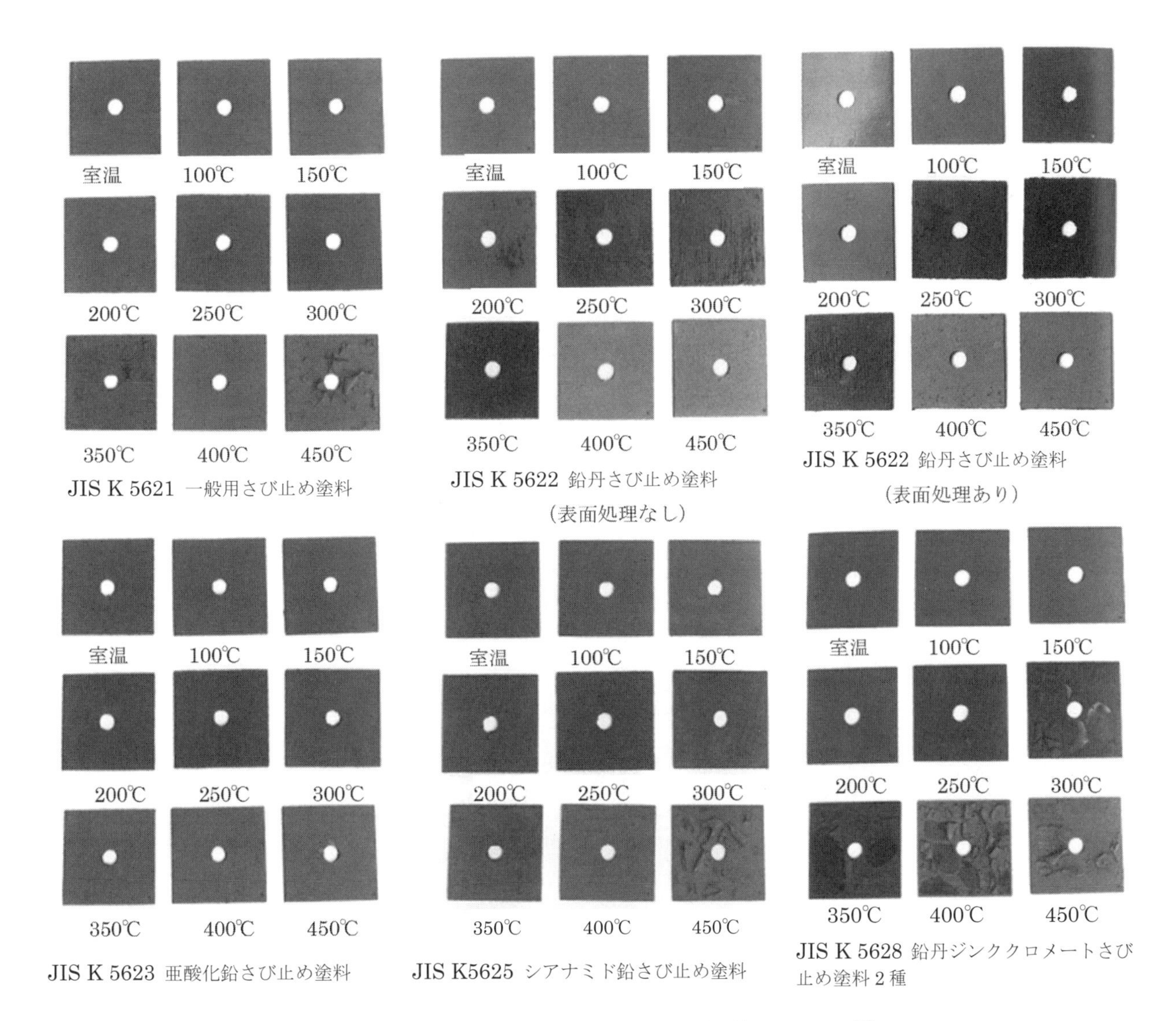

解説図 4.5.3　各種さび止め塗料の加熱後の状況 [25)]

近年は、環境配慮の観点から鉛クロムフリーさび止め塗料を使うことが増えている。このさび止め塗料の加熱後の状況を確認する目的で、本小委員会でガス炉を用いた標準加熱実験および電気炉による定温加熱実験を行った。実験対象は、鉛クロムフリーさび止め塗料に加え従来から使われていたシアナミドさび止め塗料・一般用さび止め塗料とした。各受熱温度の塗料の状況は**解説図 4.5.4** に示す。この状況を受けて、**解説表 4.5.5** に示す推定受熱温度の基準とする。

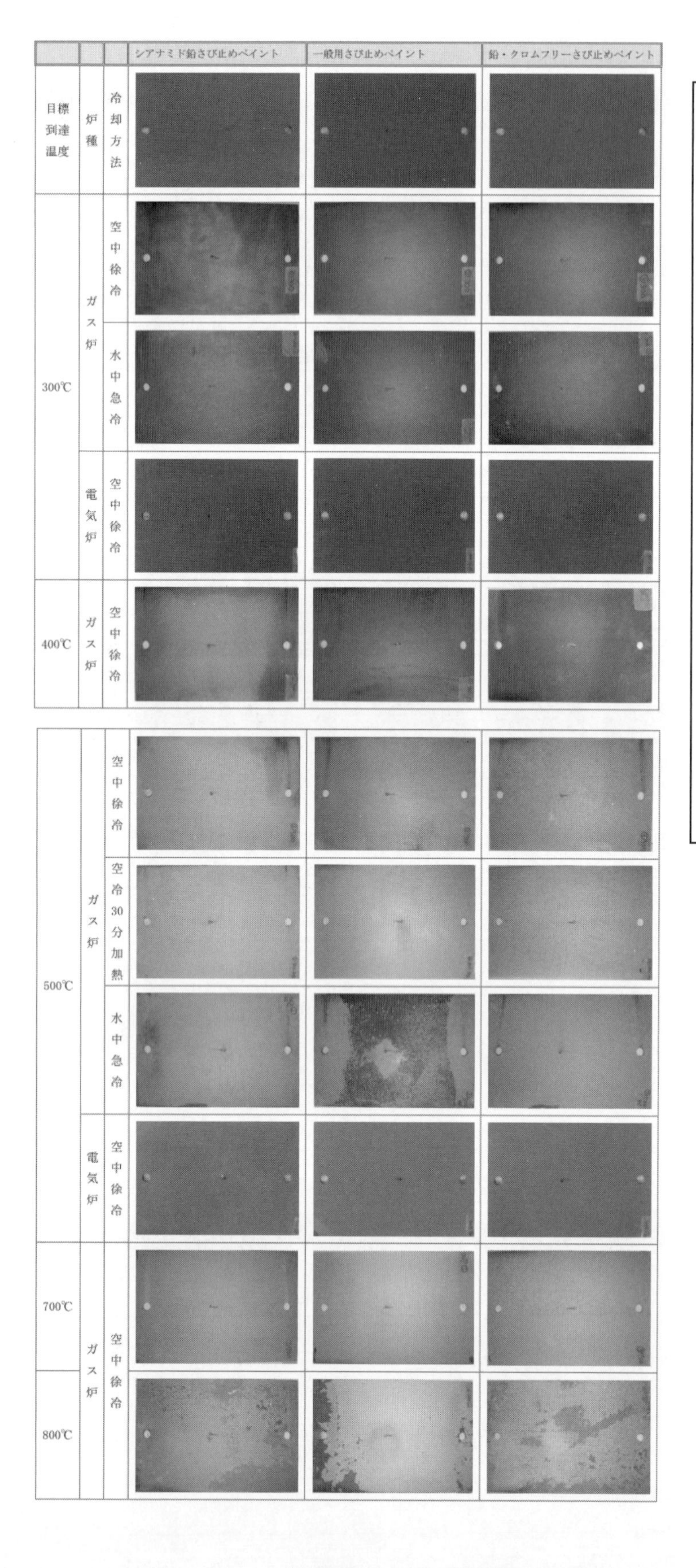

実験条件

●加熱条件

ガス炉：炉内をISO834標準加熱曲線に沿うよう加熱。試験体温度が目標温度になった時点で加熱を終了した。

※「空冷30分加熱」は、試験体温度が目標温度到達後30分間試験体温度を同じ温度に維持した。

電気炉：炉内温度を 10℃／分で上昇させ、試験体が目標到達温度に達した時点から 15 分間温度を維持した。

●冷却条件

空中徐冷：加熱後炉外で空冷

水中急冷：加熱後水槽にて急冷

●塗装時の表面処理

ペーパーバフがけで素地調整

解説図 4.5.4　加熱後の各種さび止め塗料の状況

(シアナミド鉛さび止め塗料、一般用さび止め塗料、鉛クロムフリーさび止め塗料)

解説表 4.5.5　各種さび止め塗料の推定受熱温度

（シアナミド鉛さび止め塗料、一般用さび止め塗料、鉛クロムフリーさび止め塗料）

推定 受熱温度	シアナミド鉛 さび止め塗料 表面色：赤さび色	一般用 さび止め塗料 表面色：赤さび色	鉛クロムフリー さび止め塗料 表面色：赤さび色
800℃	著しい剥がれが生じる	著しい剥がれが生じる	著しい剥がれが生じる
700℃		段階的に褐色が薄れる	段階的に褐色が薄れる
500℃	薄い灰色に変色	ひび割れ発生	ひび割れ発生
400℃	段階的に黒みが薄れる	一部黒く変色 （400℃～500℃）	黒く変色
300℃	黒く変色（300℃～400℃）		

2) コンクリート

外観の調査においては、以下に示す火害特有の性状に注目する。

・コンクリートの変色
・ひび割れの有無、幅および長さ
・梁・床版などのたわみや変形
・爆裂や脱落の有無、大きさおよび深さ
・浮きや剥離の有無
・鉄筋の露出状況

RC 造建物が火災を受けた場合の外観上の被害としては、梁や床版のたわみ、柱や梁に生じる構造的な曲げひび割れやせん断ひび割れ、コンクリート表面のひび割れ（**解説写真 3.3.2**）、コンクリートの欠損（浮き・剥離・爆裂（**解説写真 3.3.3～解説写真 3.3.5**）などが挙げられる。梁や床版のたわみと柱や梁の曲げ・せん断ひび割れは、コンクリートや鉄筋の熱劣化に伴う部材の強度や剛性の低下と火災時に発生する熱応力によるものである。火災時のコンクリートの爆裂は、コンクリート内部の水蒸気圧や熱応力などによって、コンクリート表層部が破片になって飛散する現象である。含水量が高いコンクリートや軽量コンクリートならびに緻密な高強度コンクリートなどで観察される。

RC 造部材のたわみ・ひび割れなどの外観上の被害以外に、コンクリート表面の変色状況や煤の付着状況なども火害の程度を概略判断する指標となる。これは、コンクリート表面が高温を履歴するとその履歴温度に応じて変色状況が異なることや、300℃を超える温度で加熱されると鉄骨と同様に煤が焼失し始め、500℃程度で完全に焼失するという性質を利用するものである。一般的に言われているコンクリートの状態と推定受熱温度の関係を**解説表 4.5.2** に示す。なお、コンクリートの使用材料（特に骨材の種類）によっては変色状況も異なることから、火害建物の健全部から採取したコンクリートのサンプルを 100℃～200℃間隔で加熱して各温度段階における変色状況を調べるのも一手段である（**解説写真 3.3.6、解説表 3.4.2**）。煤の付着状況の調査については、鉄骨と同様に放水の影響や火盛り期以後の煤の付着、薄く煤が付着している場合の状況などに注意をして表面および周囲の観察をする必要がある。

3) 鋼・コンクリート以外の材料・物品など

火災現場の鉄骨造部材の受熱温度は、周辺部材や仕上げ材料などの損傷状態から推定する方法が一般に行われている。代表的な材料の劣化状況と推定受熱温度の関係を**解説表 4.5.2** に示し、その状況例を**解説写真 3.3.10～解説写真 3.3.14** および**解説写真 4.5.22～解説写真 4.5.23** に示す。例えば、サッシュ枠のアルミニウムが軟化して自重で垂れ下がるのが 400℃位で、溶融してしずくができるのが 650℃程度と推定できる。また、鉄骨造で多く用いられる床スラブ用のデッキプレートは表面に亜鉛メッキが施されている場合があり、亜鉛の融点が 420℃であることから表面の状態から受熱温度の推定が可能である。

解説写真 4.5.22　アルミ窓枠の溶融
（約 650℃以上）

解説写真 4.5.23　板ガラスの溶融
（約 850℃以上）

また、耐火被覆や電線ケーブルの状況も受熱温度推定に役立つ。

① 耐火被覆（耐熱ロックウールフェルト）の受熱後の劣化状況

巻付け耐火被覆工法に用いられる耐熱ロックウールフェルトは、スラグウールを主原料として、バインダーにフェノール樹脂、表面材に不織布（ポリプロピレン）が使用されている。火災加熱を受けた際の熱劣化の観点では、被覆中のフェノール樹脂が 200℃程度で分解し始める。約 600℃でフェノール樹脂による炭化物が焼失するとされるため、組織を詳細に分析すれば、フェノール樹脂の残存状況を把握することより、被覆材内の温度分布も大凡推定できる。

耐火被覆の種々の熱分解反応や相変化等を含む見かけの比熱の変化[34),35)]によれば、発熱反応が 800℃程度まで続き、800℃超で急激に変化する。この温度近傍で、加熱を受ける表面が硬化する。火災中の雰囲気に酸素が十分にあれば、より硬化が促進するとされている。

解説図 4.5.5 は、耐熱ロックウールフェルト（呼厚さ：20mm　寸法：20cm×20cm）を 200℃から 1000℃の範囲（**解説表 4.5.6**）で、電気炉を用いて 10 分間定常加熱し、火災時の熱的影響を再現したものである。実験では高温電気炉を所定の温度に予熱した後、試験片を速やかに設置して、10 分間加熱したものである。試験片は 1 面のみから加熱されるように、耐火材で裏面が断熱されている。

解説表 4.5.6 より 200℃の条件では不織布の変色と収縮が発生している。400℃の条件では不織布の焼失より、黒色の炭化物が残留した。600℃～700℃では、フェノール樹脂系バインダーの焼失によりフェルトが軟化し、800℃で変色と表面の硬化・収縮が確認された。また、1000℃で著しい収縮が生じていることがわかる。

解説表 4.5.6　耐熱ロックウールフェルト加熱条件および劣化状況 [36)]

	目標温度	実測温度	主な劣化状況
a	常温	ー	ー
b	200℃	平均 211℃	不織布変色、収縮
c	400℃	平均 419℃	不織布焼失、黒色化(炭化物)
d	600℃	平均 608℃	バインダー焼失による軟化
e	700℃	平均 721℃	
f	800℃	平均 809℃	変色、表面硬化、収縮
g	1000℃	平均 1001℃	変色、表面硬化、著しい収縮

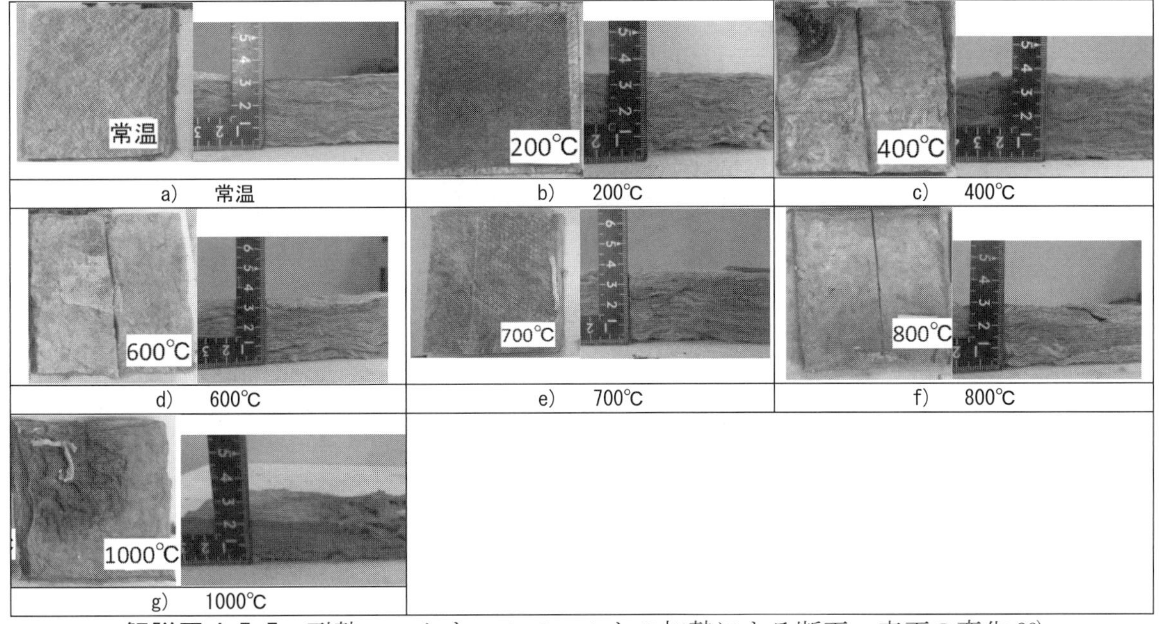

解説図 4.5.5　耐熱ロックウールフェルトの加熱による断面・表面の変化 [36)]

② 耐火被覆（成型板）の受熱後の劣化状況

解説図 4.5.6 は、耐火被覆成型板（けい酸カルシウム板（0.2TK, 0.5TK,0.8FK,1.0FK））、強化せっこうボード（GB-F(V)、防水・防かび性を付与した強化せっこうボード（石膏ボード工業会規格 GB 007-2017））、ALC、フレキシブル板を電気炉で約 16℃/min の昇温速度で加熱し、100℃～1100℃の温度で約 60 分間保持した場合の変化状況の一例である [37)]。これらの耐火被覆は、けい酸カルシウム材料、せっこう系材料、セメント質材料に分類され、材料の耐熱性に応じて亀裂発生等の劣化が生じる。けい酸カルシウム板については、1000℃程度までは表面上に大きな変化は生じないが、1100℃になると変形や亀裂等が発生していることがわかる。強化せっこうボードについては、400℃で表面紙の灰化が発生し、800℃超では亀裂の発生が確認できる。セメント質材料の ALC は 600℃超で亀裂発生、フレキシブル板については、800℃超で亀裂発生が確認できる。

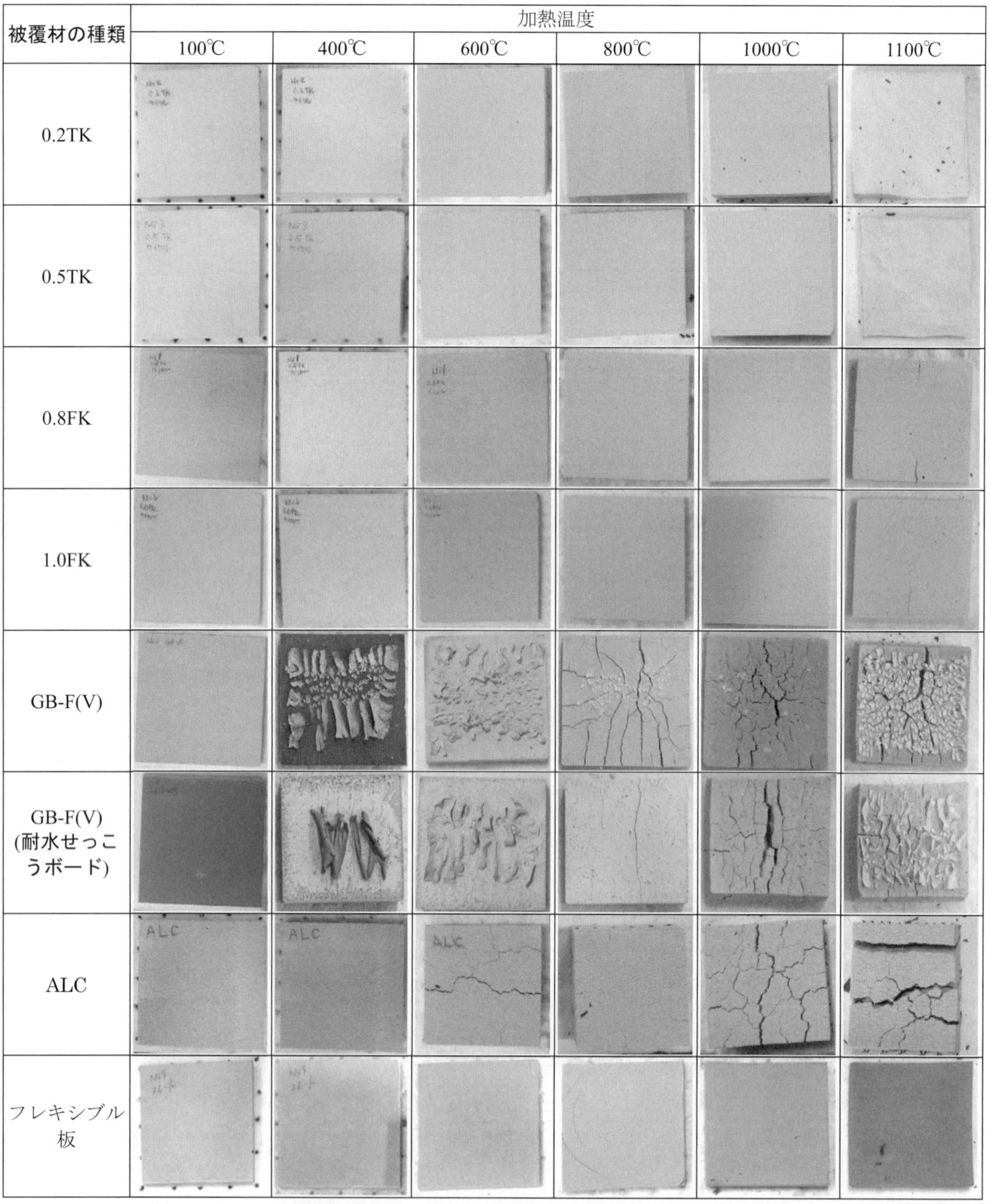

被覆材の種類	加熱温度					
	100℃	400℃	600℃	800℃	1000℃	1100℃
0.2TK						
0.5TK						
0.8FK						
1.0FK						
GB-F(V)						
GB-F(V) (耐水せっこうボード)						
ALC						
フレキシブル板						

解説図 4.5.6　耐火被覆材料の熱劣化状況[33)]

③ 電線ケーブルの受熱後の劣化状況

解説図 4.5.7 は、各種電線（図の左から、架橋ポリエチレン絶縁ビニルシースケーブル CV（1 種類）、耐火ケーブル FP（1 種類）、耐熱ケーブル HP（3 種類）、600V ビニル絶縁電線 IV（1 種類）、電気機器用ビニル絶縁電線 KIV（1 種類）、ビニルキャブタイヤケーブル VCT（1 種類）、ビニルキャブタイヤコード VCTF（1 種類））を、電気炉で約 9℃/min の昇温速度で加熱し、150℃

～300℃の温度で約30分間保持した場合の変化状況の一例である[38]。150℃超よりケーブル被覆の表面の状況が変化し、光沢が現れ始めていることがわかる。200℃になると表面の被覆が収縮し始め、250℃では溶融している状況している。さらに高温となる300℃では、熱分解し炭化する状況が確認できる。

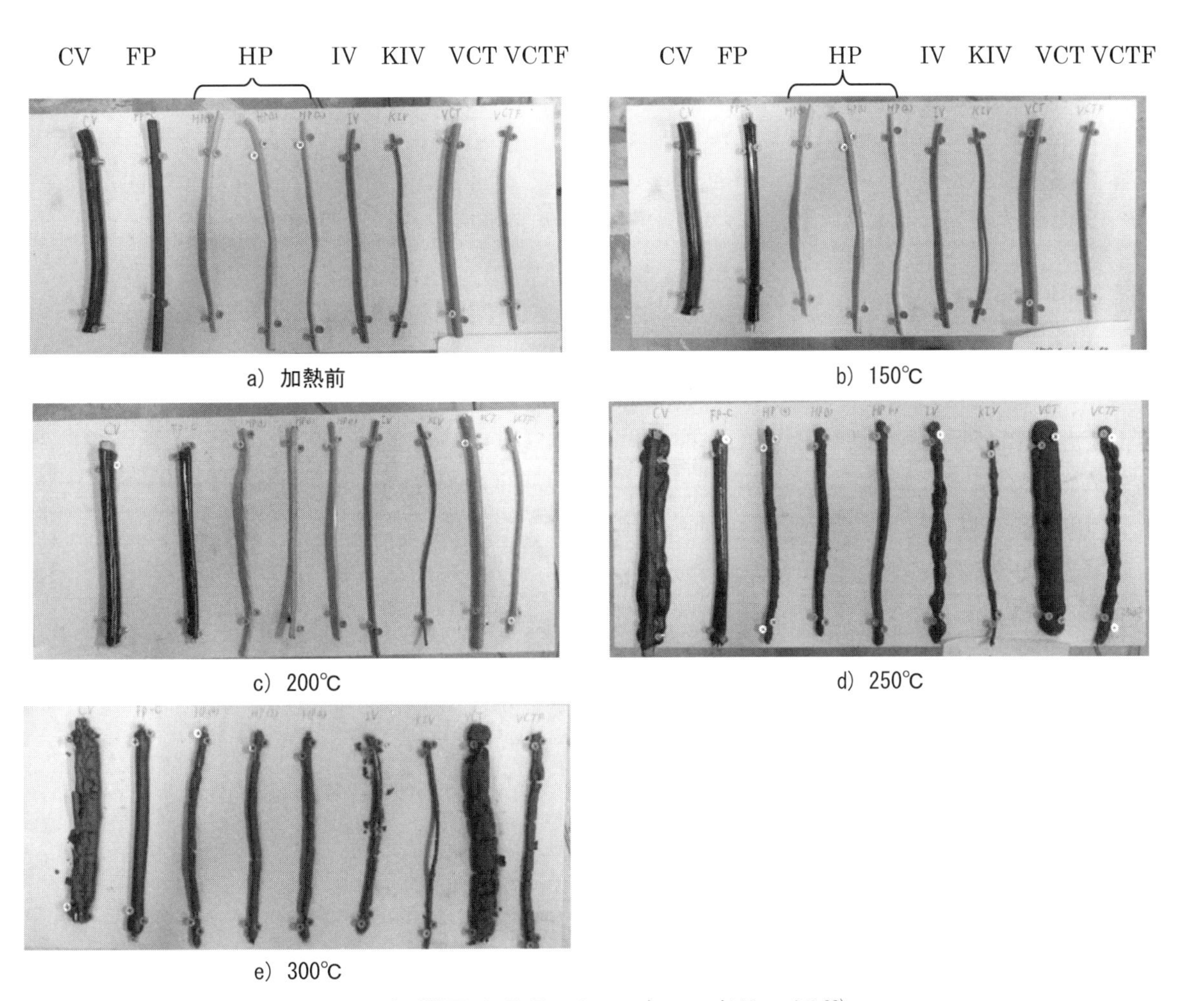

a）加熱前　b）150℃　c）200℃　d）250℃　e）300℃

解説図 4.5.7　ケーブルの変状の例[38]

4.6　二次調査（測定を伴う調査）

二次調査では、再使用を計画する鉄骨造部材や接合部の残留変形量および機械的性質の変化を明らかにするために、変形量の測定や力学的試験などを行う。

（解説）

二次調査は、火災に起因して発生した部材と接合部の残留変形や機械的性質の変化が、**解説表 4.1.1** 鉄骨造部材の火害等級と部材状況の一例に示されるどの火害等級に該当するかを判定するためのデータ取得を目的として行う。**解説図 4.1.2**　鉄骨造部材（主として柱および梁）の火害等級判定フローに示されている通り、一次調査の段階で目視により明らかな残留変形や柱の倒れが見られ、取替えが避けられないと判定された部材（火害等級Ⅴ級）については、二次調査を行わなくてもよい。

残留変形量はトランシットなどを利用して現地で測定できるが、鋼材の機械的性質を現地で高精度に非破壊測定することは難しい。よって、機械的性質の調査は、試験片を火害部から切り出した後、試験場に搬入して行うのが一般的である。しかし、試験片切り出しが困難な場合、簡易な装置で現地にて硬さを測定し、強度を推定する方法もある。

4.6.1　鉄骨造部材の調査

4.6.1.1　鉄骨造部材の残留変形量の測定

柱・ブレースの倒れやねじれ、梁のたわみや曲がりなどの残留変形量を測定する。

（解説）

柱・梁・ブレース（長期荷重を負担している部材）に生じた倒れやねじれ・たわみ・曲がりなどの残留変形は、被災後の構造体の応力状態を変化させるのみならず、部材に強度低下や剛性低下が生じた懸念のあることや、部材の膨張・収縮に起因する新たな応力が発生した可能性があることを示唆している。

残留変形の調査事項と調査に際しての使用機器を**解説表 4.6.1** に示す。残留変形量は、建設時の鉄骨精度検査や建方精度検査と、同じ方法で測定できる。調査にあたっては、専門家に相談すると共に本会「建築工事標準仕様書 JASS 6　鉄骨工事」[39]・「鉄骨工事技術指針 工事現場施工編」[40]・「鉄骨精度測定指針」[41]に準拠することが望ましい。

残留変形は、火災時における部材の膨張・収縮や応力再配分に起因して、非火災区画に及ぶ場合がある。非火災区画の変形は、火災区画と同一通り線上に存在するサイズの小さい柱・梁・ブレースに発生しやすい。これらの部材から調査を開始することにより、非火災区画の効率的な調査が行える。

変形には火災発生前から存在していたものもある。火災に伴うものか否かは、変形箇所の塗料の変質状態や火災発生区画との位置関係および当初の構造計算書や建設記録などから総合的に判断する必要がある。

鉄骨造部材の火災による変形は、床・壁の変形（不陸）やエレベーターガイドレールの曲がりなどを発生させ、外壁や屋根の防水性能・エレベーターの走行性能・壁や扉の遮煙性能などを低下させる場合がある。構造機能上許容可能な変形であっても使用性能に不備をもたらすことがあるため、正確な測定調査が望まれる。

解説表 4.6.1　鉄骨造部材の残留変形調査　－調査事項と使用機器－

調査事項	代表的な使用機器	備考
柱・ブレースの倒れ (各部の節点位置)	・下げ振りと鋼製定規 ・鉛直視準器 ・トランシット	・大空間での測定や対象部位の足元が不安定な場合には、トランシットを利用した測量法が有用 ・トランシットは、セオドライトと呼ぶことも多い。レーザー光線を利用したものもある。 ・三次元測量が可能な測量器もある。
柱・梁・ブレースのねじれ (回転)	・下げ振り ・コンベックスルール ・金属製直尺	
梁のたわみ、曲がり	・水糸またはピアノ線 ・コンベックスルール ・金属製直尺 ・トランシット	

・柱の倒れ測定の一例（**解説図 4.6.1(a)**）

柱１本につき１箇所以上の方位に下げ振りを柱頭より下げ、柱脚部でスケールにより倒れを測定する。下げ振りは風の影響を受けやすいため、風のあるときを避けて測定するほうがよい。また、下げ振りは偏心のない比較的質量の大きいもの（5～10kg）を使用する。(「鉄骨精度測定指針」[41])

・梁のたわみ測定の一例（**解説図 4.6.1(b)**）

「鉄骨精度測定指針」[41]では、梁の水平度を求める測定方法が紹介されている。この測定方法を応用する。たわんだ梁につき端部と中央の３か所を測定し、たわみを求める。ただし、梁のたわみにスパン方向で偏りが見られる場合は、中央に替えて最大たわみが発生している箇所を測定することができる。水平基準にはレーザー光線を利用したトランシットを用いるとよい。

・梁の曲がり測定の一例（**解説図 4.6.1(c)**）

「鉄骨精度測定指針」[41]で紹介されている梁の梁幅方向（水平方向）の曲がりの測定方法を応用する。両側の柱を基準として梁中央部を測定し、曲がりを求める。ただし、梁の曲がりにスパン内で偏りが見られる場合は、中央に替えて最大曲がりが発生している箇所を測定することができる。

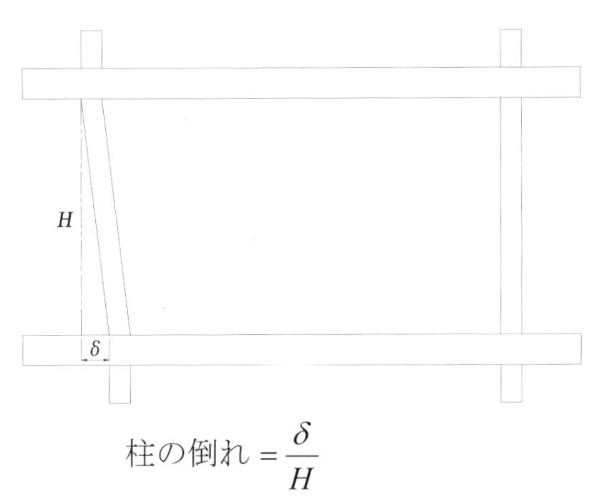

柱の倒れ $= \dfrac{\delta}{H}$

解説図 4.6.1(a)　柱の倒れの測定の一例（軸組図）

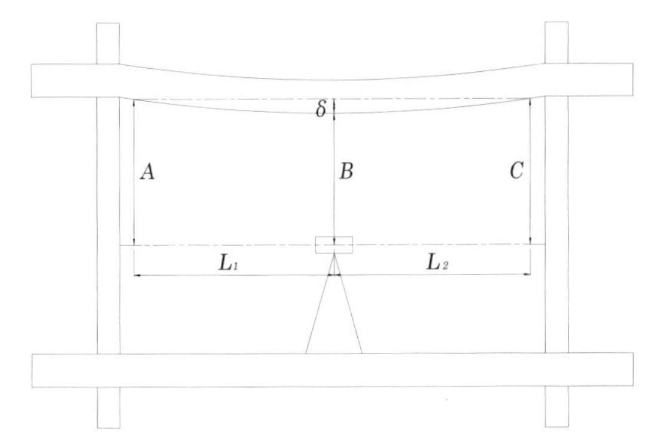

梁のたわみ　$\delta = \dfrac{L_1}{L_1 + L_2}(C - A) + (A - B)$

解説図 4.6.1(b)　梁のたわみ測定の一例（軸組図）

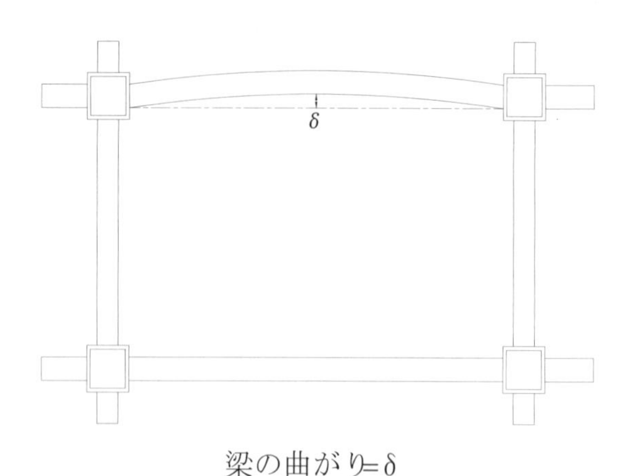

梁の曲がり＝δ

解説図 4.6.1(c)　梁の曲がり測定の一例　（伏図）

4.6.1.2　鉄骨造部材の機械的性質の測定

> 500℃以上に加熱された可能性のある鉄骨造部材は、強度や伸びなど鋼材の機械的性質を調査する。なお、焼入れ焼戻し工程を経て製造された調質鋼による鉄骨造部材では、350℃以上に加熱された可能性がある部材を機械的性質の調査対象とする。

（解説）

火災後の取替え要否を検討する上で重要になる鋼材の機械的性質には、強度（降伏点または耐力と引張強さ）・伸び・衝撃性能などがある。一次調査や残留変形調査に基づき取替えを決定した鉄骨造部材は、鋼材の機械的性質を調査しなくてもよい。

1）機械的性質の調査を要する鋼材温度

鋼材の強度（降伏点または耐力と引張強さ）や伸びおよび衝撃性能などは、ある温度以上に加熱されると変化する。変化をもたらす温度は、鋼材の化学成分と製造工程における熱処理温度や造形に際しての冷間曲げ加工の程度、さらには受熱時間などによって上下する。加熱冷却後の強度の一例を**解説図 4.6.2 (a)～解説図 4.6.2 (m)**に示す。冷却方法は徐冷を基本としているが、**解説図 4.6.2 (g)～解説図 4.6.2 (j)**と**解説図 4.6.2 (m)**には消火時の放水による急激な温度変化を想定し、水冷による急冷結果も併せて示す。600℃以下の加熱では冷却方法によらず強度変化はほとんど生じない。700℃以上の加熱では徐冷において強度低下が生じるが、急冷において焼入れ作用により強度上昇が生じる場合もある。なお、一部の鋼材に関しては 600℃加熱によるデータは未取得である。**解説図 4.6.2 (m)**に冷間ロール成形角形鋼管の加熱冷却後強度を示す。600℃未満の加熱では強度変化は僅かであるが、600℃の加熱からは強度低下が現れている。600℃加熱の強度は常温時強度に対して、降伏点または耐力で最大 7%低下、引張強さで最大 4%低下しているが、降伏点または耐力、引張強さともに冷間成形角形鋼管の規格値を十分に上回っている。**解説図 4.6.2 (e)**に非調質型の SM58 と調質型の SM58 の加熱冷却後強度を、**解説図 4.6.2 (f)**に 800℃加熱冷却後の SM58 の残存強度を示す。600℃以下の加熱では、非調質型と調質型の強度変化は僅かだが、700℃以上の加熱では調質型に著しい強度低下が現れている。

一方で、加熱冷却後の強度に変化をもたらす温度と影響因子の関係は、サンプル試験や理論で傾向を明らかにされているにすぎず、定量化のレベルには至っていない。また、火害を受けた鉄骨造部材の化学成分や受熱時間を明らかにすることも容易でない。このため、本指針では、火害部の化学成分や受熱時間が最も不利な状況にあること、すなわち、変化をもたらす温度が最小になる状況を想定して、機械的性質の調査条件を非調質鋼については 500℃以上、調質鋼については 350℃以上とした。ただし、非調質鋼については対象とする鋼材が明らかに「圧延まま」の鋼材であり、冷間曲げ加工が行われていない場合は、500℃を 600℃に読み替えてもよい。また、調質鋼については鋼材の焼戻し温度が明確な場合は、「350℃」を「焼戻し温度から 50℃減じた値」と読み替えてもよい。一般的に、広義の調質鋼は、熱処理や加工硬化を利用して強度や靭性を改善した鋼材全般を指し、TMCP 製法（Thermo-Mechanical Control Process）を用いた鋼材なども調質鋼に分類されることがあるが、ここでは狭義を採用し、焼入れ焼戻し工程を経た鋼材のみを調質鋼としている。この定義に従うと、柱や梁などの主要な建築構造部材に使用される鋼材の大半は、非調質鋼に分類される。

加熱冷却後の鋼材衝撃性能としてシャルピー衝撃試験の結果を**解説図 4.6.3 (a)～解説図 4.6.3 (c)**に示す。600℃以下の加熱では衝撃性能はほとんど変化しないが、700℃以上の加熱では衝撃性能は大きく変化する。特に 800℃加熱からの急冷では衝撃性能が悪化する場合があり、注意が必要である。柱梁接合部のような地震時に靭性が求められる部位において、600℃を超える加熱を受けた後、消火時の放水による急冷がなされた鋼材を再利用する際には、十分な検討を行う必要がある。

調査を要する鋼材温度については付-4.1 に詳述した。

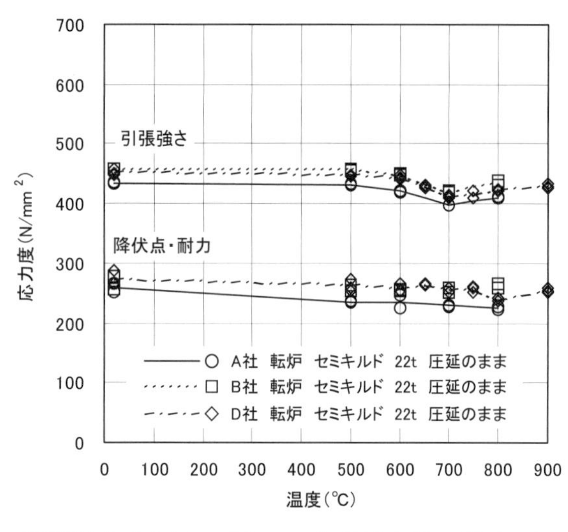

解説図 4.6.2(a)　SS41 の加熱冷却後の強度 42)

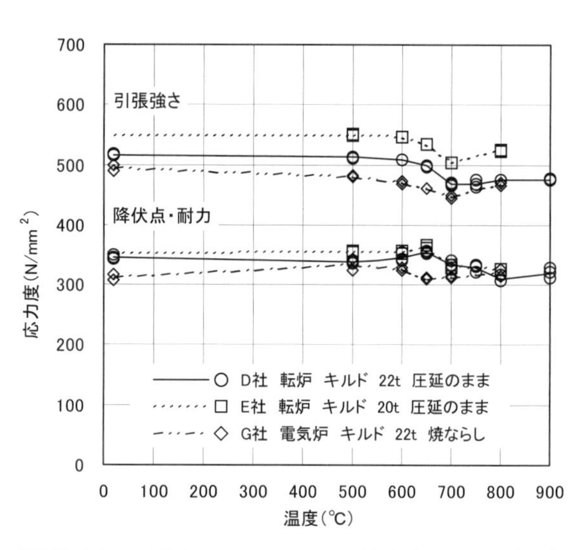

解説図 4.6.2(b)　SM50B の加熱冷却後の強度 42)

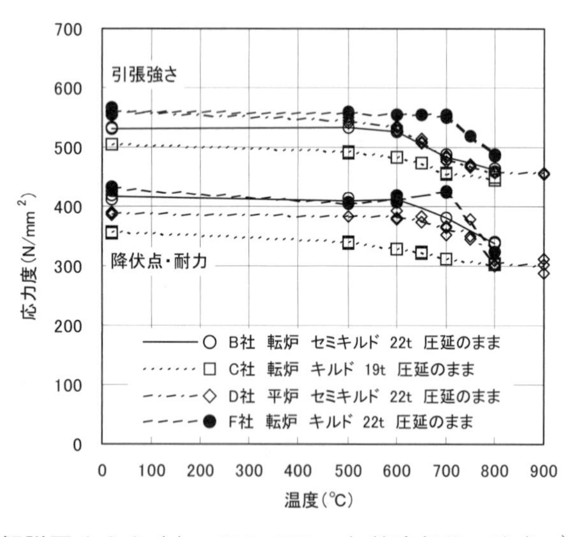

解説図 4.6.2 (c)　SM50YB の加熱冷却後の強度 42)

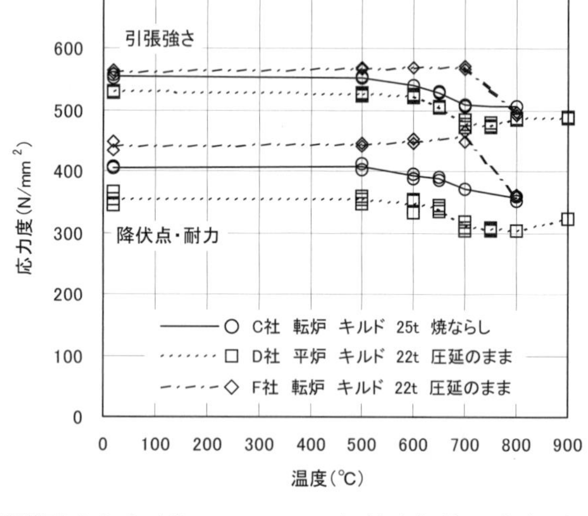

解説図 4.6.2 (d)　SM53B の加熱冷却後の強度 42)

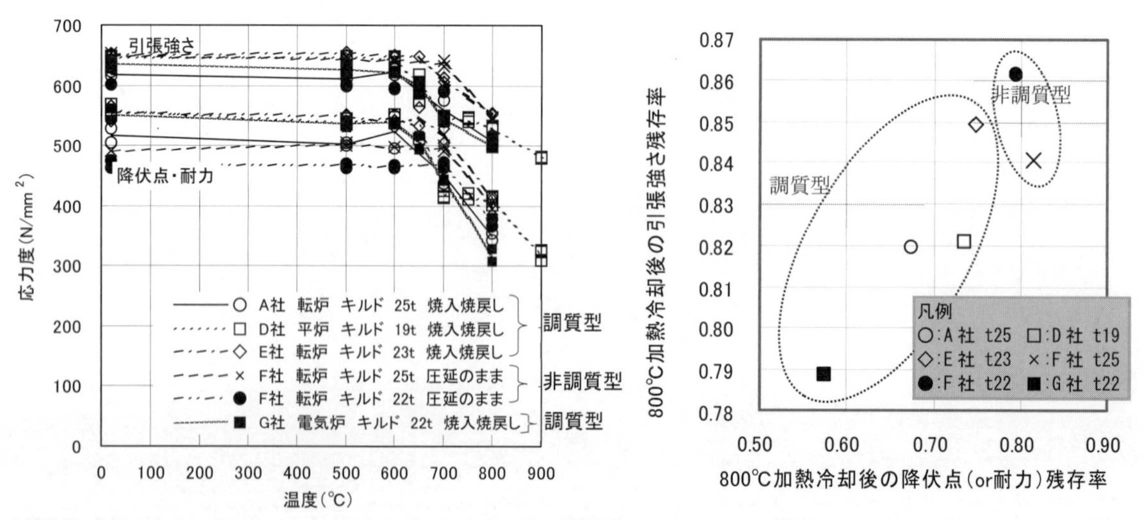

解説図 4.6.2(e)　SM58 の加熱冷却後の強度 42)　解説図 4.6.2(f)　800℃加熱冷却後の SM58 の残存強度

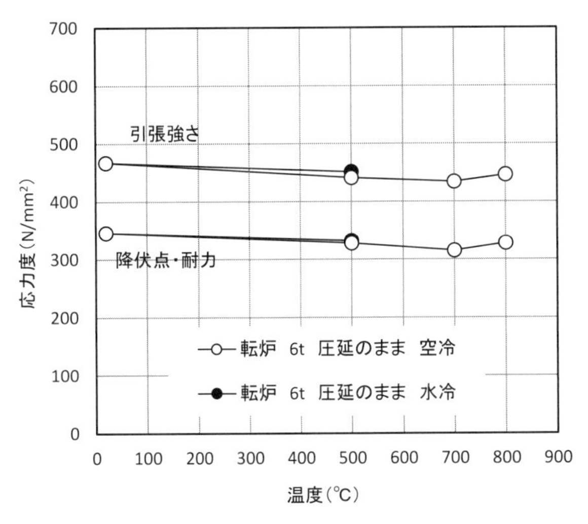

解説図 4.6.2(g)　SN400A の加熱冷却後の強度 43)

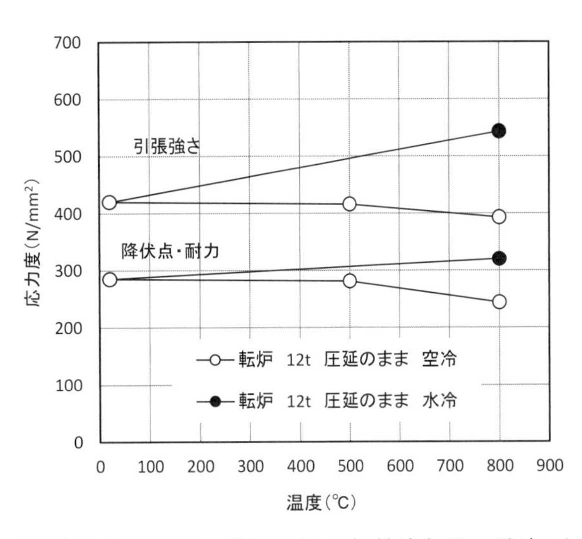

解説図 4.6.2(h)　SN400B の加熱冷却後の強度 44)

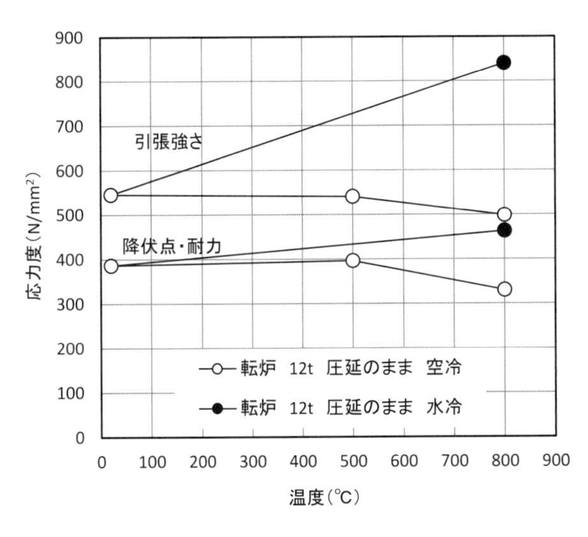

解説図 4.6.2(i)　SN490B の加熱冷却後の強度 44)

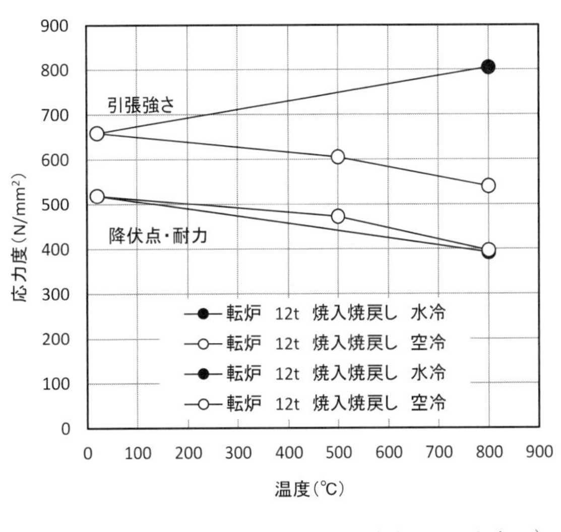

解説図 4.6.2(j)　SA440B の加熱冷却後の強度 44)

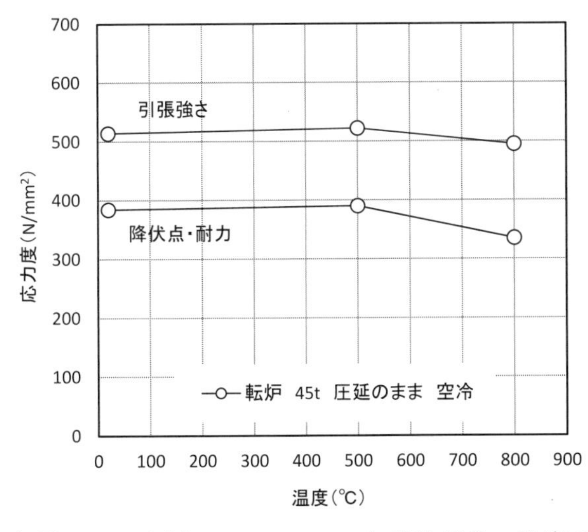

解説図 4.6.2(k) TMCP325B の加熱冷却後の強度 45)

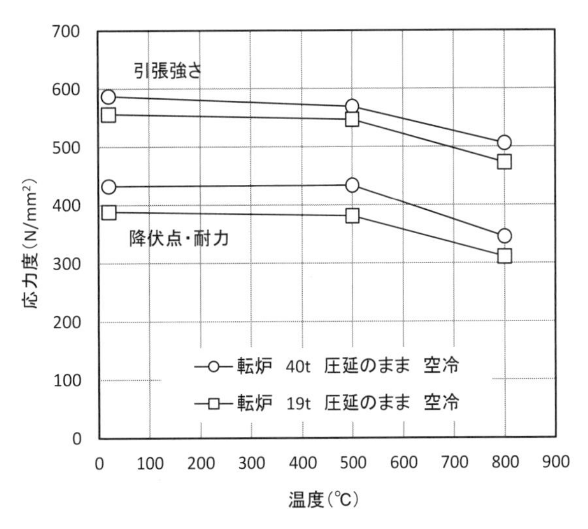

解説図 4.6.2(l) TMCP385B の加熱冷却後の強度 45)

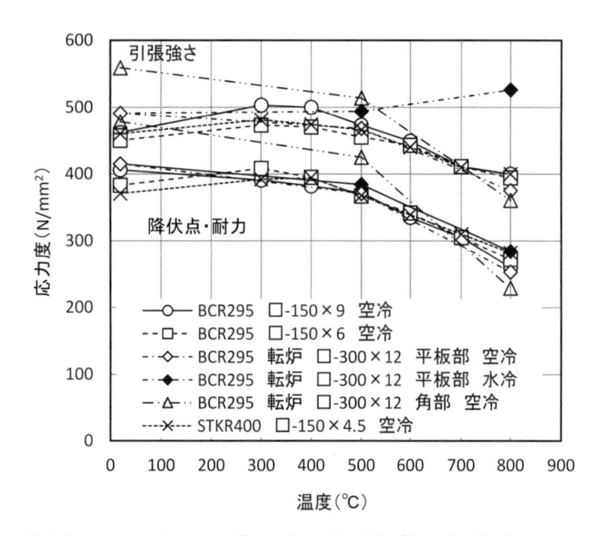

解説図 4.6.2(m)　冷間成形角形鋼管の加熱冷却後の強度[46), 47)]

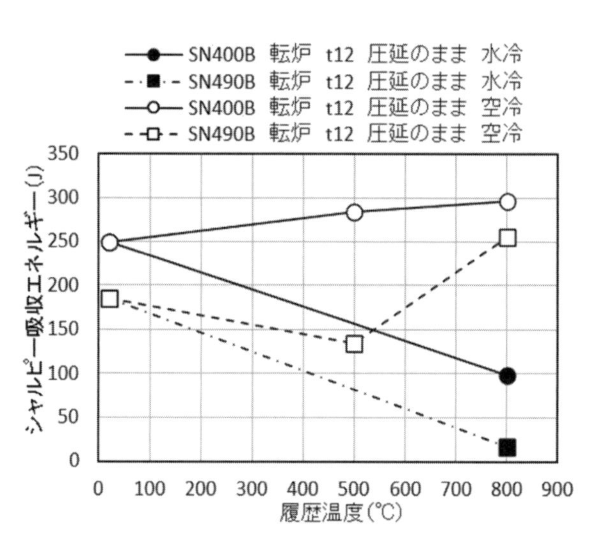

解説図 4.6.3(a)　SN400B、SN490B の加熱冷却後のシャルピー吸収エネルギー[48)]

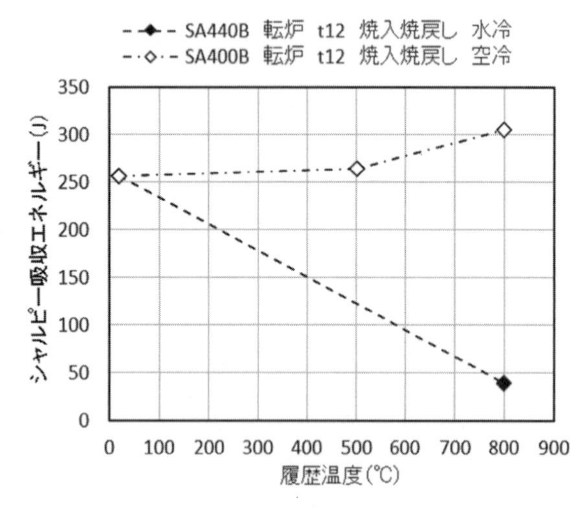

解説図 4.6.3(b)　SA440B の加熱冷却後のシャルピー吸収エネルギー[48)]

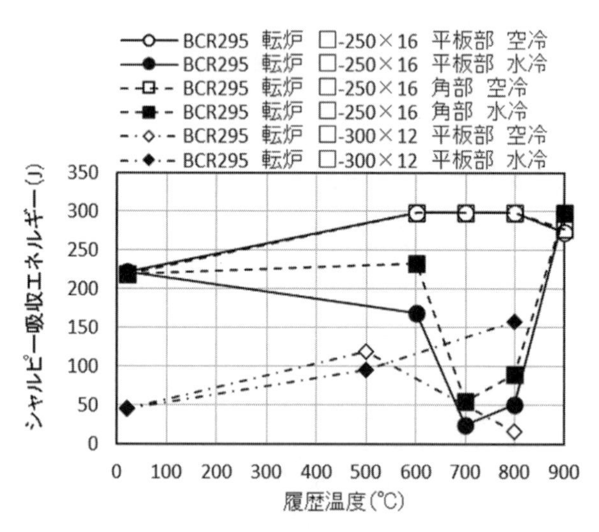

解説図 4.6.3(c)　冷間成形角形鋼管の加熱冷却後のシャルピー吸収エネルギー[49),50)]

2) 機械的性質の調査方法

調査事項と調査に際しての使用機器を**解説表 4.6.2** に示す。

柱・梁などの部位ごとに、断面内でもっとも鋼材温度が上昇していると推定される部位を対象に強度を調査する。強度の調査方法は破壊試験、微破壊試験および非破壊試験の 3 つが挙げられる。

①　破壊試験

・引張試験

火災を受けた鋼材の機械的性質は、対象部材から切り出した試験片の引張試験などによって確認できる。鋼材の機械的性質は、火災による影響の有無にかかわらず、断面内の位置によって異なり、試験結果は試験片の形状や引張試験速度によっても変化する。このため、引張試験では、試験片採取位置と試験片形状ならびに試験方法を日本産業規格（以下、JIS と略記する）の規定（JIS Z 2241 : 2011「金属材料引張試験方法」[11)]）に準拠することが重要になる。試験片の切出しにあたっては、部材各部に蓄積された残留応力により切断部が跳ねる危険性があるため、防護や補強など十分な安全対策を講じてから行うことが重要である。また、ガス切断する場合は、その熱の影響で素材が変質する可能性がある。引張試験片の標点部から 30mm 以上離れた位置を切断線とするなどの配慮が重要である。

・シャルピー衝撃試験

シャルピー衝撃試験は鋼材の切欠き感受性を評価する試験であり、鋼材の靭性を間接的に示すことができる。鋼材のシャルピー衝撃試験では、試験片形状ならびに試験方法を JIS の規定（JIS Z 2242 : 2018「金属材料のシャルピー衝撃試験方法」[12]）に準拠することが重要になる。

シャルピー衝撃試験片と温度-吸収エネルギー-脆性破面率曲線の例を**解説図 4.6.4** に示す。試験片は試験片幅 10mm のフルサイズ試験片のほか、サブサイズ試験片として試験片幅 2.5 , 5.0 , 7.5mm がある。鋼材の衝撃特性を把握するには、温度-吸収エネルギー-脆性破面率曲線を求める必要がある。曲線を求めるには試験温度 5 水準以上が望ましく、1 水準に付き 3 本必要となる。したがって、1 試験につき 15 本のシャルピー衝撃試験片が必要となる。

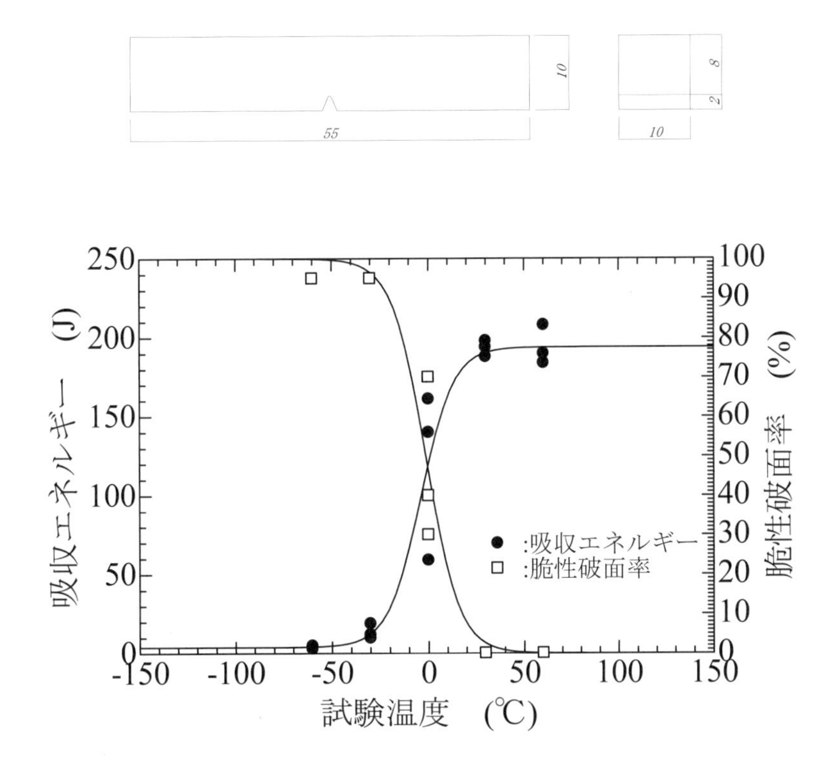

解説図 4.6.4　シャルピー衝撃試験片と温度-吸収エネルギー-脆性破面率曲線の例

②　微破壊試験

建物によっては、規定通りの試験片を採取することが困難な場合がある。また、鋼材を再利用するならば試験片の切出しは極力小さいほうがよい。近年、このような状況に対応するため小型形状の試験片を採取して鋼材の特性を評価する微破壊試験が報告されている[51), 52)]。

微破壊試験では、35mm 程度のボルト孔加工で得られる鋼片を利用して複数の試験を行い、鋼材の健全性を把握することができる。

・コア試験片

微破壊試験では、**解説図 4.6.5** に示すようなボルト孔加工時に廃棄される円柱状のコアと同等のコアを利用する。小型形状の試験片を用いた評価では、火害部と同様の方法で採取した健全部の測定結果と比較して、判断することが望ましい。採取したコア 1 個から引張試験、金属組織観察、化学成分分析および硬さ試験を行うことが可能であり、火害を受けた鋼材の特性を評価することができる。

解説図 4.6.5　ボルト孔加工時に廃棄されたコア試験片の例

・小型の引張試験

コア試験片から**解説図 4.6.6** に示すようなH形の小型引張試験片を採取して引張試験を行う。試験片の平行部表裏面に、ひずみゲージを貼り付けて応力−ひずみ曲線を採取する。引張試験時の試験条件は JIS Z2241 を参照して実施し、耐力もしくは降伏点、引張強さを求める。小型引張試験片の伸び測定は、**解説図 4.6.7** に示すように行う。

JIS 規格等の各種鋼材に要求される機械的性質の伸び値は、規格によって定められた定型の試験片を用いた場合の値である。従って、小型試験片で求められた伸びと規格に示された伸びとを直接比較することは困難であり、小型試験片で求められた伸びの値は参考程度に留めるのがよいと考えられる。

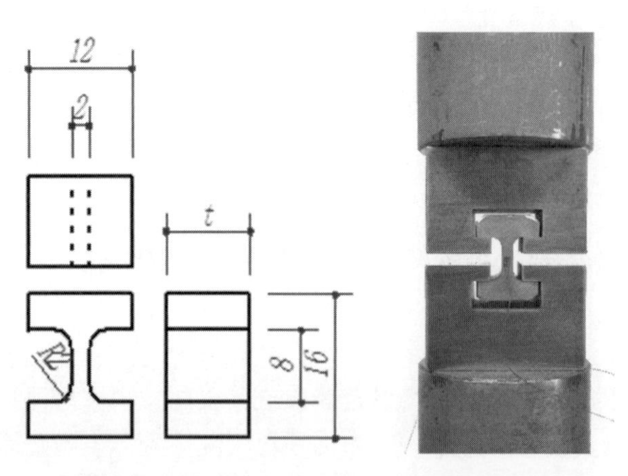

解説図 4.6.6　H 形の小型引張試験の例

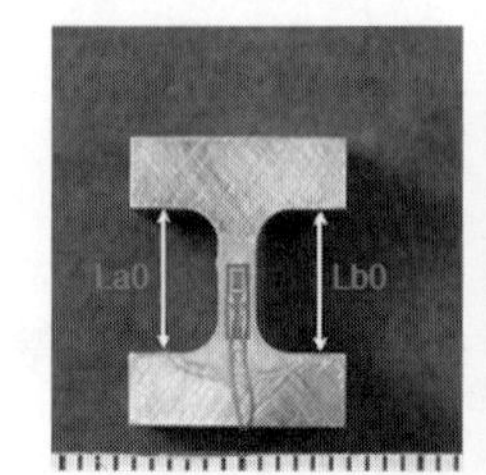

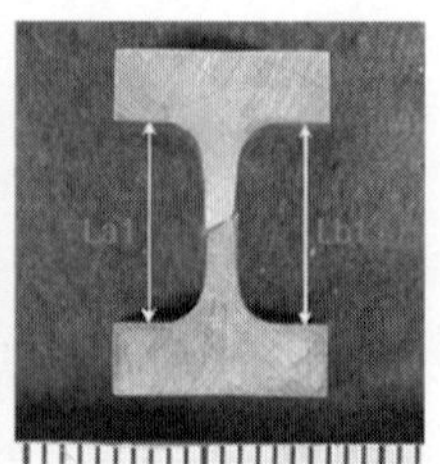

試験前の標点距離(mm)　L0=(La0+Lb0)/2
試験後の標点距離(mm)　L1=(La1+Lb1)/2
伸び(%)　E=(L1−L0)/L0 ×100

解説図 4.6.7　引張試験後の伸び測定の例

・金属組織観察

鉄鋼材料はさまざまな熱処理、加工履歴を施して用途に適した鋼材が製造されている。鋼材が火害を受けた時、金属組織は受熱条件によって著しく変化する場合がある。金属組織が変化すると機械的性質も変化するため、火害の条件によっては建築材料に適さない鋼材に変化する時がある。すなわち、金属組織の状態を観察することで鋼材の受熱状態、引張特性および衝撃特性を推定できる場合がある。

組織観察用の試験片は、**解説図 4.6.8** に示すようにコア試験片から採取できる。採取した試験片を樹脂に埋め込み、＃1000 まで湿式研磨を施す。湿式研磨後、ダイヤモンドペースト（1 μm）とバフを用いて鏡面研磨を施す。鏡面研磨した観察面を 3%～5%硝酸エタノール溶液を用いて適切なコントラストとなるようにエッチングして金属組織を現出させる。得られた金属組織を光学式顕微鏡、レーザー顕微鏡、走査電子顕微鏡を用いて 100 倍～10000 倍程度で観察し、金属組織の劣化状態を観察する。**解説図 4.6.9** に顕微鏡の例を示す。

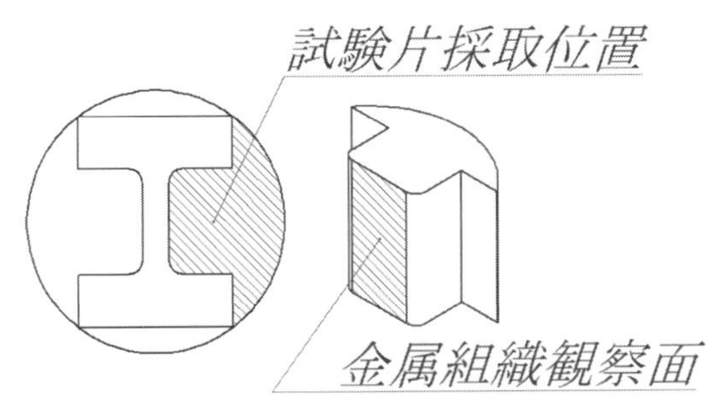

解説図 4.6.8 コア試験片から採取した試験片と樹脂埋込後の試験片の例

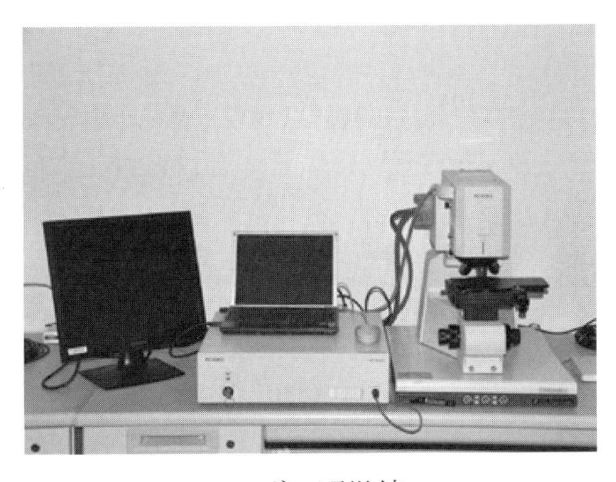

レーザー顕微鏡

走査電子顕微鏡

解説図 4.6.9 顕微鏡の例

・化学成分分析

鋼材が火害を受けても鋼材の化学成分は変化しないが、再利用を前提とした補修溶接などを行う場合、溶接に適した鋼材であるか（例えば予熱の有無など）事前に把握する必要がある。鋼材の溶接性を評価する指標として、炭素当量（Ceq）や溶接割れ感受性組成（Pcm）がある。これらの指標は、JIS G 3106 等に記載されており、炭素当量は**式（4.6.1）**、溶接割れ感受性組成は**式（4.6.2）**に示すとおりである。

化学成分の分析に用いる試料は、コア試験片の一部やコア採取時に発生する切り屑を利用して実験室で精密に測定する。なお、現場測定で利用される蛍光X線分析装置は、炭素の分析が困難であるが、近年、**解説図 4.6.10** に示すような可搬式のスパーク放電分析装置を利用して炭素を含む高精度な成分分析が行われている。

$$C_{eq} = C + \frac{Mn}{6} + \frac{Si}{24} + \frac{Ni}{40} + \frac{Cr}{5} + \frac{Mo}{4} + \frac{V}{14} \tag{4.6.1}$$

$$P_{CM} = C + \frac{Si}{30} + \frac{Mn}{20} + \frac{Cu}{20} + \frac{Ni}{60} + \frac{Cr}{20} + \frac{Mo}{15} + \frac{V}{10} + 5B \tag{4.6.2}$$

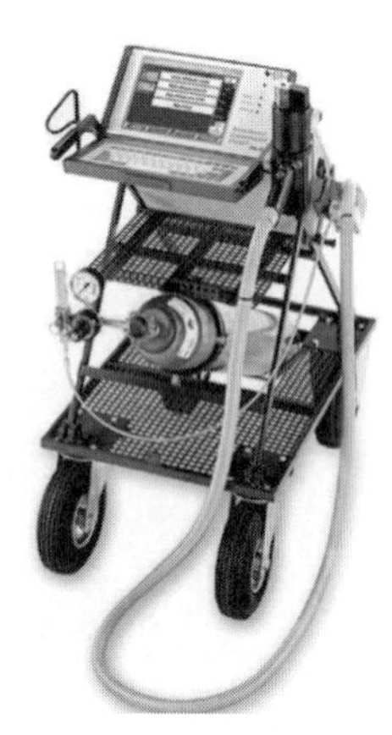

解説図 4.6.10　可搬式スパーク放電分析装置の例

・ビッカース硬さ試験

ビッカース硬さ試験は、JIS Z 2244（2009）に規定されている。硬さ試験片は、金属組織観察を行った試験片をそのまま利用することが可能であり、板厚方向の硬さ分布を求めることができる。求められた硬さ値は、SAE（自動車技術者協会：Society of Automotive Engineers） J417を利用して引張強さの近似値を求めることができる。ただし、硬さからの引張強さ換算は目安であることから、引張特性を正確に評価する場合は、引張試験片を採取することが望ましい。

③　非破壊試験

切り出しが不可能な部材では、携帯用の硬さ試験機を利用して対象部位の硬さを測定し、硬さから強度を推定する方法が用いられる。引張試験に比べて精度は劣るが、現場測定精度の向上を目的とした装置開発が進められている。代表的な方法は「ポータブル硬さ試験機」による現地の鉄骨造部材または鋼材のビッカース硬さの測定である。引張強さがビッカース硬さに比例する性質を利用したもので、**式（4.6.3）**により引張強さを推定する。

$$\text{引張強さ}(N/mm^2) \fallingdotseq \text{ビッカース硬さ}(HV) \div 0.3 \tag{4.6.3}$$

鋼材切り出しを伴う方法と比較して精度が劣ることから、同じ部位の同じ材料に対して火害部と健全部両方を調査して判断することが望ましい。

現地で鋼材のビッカース硬さを測定する場合は、測定面の塗装除去および表面研磨が必要となる。例えば、サンディングベルトを用いて塗装除去および表面研磨を行う程度であれば、その熱影響は極めて小さく、素材が変質することはない。

解説表 4.6.2 鋼材の機械的性質の調査 －調査事項と使用装置・機器－

試験方法	項目	代表的な使用装置・機器	備考
破壊	引張試験	・アムスラー型引張試験機 ・ねじ式引張試験機 ex)オートグラフ ・伸び計 ・非接触伸び計 ・ひずみゲージ	・鋼材の降伏点(または耐力)・引張強さ・伸び測定 ・試験方法および試験片の形状・寸法は JIS Z 2241:2011「金属材料引張試験方法」による。 ・JIS に規定される引張試験片の採取が困難である場合は、微破壊試験に記載する小型の引張試験の実施を推奨する。
	シャルピー衝撃試験	・シャルピー衝撃試験機	・鋼材の衝撃性能を測定 ・試験方法は JIS Z 2242:2018「金属材料のシャルピー衝撃試験方法」による。
微破壊	小型の引張試験	・ねじ式引張試験機 ex)オートグラフ ・ひずみゲージ	鋼材の降伏点(または耐力)・引張強さ・伸び測定 ・JIS よる定型試験片の採取が困難である場合に代替する引張試験。
	金属組織観察	(試験装置) ・光学式顕微鏡 ・レーザー顕微鏡 ・走査電子顕微鏡 (試験片採取・加工) ・放電切断機 ・湿式砥石切断機 ・樹脂埋込装置 ・湿式研磨機	・鋼材の受熱による金属組織変化を観察 組織形態によっては受熱温度を推定できる場合もある。 ・引張試験、硬さ試験の補強データとして利用できる。
	化学成分分析	(試験装置) ・炭素・硫黄分析装置 ・ICP 発光分析装置 他 (試験片採取) ・鉄鋼ドリル ・超鋼バー ・湿式砥石切断機	・受熱した鋼材に対して補強溶接を行う場合、予め予熱の有無や溶接性を把握することができる。 $Ceq=C+Mn/6+Si/24+Ni/40+Cr/5+Mo/4+V/14$ $P_{cm}=C+Si/30+Mn/20+Cu/20+Ni/60+Cr/20+Mo/15+V/10+5B$
	ビッカース硬さ試験	・湿式砥石切断機 ・樹脂埋込み装置 ・湿式研磨装置 ・ビッカース硬さ試験機	・鋼材の板厚方向硬さ分布を測定することで受熱の影響を推定できる場合がある。 ・表面硬さではなく鋼材の厚さ方向を評価できる。
非破壊	硬さ試験による鋼材の引張強さの推定	・ポータブル硬さ試験機 ・UCI 硬さ試験機 ・TIV 硬さ試験機 ・エコーチップ硬さ試験機	・精度は粗いが、硬さから鋼材の引張強さの低下有無が推定できる。 引張強さ(N/mm^2) ≒ビッカース硬さ(HV)÷0.3 サンディングベルトを用いた塗装除去および表面研磨は素材への熱影響を考慮しなくてよい。 得られた結果は、鋼材の表面情報である。
試験片採取に伴う注意事項		・スチールカッター ・ガス切断機 ・ボルト孔加工機 ex)アトラ ・バンドソー ・湿式切断砥石	・ガス切断機を利用する場合は、切断線を試験片の標点部から 30mm 以上離すなど、標点部に新たな熱影響を与えないように注意する。 ・ボルト孔加工機でコアを抜く際は、センターポンチを入れないで採取することが望ましい。 ・サンディングベルトを用いて塗装除去をする際の表面熱影響は極めて小さく、素材が変質することはない。

4.6.2　接合部の調査

　300℃以上に加熱された可能性のある高力ボルト接合部は、すべり耐力の低下状況を推定するための受熱温度の詳細調査と高力ボルトセットの機械的性質の調査を行う。

（解説）

鉄骨造の接合部には高力ボルト接合部と溶接接合部が主に用いられるが、300℃以上に加熱された可能性のある高力ボルト接合部については高力ボルトセットの機械的性質の調査を要する。

高力ボルト接合部に使用される高力ボルトセットは、成形後に焼入れ焼戻しを行うことにより高強度化されており、高い張力を導入して使用されている。そのため、**解説図 4.6.11** に示すように、比較的低い温度でリラクセーションに起因する締め付け張力の低下が起こり、焼戻し温度以上に加熱されると高力ボルトセットの強度低下が発生する。これらの結果、加熱冷却後のすべり耐力や終局耐力が低下する。高力ボルト接合部の強度低下が生じると架構耐力が著しく低下するため、慎重に二次調査を行う必要がある。ここでは、高力ボルトセットに対して、すべり耐力の低下状況を推定するために、受熱温度の詳細調査と機械的性質の調査を行うこととした。

一方で、溶接接合部については、一般的に行われている多層盛溶接において、母材と溶接材料（溶接ワイヤ、溶接棒）を高熱で溶融させ結合させることが複数回に分けて行われる（溶接金属や溶接熱影響部は様々な温度域への加熱と冷却が繰り返される）こと、溶接材料はこのような複雑な加熱冷却を繰り返しても問題を生じさせないように成分設計がなされていることから、溶接金属や溶接熱影響部の加熱冷却後強度が火災時の熱履歴で低下することは考え難い。したがって、ここでは特に調査しなくてもよいこととした。本 4.6.2 項の後掲 5)では、加熱冷却後の溶接接合部のシャルピー衝撃試験の調査結果が示されており、加熱冷却後の溶接接合部の破壊靭性は、水冷による急激な温度低下をきたす場合を除き、加熱冷却前と比べて大きく低下しないことが報告されている。ただし、溶接部に何らかの初期欠陥が存在した場合は、火災中の強度低下と部材の膨張収縮に起因する引張応力の発生で、溶接部に有害な亀裂が生じる懸念があるため、亀裂の有無を調査することは有用である。溶接部の亀裂の有無は、超音波探傷試験により本会の「鋼構造建築溶接部の超音波探傷検査規準・同解説」[53]に基づき非破壊で確認できる。なお、探傷面に凹凸があると正確な亀裂探索ができなくなるため、不要な凹凸は表面研削機（グラインダー、やすりなど）で除去する。また溶接接合部が火災時の消防活動に伴い急激に温度低下をきたしたと考えられる場合（火災後の溶接接合部の冷却速度が速かった場合）には、接合部各部位の破壊靭性が低下している可能性がある。溶接接合部は応力集中等が発生しやすいことから、このような場合は溶接接合部の機械的性質の調査が必要となる。

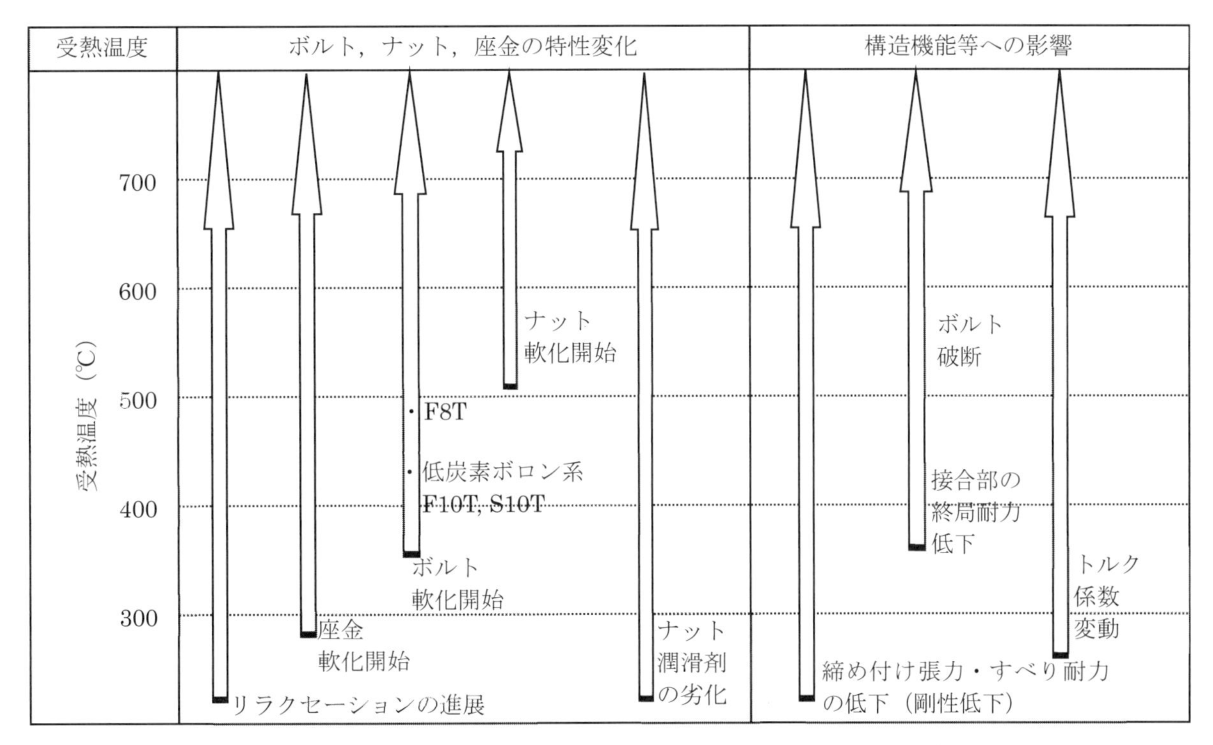

解説図 4.6.11　火災にともなう高力ボルトセットの特性変化

1) 調査を要するボルトセットの受熱温度

加熱冷却後における高力ボルトセットの締付け張力やすべり耐力に関わる試験結果の一例を**解説図 4.6.12 (a)～解説図 4.6.12 (f)** [54)～58)]に示す。高力ボルト接合部に火熱が加わると、クリープとリラクセーションの発生により締め付け張力が低下してすべり耐力が減少する [59)～64)]。この影響は火災終了後も残る。締め付け張力は、300℃以下の熱履歴でも減少し始め 400℃程度の熱履歴では初期値の 50%～70%に低下する。この結果、すべり耐力は 400℃程度の熱履歴で初期値の 60%～90%程度に低下する。このことから 300℃以上に加熱された懸念のある高力ボルト接合部は機械的性質の調査対象とすることにした。さらに F10T 高力ボルト計 48 本に対して、加熱履歴後のボルト張力を調査した文献 [58)]によると（**解説図 4.6.12 (f)**）、加熱履歴後のボルト張力は、300℃以上の場合に設計ボルト張力 Nd（縦軸 1.0 の値）を下回ることが報告されている。ただし、焼戻し温度が判明し、受熱温度が焼戻し温度以下であるとわかれば調査する必要がない。

解説図 4.6.12 (g)には、加熱処理を施した F10T 高力ボルトに対して、ナットの増し締め補修（ナット回転角が 30° と 60° ）を施すことで、ボルト張力の回復量を測定した実験結果を示す [58)]。加熱履歴後のナット増し締め補修により、ボルト張力が大きく回復することがわかる。また**解説図 4.6.12 (h)**には、加熱履歴後にナット増し締め補修（ナット回転角 60° ）を施した高力ボルト接合部に対して、すべり耐力試験を行った実験結果 [58)]を示す。同図縦軸の試験体荷重が急激に低下した点がボルト接合部のすべり耐力であり、無補修の場合にはすべり耐力の低下が大きいが、ナット増し締め処理を施すことですべり耐力が大幅に回復していることがわかる。

解説図 4.6.12 (i)、**解説図 4.6.12 (j)**には、近年の鉄骨造建物で利用拡大している超高力ボルト F14T の加熱履歴後のボルト張力と高力ボルト接合部のすべり耐力の実験結果を示す [65)]。超高力ボルト F14T の場合にも、300℃以上の温度履歴によりボルト張力が低下していることがわかる（**解説図 4.6.12 (i)**）。一方で、超高力ボルト F14T 接合部のすべり耐力が 300℃の加熱履歴の場合に上昇しているが、これは加熱処理によって鋼板間の固着発生や摩擦面変化のためにすべり耐力が上昇した可能性が考えられる。ただし加熱履歴温度が 400℃以上ではすべり耐力は急激に低下していることから、F14T 超高力ボルトに対しても、300℃以上に加熱された懸念のある場合には機械的性質の調査が必要である。

解説図 4.6.12 (k)～解説図 4.6.12 (n) [54)～57)]に、420℃～450℃程度で焼戻して製造された低炭素ボロン系 F10T 高力ボルト、超高力ボルト F14T、耐火鋼高力ボルトおよびステンレス鋼高力ボルトの加熱冷却後の各種強度を示す。高力ボルトは、調質鋼と同様に焼戻し温度以上に加熱されると冷却後強度が低下するが、焼戻し温度以下では強度低下しない。高力ボルトの焼戻しは、350℃～600℃の範囲で様々な温度が採用されている。例えば、現在の主流である低炭素ボロン系の F10T や S10T の焼戻し温度は 400℃程度が採用されている。溶融亜鉛めっき高力ボルト F8T では 480℃程度になっている。F8T の焼戻し温度が高いのは、メッキ処理時の熱履歴で強度低下が起きないように成分調整がなされたためである。一方、超高力ボルト F14T、耐火鋼高力ボルトおよびステンレス鋼高力ボルトのせん断強度は、加熱温度が 500℃程度まではほとんど低下しないことがわかる。これらの高力ボルトは一般的な鋼材と比べて製造時の化学成分が異なり、高温時の強度が向上することが知られており、加熱処理後の各種強度にも寄与するものと考えられる。ただし、これらの高力ボルト接合部に対してもボルト導入張力は、F10T の場合と同じく火災加熱により比較的低温度域から低下するため、F10T の場合と同様な調査が必要である。

高力ボルトの焼戻し温度は、ボルト頭部に製造者の刻印が打たれているため、製造者にボルトの呼び径と建設年次を伝えれば確認できる可能性が高い。一方、ナットは、高力ボルトより軟らかくする必要があるため、高力ボルトより高い温度で焼戻しが行われている。火災後の高力ボルトが健全であれば、接合部温度はナットの焼戻し温度を下回っていることが明らかであり、ナットも健全である。したがって、ナットの機械的性質の調査は不要である。一方、ナットのみの調査で接合部全体の判断はできない。

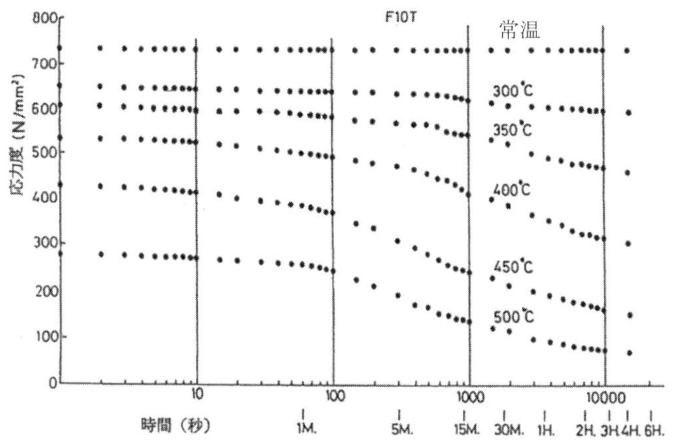

解説図 4.6.12(a)　高力ボルト（F10T）のリラクセーションの一例 54)~57)

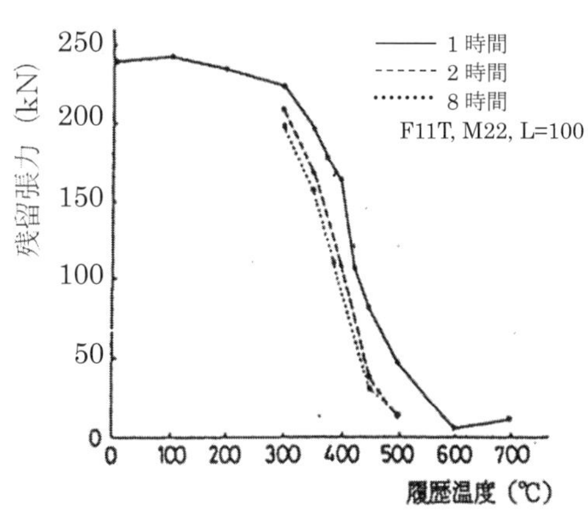

解説図 4.6.12(b)　熱履歴後の残留張力の変化の一例（暴露時間による）54)~57)

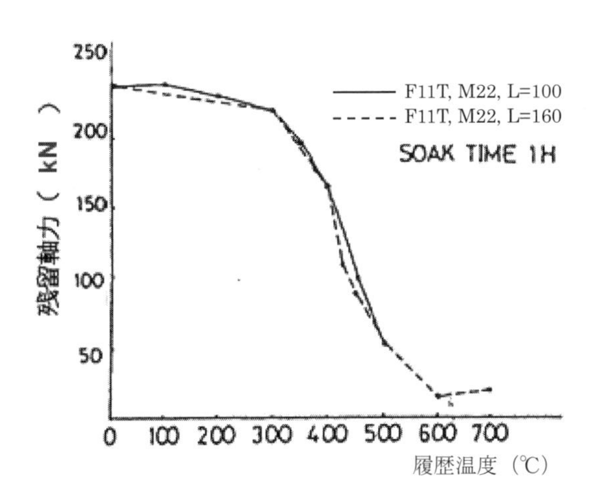

解説図 4.6.12(c)　熱履歴後の残留張力の変化（首下長さによる）54)~57)

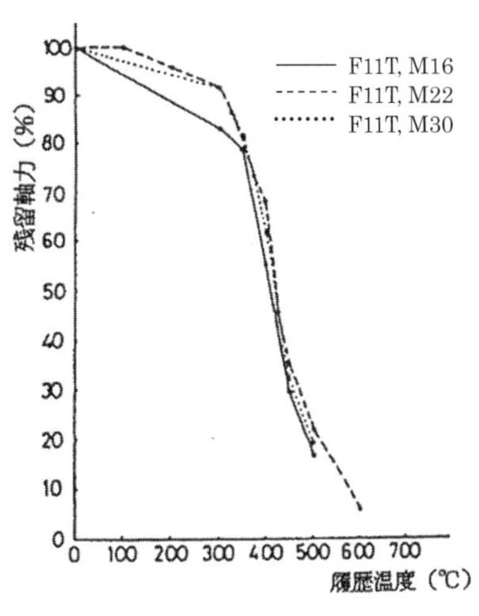

解説図 4.6.12(d)　熱履歴後の残留張力の変化（径による）54)~57)

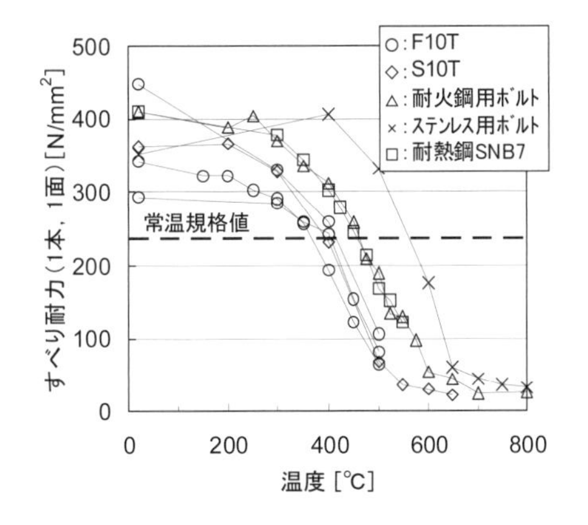

解説図 4.6.12(e)　高力ボルト接合部の熱履歴後のすべり耐力

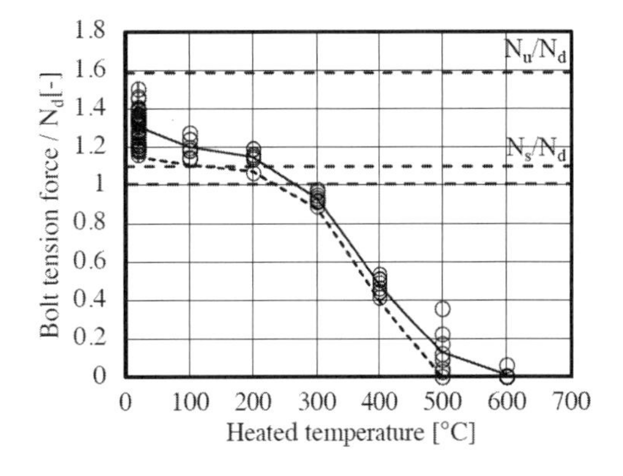

解説図 4.6.12(f)　高力ボルト F10T の熱履歴後の残留ボルト張力（Nu:ボルト引張強度，Ns:標準ボルト張力，Nd:ボルト設計張力）58)

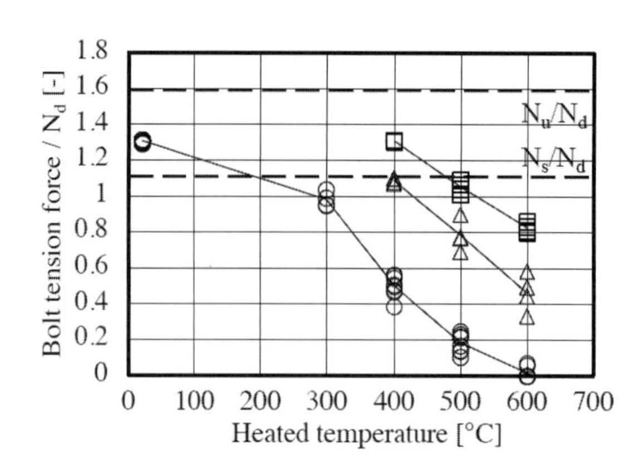

解説図 4.6.12(g)　高力ボルト F10T の加熱履歴後のボルト張力（図中○印:加熱履歴後無補修ボルト、図中△印：加熱履歴後にナット 30°増し締め補修、図中□印:加熱処理後にナット 60°増し締め補修）[58]

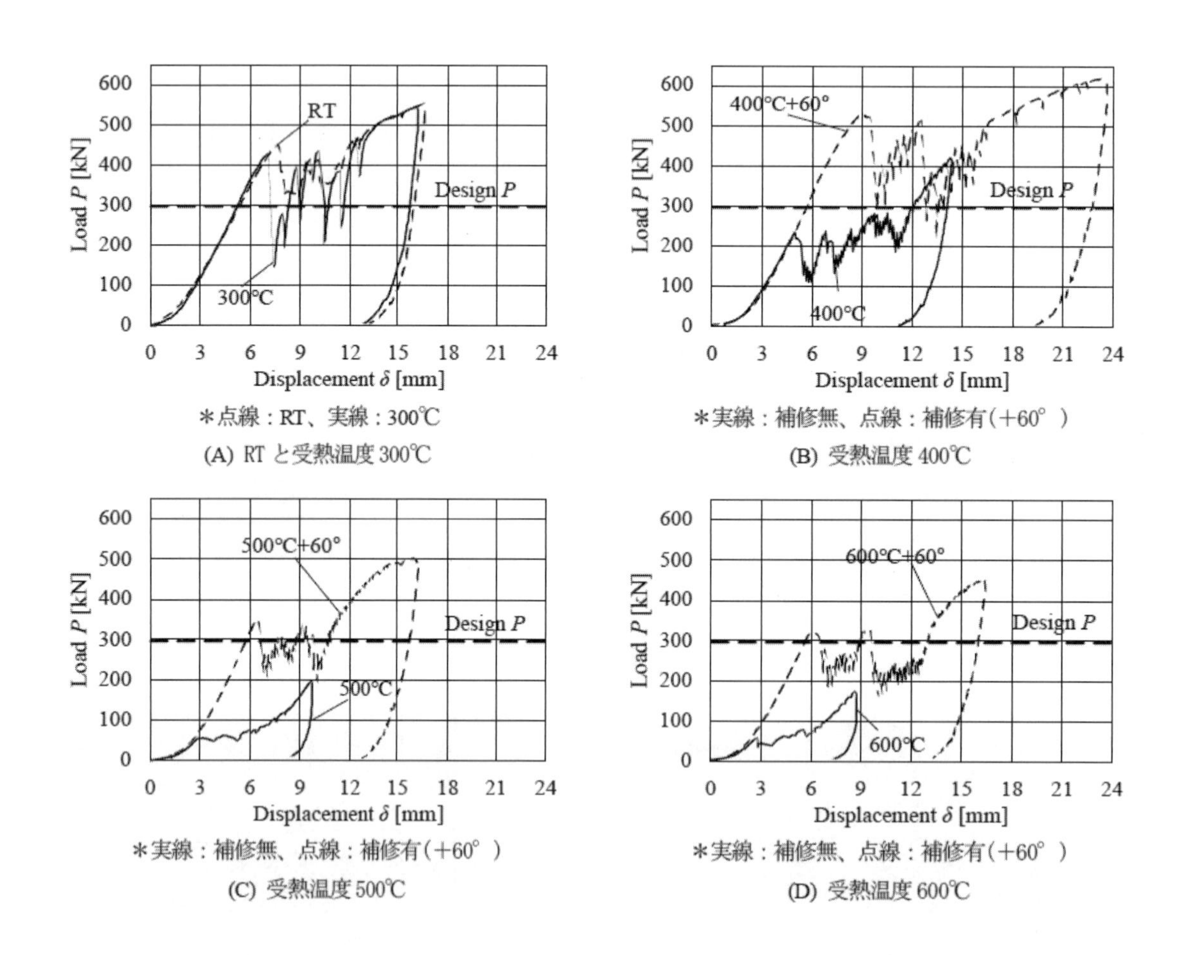

解説図 4.6.12(h)　加熱処理後の高力ボルト接合部の引張試験（無補修試験体とナット回転角 60°の増し締め補修試験体）[58]

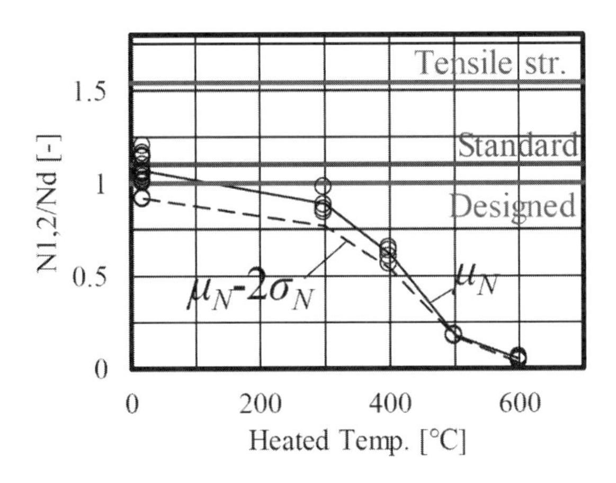

解説図 4.6.12(i)　超高力ボルト F14T の加熱処理後のボルト張力(縦軸は設計ボルト張力で無次元化)65)

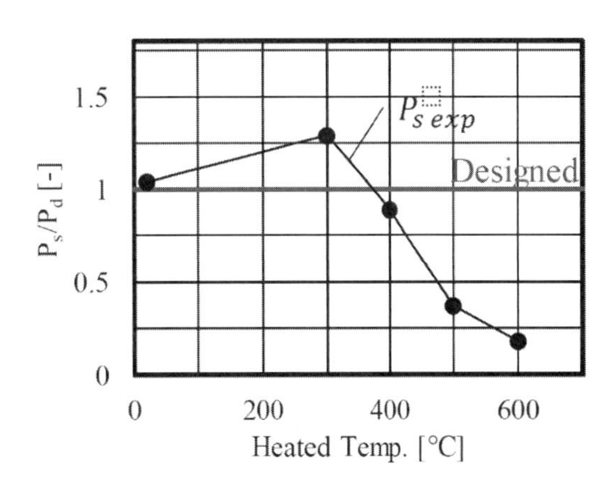

解説図 4.6.12(j)　超高力ボルト F14 接合部の加熱履歴後のすべり(Ps:すべり耐力、Pd:設計すべり耐力)65)

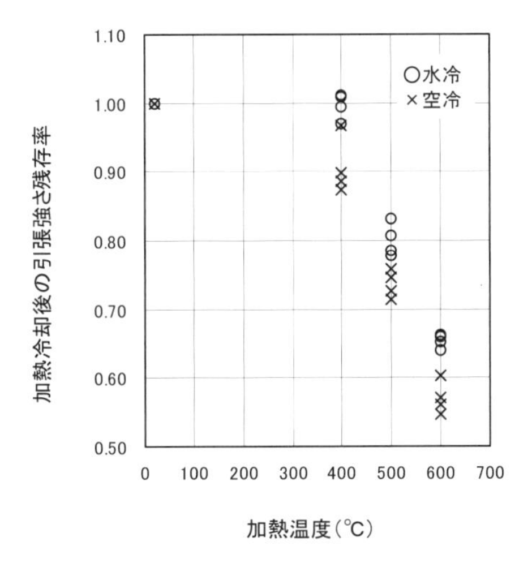

解説図 4.6.12(k)　高力ボルト F10T の熱履歴後の引張強さ 54~57)

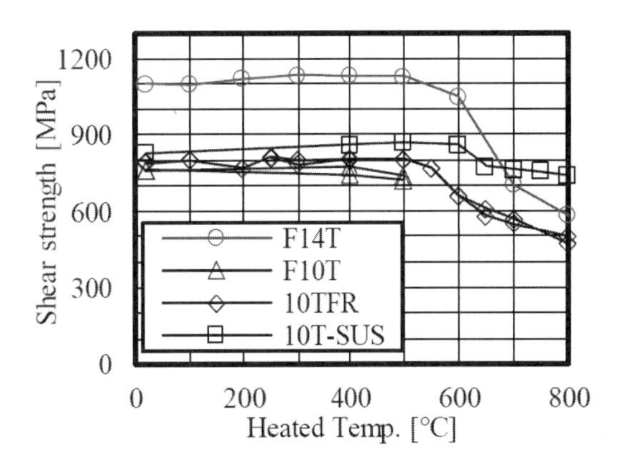

解説図 4.6.12(l)　高力ボルト F10T、耐火鋼高力ボルト 10TFR、ステンレス鋼高力ボルト 10T-SUS、および超高力ボルト F14T の加熱処理後のせん断強度 54~57)

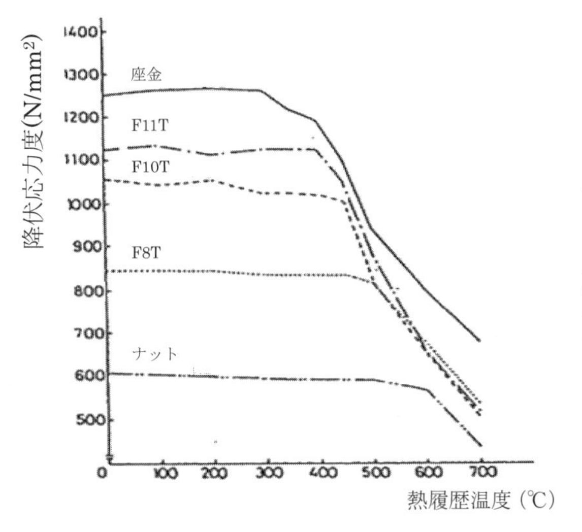

解説図 4.6.12(m)　熱履歴後の高力ボルとセットの降伏点低下 54)~57)

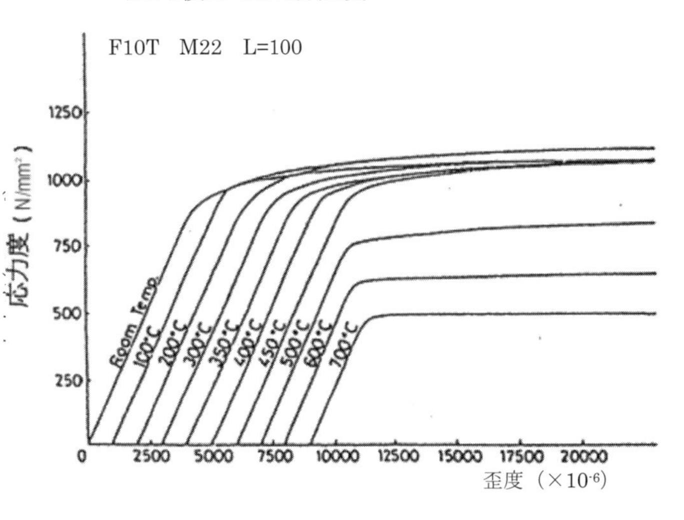

解説図 4.6.12(n)　熱履歴後の高力ボルト (F10T) の SS 曲線 54)~57)

2）受熱温度の詳細調査方法

受熱温度の推定は一次調査で示された目視調査によるが、ボルト接合部の受熱温度を高精度に推定する方法として、座金の硬さ試験が利用できる。座金のロックウェル硬さ（HRC）は、焼戻し温度以上の熱履歴を受けると履歴温度に概ね反比例して低下し、100℃あたり 7HRC～10HRC 程度の低下を示す。被災した建物の健全部のボルトセットを取り外して加熱温度とロックウェル硬さのキャリブレーションを行えば、両者の関係はより明確になる。座金の焼戻し温度は低いものでは280℃程度であるため、比較的低い温度から650℃程度までの間の温度履歴が推定できる。試験はロックウェル硬さ試験機を用い、JIS B 1186：2013「摩擦接合用高力六角ボルト・六角ナット・平座金のセット」[66]および JIS Z 2245：2011「ロックウェル硬さ試験方法」[15]によって行う。

高力ボルト・ナット・座金全てに対して、焼戻し温度まではロックウェル硬さが低下せず、焼戻し温度以上では 100℃あたり 7HRC 低下するという直線（H-T 関係式）を利用して、受熱温度を推定する方法が提案されている[67]。高力ボルトセットの焼戻し温度がわかれば、**解説表 4.6.3** の手順に従い、**解説図 4.6.13** の推定図を用いて受熱温度を推定可能である。

3）張力の測定

高力ボルト接合部では、火災後のすべり耐力もしくは締め付け張力が必要値を維持しているか否かが重要である。ボルト表面やナット裏面に塗布された潤滑剤が火災により劣化してトルク係数が変化するため、締付けトルクからボルト張力を導くことは難しい。このため、すべり耐力や締付け張力の検査は、締付けトルクの測定から行うのではなく、超音波ボルト張力計を用いた方法が提案されている。

超音波ボルト張力計は、ボルトの軸方向の長さを測定する方法と、ナットの側面から送信した超音波を対面の受信側探触子で受信しその透過量を測定する方法がある（**解説図 4.6.14**）[68]。前者（軸長測定方式）はボルト張力導入前にボルト軸長さ（超音波がボルト軸を往復するのにかかる時間）を正確に測定しておき既知である必要があるが、後者（ナット透過超音波量測定方式）は張力導入前に測定を行う必要がなく現時点での張力が測定できるのが特徴であることから一般的に使用されている。しかし、後者は測定しようとしているボルトと同じメーカーで同一径のボルトセットを事前に入手し、張力値とボルトとナットの界面の機械的な嵌合状態の変化による超音波透過量の関係性（関係式）を求めておく必要がある（**解説写真 4.6.3**）。測定精度を高く確保するためには、測定しようとしているボルトと同一ロットのボルトを用いて前述の関係性を求める必要があるが、現実的には困難であるため測定精度は前者ほど高くはなく、測定精度もばらつきがある。超音波ボルト張力計による測定誤差は±20%程度と言われている。

実際の測定では、火熱の影響を受けていない箇所（健全部）がある場合とない場合がある。

健全部がまったくない場合には、張力計の測定誤差を考慮し、測定値から測定誤差を差し引いた値が設計張力値未満となるボルトを火熱の影響で張力が低下していると判断する方法が一般的に適用されている。しかし、先に述べたナット透過超音波量測定方式のボルト張力計では、測定誤差が標準張力（設計張力の 1.1 倍）と設計張力との差を超える場合もあるため、たとえ標準張力が導入されていたとしても、測定値が設計張力値を下回る場合もある。以前から音の複屈折現象を利用して鋼板の残留応力を測定する技術は存在しているが、カップリングの問題から測定値のばらつきが大きく再現性に乏しいのが問題であった。しかし、電磁超音波技術を適用し、ばらつきを少なくすることで、高力ボルトへ適用する開発が今後期待される。

一方、健全部がある場合には、火害部のボルト張力が健全部のボルト張力と同等以上となる場合や、火害部で測定した張力値の 80％の値が設計張力値を満たしている場合は、ボルト張力は低下していないと判断する方法がある。火害部のボルト張力が健全部のボルト張力と同等以上であることについては、ナット透過超音波量を単純に比較する方法と、「火害部のボルト張力と健全部のボルト張力との間には違いがない」という帰無仮説を立て統計的検定（ｔ検定）を実施する方法がある。

解説表 4.6.3　受熱温度推定手順 [67]

<table>
<tr><th>手順</th><th colspan="2">内　容</th></tr>
<tr><td>1</td><td colspan="2">対象とするボルトセットが水冷されていないことを確認する</td></tr>
<tr><td>2</td><td colspan="2">健全部のボルト・ナット・座金のロックウェル硬さを計測する</td></tr>
<tr><td>3</td><td colspan="2">ボルト・ナット・座金の焼戻し温度情報を入手する（ボルトメーカーへの問い合わせによる）</td></tr>
<tr><td>4</td><td colspan="2">H-T 関係式を作成する（ボルト・ナット・座金の3本）</td></tr>
<tr><td>5</td><td colspan="2">火害部のボルト・ナット・座金のロックウェル硬さを計測する</td></tr>
<tr><td>6</td><td rowspan="3">手順 6～8 はボルト・ナット・座金それぞれに対して行う</td><td>火害部の硬さが健全部の±1の範囲である場合
⇒受熱温度は焼戻し温度以下であると推定する</td></tr>
<tr><td>7</td><td>火害部の硬さがロックウェル硬さの保証値範囲外まで低下している場合（解説図 4.6.13 エリア E）⇒受熱温度は 700℃以上と推定する</td></tr>
<tr><td>8</td><td>火害部の硬さが健全部の±1の範囲より低下している場合（保証値範囲内）
⇒受熱温度は H-T 関係式を用いて推定する</td></tr>
<tr><td>9</td><td colspan="2">手順 6～8 で得られたボルト・ナット・座金の結果に矛盾がないことを確認する
⇒矛盾があれば、受熱温度推定は行わない
ただし、3 種の結果のうち推定受熱温度が低く他の結果と矛盾を生じている結果を無視し、それ以外の結果のみを利用して受熱温度推定を継続することは可能。</td></tr>
<tr><td>10</td><td colspan="2">ボルト・ナット・座金すべての受熱温度が焼戻し温度以下であった場合（解説図 4.6.13 エリア A）
⇒受熱温度は座金の焼戻し温度以下であると推定する</td></tr>
<tr><td>11</td><td colspan="2">手順 8 で 1 個の推定受熱温度が得られた場合（解説図 4.6.13 エリア B）
⇒得られた値をそのまま推定受熱温度とする</td></tr>
<tr><td>12</td><td colspan="2">手順 8 で 2 個の推定受熱温度が得られた場合（解説図 4.6.13 エリアC）
⇒得られた 2 個の値を平均して推定受熱温度とする</td></tr>
<tr><td>13</td><td colspan="2">手順 8 で 3 個の推定受熱温度が得られた場合（解説図 4.6.13 エリアD）
⇒得られた 3 個の値を平均して推定受熱温度とする</td></tr>
</table>

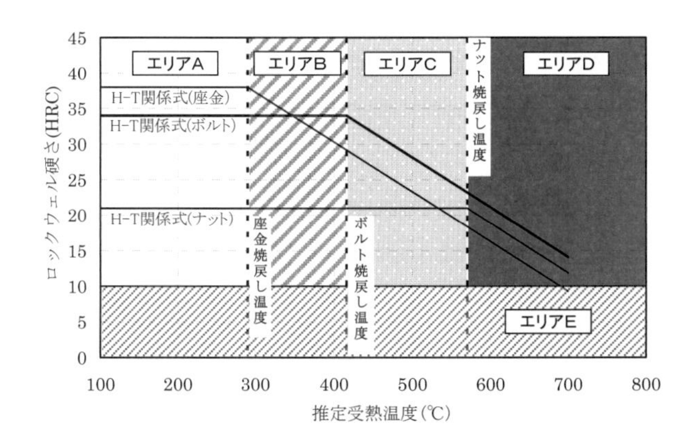

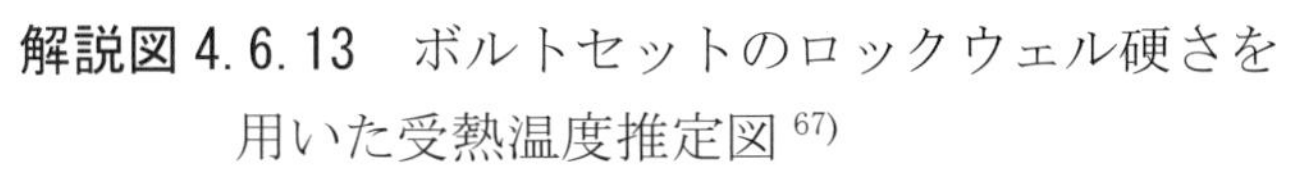
解説図 4.6.13　ボルトセットのロックウェル硬さを用いた受熱温度推定図 [67]

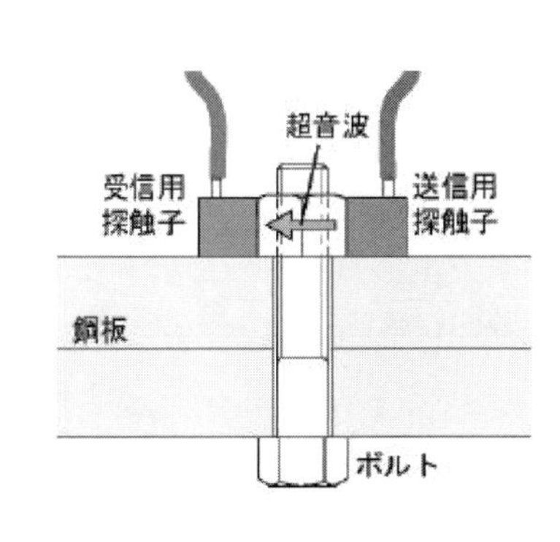

解説図 4.6.14　超音波ボルト張力計の測定原理 [68]

以下に、火害調査においてｔ検定を適用する考え方を概説し、その適用事例を示す。

健全部のボルト張力値群（平均値μ_0）と火熱影響想定範囲のボルト張力値群（平均値μ_F）の間に本質的な違いがあるのかないのかを評価するｔ検定という統計的手法がある。ｔ検定を適用するには「母集団は正規分布に従う」という前提条件が必要となる。火害調査の場合だと火災が発生する前の建物全体のボルト張力値群（ボルトサイズごと）は正規分布しているということになるが、一般的には中心極限定理によりそうなっているので、その前提条件は満たすものと考える。火害調査におけるｔ検定では、健全部ボルト群と火熱影響想定範囲ボルト群という二つの独立した標本を対象に、二標本ｔ検定を実施することになる。さらに、独立二群（健全部ボルト群と火熱影響想定範囲ボルト群）それぞれの分散が等しいか否かによってｔ検定の種類が変わってくる。独立二群の分散に有意差があるか否かを判断する方法としてＦ検定という統計手法があるが、火害調査の場合だと被災度合いにより張力値のばらつき（分散）が大きくなり、健全部と火熱影響想定範囲との分散は異なると考えることができるので、両群の分散は等しくないとしたｔ検定を行うのが適切である。

火害調査における「分散が異なる二標本ｔ検定」の具体的な手順を以下に示す。

(1) 検定する条件と仮説の明示

前提条件：「健全部ボルト張力測定値群と火熱影響想定範囲ボルト張力測定値群の分布は互いに正規分布である。」

帰無仮説：「火熱影響想定範囲ボルト張力測定値群は健全部ボルト張力測定値群と等しい($\mu_F=\mu_0$)。」

有意水準：0.05（帰無仮説が成立するか否かを判断する確率値）
一般的な数値として提示（医学では 0.01 が使われる）

(2) 95%信頼区間の外側にくる確率（p 値）を計算

表計算ソフトや確率統計ソフトを使って p 値を計算する。

(3) 検定の実施

CASE1：$p>0.05$：有意な差がない($\mu_F=\mu_0$)。
「火熱影響想定範囲ボルト張力測定値群は火熱の影響を受けているとは言えない.」

CASE2：$p\leqq 0.05$：有意な差がある($\mu_F<\mu_0$ または $\mu_F>\mu_0$)。

① $\mu_F>\mu_0$ であれば、「火熱影響想定範囲ボルト張力測定値群は火熱の影響を受けているとは言えない.」

② $\mu_F<\mu_0$ であれば、「火熱影響想定範囲ボルト張力測定値群は火熱の影響を受けている可能性がある.」

続いて、健全部ボルトや火熱影響想定範囲ボルトのサンプル数の設計について簡潔に解説する。一般的に、サンプル数が多くなると、帰無仮説を棄却しやすくなるが、コスト面や時間的制約のためにサンプル数はある大きさに限定される。しかし、少ないサンプル数のために、本当は存在している意味のある差を見逃す確率が高くなってくるため、本質的な違いを高い確率で見出せるサンプル数を設計する必要がある。適正なサンプル数は、測定器に依存した測定値のばらつきに関係し、前述のナット透過超音波量測定方式の測定器を使用する場合、ボルトのサンプル数は 5 本以上とするのが望ましい。なお、検定したい継手の火熱影響想定範囲ボルト本数と比較対象となる継手の健全部範囲ボルト本数は同じ、もしくは 1.5 倍程度までの数量差に留めておくことが望ましい。次に、具体的な検定事例を示す。

解説表 4.6.4(a) 健全部範囲ボルト張力測定値

測定位置	部位	ボルト番号	測定値		
			透過量 [dB]	推定張力値 [kN]	平均値 [kN]
B112	小梁	1	35.7	★ **163**	175
		2	34.1	☆ 181	
		3	31.9	183	
		4	34.9	★ **164**	
		5	35.6	☆ 181	
		6	34.2	☆ 180	

M20高力ボルト
設計ボルト軸力＝165kN 未満 ★
標準ボルト軸力＝182kN 未満 ☆

解説表 4.6.4(b) 火熱影響想定範囲ボルト張力測定値

測定位置	部位	ボルト番号	測定値		
			透過量 [dB]	推定張力値 [kN]	平均値 [kN]
B205	小梁	1	32.6	☆ 172	174
		2	34.4	☆ 180	
		3	35.6	★ **162**	
		4	35.5	☆ 173	
		5	35.3	☆ 178	
		6	35.7	☆ 180	

測定位置	部位	ボルト番号	測定値		
			透過量 [dB]	推定張力値 [kN]	平均値 [kN]
B301	小梁	1	32.0	★ **159**	163
		2	33.1	★ **165**	
		3	34.3	★ **152**	
		4	34.2	★ **152**	
		5	33.9	☆ 170	
		6	33.5	☆ 169	
		7	33.4	☆ 178	

健全部範囲にある継手 B112 の個々のボルト張力測定値を**解説表 4.6.4 (a)**に、火熱影響想定範囲にある継手 B205 と B301 の個々のボルト張力測定値を**解説表 4.6.4 (b)**に示す。継手 B205 と継手 B301 それぞれの測定された張力値の平均値は、t 検定の比較元である継手 B112 より低い。

① 継手 B205 の t 検定

継手 B112 と有意差がない確率(p 値)＝0.80549 ⇐ >0.05 なので有意差があるとは言えない。つまり、火熱の影響を受けているとは言えない。

② 継手 B301 の t 検定

継手 B112 と有意差がない確率(p 値)＝0.04682 ⇐ <0.05 なので有意差がある。

つまり、火熱の影響を受けている可能性がある。

4) 機械的性質の調査

ボルト本体の試験はアムスラー型引張試験機を用い、JIS B 1186：2013「摩擦接合用高力六角ボルト・六角ナット・平座金のセット」[13)]および JIS Z 2241：2011「金属材料引張試験方法」[11)]によって行う。短いボルトを製品形状のまま試験する場合は、雌ねじを切った治具を用いるのがよい。健全性の判断は JIS に示されたボルト製品の機械的性質の規格値と比較することによって行う。

なお、高力ボルトに強度低下が生じた場合は、ナットや座金に問題が生じていなくても、適切な締め付け張力を導入するために高力ボルトセット全体を交換する必要がある。高力ボルトセットの交換時には、一般的に**解説写真 4.6.1**、**解説写真 4.6.2** などに示すような器具を用いて高力ボルトの取り外しをしているが、ナットが火熱の影響で固着し、器具を用いても取り外せない場合もある。そういった場合には、ガス切断機を使用してナットを溶断することで高力ボルトの交換をする。

解説表 4.6.5 に高力ボルト接合部ならびに溶接接合部の火害状況調査の調査事項と使用機器を示す。

解説表 4.6.5　高力ボルト接合部と溶接接合部の火害状況調査　－調査事項と使用機器－

調査事項	代表的な使用機器	備考
高力ボルトの引張強さ	・アムスラー型引張試験機	・試験方法は、JIS B 1186:2013「摩擦接合用高力六角ボルト・六角ナット・平座金のセット」[13]と JIS Z 2241:2011「金属材料引張試験方法」[11]による。
座金の硬さ	・ロックウェル硬さ試験機	・試験方法は、JIS B 1186:2013「摩擦接合用高力六角ボルト・六角ナット・平座金のセット」[13]および JIS Z 2245:2011「ロックウェル硬さ試験方法」[15]による。
ボルト張力の測定	・超音波ボルト張力計（**解説写真 4.6.3**）	・ナットの側面から送信した超音波を対面の受信側探触子で受信しその透過量を測定する。健全部との比較、測定誤差の考慮が必要。
溶接部の亀裂有無	・超音波探傷試験機 ・表面研削機（グラインダー、やすりなど）	・試験方法は、本会の「鋼構造建築溶接部の超音波探傷検査規準・同解説」[14]による。 ・探傷面に凹凸があると正確な亀裂探索ができなくなるため、不要な凹凸は研削機で除去する。
＊高力ボルトの取り外しに用いる器具	・インパクトレンチ（シャーレンナー） ・ボルト頭部チャック用レンチ（**解説写真 4.6.1**） ・ヘッドストッパー（**解説写真 4.6.2**） ・ガス切断機	・ボルト頭部チャック用レンチとヘッドストッパーは、ともに、丸頭ボルト共回り防止工具。 ・ナットが焼き付き、取り外せない場合は、ガス切断機を使用してナットを溶断する。

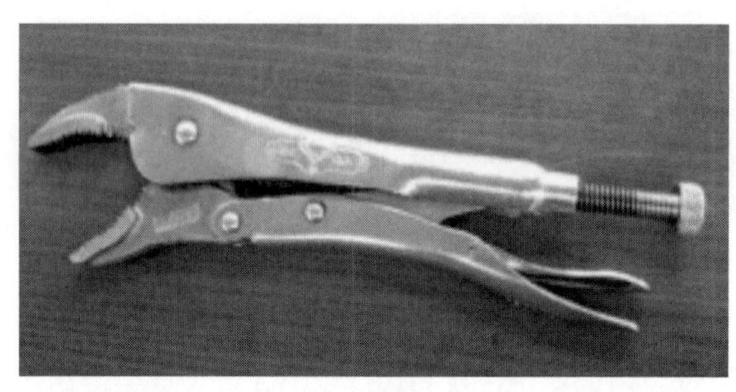

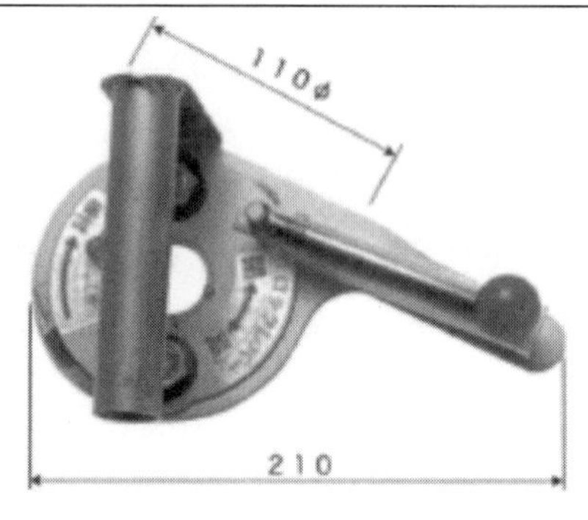

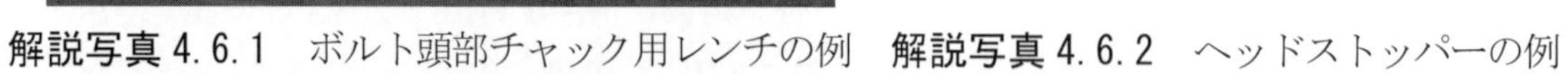

解説写真 4.6.1　ボルト頭部チャック用レンチの例　**解説写真 4.6.2**　ヘッドストッパーの例

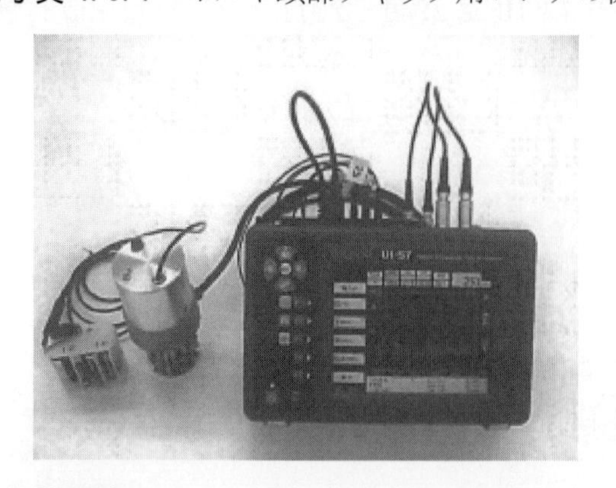

解説写真 4.6.3　超音波ボルト張力計の例

5) その他の留意事項

解説図 4.6.15 には、文献 69)で調査された溶接接合部の加熱冷却後のシャルピー衝撃値を示す。これらは、鋼材 SN400B と溶接材料 YGW11 を用いて製作された溶接接合部の母材部（BM）、溶接金属部（WM）、熱影響部（HAZ）からシャルピー衝撃試験片を切り出し、600℃～900℃まで加熱後炉内冷却（小さな冷却速度）と水冷（大きな冷却速度）を施してシャルピー衝撃試験を行った結果である。シャルピー衝撃試験は、0℃と-20℃でそれぞれ実施している。**解説図 4.6.15** より、炉冷、水冷にかかわらず 600℃の加熱履歴の場合には、溶接部の鋼材組織変化が発生しないために、0℃および-20℃でのシャルピー衝撃値は未加熱処理試験片（横軸 0℃上に記された実験結果）のそれらと比べてあまり変化していない。**解説図 4.6.15** より炉冷の場合の 600℃以上のシャルピー衝撃値には、未加熱処理試験片とほぼ同じかやや低下する（BM、HAZ の場合）、もしくは上昇すること（WM の場合）がわかる。一方、水冷の場合には、700℃と 800℃の加熱履歴の場合に大幅に低下し、900℃では上昇に転じることがわかる。これらの現象は鋼材の変態点温度を超える加熱と急激な冷却速度によって溶接接合部の鋼材組織が変化したためである。溶接接合部の破壊現象は局所的な欠陥（材質的な欠陥や幾何学的な亀裂など）が起点となって発生するために、特に無耐火被覆の鋼部材が局所火災等により局所的に高温化して急冷された場合には、火災被災後の目視検査では鋼部材表面が無損傷に見えたとしても鋼材自身が局所的に組織変化している可能性があるので注意が必要である。

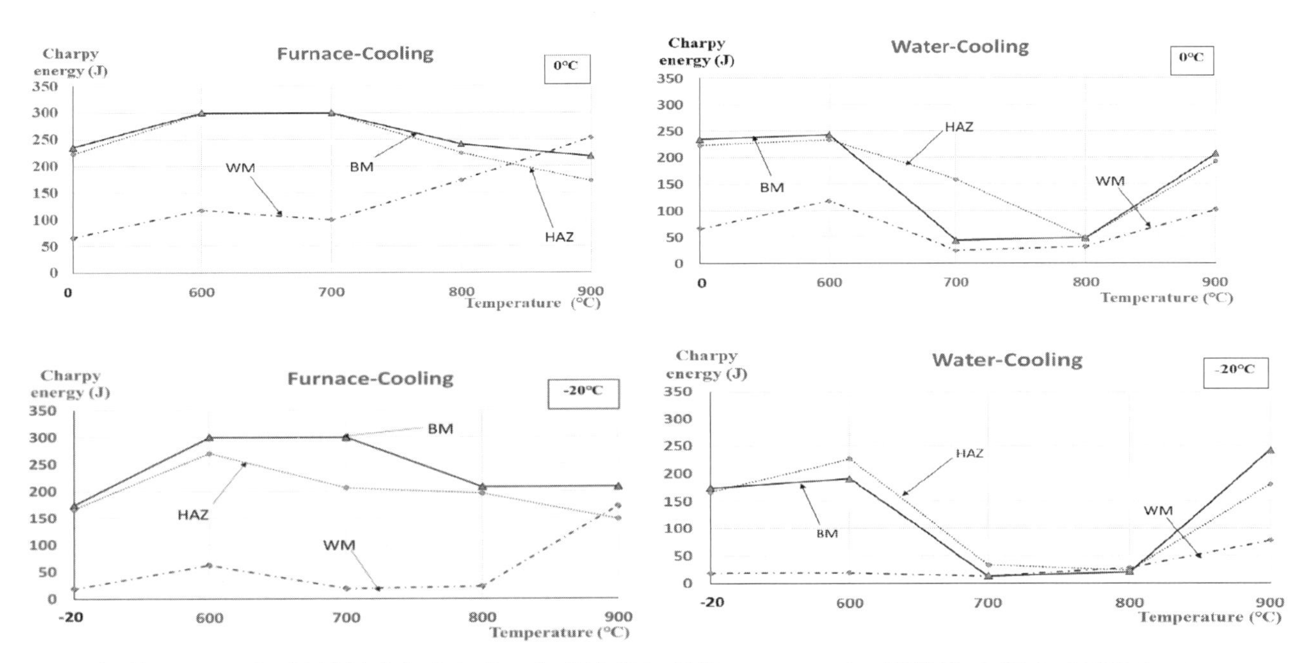

解説図 4. 6. 15　溶接接合部各部位の加熱冷却処理後のシャルピー衝撃値（0℃と-20℃下のシャルピー衝撃値、BM：母材、WM：溶接金属、HAZ：熱影響部，冷却処理は炉内冷却（Furnace-Cooling）と水冷（Water-Cooling））69)

4.6.3　デッキプレート床スラブの調査

a. 鋼製デッキを使用したデッキプレート床スラブに対しては、小梁間のたわみを測定する。
b. 500℃以上に加熱された可能性のあるデッキ複合スラブ・デッキ構造スラブに対しては、デッキプレートの機械的性質を調査する。
c. デッキ合成スラブ・デッキ複合スラブ・デッキ型枠スラブに対しては、コンクリートの圧縮強度を調査する。

（解説）

床スラブの残留変形および機械的性質の変化に関わる調査に際して、調査事項と使用機器を**解説表 4.6.6** に示す。

解説表 4.6.6　床スラブの残留変形および機械的性質の調査　－調査事項と使用機器

調査事項	代表的な使用機器	備考
床スラブのたわみ	・トランシット ・水準器	水準器は、使用性評価にも有効である。
コンクリート強度	・アムスラー型圧縮試験機	試験方法などは、本指針第３章による。
鋼材（デッキプレート）の降伏点、引張強さ	・アムスラー型引張試験機 ・変位測定ゲージ	試験方法および試験片の形状・寸法は、JIS Z 2241:2011「金属材料引張試験方法」[11]による。
＊調査のための試験片切り出し機器	・鋼材：折板カッター ・コンクリート：コア抜き装置・鉄筋探査装置	デッキプレート切断時にコンクリートに新たな熱影響を与えないようにガス切断機の使用はさける。

a. デッキプレート床スラブの小梁間のたわみは、建方精度検査と同じ方法で測定できる。このとき、デッキ型枠スラブに関しては、RC 造部分が健全であれば荷重支持能力や使用性能は低下していないので、デッキプレートの変形は無視して差し支えない。RC 造部分の変形は、火災区画の裏側から測定するか、デッキプレートを撤去して測定するとよい。

なお、床スラブに対しては、2000 年建設省告示第 1459 号で竣工後の床の許容たわみを 1/250 と定め、同年制定の「住宅の品質確保の促進などに関する法律」（いわゆる品確法）では 3/1000 の目安値を与えている。これらの制定前の建物には、施工後のたわみが 1/250 を超えているものもある。火災後に 1/250 を超えるたわみが存在しても、火災の影響によるものとは断定できないので、構造方法と荷重条件が同等の非火災区画の健全な床面についても測定し、比較評価するのが望ましい。

b. デッキプレート床スラブには、**解説表 4.4.1** に示されるように、デッキプレートが構造体として用いられているものとそうでないものがある。デッキプレートを構造体として利用するデッキ複合スラブ・デッキ構造スラブについては、デッキプレートの機械的性質を調査する必要がある。このとき、ガス切断機を利用して試験片の切り出しを行うと、コンクリートに熱劣化や爆裂を生じさせる恐れがあるため、折板カッターなどを利用して試験片を採取することが重要である。

デッキプレート表面の亜鉛メッキに溶融が生じていないなど、受熱温度が 500℃を下回っていると推定される場合は、デッキプレートの機械的性質は健全であると考えられるため、調査の必要はない。また、デッキ合成スラブはコンクリートとデッキプレートの一体性が不可欠で、両者の剥離が生じるとコンクリートやデッキプレートの強度低下の有無によらず、デッキ合成スラブの交換が必要になる。したがって、一次調査で両者の剥離が確認されたデッキ合成スラブについては、デッキプレートの機械的性質を調査しなくてもよい。

c. コンクリートを構造体として利用するデッキ合成スラブ・デッキ複合スラブ・デッキ型枠スラブについては、コンクリートの圧縮強度を調査する必要がある。コンクリート部分の火害等級がⅢ級以上の疑いがある場合には、コンクリートコアの抜き取り試験を行うものとし、調査は、「第３章　鉄筋コンクリート造」に準拠して行う。

　一次調査でデッキプレートとコンクリートの剥離が確認されたデッキ合成スラブについては、コンクリートの圧縮強度を調査する必要はない。

4.6.4　架構の調査

架構全体の残留変形量として架構の倒れについて調査する。

（解説）

4.6.1 項（鉄骨造部材の調査）により個々の柱・梁・ブレースに生じたたわみやねじれ・倒れなどの残留変形を調査したが、ここでは鉄骨造建物全体としての安全性の検討を行う上で必要となる架構全体の倒れを測定する。調査にあたっては、専門家に相談すると共に、本会の「建築工事標準仕様書 JASS 6　鉄骨工事」[39]・「鉄骨工事技術指針 工事現場施工編」[40]・「鉄骨精度測定指針」[41]に準拠することが望ましい。測定項目と方法について「鉄骨精度測定指針」[41]から抜粋する。

架構の倒れの求め方として、低層の場合には、直接トランシットを使って測定できる場合もあるが、層数が多くなると直接トランシットを使って測定することは難しくなるので、柱各節の倒れの累計から求める。測定方法は 4.6.1.1 款（鉄骨造部材の残留変形量の測定）で述べた柱の倒れ測定方法に準じる。建物全体では、**解説図 4.6.16** に示す δ_R を外周部の柱の XY 方向すべてについて測定し、その最大値を比較し管理する。

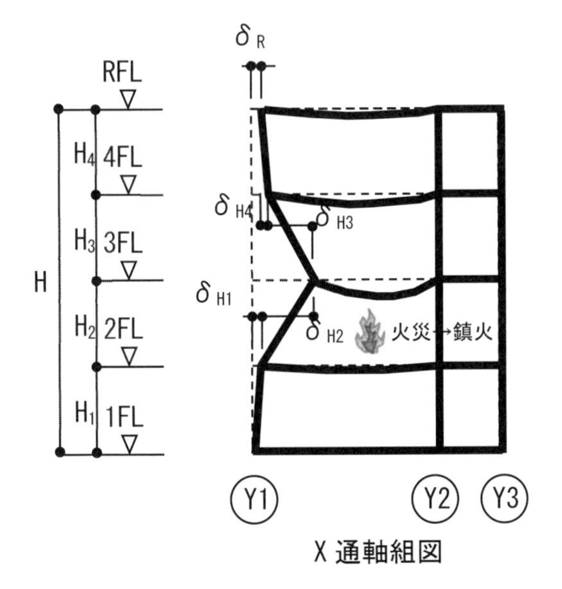

【架構の倒れ】

X 通の架構の倒れ　δ_R

$$\delta_R = \delta_{H1} + \delta_{H2} - \delta_{H3} - \delta_{H4}$$

解説図 4.6.16　架構の倒れの定義

4.7　診断

診断では、予備調査と一次調査および二次調査の結果に基づき、火害等級および被災度の判定を行い、補修・補強の要否を判断する。

（解説）

診断は、火害調査結果に基づく部材毎の火害等級の判定および火害等級判定結果に基づく建物の被災度の判定からなる。**解説図 4.1.2** に鉄骨造部材の火害等級判定フローを、**解説表 4.1.1** に鉄骨造部材の火害等級と部材状況の一例（推定受熱温度など）を、**解説表 4.1.2** に建物の被災度の定義と判定方法を示す。以下、火害等級の判定方法とそれに基づく被災度の判定方法について示す。

4.7.1　火害等級の判定

火害等級の判定では、予備調査と一次調査および二次調査の結果を踏まえ、火災による構造耐力上の被害の程度に応じて、部材を火害等級Ⅰ級～Ⅴ級に分類する。

（解説）

火害等級の判定は、「推定受熱温度」と「変形量」によって行う。以下に、**解説図 4.1.2** 鉄骨造部材の火害等級判定フローに従って各等級の判定方法を示す。ただし、**解説表 4.5.1** 鉄骨造建物の被災度 C 判定表で被災度 C と判定された場合を除く。

火害等級Ⅰ級：アクリル板が軟化するなどで推定受熱温度が 100℃未満であり、かつ仕上げ材料に火炎が貫通する損傷や鋼材塗装・耐火被覆に損傷がなく、変形量が許容変形量未満の場合は、構造体に影響のない状態である。この場合は火害等級Ⅰ級とする。**解説写真 4.7.1** に、仕上げ材料が残存する鉄骨柱の例を示す。

受熱温度が低い場合でも加熱区間が長いと、梁の熱伸び量が大きくなって柱を大きく傾斜させたり、柱が梁の伸出しを拘束することで梁が大きくたわんだりすることもあるため、必ず変形量を測定する。許容変形量は、柱の倒れ H/700・梁のたわみ量 L/250 とし、火害等級を判定する際の目安とする。H は構造階高、L はスパン長である。柱の倒れの目安である H/700 は、鉄骨精度測定指針[41]では柱の倒れに関する限界許容差である。また、梁のたわみ量の目安である L/250 は、平成 12 年建設省告示第 1459 号「建築物の使用上の支障が起こらないことを確かめる必要がある場合およびその確認方法を定める件」[3]に示された「たわみを当該部材の有効長さで除して得た値が 1/250 以下であること」という記述を参照して決めた値である。

火害等級Ⅱ級：鋼材表面に煤が付着するなどで推定受熱温度が 300℃未満であり、仕上げ材料に火炎が貫通する損傷や鋼材塗装・耐火被覆に損傷があっても、変形量が許容変形量未満の場合は、構造体に影響のない状態である。この場合は火害等級Ⅱ級とする。許容変形量は、火害等級Ⅰ級の場合と同様、柱の倒れ H/700・梁のたわみ量 L/250 とし、火害等級を判定する際の目安とする。

火害等級Ⅲ級：さび止め塗料が白亜化したり、亜鉛めっきが溶融したりするなどで推定受熱温度が 300℃以上 500℃未満であり、変形量が許容変形量未満の場合は、高力ボルト接合部の変形とすべりならびに高力ボルトの材質に変化がある状態である。この場合は火害等級Ⅲ級とする。また、煤が焼失している場合、アルミニウムが溶融するなどで推定受熱温度が 500℃以上 720℃未満であり、引張試験などによる材料の機械的性質が元の材料の規格値に納まっており、変形量が許容変形量未満の場合も火害等級Ⅲ級とする。許容変形量は、柱の倒れ H/200・梁のたわみ量で L/250 とする。柱の倒れの目安である H/200 は、被災建築物の応急危険度判定マニュアル[1]に記載された鉄骨造建築物の応急危険度判定調査表において、「傾斜を生じた階の上の階数が 2 以上の場合」のＡランク（調査済み、判定上最も被害が軽微な場合に相当）の判定基準である「建築物全体又一部の傾斜角 1/200 以下」を参照して決めた値である。梁のたわみ量の目安は、火害等級Ｉ級と同様とする。

火害等級Ⅳ級：推定受熱温度が 500℃以上 720℃未満であり、引張試験などによる材料の機械的性質が元の材料の規格値に納まっており、変形量が火害等級Ⅲ級の許容変形量以上の場合、火害等級Ⅳ級とする。また、推定受熱温度が 500℃未満であっても、変形量が火害等級Ⅲ級の許容変形量以上の場合は、火害等級Ⅳ級とする。

火害等級Ｖ級：目視でわかる明らかな残留変形や柱の傾斜が見られる場合は、火害等級Ｖ級とする。また、銅が溶融するなど推定受熱温度が 720℃以上の場合も火害等級Ｖ級とする。推定受熱温度が 720℃未満の場合も、引張試験などによる材料の機械的性質が元の材料の規格値から外れている場合は火害等級Ｖ級とする。**解説写真 4.7.2** に耐火被覆除去後の鉄骨梁の変形状態を示す。**解説写真 4.7.3** に鉄骨架構の残留変形を示す。両者とも火害等級Ｖ級の例である。

解説写真 4.7.1　仕上げが残存する鉄骨造柱の例

解説写真 4.7.2　耐火被覆除去後の鉄骨造梁の変形

解説写真 4.7.3　鉄骨架構の残留変形

4.7.2　被災度の判定

被災度の判定では、概観調査による被災度 C 判定および部材の火害等級を踏まえ、被災度 A～C に分類する。

（解説）

解説表 4.1.2 に建物の被災度の定義と判定方法を示す。すべての部材が火害等級Ⅱ級以下の場合、被災度 A とする。**解説表 4.5.1**　鉄骨造建物の被災度 C 判定表で被災度 C と判定された場合、もしくは大半の柱部材が火害等級Ⅴ級で倒壊の危険性がある場合に被災度 C とする。それ以外の場合は、被災度 B とする。

被災度 A と判定した場合は、構造耐力上の被害がないため、仕上げや塗装・耐火被覆などを補修し、必要に応じて高力ボルト接合部を補修して建物を再使用することが可能である。

被災度 B と判定した場合は、補修・補強して建物を再使用できる。再使用にあたっては、建物の所有者・管理者・設計者が、補修・補強後の建物に対して「設計条件を満足する」などの回復目標を設定する。この回復目標と部材や架構の被災後の保有性能との比較によって、補修・補強方法を検討する。

被災度 C と判定した場合、再使用は困難である。火災が激しい場合は火災後の部材の変形は著しく、大きな内部応力が残留する場合もあり、部材崩壊の危険性がないとは言い切れない。構造体などの落下や建物の倒壊の可能性が極めて高く、補修・補強工事に大きな危険が伴う。

4.8　補修・補強計画

補修・補強計画は、火害の程度と被災後の建物の使われ方を考慮して立案する。その際は、設定された回復目標を満たす補修・補強方法を選定する。

（解説）

火害を受けた建物の補修・補強は、被災度 B と判定された建物が対象となる。火害の程度と被災後の建物の使われ方を考慮して、構造体の回復目標を設定する。補修・補強範囲の決定を行った後、範囲内の構造体の部位ごとに補修・補強方法を選定する。

4.8.1　回復目標の設定

<table><tr><td>回復目標は、火害建物の所有者・管理者・使用者からの要求に基づいて、構造安全性・耐火性・耐久性・使用性その他の必要な性能を満たすように設定する。
a. 構造安全性の回復目標は、設計条件を満足することを標準とする。
b. 耐火性の回復目標は、設計条件を満足することを標準とする。
c. 耐久性の回復目標は、補修・補強後の計画供用年数および維持管理期間により決定する。
d. 使用性その他の必要な性能に対する回復目標は、補修・補強後の使用条件により決定する。</td></tr></table>

（解説）

本項の目的は、火害を受けた鉄骨造建物の構造体の性能を補修･補強によって回復させる手法を示すことである。本項の回復の対象とする主な性能は、構造体の構造安全性・耐火性・耐久性であり、床部材の防振性などの使用性も必要に応じて対象とする。補修･補強の方法によっては美観性・機能性などに大きく影響することも多い。補修・補強の設計者は、火害を受けた建物の所有者・管理者・使用者からの要求に基づいて、上記性能の回復目標を設定する。

a. 構造安全性に対する補修・補強の回復目標は、設計条件を満足することを標準とする。現状に対して設計条件を満足しているとみなす指標は、以下の6つが考えられる。

① 加熱履歴後の鉄骨造部材の降伏強度および引張強度が、当該材料の規格値を満足する。
② 柱の倒れが構造設計上支障のない変形として設定した値以下である。例えば火害診断で許容変形量の目安として定めた「柱の倒れH/200以下」または「柱の倒れH/700以下」という設定がある。Hは階高である。
③ 梁のたわみが、構造設計上支障のない変形として設定した値以下である。例えば、火害診断で許容変形量の目安として定めた「たわみを当該部材のスパン長で除して得た値が1/250以下であること」を確認する。あるいは鋼構造設計規準（2005年版）[70]第10章変形において「構造的な障害」を防止する方法として「通常の梁では1/300に以下に抑えておけばよいとされている」という記述があり、設計当初、小梁の弾性たわみ制限を1/300以下として設計した例も多い。
④ 高力ボルト摩擦接合部においては高力ボルトの設計ボルト張力が回復し、そのすべり耐力が被接合部材の降伏耐力と同等以上である。
⑤ 溶接部の加熱履歴後の降伏強度が、母材の加熱履歴後の降伏強度以上である。
⑥ 架構全体の倒れが、鉄骨精度測定指針[41]で定められた建方精度以下である。

これらの指標に基づいて、回復目標を設定する。
設計条件を満足しているとみなす指標として、以下の方法も考えられる。

1) 用途を変更して積載荷重を減らす方法

設計当初は「倉庫」用途の荷重を見込んで設計していても、実際は「事務所」用途で使われている場合がある。そこで、実際の使われ方による荷重の設定を行い、実際の作用荷重に対して性能を保持するようにする。ただし、用途変更に伴う建築基準法上の変更手続きが必要となる。

2) 残存強度が存在応力を上回ることを確認する方法

許容応力度設計では、存在応力度が設計基準強度F値に基づく許容応力度を下回ることを確認するが、許容応力度ぎりぎりで設計しない場合が多い[70)~73)]。加熱履歴後の降伏強度がF値を下回った場合でも、その値が存在応力度を上回っている場合がある。

解説図 4.8.1 に、鉄骨造部材の加熱履歴後の降伏強度が存在応力度を上回っている場合のイメージ図を示す。加熱履歴後の降伏強度は、調質鋼を除き、500℃程度から低下を始め、鋼材は破線で示すような応力-ひずみ関係を示す。ここで、加熱履歴後の降伏強度を加熱履歴後の短期許容応力度、加熱履歴後の降伏強度を 1.5 で割った値を加熱履歴後の長期許容応力度と呼ぶ。応力度レベルが、図に示す「長期応力度」や「長期＋地震時応力度」のレベルであれば、それらは加熱履歴後の許容応力度を下回っている。このように、実際の建物の外力条件に対して、実際に使用している部材の加熱履歴後の降伏強度に基づいて許容応力度を定めて設計することで、構造性能を満足することが可能となる。

高力ボルト接合部の許容応力度設計では、せん断型接合部でのすべり耐力と引張型接合部での離間耐力を設計の基準とし、長期および短期の許容耐力を設定している[74]。すべり耐力および離間耐力はいずれも設計ボルト張力に基づいている。熱履歴を受けると 300℃程度でもボルト張力の低下が見られ、加熱履歴後の長期および短期の許容すべり耐力や許容離間耐力が、加熱履歴前のそれらを下回る場合がある。しかし、高力ボルト接合部に生じるせん断や引張の存在応力が低い場合には、加熱履歴後においてもすべり許容耐力や離間耐力が存在応力を上回っている可能性がある。このように構造設計時に見込まれる許容耐力上の余裕度を踏まえ、加熱履歴後に実測されたボルト張力を用いて許容応力度設計が満足されれば、火害後の高力ボルト接合部の構造安全性も確認可能である。ただし、高力ボルト接合部にすべりが見られないことと、シアプレート・ガセットプレートおよび母材に変形が見られないことが前提条件となる。

b. 被災後の建物の耐火性に対する補修・補強の回復目標は、設計条件を満足することとする。被災前の耐火性能は、建築基準法施行令 107 条による仕様規定（いわゆるルート A）によるものと、同 108 条の 3 による性能規定（いわゆるルート B またはルート C）によるものがある。回復目標の設定にあたっては、これらの設計条件を確認する必要がある。被災した耐火被覆は、交換することを標準とする。参考に、被災した耐火被覆についての詳細を付−1.3 に示す。

c. 耐久性に対する補修・補強の回復目標は、補修・補強後に期待される計画供用年数および維持管理期間から決定されるものであり、必ずしも、設計時の性能を満足する原状回復の必要はないものとした。

d. 床部材の防振性などの使用性と増設部材の影響を受ける動線や採光などの機能性ならびに美観性などの回復目標は、補修・補強後の使用条件によって決定することとした。これらの回復目標は、建物の所有者・管理者・使用者の十分な理解のもとに決定すべきである。

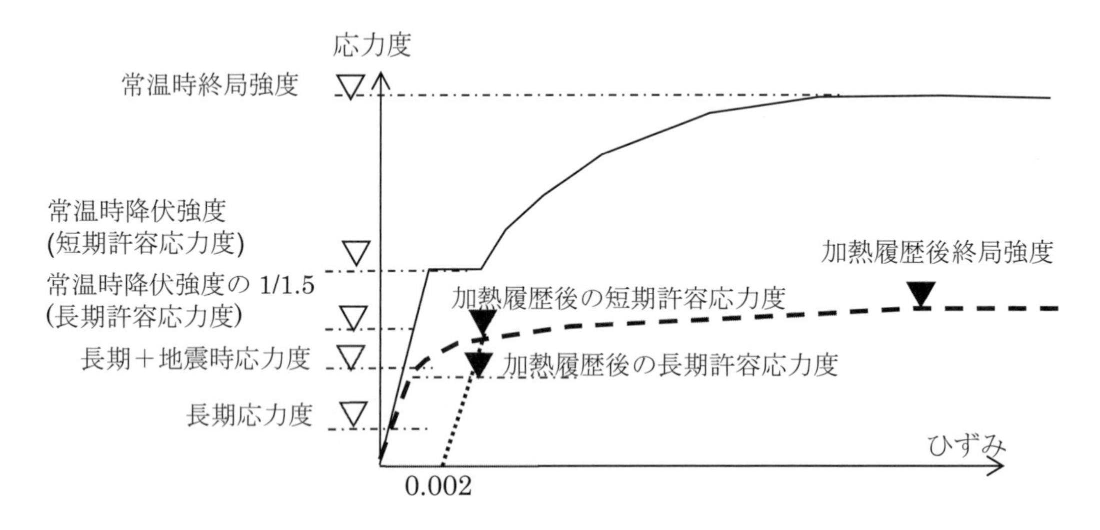

解説図 4.8.1　鉄骨造部材の強度と存在応力度の関係

4.8.2　補修・補強範囲の設定

> 補修・補強すべき範囲は、調査・診断結果をもとに定めた火害等級および回復目標に応じて決定する。

（解説）

補修・補強の範囲は、各部材の火害等級ならびに回復目標に応じて決定する。

例えば、二次調査において測定した変形量が許容値（柱の倒れ H/200、梁のたわみ量 L/250、H は階高、L はスパン長）を超える場合は、火害等級Ⅳ級以上であるため、補修・補強の検討対象とする。回復目標によっては、変形が許容変形量を超えることを容認する場合がある。このように変形量調査のみで交換や補修を決定できない場合は、引張試験などによる材料強度・材料特性の調査を行い、火災後残存強度に基づいて構造上の検討を行う。回復目標を満足できない部分を、補修・補強の検討対象とする。

以下に、構造安全性および耐火性の回復目標を「設計条件を満足する」レベルと設定した場合の補修・補強範囲の設定例について示す。

① 加熱履歴後における鉄骨造部材の降伏強度および引張強度が当該材料の規格値を満足しない部位は、部材交換もしくは添板補強や添柱・添梁補強の対象とする。

② 柱の倒れが構造設計上支障のない変形として設定した値を超える場合は、部材交換または添板補強や添柱補強の対象とする。

③ 梁のたわみが構造設計上支障のない変形とした値を超える場合は、部材交換もしくは添板補強や添梁補強の対象とする。

④ 高力ボルト接合部において高力ボルト締め付け張力低下などにより摩擦接合が成立しなくなった部位は、高力ボルトセットの交換またはスプライスプレート・シアプレートの交換あるいは添板補強や溶接補強の対象とする。

⑤ 溶接部に亀裂が発生している場合は、添板補強や溶接補修・補強の対象とする。

⑥ 架構全体の倒れが鉄骨精度測定指針[41)]で定められた建方精度を超える場合は、部材交換または添柱・添梁補強あるいはブレース補強の対象とする。

4.8.3　補修・補強方法の選定と実施

a. 補修・補強方法は、火害建物の所有者・管理者・使用者の意向に基づき火害診断者と構造設計者・施工者が十分検討した上で決定する。**表 4.1** に基づき火害等級に応じて選定することを標準とする。推定受熱温度や変形量からただちに補修・補強方法を選定する場合は、補修・補強の範囲にある部材ごとに、4.8.1 項で定めた回復目標に達することができる補修・補強方法を選定し、実施する。

b. 補修・補強材料は、使用実績などを参考に、信頼できる資料によってその品質・性能が確かめられたものを用いる。

c. 補修・補強の前処理として脱臭や汚れの除去が必要となる場合は、使用実績などを参考に適切な方法を選定する。

d. 補修・補強方法および部位は、架構全体の剛性バランスへの影響を考慮して選定する。

表 4.1　火害等級と構造体の補修・補強方法の例

火害等級	補修・補強方法の例
Ⅰ級	不要
Ⅱ級	高力ボルトの増し締め、さび止め塗装の補修、耐火被覆の補修
Ⅲ級	高力ボルトセットの交換・接合部補強
Ⅳ級	補強プレートや部材の追加による補強
Ⅴ級	部材の交換

（解説）

a. 鉄骨造部材の補修・補強は、推定受熱温度と残留変形の状態によってさまざまな方法が考えられる。補修・補強方法は、火害診断者・構造設計者・施工者が十分検討した上で決定する。**表 4.1** に、4.7 節の診断により判定した火害等級に基づく標準的な補修・補強方法の例を示す。

火害等級を直接判定できる部材は、柱・大梁・小梁・長期荷重を支持する間柱となるが、ブレース・座屈止めおよびその接合部・床（デッキプレート床を含む）・アンカーボルトもその周囲で判定された火害等級を参考に、補修・補強を検討する。

火害等級Ⅰ級は、構造耐力上火災の影響を全く受けていない状況である。よって構造体の補修・補強は不要である。

火害等級Ⅱ級は、構造耐力上の影響はないが表面劣化などの被害はある状況である。具体的には、高力ボルト接合部の高力ボルト締付け張力が低下したり、さび止め塗装や耐火被覆が損傷したりした状況である。構造体としては、高力ボルトの増し締めを実施する。増し締めの標準的な方法は、ナット回転法により30°以上回転させることとする。その根拠など詳細は（補足）で後述する。接合部が焼付くなどが原因でナットが回転しない場合、4.8.3.1款　高力ボルト接合部の補修・補強方法を実施する。

火害等級Ⅲ級は、構造耐力上影響が少ない状況であるが、高力ボルト接合部の変形・すべりや高力ボルトの材質に変化がある状態である。高力ボルトセットの交換や接合部補強を実施する。詳細は4.8.3.1款に示す。

火害等級Ⅳ級は、構造耐力上影響が大きい材質の変化や変形が生じている状況であるが、補強で再使用可能なレベルである。補強プレートや部材の追加による補強を実施するか、交換を実施する。4.8.3.2款に柱の補強方法を、4.8.3.3款に梁の補強方法を、4.8.3.4款に床スラブの補修・補強方法を、4.8.3.5款に柱脚部・耐震部材などの補強方法を示す。4.8.3.6款に部材交換の際の留意点を示す。

火害等級Ⅴ級は、構造耐力上甚大な被害があり、部材に構造性能を担保できない大きな変形や材質の変化がある状況である。再利用のための補修・補強はせず、部材を交換する。4.8.3.6款に部材交換の際の留意点を示す。

構造耐力だけでなく耐火性や耐久性を考えると、さび止め塗装や耐火被覆の補修も重要である。火害等級Ⅱ級以上の場合、再利用する部材のさび止め塗装や耐火被覆の再施工を実施する。さび止め塗装の再施工は無耐火被覆の場合に実施する。耐火被覆と鋼材の間にさび止め塗装がある場合、耐火被覆の損傷状況や耐火被覆除去後のさび止め塗装の状況によりさび止め塗装の再施工を実施するか否かを判断する。

（補足）推定受熱温度300℃未満での高力ボルト接合部について

高力ボルト接合部の摩擦接合によるすべり耐力は、被締付材料（鉄骨母材やスプライスプレート）に変形が生じていない状況では、締め付け張力と摩擦面のすべり係数によって決まる。

熱履歴後の高力ボルトの残留張力低下率は、すべり耐力の残存率より大きい[25)]。すなわち、すべり耐力の低下は、高力ボルトの張力低下が主な要因であり、目視ですべりが見られない状況ではすべり係数は低下していないと判断してよいと考えられる。

熱履歴を受けた高力ボルトの残留張力は、主に①受熱温度・②受熱時間・③冷却方法・④材種（焼戻し温度）の影響を受ける[25)]。残留張力比（常温時に対する受熱時の残留張力の割合）は、受熱温度が高いほど、受熱時間が長いほど小さい。また、耐火炉の内部のような環境で冷却する場合より、消火水がかかった場合のように急激に冷却される場合の方が残留張力比は小さく、高力ボルト製作時の焼戻し温度が低い材料ほど残留張力比は小さい。高力ボルト製作時の焼戻し温度は、F8T、F10T、F11Tの中ではF8Tが最も高く、次にF10Tで、F11Tが最も低い。よってF8T、F10T、F11Tの中ではF11Tが最も残留張力比が小さい。受熱温度300℃では、前記②〜④の条件によっては残留張力比が設計ボルト張力の0.8倍を下回る場合がある。一方、ボルト頭が六角形の高力ボルトでは標準ボルト張力は設計ボルト張力の1割増しであり、トルシア型高力ボルトではピンテール破断時の張力は設計ボルト張力を上回ることだけが保証されている。よって、推定受熱温度 300℃では、設計ボルト張力を下回るほど残留張力が低下する可能性がある。このことから、推定受熱温度が 100℃以上 300℃未満の可能性がある場合で、高力ボルトの交換を実施しない場合、張力の確認や増し締めを実施することとしている。

解説図 4.8.2 に、増し締め時のナット回転角・潤滑油の有無をパラメータとして実測した高力ボルト（F10T、M22）の残留張力と受熱温度の関係を示す[25]。受熱温度 350℃以下の場合、ナット回転角 30°の増し締めを実施すれば、潤滑油の有無によらず標準ボルト張力（設計ボルト張力の 1.1 倍）以上の張力を保持している。しかし、本指針では、安全側の設定として推定受熱温度 300℃以下の場合にナット回転角 30°以上の増し締めを実施することとして、**解説図 4.8.3 (a)**の補修・補強のフロー（1）に反映している。

ただし、トルシア型高力ボルトではナット回転時のボルトの共回りを防止するため、増し締め時に**解説写真 4.6.2** に示すようなヘッドストッパーが必要となる。

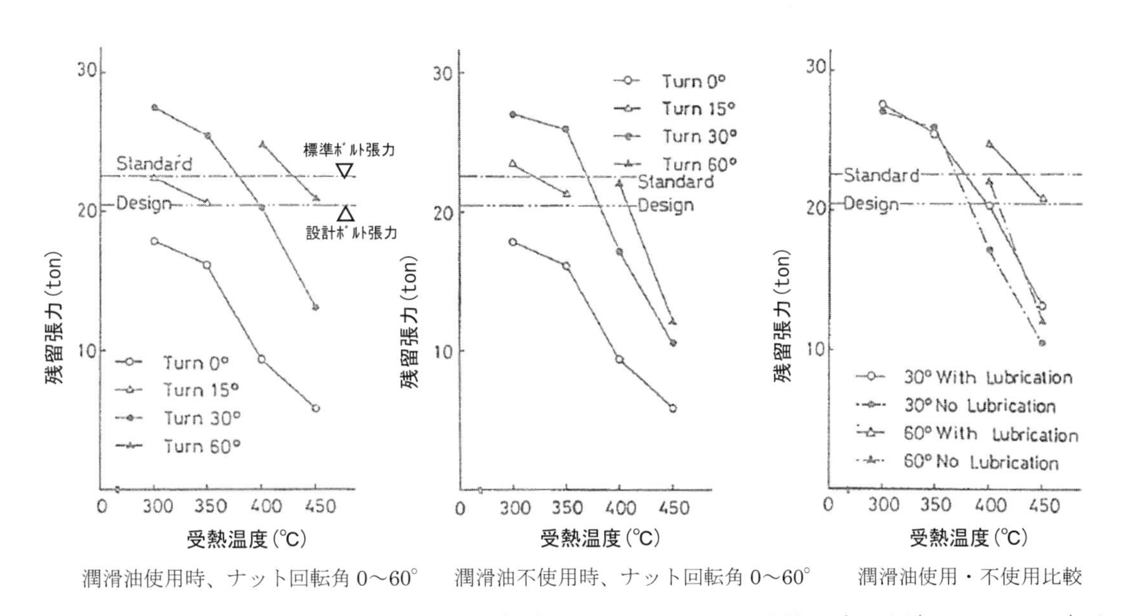

解説図 4. 8. 2　増し締め後のナット回転角ごとの残留張力-受熱温度関係(F10T、M22)[25]

部材ごとの火害等級を判定せずに、推定受熱温度や変形量（**解説図 4.8.3 (b)**の下表）からただちに補修・補強方法を選定する道筋を用意した。**解説図 4.8.3 (a)(b)**に推定受熱温度・変形量の調査結果に基づく補修・補強のフローを示す。

・推定受熱温度について

推定受熱温度が 100℃未満であれば、高力ボルト接合部のすべり耐力の低下はないものと判断し、変形量と D_L 値（**解説図 4.8.3 (b)**※1 に示す、新築建物と同様の変形レベル）の比較に移行する。推定受熱温度が 100℃未満で、かつ火災が局所的で室全体に及んでいない場合、調査者の判断により変形量測定を省略することも可とする。

推定受熱温度が 100℃以上 300℃未満の場合、高力ボルト接合部に目視上すべりが見られれば接合部の補修・補強を実施し、変形量と D_L 値の比較に移行する。すべりが見られなければ高力ボルトの張力測定を実施し、設計ボルト張力以上であれば、変形量と D_L 値の比較に移行する。張力測定を実施しない、または張力測定を実施しても設計ボルト張力未満であった場合は、ナットを 30°以上回転させる増し締めを実施し、変形量と D_L 値の比較に移行する。ナット回転角 30°の根拠については、前述の（補足）で示した通りである。増し締めを実施しない、またはナットが焼き付いて回転しないなどの理由で増し締めを実施できない場合は、接合部の補修・補強を実施し、変形量と D_L 値の比較に移行する。

推定受熱温度が 300℃以上で 500℃未満の場合、高力ボルト接合部に目視上すべりが見られれば接合部の補修・補強を実施し、変形量と D_L 値の比較に移行する。すべりが見られなければ高力ボルトの張力測定を実施し、設計ボルト張力以上であれば高力ボルトの強度測定を実施する。強度が回復目標を満足していれば、変形量と D_L 値の比較に移行する。張力測定を実施しない場合は、接合部の補修・補強を実施し、変形量と D_L 値の比較に移行する。張力測定を実施しても設計ボルト張力未満であった場合、または高力ボルトの強度が回復目標を満足しない場合も、接合部の補修・補強を実施し、変形量と D_L 値の比較に移行する。

推定受熱温度が 500℃以上で 720℃未満の場合、母材の降伏強度試験を実施しないなら部材および高力ボルトセット（高力ボルト・ナット・座金）の交換が可能か否か確認する。可能であれば部材や高力ボルトセットを交換し、変形量と D_L 値の比較に移行する。交換が不可能であれば、**解説図 4.8.3 (b)**の C 以降の手順に進む。母材の降伏強度試験を実施する場合、降伏強度が回復目標を満足していれば、接合部の補修・補強のみ実施し、変形量と D_L 値の比較に移行する。降伏強度が回復目標を満足していない場合は、部材および高力ボルトセットの交換が可能か否か確認する。交換が可能であれば部材や高力ボルトセットの交換を実施し、変形量と D_L 値の比較に移行する。交換が不可能で、かつ推定受熱温度が 720℃未満の場合、部材の補強と接合部の補修・補強を計画し、B 以降の手順に進む。交換が不可能で、かつ推定受熱温度が 720℃以上の場合、C 以降の手順に進む。

推定受熱温度が 100℃以上の場合、再利用する部材のさび止め塗装や耐火被覆の再施工を実施する。さび止め塗装の再施工は無耐火被覆の場合に実施する。耐火被覆と鋼材の間にさび止め塗装がある場合、耐火被覆の損傷状況や耐火被覆除去後のさび止め塗装の状況によりさび止め塗装の再施工を実施するか否かを判断する。

・部材の変形について

部材の変形について、**解説図 4.8.3 (b)**の※1 に示す表のように建物の目視で認識される状況（以後、変形記号と呼ぶ D_L、D_M、D_H）に応じて変形の標準値を定めた。変形記号の意味ついて、D_L は新築建物と同様のレベルを、D_M は各種内外装材に外観上の変化がないレベルを、D_H は ALC 目地にずれが見られ、開口部開閉に支障が出始めるレベルを示す。

変形量に基づく補修・補強のフローは、部材の変形が D_L 値未満であれば終了する。部材の変形が D_L 値以上かつ D_M 値未満であれば、変形を考慮した構造検討により設計上の余力内に納まることを確認し、納まっていれば終了する。部材の変形が D_M 値以上、または D_M 未満であっても設計上の余力内に納まっていない場合は、A 以降の手順に進む。架構の検討を実施しない場合は部材交換を実施するか、建物を取り壊す。

架構の検討を実施する場合、まず架構の倒れが D_L 値未満であることを確認する。架構の倒れが D_L 値未満であれば、架構として構造設計上の要求を満足できているか否かを確認する。架構としての構造設計上の要求とは、例えば新耐震設計法の剛性率・偏心率を満足することや保有水平耐力が必要保有水平耐力以上であることが挙げられる。架構の倒れが D_L 値以上であれば、再度、変形を考慮した構造検討により設計上の余力内に納まることを確認し、納まっていれば、前述と同様、架構として構造設計上の要求を満足できているか否かを確認する。架構として構造設計上の要求を満足できなければ、当該部材または周辺架構の補強の可能性を検討する。補強が可能であれば補強方法を検討し、接合部を補修・補強した上で架構として構造設計上の要求を満足できているか否かを確認し、満足できるまで補強方法の検討を繰り返す。補強が不可能であれば建物を取り壊す。

以降、4.8.3.1 款から 4.8.3.6 款に、接合部や各部材の補修・補強方法の選定・交換方法について示す。補修・補強の設計・施工方法・交換方法の詳細についてはここでは扱わない。実施した補修・補強の有効性を確認するには、耐震補強に関する文献[75),76)]などを参照する。

b. 補修・補強材料は、常温の耐震補強で使用される材料と共通である。常温の耐震補強に関する文献[75)]などの信頼できる資料によって、その品質・性能が確かめられたものを用いる。

c. 補修・補強に際して既存鉄骨面に汚れなどが付着している場合は、添板補強などの溶接部の信頼性が損なわれる。補修・補強の前処理として、必ず既存鉄骨面の汚れを除去する。汚れ除去や脱臭の方法については 3.6.3 項 a.(5)や**解説表 3.6.7** を参照する。

d. 柱や梁を添板や添部材で補強する場合は、補強した部材の剛性が増すことにより、架構全体の剛性バランスに悪影響を及ぼす可能性がある。補強の際は、架構全体の剛性バランスを構造計算などにより確認しておく必要がある。**解説図 4.8.3 (b)**補修・補強のフロー（2）に、その内容を反映している。

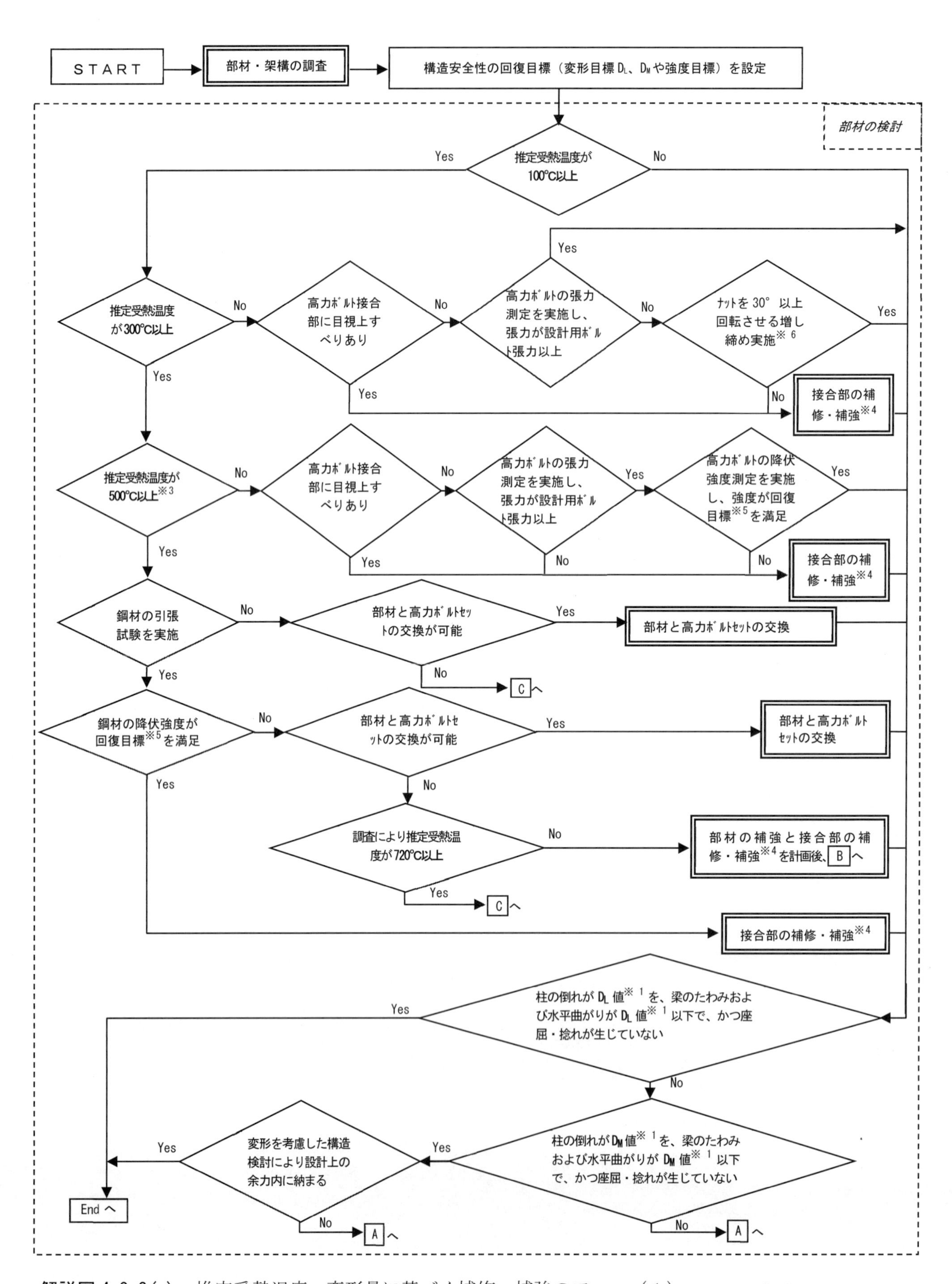

解説図 4.8.3(a)　推定受熱温度・変形量に基づく補修・補強のフロー（1）※1～※7 は**解説図 4.8.3(b)** 下部参照

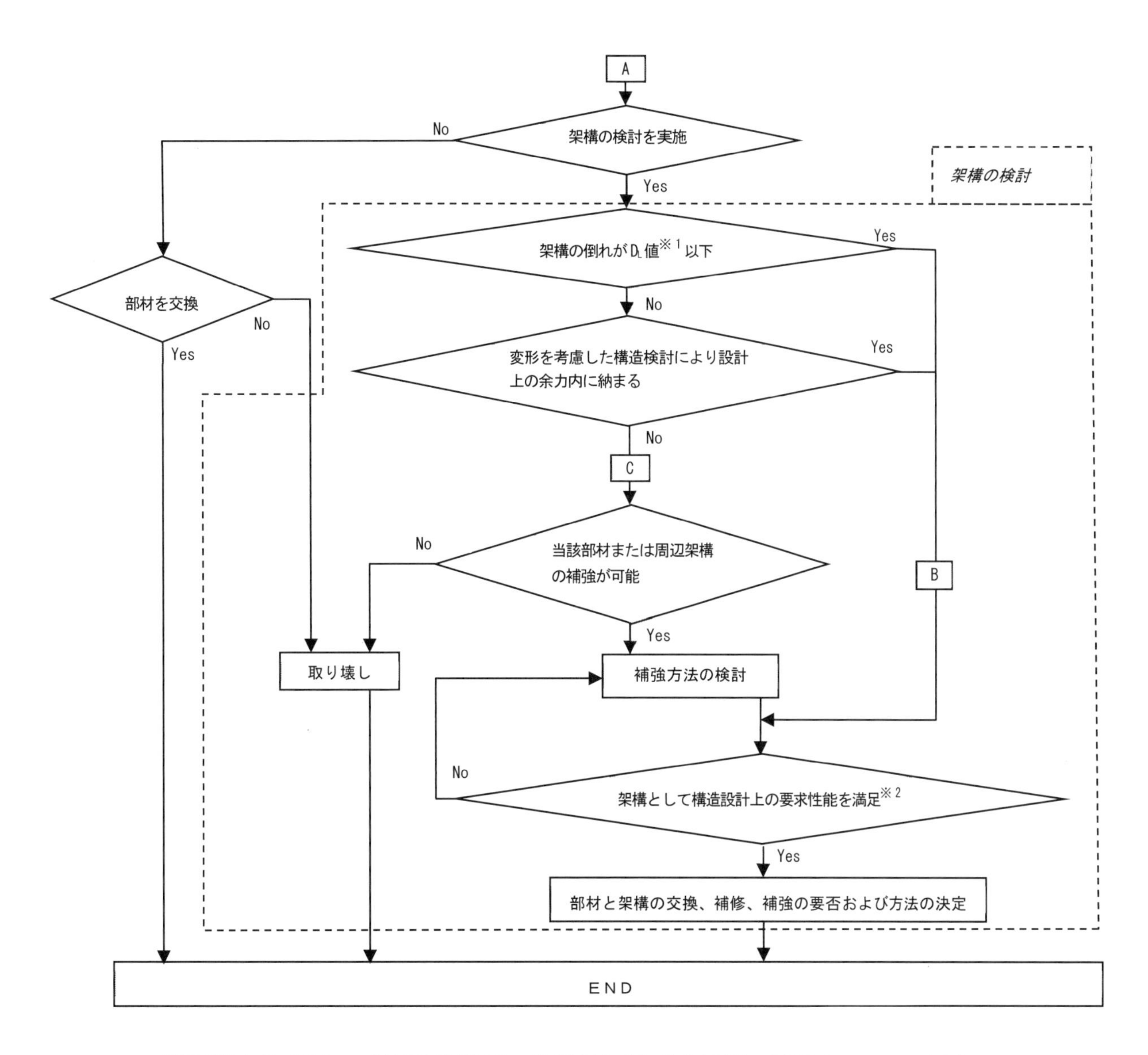

解説図 4.8.3(b) 推定受熱温度・変形量に基づく補修・補強のフロー（2）

※1 変形の標準値は下表による。「柱倒れ」「梁たわみ」は下表より小さい値に設定することを可とする。

変形記号	柱倒れ	梁たわみ	梁の曲り(水平変形)	架構倒れ	左記の意味
D_L	H/700 以下	L/250 以下	1.5L/1000 かつ 15mm 以下	H_K/2500+10(mm)以下 かつ 50(mm)以下	・柱の H/700 および架構の H_K/2500＋10(mm)は、鉄骨建方精度検査基準の限界許容値 ・柱の H/200 は、応急危険度判定 A ランク相当 ・梁の L/250 は、建設省告示 1459 号に定める使用上の支障が生じない限界
D_M	H/200 以下			H_K/2500+10(mm)超 または 50(mm)超	
D_H	H/200 超	L/250 超	1.5L/1000 超、または 15mm 超		

［変形記号が示す状況[1]］D_L：新築建物と同様、D_M：各種内外装材に外観上の変化がない、
D_H：ALC 目地にずれ、開口部開閉に支障が出始める。

［その他の記号の定義］H:構造階高、L:スパン長、D：Deformation、H_k:建物高さ

※2 例えば新耐震設計法の「剛性率・偏心率を満足する」「必要保有水平耐力＜保有水平耐力を満足する」ことを確認するなど。

※3 500℃は、非調質鋼に適用する。調質鋼では、「350℃」または「焼戻し温度―50℃」に置き換える。

※4「接合部の補修・補強」は、高力ボルトセットの交換または溶接補強を示す。

※5「回復目標」は降伏強度に対して設定し、設計基準強度(F 値)以上を標準とする。回復目標をそれより小さい値に設定することを可とする。加熱冷却後のヤング係数はデータが少なく、当面、指標としない。伸びは高温時ほど大きくなるため、問題としない。

※6 ナット回転角 30° の根拠は、解説の（補足）推定受熱温度 300℃未満での高力ボルト接合部について、に示す。

4.8.3.1　高力ボルト接合部の補修・補強方法

高力ボルト接合部の補修・補強方法は、高力ボルトの耐力低下やすべり変形の程度を確認した上で、高力ボルトセットの交換や耳板補強・溶接補強を選定する。

（解説）

高力ボルト接合部において、高力ボルト張力の低下により摩擦接合が成立しなくなって母材やシアプレートから高力ボルトがせん断力を受ける状態になっている場合や、火災によって高力ボルトとナットの間の潤滑油が蒸発して焼き付いている場合は、高力ボルトの交換は困難であり、耳板補強や隅肉溶接補強を検討する。高力ボルトがせん断力を受けていない場合で、ナット回転により高力ボルトのとりはずしが可能な場合のみ、高力ボルトセット（高力ボルト・ナット・座金）の交換を行う。高力ボルトセットを取り外す機器は、**解説表 4.6.5** に示す。

解説図 4.8.4 は梁継手部を補強する方法の例である。高力ボルトセットやスプライスプレート・シアプレートの交換が困難な場合や火害を受けた高力ボルトセットを放置する場合に、耳板による補強や隅肉溶接による補強によって、高力ボルト接合部が負担していた全応力を負担させる方法である。

解説図 4.8.4 において、フランジスプライスプレートの隅肉溶接による補強は、側面隅肉溶接が有効である。スプライスプレートの幅とフランジ幅が同一の場合は側面隅肉溶接が困難であり、前面隅肉溶接とする。

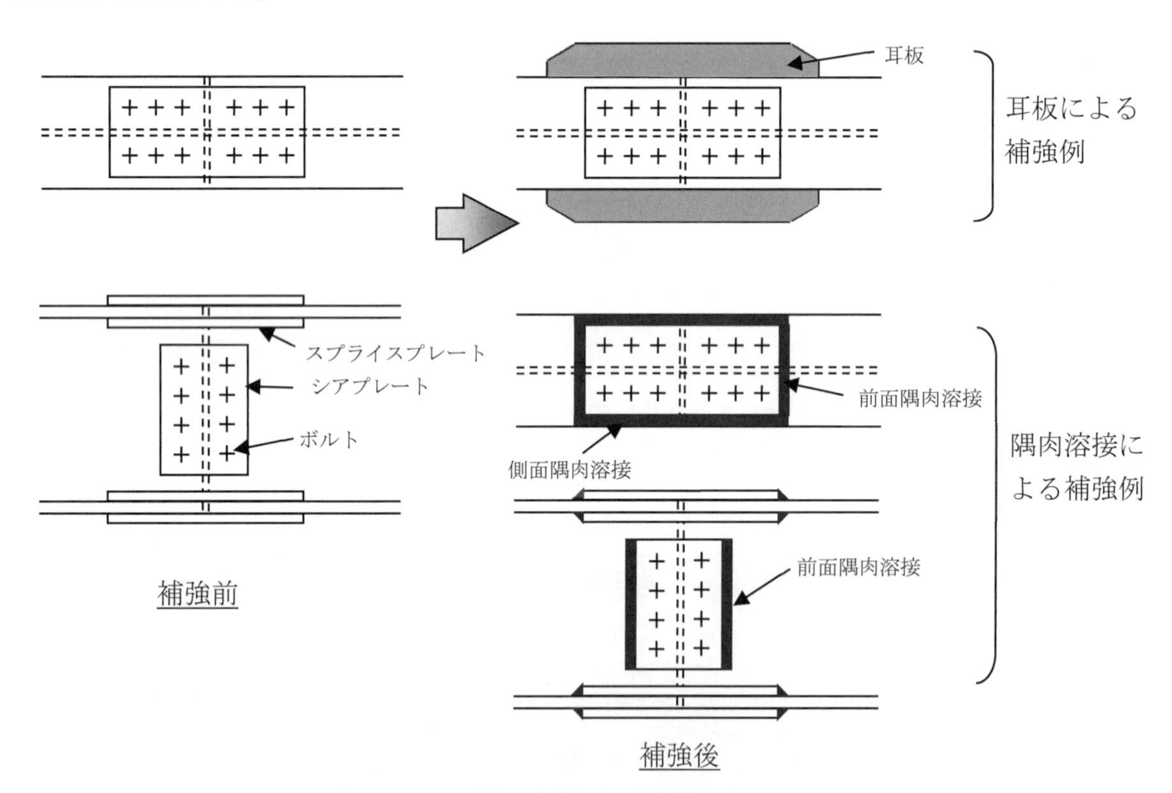

解説図 4.8.4　梁継手部の補強例 76)

4.8.3.2 柱の補強方法

柱の補強方法は、添板補強や添柱補強などの中から選定する。

（解説）

柱は軸力を保持する重要な部材であり、柱の破壊は建物全体の崩壊につながる。したがって、その補修・補強方法については、慎重な検討が必要である。補修・補強にあたっては、鉛直方向および水平方向の残留変形の程度から応力状態を構造計算などにより確認して、補強方法を選定する。

解説図 4.8.5 (a)に添板による補強例を、**解説図 4.8.5 (b)**に添柱による補強例を示す。H 形鋼柱の場合にはフランジに別途プレートを溶接し、ボックス材として補強する。柱自体に荷重支持能力が期待できない場合は、当該柱の周囲に添柱を設置する。添柱補強の場合は、補強対象柱と添柱の間が短スパン梁となるため、長期応力だけでなく地震時の応力に対しても検討が必要である。また、添柱を設置する構面だけでなく直交構面の応力状態も確認する必要がある。

解説図 4.8.6 に、コンクリートならびに CT 形鋼や添板による補強の例を示す。コンクリートによる補強の場合は、補強設計においては剛性の変化に、施工においては充填方法の工夫および充填性の管理に注意する必要がある。

いずれの場合も構面の水平剛性が変化するため、建物全体の水平剛性のバランスを確認する必要がある。

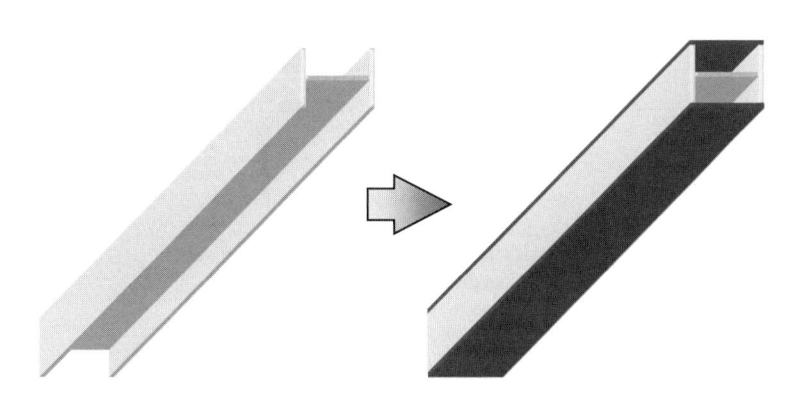

解説図 4.8.5(a)　鉄骨柱の添板による補強例

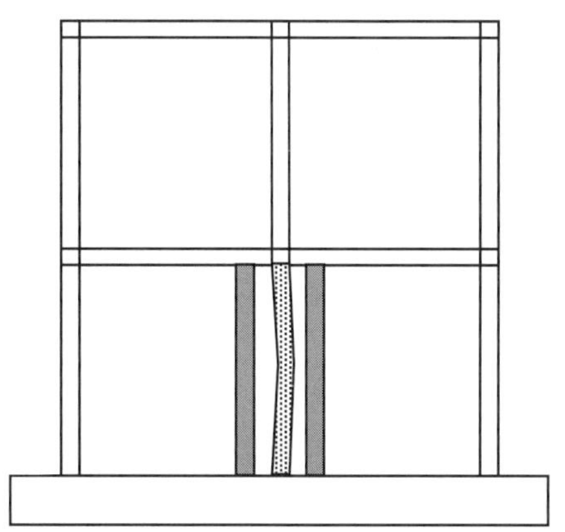

解説図 4.8.5(b)柱の添柱補強例

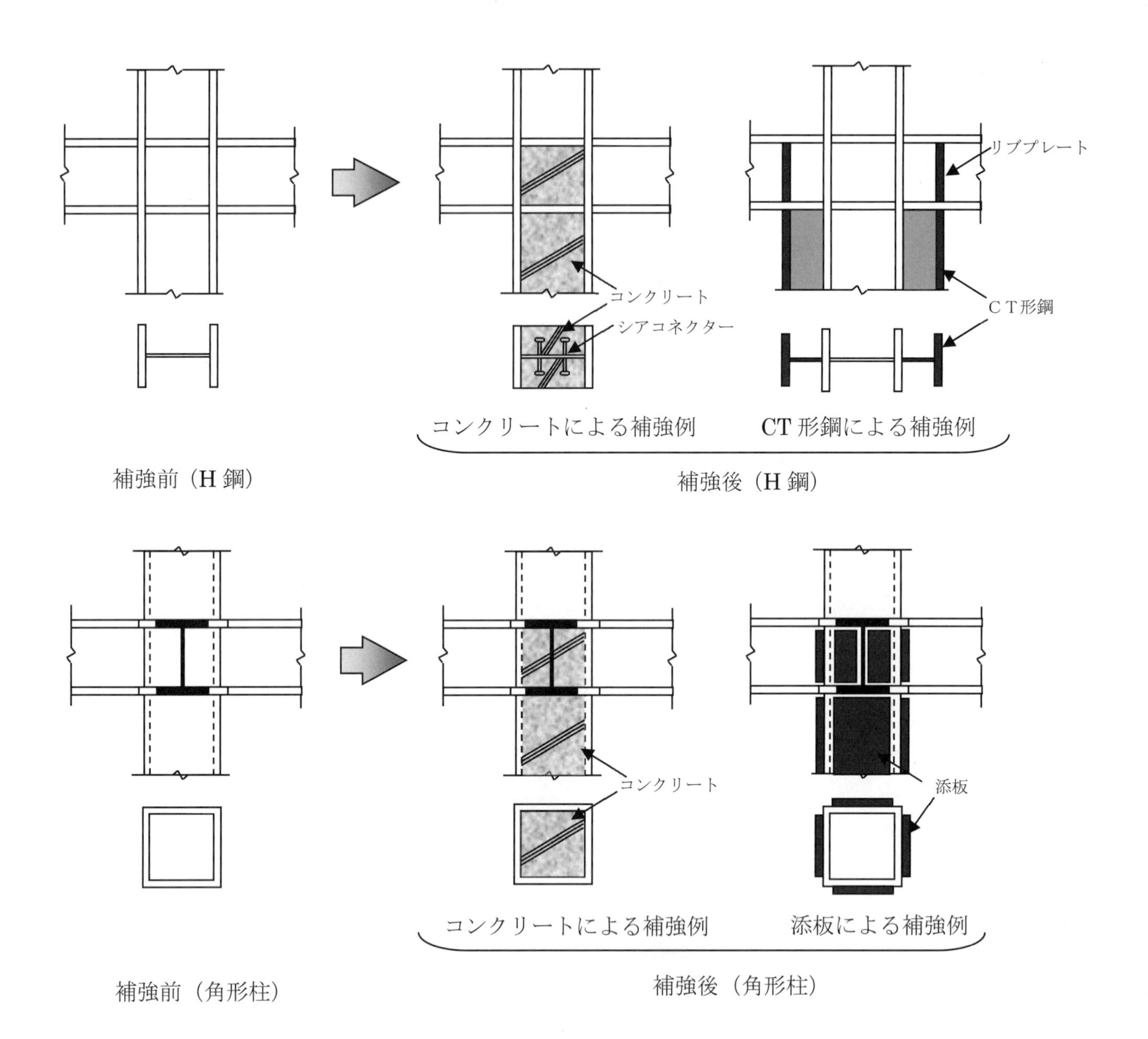

解説図 4.8.6　鉄骨柱および柱梁接合部の補強例 [75),76)]

4.8.3.3　梁の補強方法

梁の補強方法は、添板補強または添梁補強あるいは間柱補強などの中から選定する。

（解説）

梁の補強は、柱と同様に、添板と添梁による補強がある。

解説図 4.8.7 (a)にトラス梁の添梁補強の例を、**解説図 4.8.7 (b)**に梁中央部の補強例を、**解説図 4.8.7 (c)**に梁の曲がり（水平方向）に対する補強例を、**解説図 4.8.7 (d)**に梁端部の補強例を示す。

解説図 4.8.7(a)は、被災したトラス梁の下部にＨ形鋼を配して補強する方法である。梁下有効寸法が小さくなることに注意する。

解説図 4.8.7 (b)は、鉛直方向にたわんだ梁中央部を補強する方法の例で、偏心ブレースや間柱により梁中央部を補強する方法がある。梁下のスペースは使い難くなる。元来、梁下に乾式壁がある建築計画の場合、乾式壁に内蔵させる方法もある。

解説図 4.8.7 (c)は、水平方向に曲がった梁を補強する方法の例である。水平方向に曲がった梁は横座屈が懸念されるため水平方向の剛性および耐力を増す必要がある。プレートを溶接する方法と横座屈止めを設置する方法がある[75]。**解説図 4.8.7 (a)～解説図 4.8.7 (c)**のプレート補強の場合、構面の水平剛性が変化するため、建物全体の水平剛性のバランスを確認する必要がある。

解説図 4.8.7 (d)は、梁端部を補強する方法の例である。スラブの取付きや天井内の納まり等の状況に応じて使い分ける。

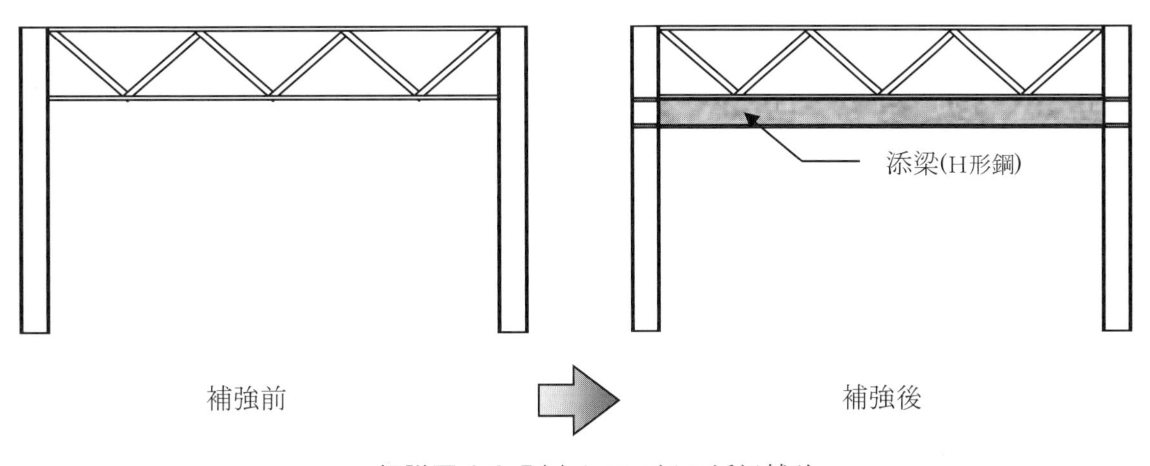

解説図 4.8.7(a) トラス梁の添梁補強

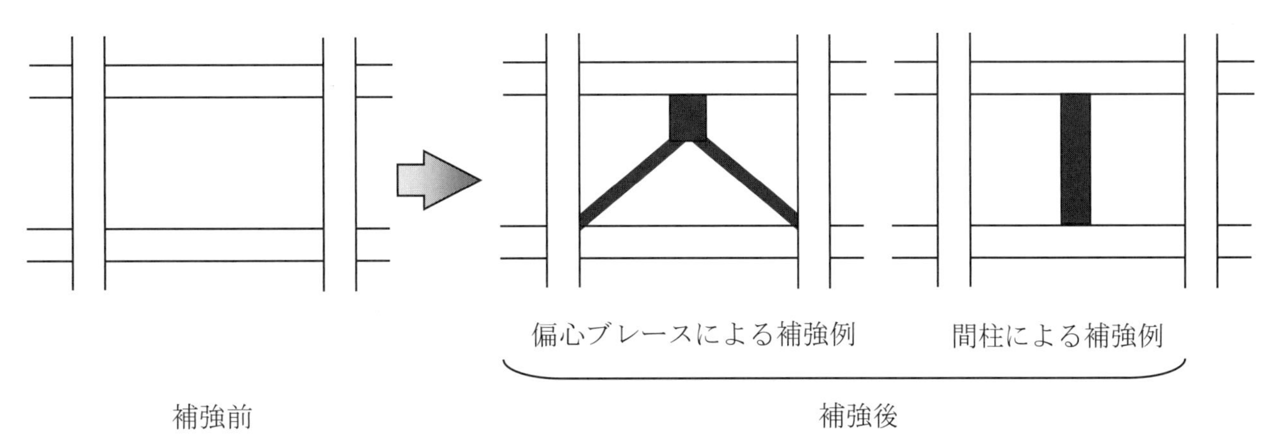

解説図 4.8.7(b)　梁中央部の補強例[75),76)]

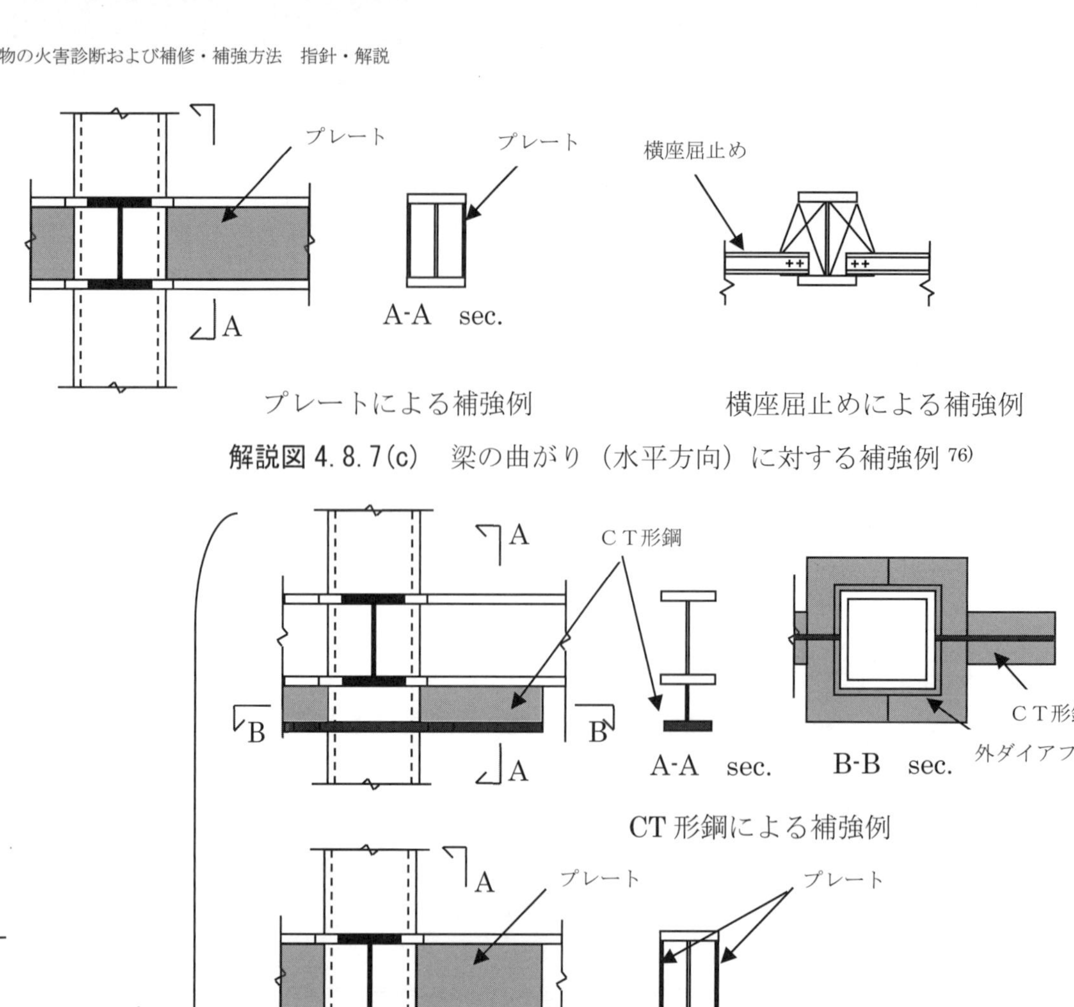

解説図 4.8.7(c)　梁の曲がり（水平方向）に対する補強例 76)

解説図 4.8.7(d)　梁端部の補強例 75),76)

解説写真 4.8.1 と**解説写真 4.8.2** にそれぞれ補強後の例を示す。**解説写真 4.8.1** は、トラス梁のラチス材を交換して上下弦材に溶接接合し、下弦材下部をプレートで補強した例である。**解説写真 4.8.2** は、下弦材をカバープレートや H 形鋼により補強した例である。

解説写真 4.8.1 ラチス材・下弦材の補強例

解説写真 4.8.2 下弦材の補強例

4.8.3.4 床スラブの補修・補強方法

床スラブの補修・補強方法は、鉛直方向の残留変形の程度を確認した上で、追加小梁による補強とスラブコンクリートの一部解体・補修から選択する。

(解説)

鉄骨造に用いられる床スラブはデッキプレート床スラブが多い。デッキプレート床スラブは下面が熱容量の小さい鋼板（デッキプレート）であり、この鋼板は火災時には容易に変形する。床スラブの変形については、4.6.3 項に許容たわみを示しており、その値を超える場合は補修・補強を検討する。

解説表 4.4.1 に示すように、デッキプレートを利用した床スラブ工法には 4 種類ある。デッキ型枠スラブではデッキプレートは施工用の捨て型枠であるが、デッキ合成スラブ・デッキ複合スラブおよびデッキ構造スラブではデッキプレートに構造耐力を期待している。

デッキ合成スラブでは、4.5.3 項の方法によりデッキプレートとコンクリートの一体性が確認できない場合は床スラブ全体の解体・交換が必要となる。

デッキ複合スラブおよびデッキ構造スラブでは、デッキプレートとコンクリートの一体性は期待していないので、デッキプレートとコンクリートそれぞれに対して補修・補強および交換を計画すればよい。デッキ複合スラブおよびデッキ構造スラブのデッキプレートが機械的性質（降伏点・引張強さ）および変形の回復目標を満たさない場合、追加小梁による補強または解体・交換することになる。デッキプレートを解体・交換する場合は、デッキプレートのみ交換することは困難なため、床スラブ全体を解体・交換することになる。スラブコンクリートの補修・補強方法は、3.6.3 項の方法による。

デッキ型枠スラブでは、スラブコンクリートの補修・補強のみを計画すればよく、3.6.3 項の方法による。

床スラブの被災によって生じる問題は、荷重支持性能の低下だけではなく、剛性低下による振動問題もある。振動性能の低下については、小梁の追加によって、1 枚のスラブの面積を少なくして振幅を小さくする方法がよく用いられる。このとき、小梁の追加による大梁の荷重支持状態の変化を確認する必要がある。

4.8.3.5　その他の部材の補修・補強

a. アンカーボルトは、コンクリート部材の中に埋め込まれていて補修・補強は困難であり、交換や鋼板巻き補強を検討する必要がある。
b. 耐震用・耐風用のブレースや座屈止めなどの主要構造部に該当しない部材が火害を受けた場合、要求される耐震性能や耐風性能に応じて補修・補強する。補強方法については、ブレースは柱の、座屈止めは梁の補強方法に準ずる。

（解説）

a. アンカーボルトはコンクリート部材の中に埋め込まれているので補修・補強は難しい。アンカーボルト自体に明らかに変形がある場合は、その部材自体の交換も含めて検討する必要がある。また、アンカーボルト自体の損傷に起因するボルト周囲のコンクリートの損傷による性能の低下も検討する必要がある。アンカーボルトの交換が困難な場合、アンカーボルト周囲のコンクリートが健全であれば**解説図 4.8.8** に示すような鋼板巻き補強も考えられる[75]。

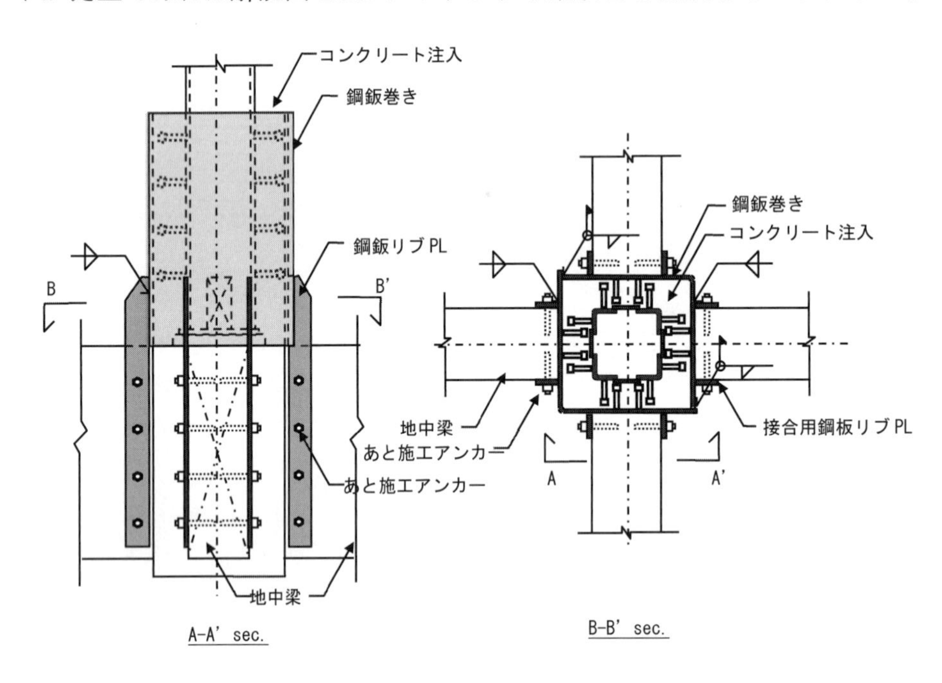

解説図 4.8.8　柱脚の鋼板巻き補強の例[75]

b. 耐震用・耐風用のブレースや座屈止めなどの主要構造部に該当しない部材は、耐火被覆が施工されていない場合が多く、火害等級Ⅴ級となる可能性が高い。それらの部材が火害等級Ⅴ級となる場合、鉛直荷重は柱で支持できるが、地震や風に対して架構の水平方向の安定性を保持できない場合がある。火災後の地震や風を問題とする場合、耐震用・耐風用のブレースや座屈止めなども補修や交換が必要となる。

4.8.3.6　部材の交換

部材の交換は、火災後の残留応力を考慮して慎重に行う。

（解説）

部材の補修・補強で回復目標を達成できない場合は、部材を交換する。

過去の事例として、強度低下の懸念される鉄骨造部材を切断して除去する瞬間に加熱冷却による残留応力が解除され、建物が揺れ動き、新しい安定状態に移っていくといった現象があった[77]。

4.2節の解説や付-4.2において、架構の加熱冷却後の残留応力・残留変形に関する解析的検討の事例を示した。特に梁については受熱温度が高いほど、両端架構の拘束が大きいほど、引張残留軸力が大きいことが解析的に明らかとなっている。

よって、部材の交換においては、柱は存在軸力を、梁は残留引張軸力を考慮した仮設計画が重要となる。柱の交換の際は、当該柱が負担していた荷重を負担できる仮設添柱を計画する。この場合、周辺部材の応力伝達能力を確認する必要がある。梁交換の際は、当該梁に残留する引張軸力や曲げ応力により切断時に梁が急激に脱落する現象を防ぐため、予熱を実施したり、仮設ワイヤーを張っておいたりするなどの作業時安全に配慮する必要がある。

4.8.3.7 その他の補強の考え方

柱の補強や交換が困難な場合、周辺架構の荷重伝達能力を確認した上で、当該柱上部に接続する梁や隣接する柱を補強することも考えられる。補強方法は、柱あるいは梁の補強方法に準ずる。

（解説）

部材の補強が困難な場合も、当該部材周辺架構の荷重伝達能力（応力再配分能力）を利用して架構全体で補強することが可能である。**解説図 4.8.9** に、架構の応力再配分能力を利用した補強のイメージ図を示す。

例えば、火害を受けた柱が火害等級Ⅴ級で、その頭部にとりつく大梁や上階の柱・梁が健全な場合、その柱の負担していた軸力を当該柱上部の大梁を介して隣接する柱に負担させることも可能な場合がある。火害を受けた柱を補強によって元の性能に復帰させることが難しい場合、火害を受けた柱の剛性・耐力低下を考慮して応力再配分状態を確認する応力計算や、場合によっては周辺架構も補強することで、火害を受けた柱に不足する性能を補うことも考えられる。純ラーメン架構やメガトラス架構などでこのようなケースが考えられる。この補強方法では、火害を受けた柱の頭部に鉛直変位が残留する可能性がある。また、火害を受けた柱もある程度軸力を負担していると推定されるため、当該柱を除去する際には、施工計画を練り慎重に施工する。

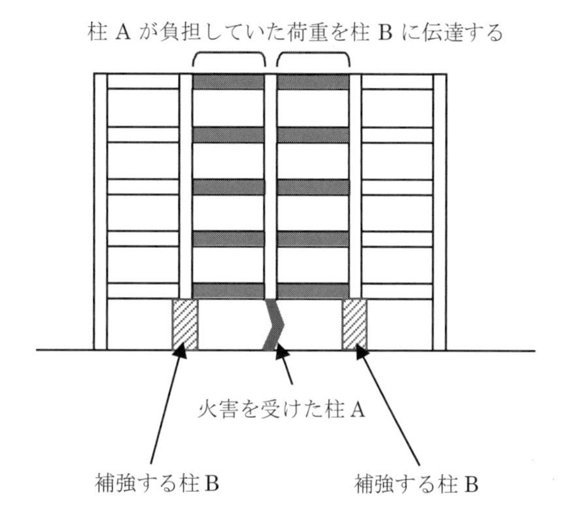

解説図 4.8.9 架構の応力再配分能力を利用した補強のイメージ図

【引用・参考文献】

4.1 節

1) 日本建築防災協会：被災建築物　応急危険度判定マニュアル，pp.46-47,pp.35-57
2) 日本建築学会：建築工事標準仕様書・同解説　JASS6　鉄骨工事，2002
3) 国土交通省住宅局建築指導課：基本建築関係法令集［告示編］建設省告示 1459 号「建築物の使用上の支障が起こらないことを確かめる必要がある場合およびその確認方法を定める件」，2009

4.2 節

4) 平島岳夫，木下晃一，吉田徹，鈴木淳一，尾崎文宣，木村慧，村上行夫：床スラブの火災時メンブレン作用（その1）RC スラブと無耐火被覆鋼梁による合成床システムの載荷加熱実験，日本建築学会構造系論文集，第 86 巻 第 785 号，pp.1106-1116，2021.7
5) 吉田徹，平島岳夫，鈴木淳一，尾崎文宣，木村慧，村上行夫：床スラブの火災時メンブレン作用（その 2）デッキ合成スラブと無耐火被覆鋼梁による合成床システムの載荷加熱実験，日本建築学会構造系論文集，第 87 巻 第 797 号，pp.646-656，2022.7
6) Bailey，C. G. and Moore，D. B.：The structural behaviour of steel frames with composite floorslabs subject to fire：Part 1：Theory，The Structural Engineer 78，No.11，pp.19-27，2000.6
7) Guoqiang Li，Peijin Wang：Advanced Analysis and Design for Fire Safety of Steel Structure，Zhejiang University press，pp.245-280，2013
8) C.I.Smith，B.R.Kirby，et：The Reinstatement of Fire Damaged Steel Framed Structures，Fire Safety journal，4,pp.21-62,1981
9) British Steel：The Behaviour of Multi-Storey Steel Framed Buildings in Fire，British Steel plc，Swinden Tecnology Centre，pp.1-73，1999
10) The Steel Construction Institute：Structural Fire Engineering Investigation of Broadgate Phase 8 Fire，The Steel Construction Institute，pp.1-84，1991

4.3 節

11) 日本産業規格 JIS Z 2241「金属材料引張試験方法」，2011
12) 日本産業規格 JIS Z 2242「金属材料のシャルピー衝撃試験方法」，2018
13) 日本産業規格 JIS B 1186「摩擦接合用高力六角ボルト・六角ナット・平座金のセット」，2013
14) 日本建築学会：鋼構造建築溶接部の超音波探傷検査規準・同解説，2018
15) 日本産業規格 JIS Z 2245「ロックウェル硬さ試験方法」，2021

4.5 節

16) 野秋政希，鈴木淳一，大宮喜文：様々な加熱温度曲線下における木材の炭化深さ，平成 25 年度日本火災学会研究発表会概要集，pp.94-95，2013
17) 浜田稔：木材の燃焼速度，火災，Vol.2，No.3，1953
18) 日本火災学会：火災便覧新版，pp.952，共立出版，1984.3
19) 日本火災学会：火災便覧第 3 版，pp.950，共立出版，1997.5
20) fib：Fire design of concrete structures - structural behaviour and assessment，2008
21) 国立天文台編：理科年表 2023 年版，丸善出版
22) 磯畑脩監修：実務者のための建物診断，テクネット発行，1990.12　表 2.4.2，2.4.3
23) 長友宗重ほか：既存建物の耐力診断と対策，pp.94-96，鹿島出版会，1978.6
24) 木野瀬透，吉田夏樹，新大軌，今本啓一：フェノールフタレイン溶液を用いた加害調査手法に及ぼすコンクリートの自然乾燥および中性化の影響，日本建築学会大会学術講演梗概集，pp.305-306，2022
25) 巽昭夫：熱影響を受けた高力ボルトの締付け軸力に関する研究，博士論文，pp.149，1981，Fig.6-8(a)(b)(c)
26) 今福康平,小宮祐人,豊田康二,原田和典,鈴木淳一：樹種・密度が炭化のしやすさへ及ぼす影響に関する実験的検討,日本建築学会大会学術講演梗概集,2021.9
27) 鈴木淳一，成瀬友宏，小國勝男，金城 仁，火災加熱に対するアルカリアースシリケートウールの熱的性質，日本建築学会北海道支部研究報告（92），pp.29-32，2019.6
28) 寺垣拓志,鈴木淳一,谷辺徹:耐火性能確保のための吹付けロックウールの品質管理　その１　かさ密度の簡易測定方法，日本建築学会大会学術講演梗概集,pp.199-200,2021.7
29) 谷辺徹,鈴木淳一,寺垣拓志:耐火性能確保のための吹付けロックウールの品質管理　その２　かさ密度サンプル切取り部分の加熱時の温度上昇特性，日本建築学会大会学術講演梗概集,pp201-202,2021.7
30) 持田 貴仁;ロックウールの優れた耐熱性について，ニチアス技術時報,2018/4 号，No.383，2018.10
31) 水上点睛，鈴木淳一 ,埼玉県三芳町倉庫火災の防火上の課題に関する実験的検討，安全工学シンポジウム講演予稿集 2018,pp.176-177，2018.7
32) 柳橋拓，大宮喜文，菅原進一 鈴木淳一，山本弘樹：乾式間仕切壁構成材料の熱特性，日本火災学会研究発表概要集，pp 68-69，2013.6
33) 王俞翔，鈴木淳一,大宮喜文,火災加熱を受けるせっこうボード製品の力学的性能，日本建築学会北海道支部研究報告集 p.21-24、2023.6
34) 日本建築学会編;鋼構造耐火設計指針，2017.6
35) 日本建築学会編;構造材料耐火性ガイドブック，2017.2
36) 鈴木淳一 ,水上点睛,成瀬友宏 ,野秋政希，埼玉県三芳町倉庫火災の概要と火災室近傍の損傷，　安全工学シンポジウム講演予稿集 2018,pp.172-175,2018.7.3

37) 王 兪翔，多様な加熱強度を被る鋼部材の耐火性能と耐火試験結果の工学的評価に関する研究，～耐火被覆の損傷を考慮した建築部材温度予測モデルの構築～，東京理科大学 博士論文，2019，info:doi/10.20604/00002777
38) 鈴木 淳一，岩見 達也;防火シャッターの閉鎖障害・誤作動防止に関する研究,pp.158-159 令和3年度 国土技術政策総合研究所年報，2022.3

4.6.1 項

39) 日本建築学会:建築工事標準仕様書・同解説　JASS6 鉄骨工事，2018
40) 日本建築学会：鉄骨工事技術指針 工事現場施工編，2018
41) 日本建築学会：鉄骨精度測定指針，2018
42) 日本鋼構造協会高温強度班：構造用鋼材の高温時ならびに加熱後の機械的性質，JSSC，Vol.4，No.33，1968
43) 近藤史朗，杉本薫昭，村上行夫，春畑仁一，西村光太，鈴木淳一：加熱履歴温度及び冷却方法を考慮した鋼材の機械的性質について　その1　JIS Z 2241 の方法による引張試験結果，日本建築学会大会学術講演梗概集，2016
44) 近藤史朗，杉本薫昭，村上行夫，春畑仁一，西村光太，鈴木淳一：加熱履歴温度及び冷却方法を考慮した鋼材の機械的性質について　その4　引張特性に及ぼす鋼種の影響，日本建築学会大会学術講演梗概集，2017
45) 村上行夫，近藤史朗，春畑仁一，杉本薫昭，吉谷公江：加熱履歴温度及び冷却方法を考慮した鋼材の機械的性質について　その7　TMCP鋼の引張特性，日本建築学会大会学術講演梗概集，2020
46) 植戸あや香，村上行夫，御手洗達也，上田太次：加熱履歴温度及び冷却方法を考慮した鋼材の機械的性質について　その9　BCRの引張特性，日本建築学会大会学術講演梗概集，2021
47) 黒岩裕樹，岡部猛，安部武雄，尾崎達也：冷間ロール成形角形鋼管短柱の加熱後冷却時の圧縮挙動，日本建築学会構造系論文集，Vol.78，No.688，pp.1159-1166，2013.6
48) 村上行夫，勝尾美香，伊藤冬樹：加熱履歴温度及び冷却方法を考慮した鋼材の機械的性質について その5 衝撃特性に及ぼす鋼種の影響，日本建築学会大会学術講演梗概集，2017
49) 杉本薫昭，阪口明弘，尾崎文宣，吉谷公江，春畑仁一，葉凱，村上行夫：加熱履歴温度及び冷却方法を考慮した鋼材の機械的性質について　その10　BCRの衝撃特性と金属組織，日本建築学会大会学術講演梗概集，2021
50) 葉凱，尾崎文宣：ESTIMATION OF CHARPY IMPACT VALUES FOR BCR295 STEEL AT HIGH TEMPERATURE AND AFTER HEATING AND COOLING PROCESSES，日本建築学会大会学術講演梗概集，2019
51) 村上行夫，勝尾美香，　伊藤冬樹 ： 加熱履歴温度及び冷却方法を考慮した鋼材の機械的性質について その2 小型試験片による引張試験結果，日本建築学会大会学術講演梗概集，2016
52) 杉本薫昭，近藤史朗，村上行夫，春畑仁一，西村光太，鈴木淳一 ： 加熱履歴温度及び冷却方法を考慮した鋼材の機械的性質について その3 鋼材のミクロ試験結果，日本建築学会大会学術講演梗概集，2016

4.6.2 項

53) 日本建築学会：鋼構造建築溶接部の超音波探傷検査規準・同解説，2018
54) 脇山廣三： 高力ボルト接合(5) 火災と高力ボルト，　JSSC №39，　pp.46-49，　2001.1
55) 脇山廣三，巽昭夫：熱間中の高力ボルト構成材の機械的性質について，日本建築学会論文報告集，第308号，　pp.83-93，1981.10
56) 脇山廣三，巽昭夫：火災をうけた鋼構造物の熱履歴温度の推定法に関する研究　－その1　高力ボルト座金の硬さによる方法－，日本建築学会論文報告集，第310号，pp.32-42，1981.12
57) 脇山廣三，巽昭夫：熱履歴をうけた高力ボルトの残留軸力について　－その1　短時間暴露－，日本建築学会論文報告集，第313号，pp.19-26，1982.3
58) 韓錫鉉、尾崎文宣、多田健次、鈴木淳一：高力ボルト接合部の加熱冷却後のボルト軸力とすべり耐力評価、鋼構造論文集、第29巻第115号、pp.13-24、2022.9
59) 五十嵐定義，脇山廣三，蔵田栄治郎，巽昭夫：熱履歴を受けた高力ボルト接合部に関する実験的研究（その2残留軸力試験），日本建築学会大会学術講演梗概集，1976
60) 五十嵐定義，脇山廣三，巽昭夫，桜井久敏：熱履歴を受けた高力ボルト接合部に関する実験的研究（その3残留軸力試験－鋼種・熱履歴時間・冷却方法の補足），日本建築学会大会学術講演梗概集，1977
61) 脇山廣三，巽昭夫，園田学：熱的繰り返し受ける高力ボルト接合部に関する実験的研究，日本建築学会大会学術講演梗概集，1978
62) 田中淳夫，古村福次郎，小久保勲：高温加熱を受けた高力ボルト摩擦接合部の性状について，日本建築学会論文報告集，第252号，1977
63) 田中淳夫，古村福次郎，小久保勲：高温加熱を受けた高力ボルト摩擦接合継ぎ手の高温加力試験，日本建築学会論文報告集，第286号，1979
64) 藤本盛久，北後寿，古村福次郎：高力ボルト摩擦接合継ぎ手の耐火性に関する研究，日本建築学会論文報告集，第184号，1971
65) 韓錫鉉、尾崎文宣、多田健次、鈴木淳一：超高力ボルトF14T接合部の加熱冷却後損傷評価、日本建築学会大会学術講演梗概集(防火)，2022.8
66) 日本産業規格JIS B 1186「摩擦接合用高力六角ボルト・六角ナット・平座金のセット」，2013
67) 阪口明弘，豊田康二，門岡直也，田坂茂樹：高温加熱を受けた高力ボルトセットのロックウェル硬さに基づく受熱温度推定方法,日本建築学会構造系論文集，No.691，pp.1649-1657，2013.9
68) 柳瀬高仁，藤田哲也，嶋徹，池ヶ谷靖：ボルトと溶接の混用継手における溶接がボルト軸力に及ぼす影響（超音波ボルト軸力計によるボルト軸力の測定），日本建築学会大会学術講演梗概集，2005
69) Kai Ye and Fuminobu Ozaki: ESTIMATION OF CHARPY IMPACT VALUES FOR STEEL WELDED CONNECTIONS AT HIGH TEMPERATURE AND AFTER HEATING AND COOLINGPROCESSES，日本建築学会大会学術講演梗概集(防火)，2018.9

4.8 節

70) 日本建築学会：鋼構造設計規準，2005，第 10 章
71) 大内富夫, 湯谷孝夫, 西垣太郎, 丹羽博則, 宮本圭一, 斎藤秀人, 谷田貝健, 高橋済：建築構造物の長期設計荷重時応力(その 1 全体概要)，日本建築学会大会学術講演梗概集(関東)，1997. 9
72) 湯谷孝夫, 大内富夫, 西垣太郎, 丹羽博則, 宮本圭一, 斎藤秀人, 谷田貝健, 高橋済：建築構造物の長期設計荷重時応力(その 2 梁部材)，日本建築学会大会学術講演梗概集(関東)，1997. 9
73) 齋藤秀人, 大内富夫, 湯谷孝夫, 西垣太郎, 丹羽博則, 宮本圭一, 谷田貝健, 高橋済：建築構造物の長期設計荷重時応力(その 3 柱部材)，日本建築学会大会学術講演梗概集(関東)，1997. 9
74) 日本建築学会：高力ボルトの接合設計施工ガイドブック，2016. 5
75) 日本建築防災協会・日本鋼構造協会：2013 年改訂版 既存鉄骨造建築物の耐震改修施工マニュアル，2013. 8
76) 日本建築防災協会：2011 年度改訂版耐震改修促進法のための既存鉄骨造建築物の耐震診断および耐震改修指針・同解説，2011. 9
77) 鷲尾健三，高橋慶夫，五十嵐定義：建築の構造　その事故と災害，9 章　あるビルの火害調査から，1978

付　　　録

2024

付−1　火害を受けた各種構造部材・材料について

付−1.1　火害を受けたプレストレストコンクリート部材について

本指針では、火害を受けた鉄筋コンクリート（以下、RC という）造と鉄骨造の診断および補修・補強について記載しているが、プレストレストコンクリート（以下、PC という）造については取り扱っていない。この理由は PC については診断方法及び補修・補強方法の知見がほとんど見当たらないため、PC の指針化は今後の課題と考えている。ここでは、PC 造の火災事例を紹介し、火災後の補修方法および再使用について一例を示す。

1. 火 災 事 例

我が国では、PC 造の火災事例としては、土木で道路高架橋の場合が見受けられるが、建物としての火災事例は見当たらない。スウェーデンでは PC 構造を用いた工場の火災が 2 例報告されている[1)]。

(1)木造工場に増設された PC 工場（柱と梁がプレテンション既成材、スラブはプレキャスト軽量コンクリート版）の例

木造部分から出火し、PC 部分が水平の煙道となって類焼し、火元に近い PC 柱（鋼線の最外層までのかぶり厚さ：2.54cm）はコンクリート部分に軸方向にひび割れが発生したにもかかわらず、振動法で調べた結果、PC 鋼線の引張力の低下は認められなかった。この柱は取り替えられたが、PC 梁は火元に近い 2 本を除いてほとんど被害はなかった。最も被害がひどかった梁は当初強度のおよそ 1/3 低下していると見込まれたので、取り替えられた。ただし、火災後にたわみが増大していたとは考えられなかった。

(2)合板工場の例

火災補修後半年くらいで再度、同一箇所で火災が発生した例であるが、持ちこたえた。屋根を支える PC 梁は上部山形、下端水平のフランジを持つ I 型断面で、ウェブ厚さは 7.6cm であった。この位置の温度は 500℃〜600℃に達し、1.5 時間以上は 400℃を超えて加熱されたと思われ、熱と消火水との共同作用で火元に近い 1 本の梁はウェブ部分が長さ 2.43m にわたって完全に抜けてしまった。しかし、フランジ部分は実際上ほとんど被害がなく、ウェブ部分に配置されていた PC 鋼線の引張力は 1098N/mm^2 から 412N/mm^2 に低下しているのに対し、フランジ部分の鋼線についてはプレストレスの損失はなかった。火元に近い第 2 の梁では被害がほとんどなく、ウェブ部分が抜けた梁 1 本だけについてその抜けたウェブ部分に普通鉄筋を添えてコンクリート打ちを行い、補強された。その後、再び同一箇所から前回よりも激しいと思われる火災が発生したが、その時は構造的被害をほとんど受けなかったと報告されている。このように、厚さの薄いウェブ部分などでは火災によって抜けることもあるが、いずれも局部的な破損であって、フランジ部分のような比較的厚い部分ではほとんど被害を受けず、補修後再使用が可能となる場合がほとんどである。

2. 火災後の補修および再使用について

PC 造の火害調査・診断および補修・補強の考え方は基本的に RC 造と同じである。ただ、PC 鋼材が挿入されプレストレスが導入されている点が異なる。火災後の PC 梁の補修の考え方の一例、再使用可能な方法および加熱後の剛性について過去の研究より紹介する。

(1)PC 梁の火災後の補修方法の考え方の一例を示す[2)]。プレストレス力が喪失されているとすると、元に返すことが困難である。しかし、PC 緊張材の温度が 400℃以下であれば、耐力の減少も少なく、補修可能と思われる。かぶりコンクリートが脱落した場合、梁に設計荷重以上の荷重を載荷し、下面のコンクリートに増打ちを行って、これが硬化した後、除荷すれば、増打ちしたコンクリートにもプレストレストがいくらか導入される。また、梁の側面に緊張材を挿入してプレストレスを与え、緊張材に防火性を付与する目的で、後日、緊張材を包み込む形でコンクリートを打設することも可能である。致命的な被害でなければ、個々の場合について修理の方法は考え得ると思われる。
(2)火災後 PC 造の再使用を想定する場合について記す[2)]。コンクリートの高温強度および高温履歴後の強度性状より見て、火災時に耐火被覆によって熱衝撃を和らげ、かつコンクリート表面温度を 200℃以下に保護するならば、火害前とほとんど変わらないコンクリートとして保たれるとみてよい。

火災を受けた後に建物を再使用するかの判断は、設計者が行うべきことである。

コンクリート表面温度が 200℃を超えなければ、そのまま再使用可能とすると、火災時間と耐火被覆の厚さの関係はほぼ**付表 1.1.1** に示すようになる。ここでいう耐火被覆とは、高温非膨張性の耐火被覆であり、パーライトモルタル、石こうプラスター、ひる石モルタルなどである。

付表 1.1.1　再使用のための耐火被覆厚さ[2)]（単位：mm）

火災時間	30 分	45 分	1 時間	2 時間
耐火被覆の厚さ	20	25	30	45

(3)火災時間と剛性の関係について述べる。林らの研究[3)]によると、PC 梁は「プレストレストコンクリート設計施工規準・同解説」[2)]（以下、PC 規準という）を満足する仕様であれば、剛性は加熱時間（ISO 834 標準加熱曲線による）30 分では常温時の約 80%、60 分であれば、約 50%に低下する。しかし、4 カ月後には 30 分加熱の剛性は加熱直後に比べ回復が見られたが、60 分加熱では剛性の回復は見られなかった。30 分程度の火災に対しては、PC 規準を満足する仕様であれば、再使用の可能性は高いと思われる。

【参考文献】
1)坂静雄：プレストレストコンクリート架構材の耐火力，建築雑誌，Vol.71,No.839, pp.9-12,1956.10

2)日本建築学会：プレストレストコンクリート設計施工規準・同解説, pp.409-411,2022.3
3)林成俊，古沢陽子，谷昌典，原田和典，西山峰広：プレストレストコンクリート梁の高温時力学性状に関する実験的研究（その 1)，（その 2）,日本建築学会大会学術講演梗概集，pp.913-916，2008.9

付−1.2　火害を受けた非耐力部材（乾式壁、ＡＬＣパネル）について

本指針は火害を受けた RC 造と鉄骨造の躯体についての診断および補修・補強について記述しているが、実際の火災では非耐力部材も構造躯体と同等の火害を受ける。

ここでは、代表的な非耐力部材である乾式壁を構成するせっこうボードおよび ALC パネルが火災を受けた場合の被害と補修方法について記載する。

1．火害を受けたせっこうボードについて

せっこうボードは、せっこう（$CaSO_4 \cdot 2H_2O$）を芯材とし、両面をせっこうボード用原紙で被覆成型した建築用内装材である。せっこうは、重量比で 21％の結晶水を含んでいるため、結晶水が蒸発放散するまでは温度が上昇しない特長を持っている。ボード用原紙の厚さが 0.6 ㎜以下で厚さ 12 ㎜以上のせっこうボードは不燃材料の例示仕様に、厚さ 9 ㎜以上のせっこうボードは準不燃材料の例示仕様に分類されている。

火災時の火熱を受けてもすぐに崩れることはなく防耐火性を発揮するが、一旦火熱を受けたせっこうボードを再利用することは難しい。表面の紙（せっこうボード用原紙）が強度面で重要な性質を担っているため、表面の紙の炭化・変色が認められれば交換する方がよい。また、消火作業による水濡れ（水損）があった場合も、強度低下するおそれがあるため交換する方がよい。せっこうボードは、重ね張りで使用される場合も多く、上張りせっこうボードのみが火害を受ける場合もあるが、上張りボードと下張りボード間を接着剤で施工している場合は上張りのみの交換は難しい。下張りボードにも被害が及んでいることもありえるので、両方とも交換する方がよい。

せっこうボードの補修としては、いわゆる「凹み」をパテで補修する場合はあるが、火害を受けたボードを補修する方法はないため、火害を受けたせっこうボードはすべて交換することが望ましい。

2．火害を受けたＡＬＣパネルについて

ALC パネルは “Autoclaved Lightweight aerated Concrete panels”（高温高圧で蒸気養生された軽量気泡コンクリートパネル）の頭文字をとって名付けられた建材である。製品は幅 600 ㎜が標準で、厚さが 75 ㎜以上の厚形パネルと 50 ㎜以下の薄形パネルに大別され、厚形パネルは主に鉄骨造の住宅・ビル・工場など、薄形パネルは鉄骨あるいは木造の専用住宅・低層建築物などというように、建築物の構造や規模・用途に応じて使い分けられている。耐火性に優れ、厚さ 75 ㎜以上の ALC パネルは、耐火構造壁 2 時間（非損傷性 2 時間、遮熱性 1 時間）の例示仕様となっている。

加熱を受けた ALC パネルの変化については、残存耐力（曲げ耐力）の低下とひび割れ等の表面の劣化が挙げられる。非耐力部材であるが、パネルの健全性を確認するには残存耐力を指標として用いるのがわかりやすい。

残存耐力の低下に関しては、以下のような実験例が報告されている[2)3)]。厚さ 35 ㎜、50 ㎜、100 ㎜の ALC パネル壁に、10 分および 20 分間の ISO834 標準加熱温度を片側に与え、冷却した後に、JIS A 5416 に示された曲げ強度を測定した結果（荷重−たわみ曲線）を**付図 1.2.1** に示す。図の左列は、曲げ試験中に圧縮応力が生じる区間が、加熱により脆弱化した領域とした場合の結果であり、図の右列は、その逆で、圧縮応力が生じる区間が加熱の影響を受けない健全な領域と

した場合の結果である。

その結果、左列の加熱部分が圧縮力を受けた試験体は、加熱時間が増すにつれ、曲げ耐力があきらかに低下しているが、逆に右列の非加熱部分が圧縮力を受けた試験体は、曲げ耐力の低下が緩やかであることがわかる。厚さの影響に関しては、35,50,100 ㎜と増加することにより、曲げ抵抗性が大きくなっている。特に、厚さが 100 ㎜の場合は、パネル支点間中央の変位が 30 ㎜を超えて、部材が大きく変形した状態においても、曲げの残存耐力は十分に保持され、更に抵抗する状態となっている。

火害を受けた ALC パネルについては、厚 35 ㎜では強度低下が大きいが、厚 100 ㎜ではあまり強度低下せず、厚みを増すことで健全な部分の有効断面積を確保できる可能性がある。

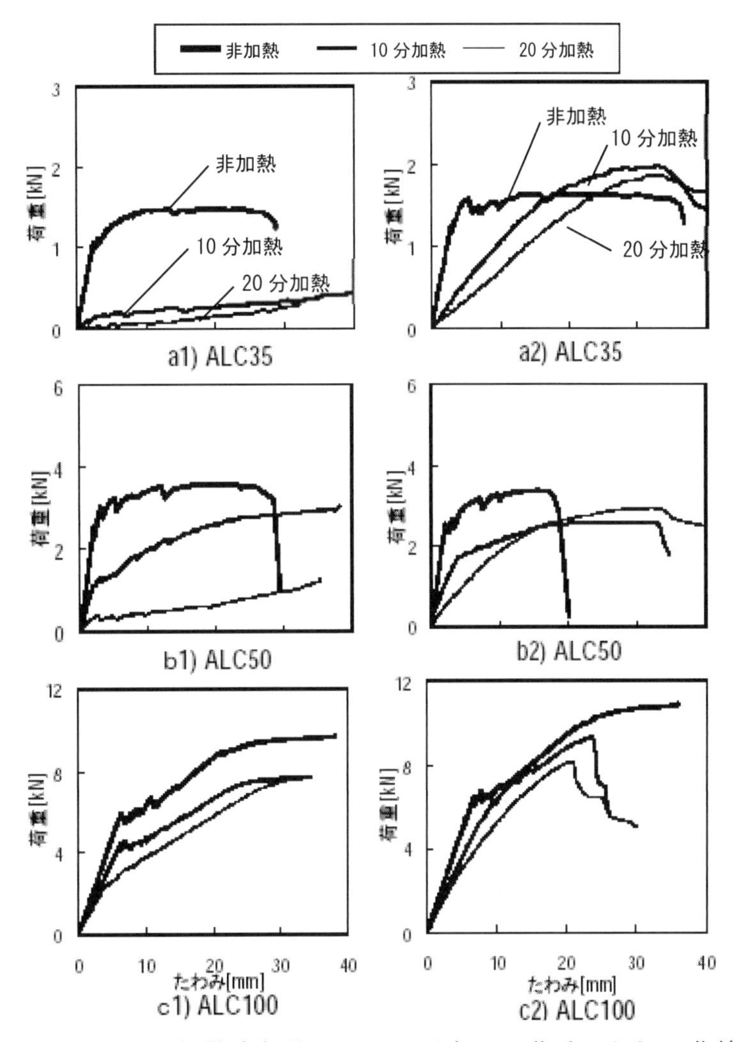

付図 1.2.1 加熱冷却後のＡＬＣパネルの荷重－たわみ曲線 3)

一方、表面の劣化に関しては、ALC パネルは加熱を受けると加熱面に亀甲状のひび割れを生じ、そのひび割れは加熱時間の増加に伴って増大する。また、加熱面側に凹状のたわみが残存する。

火災にあって残存耐力（曲げ耐力）の低下とひび割れ等の表面の劣化等の損傷を受けた ALC パネルの健全性を判断する方法としては、パネル全体を抜き取り、JIS A 5416 に示された曲げ試験の結果が規格値を満たすかどうかを確認するのが確実な方法である。パネル全体を抜き取らなくても、小サンプルから得た粉末をＸ線回折し、ALC 結晶構造を分析することによって、ALC パネルの健全性を判定できるという最近の研究もある 4)。これは、ALC を構成するけい酸カルシウム水和物の中で主要なトバモライト結晶が、加熱によって変化する様子をＸ線回折で分析することにより、ALC パネルがどの程度の深さまで火災の影響を受けたか（加熱変化深さ）が判定できるというものである。Ｘ線回折によって得られた加熱変化深さと ALC パネルの曲げ試験によるたわみ（曲げ剛性）との関係を**付図 1.2.2** に示す。加熱変化深さと曲げ剛性に

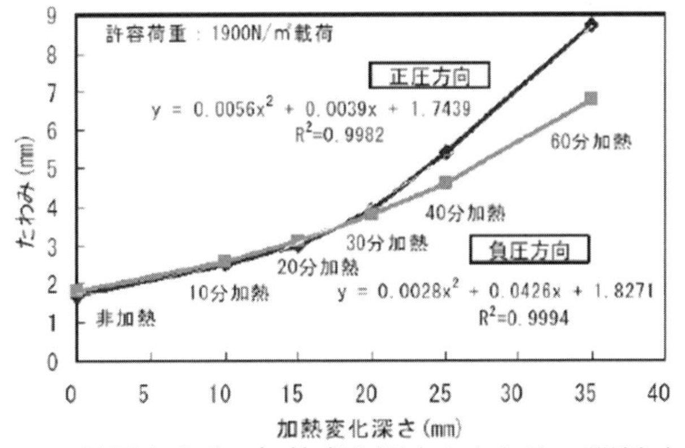

付図 1.2.2 加熱変化深さとたわみの関係 4)

は高い相関関係が見られ、さらに ISO834 に規定される加熱時間とトバモライトの加熱変化深さにも高い相関関係があり、式(付 1.2.1)で示される。

$$k = -0.0016t^2 + 0.7365t + 0.1544 \quad (R^2 = 0.9931) \qquad (付\ 1.2.1)$$

〔　k：トバモライトの加熱変化深さ(mm)　　t：加熱時間（分）〕

ここで、加熱時間ごとの荷重−たわみ曲線を**付図 1.2.3**（正圧方向）および**付図 1.2.4**（負圧方向）に示す。試験結果は、**付図 1.2.5** に示す耐火炉で各時間加熱した厚さ 100mm の ALC パネルについて、JIS A 5416（軽量気泡コンクリートパネル）に従って**付図 1.2.6** のように行われたものである。

試験概要『構造設計上のパネルの許容荷重は 1900N/㎡。JIS 規格上のたわみは約 7.7mm 以下。ALC パネルの加熱面からの載荷を正圧方向、非加熱面からの載荷を負圧方向として試験を実施』

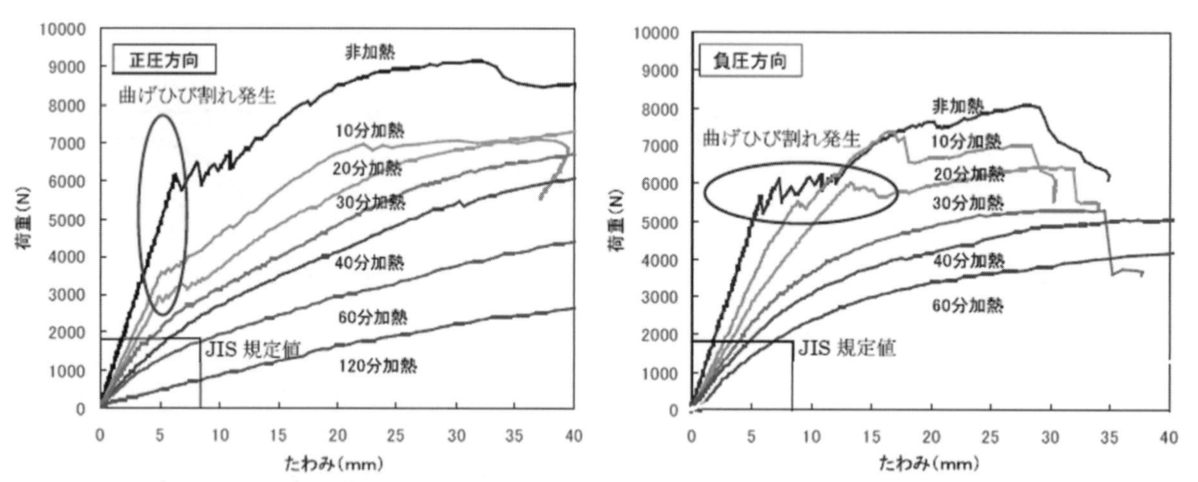

付図 1.2.3　加熱時間ごとの荷重−たわみ曲線(正圧方向)　**付図 1.2.4** 加熱時間毎の荷重−たわみ曲線(負圧方向)

付図 1.2.5　縦型耐火試験炉

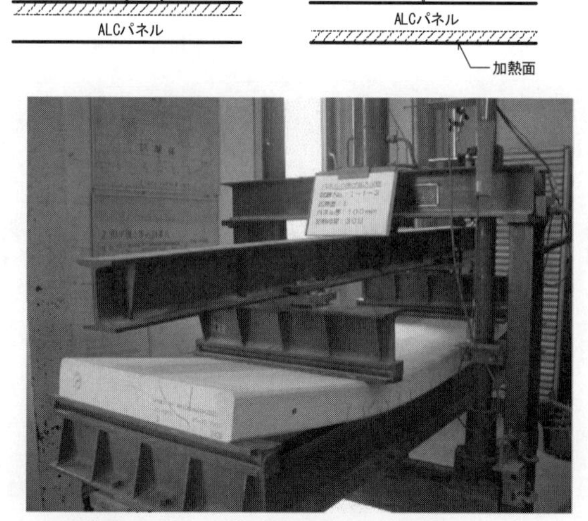

付図 1.2.6　曲げ強さ試験の実施状況

加熱時間 20 分以下のパネルの荷重−たわみ曲線においては、曲げひび割れの発生箇所は明確であり、そこまでの荷重―たわみ曲線は直線的である。ALC パネルに残存する曲げ剛性によるものと推察される。これに対して、加熱時間 30 分以上の場合は、曲げひび割れの発生箇所は明確ではなく、荷重－たわみ曲線は荷重載荷開始から曲線を描き、ALC パネルの最終的な破壊も明確ではない。これは、加熱の影響によりALC パネルの曲げ剛性が著しく低下、もしくはほぼなくなったためと考えられる。以上のことから、加熱時間 20 分までは、当該試験に用いたALC パネルの曲げ剛性の観点において、継続使用の可能性があるものと推察される。この結果に関連して、**付図 1.2.7** に各時間加熱したALC パネルの断面を示す。加熱は図の上方から行われ、加熱時間の経過と共に亀裂の深さや太さが大きくなっていることが、目視においても確認できる。30 分の加熱では亀裂の深さが、パネル断面の鉄筋（被り厚さ約 15 ㎜）以上に及んでいることがわかり、トバモライトの加熱変化深さを算出する式（付 1.2.1）からも、加熱時間 20 分では深さ約 14 ㎜、30 分では約 21 ㎜と算出されることと符合する。上述のALC パネルに残存する曲げ剛性の観点から、継続使用の可能性を確認する手法として、トバモライトの加熱変化深さを用いることは有効であると考えられる。以上のような傾向は、ALC パネルの厚さが 80 ㎜ の場合および 150 ㎜ の場合でも同様な傾向がみられる。

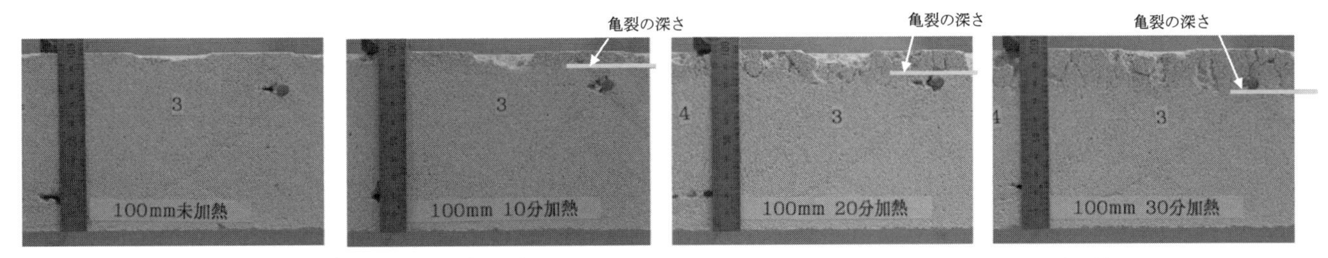

付図 1. 2. 7 加熱時間別のパネル断面（厚 100㎜：鉄筋のかぶり厚は加熱面から 15 ㎜程度）

なお、火害を受けたALC パネルを想定し、上述のように加熱したALC パネルから圧縮試験用サンプルを採取し、**付図 1.2.8** のように試験した場合、その圧縮強度と加熱変化深さの関係は**付図 1.2.9** に示す結果となる。このような方法から加熱変化深さを推定する方法も現在検討中である。比較的加熱変化深さが浅い（加熱時間が短い）場合には、トバモライトの加熱変化深さの算定式（X 線回折によるもの）に近い値となる（外周寸法による加圧）。

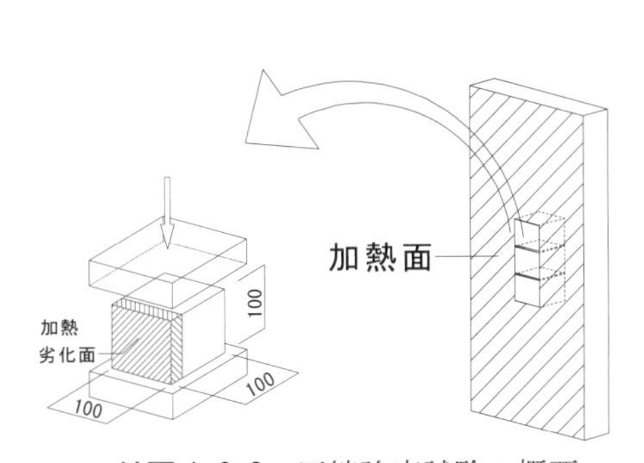

付図 1. 2. 8 圧縮強度試験の概要

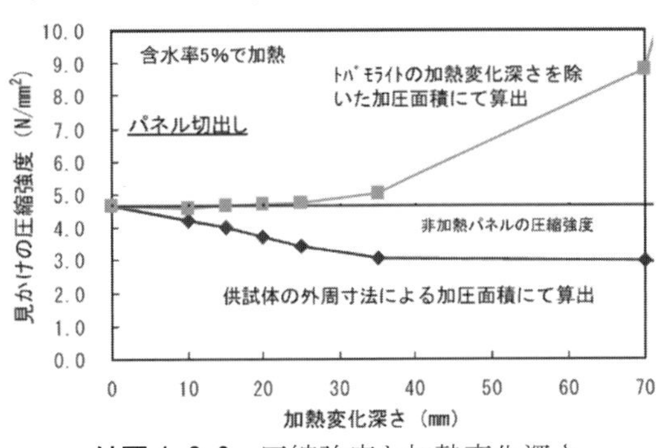

付図 1. 2. 9 圧縮強度と加熱変化深さ

また、ALC パネルの長期耐久性の観点からの劣化度として、炭酸化度という指標がある[5]。炭酸化度とは、トバモライトの分解の度合いを示すもので、ICP 化学分析で CaO 含有量を、熱分析（DTA-TG）による 600～800℃の重量減少量から CO_2 含有量を計測した上で、計算式によって求められる。炭酸化度が 50%以上であるとALC 素材が劣化していると判断できる。炭酸化度でALC パネルの火害の程度を直接判断することはできないが、X 線回折の結果などと併せ、総合的に補修・補強方法を決定するのが望ましい。

損傷の程度と補修可能かどうかの判定および補修方法を明確に示すようなものは現状では存在しない。比較的小さな範囲であれば、JASS21 等で示されている専用の補修材を用いて行うことが可能であるが、面として火害を受けたALCパネルは、取り替えるか、火害の程度が軽ければ加熱面からの補強を行うことになる。「加熱面からの補強」とは、火害の程度が軽い場合、即ち熱影響が加熱表面から浅い範囲に止まっている場合には、パネル加熱面に生じる微細なひび割れの内部へ浸透し、充填および硬化する塗布含浸剤（材）が用いられる場合がある。これにより加熱表面の脆弱さが改善され、耐久性の維持、仕上げ材の下地面としての表面強度およびパネルの曲げ剛性も改善される。塗布含浸剤（材）には、アクリル樹脂エマルション系とウレタン樹脂系およびエポキシ樹脂系等があり、その他、パネル表面にセメント系の下地調整塗材等を塗布し、被覆層を形成することも行われる。

ALCパネルのメーカーとしては、表面的には大丈夫でも、火災によるパネル強度・耐久性・断熱性などの総合的なダメージは判断できず、再度火災を受けた場合に初期の性能を発揮できるかも不明である点、また、見た目にはわからなくても、表面の結晶が変化し、細かなひび割れが発生している点、焼けた部分の仕上げ（塗装）に対する耐久性が明確でない点などを理由に、パネルの取り替えを勧めている場合が多いようである。しかし、ALCパネルメーカーは、火害の程度が軽い場合には継続使用できないかどうか研究を継続しており、X 線回折などの化学分析に基づいた劣化予測なども新たに提案されており、こうした手法が実際の火災現場で活かされることが今後期待される。

【参考文献】

1)石膏ボード工業会：平成 15 年版　石膏ボードハンドブック

2) Y Kitsutaka, Mr H Hiramatsu, M Tamura：Influence of High Temperature Heating on the Mechanical Properties of Autoclaved Aerated Concrete Panel, Proceedings of the International Conference on Concrete Construction's Sustainable Option, Scotland, UK, Concrete for Fire Engineering, pp.283-289, 2008.7.

3)平松宏基ほか：各種建築外装仕上げパネルの耐火性能に関する研究，日本建築学会　関東支部研究報告集，第 77 号，pp.1-4，2007.2

4)遠藤利二ほか：ALC パネルの各種強度性状に及ぼす加熱の影響　その１．加熱後の ALC パネルの曲げ強さ及び X 線回折による ALC パネル結晶構造の分析，日本建築学会構造系論文集，第 633 号，pp1921-1926，2008.11

5)松下文明ほか：軽量気泡コンクリート(ALC)の耐久性向上　軽量気泡コンクリート(ALC)の炭酸化判定法，日本建築学会技術報告集，第 9 号，pp29-32，1999.12

6)遠藤利二ほか：ALC パネルの各種強度性状に及ぼす加熱の影響　その 2．厚さの異なる ALC パネルの加熱後の曲げ強さ，日本建築学会構造系論文集，第 645 号，pp.1941-1947，2009.11

7)遠藤利二ほか：ALC パネルの各種強度性状に及ぼす加熱の影響　その 3．厚さの異なる ALC パネルの加熱後の曲げ強さ，日本建築学会大会学術講演梗概集，pp.1225-1226，2009.7

8)遠藤利二ほか：ALC パネルの各種強度性状に及ぼす加熱の影響　その 4．加熱の影響を受けた ALC パネルのたわみの増加比の算定，日本建築学会大会学術講演梗概集，pp1227-1228，2009.7

付−1.3　火害を受けた耐火被覆について

1．耐火被覆について

耐火被覆とは、1000℃を超えるような火災温度に対しても一定程度の耐熱性のある断熱材である。多くの耐火被覆は加熱を受ける表面から、徐々に熱分解や収縮等の熱劣化を生じるが、耐熱温度以下の加熱であれば、所定の時間は被覆された鋼材等の温度上昇を抑え得る耐熱性を保持している。しかしながら、熱劣化が生じる温度以上の加熱履歴を受けた耐火被覆は、火災前に比べて各種性能が低下しているため、火災後の再使用は一般的に難しい。ただし、小火や小規模な火災で受熱温度が低温度となる場合には、再使用が可能な場合もあるため、判断が難しいところである。加熱による劣化だけではなく、消火活動に伴う放水などにより、消火水が耐火被覆に含浸することや、放水圧により損傷することもあるため、消火活動の影響を受けた範囲の耐火被覆は、交換が推奨される。

耐火被覆には多くの種類があるが、それらの大半は建材メーカーの製品であり、交換の要否については建材メーカーの判断に従うのが原則と考える。ここでは、一般的な耐火被覆である吹付けロックウール・けい酸カルシウム板・巻付け耐火材・耐火塗料について、交換の要否の判断の参考になる情報を提供する。その他の耐火被覆については、製造元への確認が必要である。

2．吹付けロックウール

吹付けロックウールの工法種類は大きく分けて、乾式工法・半乾式工法・湿式工法の３種類がある。乾式工法は、工場配合材料を用いる工法である。あらかじめ工場でロックウールとセメントを配合した材料を吹付け施工機械で圧送し、ノズル先端の周囲から噴霧される清水で包み込み材料を湿潤させながら、均一に下地面に吹付ける工法である。半乾式工法は、セメントスラリーを用いる現場配合工法で、3 種類の工法のうち最も一般的となっている工法である。日本建築学会建築工事標準仕様書 JASS6「鉄骨工事」においても「半乾式工法」と記載されている。なお、一部では、「半湿式工法」と呼ばれることもある。この工法は、ロックウール工業会の資料によれば、清水とセメントをあらかじめ攪拌装置のあるスラリー槽で混合してセメントスラリーを作り、ロックウールと別々に圧送し、噴霧化されたセメントスラリーとロックウールをノズル先端部で混合しながら均一に下地面に吹き付ける工法である。湿式工法はあらかじめ工場でロックウールとセメントおよび他の材料を配合して製造した吹付け材料に水を加えて混練して、専用の吹付け機でノズルの先端に圧送して吹付ける工法である。

吹付けロックウールの構成材料はロックウールとセメントと水である。ロックウールは、鉄鋼スラグなどの原料を溶融し、それを遠心力により吹き飛ばし、繊維化した人造の鉱物繊維である。したがって、小火程度で材質が変化することはない。熱によって性能が低下するのは硬化したセメントである。耐熱性と断熱性を左右するのは材料内の含水である。100℃を超える火熱に長時間曝されると材料内部の自由水の蒸発や結晶水やセメント水和物等の熱分解が生じる。自由水が蒸発しても、著しく耐熱性や断熱性が保持できなくなるわけではないが、材料の熱分解が生じると材料自体が脆くなるため、脱落や剥離など耐久性上の問題が生じる恐れがある。よって、耐火被覆材が 100℃を越える温度となった部分については、削り取りと再施工等の判断をする。

3．けい酸カルシウム板(繊維強化セメント板 JIS A 5430)

せんい強化セメント板協会の資料によれば、耐火被覆板を構成するけい酸カルシウム水和物には主にトバモライト系とゾノトライト系の2種類がある。耐火被覆板（タイプ3 0.2TK、0.5TK）は主としてゾノトライト系が、内装用の成型板（タイプ2 0.8FK、1.0FK）はトバモライト系のものが多いが、製造メーカーによってはゾノトライト系の含有率が多いものもある。

耐火被覆板の製造法は、けい酸質原料と石灰質原料に水を加えてスラリーとし、攪拌機付オートクレーブに供給して高温高圧で水熱合成反応を行い、生成したけい酸カルシウム水和物スラリーに補強繊維を混入してプレスで成型し、乾燥後製品とする方法が主流である。

ゾノトライト系の耐火被覆板は、高い耐熱性を有するが補強材として有機繊維を含有しているため、200℃を超える温度履歴を受けたけい酸カルシウム板の再使用には諸特性の変化がある可能性があるため、取り替えることを推奨する。また、鋼材等の熱変形に伴い、耐火被覆板に亀裂等が発生している場合にあっても取替えを推奨する。

内装用の成型板については、耐火被覆板よりも耐熱性が低いトバモライト系のものも多く、けい酸質材料に起因する水和物等の成分も製造メーカーによりさまざまである。また、耐火被覆板と同様に補強材としての有機繊維を含んでいる。そのため、100℃を越える温度にさらされた場合には、交換等の判断をする。

4. 耐火塗料

耐火塗料は、250℃前後で発泡し20～30倍に膨らんで断熱層を形成して断熱効果を発揮する塗料のことである。一旦発泡した塗料は元に戻らない。また、主成分であるポリリン酸アンモニウムは水分によって変化し、発泡しなくなる性質を持っている。発泡していなくても消防隊の消防活動によって表面のトップコートが損傷し、消火水等が混入することによって将来の耐火性能が確保できなくなる可能性がある。したがって、耐火塗料の再使用には、受熱状況の確認と共に表面の損傷と水分の混入の有無を確認する必要がある。

一例として、ある耐火塗料メーカーが実施している調査および判断基準を示す。調査は耐火塗料塗膜の目視による外観検査および打診検査で行う。判定基準および推奨される補修方法を**付表1.3.1**に示す。

付表1.3.1　耐火塗料の状況と補修方法の例

調査結果	補修方法（例）
・外観上、異常なし ・浮きなし	必要なし。
・塗膜の膨れが発生	発生箇所の主材塗膜を全て除去し、下塗りから復旧する。
・塗膜の変色、焦げ	変色箇所の主材塗膜を全て除去し、下塗りから復旧する。
・塗膜の浮きが発生	浮き部分の主材塗膜を全て除去し、下塗りから復旧する。
・加熱発泡	炭化層および下層の主材塗膜を除去し、下地処理（素地調整2種）を行ない、下塗りから復旧する。

5. 巻付け耐火材

巻付け耐火材は、主に無機繊維を基材としたタイプと熱膨張系を基材にしたタイプに大別される。熱膨張系については、前述した耐火塗料と同様である。無機繊維を基材にしたタイプについては、リフラクトリーセラミックファイバー、耐熱ロックウールフェルトのものがある。なお、リフラクトリーセラミックファイバーについては、平成27年11月の特定化学物質障害予防規則・作業環境測定基準等の改正により、特別管理物質としての制限等が課せられている。

耐熱ロックウールフェルトに関しては、製造メーカー情報によると繊維系の基材は650℃でもほとんど収縮せず、通常のロックウールより耐熱性が高い。ただし、繊維同士をつなぐバインダーは 450℃程度で燃焼するので、材料の硬さは柔らかくなる。また、表面に繊維の飛散防止のための表面材（不織布等）を貼っており、この表面材は有機系のものが用いられている場合が多く、表面の損傷度合いで交換を判断する目安となる。

表面材の多くはポリプロピレンやポリエステル系であり、表面材の変色だけであれば、溶融温度（ポリウレタン約 250℃、ポリプロピレン約 160℃）や引火点（約 330℃）には達しておらず、耐火性能に影響は無いと判断できる。表面材が焼失、または煤による変色や焦げがあるが基材の繊維自体に弾力があり変色等も見受けられない場合は、500～600℃以下の加熱でおおよそ 1 時間の加熱であることが予測される。これも耐火性能には影響が少ない熱的変化である。それ以上の被害（基材の繊維が変色している、表面が溶融している等）が見られる場合は、取り替える必要がある。

なお、煤による臭いや消防活動による消火水等による水損が生じた場合は、この限りでないため、加熱収縮率や熱伝導測定等の調査を行った上で判断する必要がある。しかしながら、比較的取替えは容易な材料であるため、取替えを推奨する。

付−1.4　火害を受けたワイヤロープの引張強さ

本付録では、建築構造で用いられるワイヤロープの火害後の引張強さ(破断強度)について述べる。ワイヤロープの加熱冷却後の機械的性質については、文献[1]に詳しく報告されている。ワイヤロープは常温時の引張強さが1500MPaを超える超高強度材料として建築分野のケーブル構造、張弦梁構造、ガラスファサードおよび大空間構造などに幅広く利用されている[1,2]。建築構造物に用いられるワイヤロープは共析鋼と呼ばれる高炭素鋼から製造されており、鋼の組織をパテンティングと呼ばれる熱処理により、硬い層と柔らかい層が交互に重なった微細で均一な組織（パーライト組織）にすることで、伸線加工性に優れた超高強度鋼を実現している反面[1]、火害後にはこれらの特性が変化してしまう可能性がある。特に300℃以上の加熱履歴を受けたワイヤロープは強度低下が激しく、ワイヤロープ自身の再利用は困難となる。

付図 1.4.1 には、JIS G 3549 に規定された 1570MPa 級ワイヤロープ(ストランドロープ、公称ワイヤロープ径：9mm, 公称断面積：39.4 ㎟, 規格破断荷重：55.7kN)の加熱冷却後の引張強さを示す[1]。同図には、普通鋼材 SS400[3]、高力ボルト F10T[3]、および平行線ロープ P.W.S.19[4]の加熱冷却後の引張強さも併記されている。図示されたデータは、各鋼種の未加熱時の引張強さを縦軸 1.0 として無次元化されている。**付図 1.4.1** より、加熱を受けたワイヤロープは、SS400 や F10T と比べて強度低下が激しいことが分る。300℃の加熱履歴でワイヤロープは強度低下をきたし、600℃の加熱履歴では残存強度が半分以下にまで低下する。

付図1.4.2には、文献[5]に示されたワイヤロープ端末止め接合部の加熱冷却後の引張強さを示す。これらの端末止め接合部は小径のワイヤロープに良く用いられる圧縮止め型であり、大径のワイヤロープで用いられる溶融亜鉛合金のソケット型ではないことに注意する必要がある。ワイヤロープ径は**付図1.4.1**のものと同じであり、端末止め接合部のソケット長さ（LC）が74mmと37mmの実験結果がそれぞれ示されている。公称ワイヤロープ径9mmに対して保有耐力接合を満たすものはLC74mmであり、これが一般的に用いられるソケット仕様となる。

一方、LC37mmの端末止め接合部は保有耐力接合を満たしておらず、通常の端末止め接合部には用いられない。**付図1.4.2**の縦軸はワイヤロープ単体の規格破断荷重（55.7kN）で無次元化されている。LC74mmの実験結果は、ワイヤロープ単体のものとほぼ同じ曲線となる。これらは加熱冷却後も端末止め接合部で破断せずに、ワイヤロープが破断したためである。一方ソケット長さが小さなLC37mmの試験体では、接合部でワイヤロープの引抜け破断が生じたため、これらの強度低下は大きくなっている。通常仕様（保有耐力接合を満たす）圧縮止め端末接合部であれば、加熱冷却後も端末接合部が先行破断する可能性は低いと考えられる。ただし、ワイヤロープ単体およびワイヤロープ端末止め接合部の加熱冷却後の実験データは非常に少なく、今後も継続的な研究とデータ蓄積が必要である。

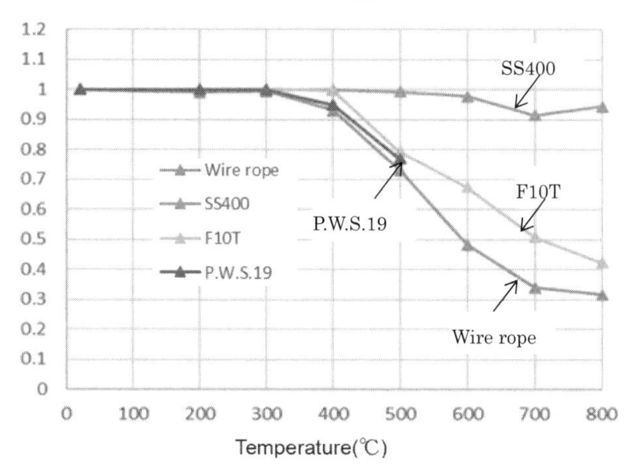

付図 1.4.1 ワイヤロープを含む各鋼種の加熱冷却後の引張強さ [1)]

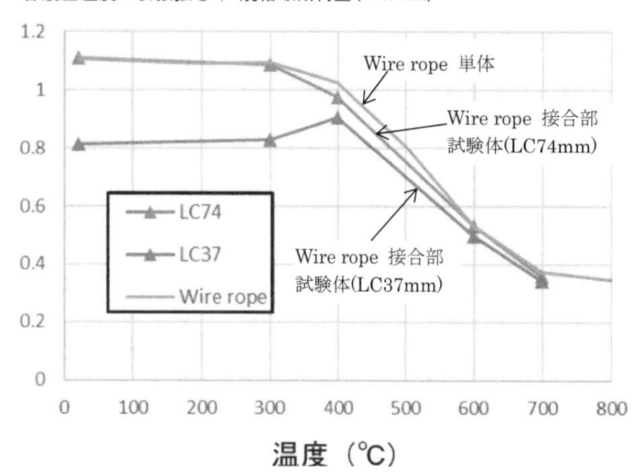

付図 1.4.2 圧縮止めワイヤロープ端末接合部の加熱冷却後の引張強さ [5)]

【参考文献】

1) 山口卓巳, 尾崎文宣：1570MPa 級高炭素鋼線を用いたワイヤロープの高温時および加熱冷却後引張強度, 日本建築学会構造系論文集, 第 87 巻, 第 793 号, 340-349, 2022.3
2) 日本建築学会：ケーブル構造設計指･同解説, 2019
3) 日本建築学会：構造材料の耐火性ガイドブック, 2004
4) 上杉英樹, 倉本真介, 国井聡, 水口茂, 斎藤光, 大山宏：平行線ケーブル部材におけるボタンヘッド定着部の火災時耐力, 日本建築学会構造系論文集, 第 479 号, pp.129-138, 1996. 1
5) 山口卓巳, 尾崎文宣：圧縮止め型ワイヤロープ接合部の高温時および加熱冷却後引張強度, 日本建築学会大会学術講演梗概集（防火）,2022.8

付−2　受熱温度推定表（詳細版）

一次調査の表面の受熱温度の推定は、当該部材および周辺にある材料と物品等の熱による損傷状態を観察することによって行う。代表的な材料の劣化状況と推定受熱温度は、**解説表 3.3.3** および**解説表 4.5.2** に示しているが、近年の海外文献 1)2)には解説表には示されていない物質やその使用例が示されているものがある。ここでは文献 1)における受熱温度推定表を**付表 2.1** に示し、読者の便に供することにした。また、文献 2)はほとんど文献 1)の内容と重なるが、一部表現が異なる部分について、**付表 2.2** に整理した。

付表 2.1　建物で一般に使用される材料に対する高温の影響 1)

Substance 物質	Typical examples 典型的な使用例	Conditions 状況	Approximate temperature ℃ 推定受熱温度(℃)
Polystyrene ポリスチレン	Food-container foam, light shades, handlers, curtain hooks, radio casings 食器フォーム、電灯の笠、ハンドル、カーテンフック、ラジオケース	Collapse 崩壊 Softening 軟化 Melting and flowing 溶融、流れる	120 120～140 150～180
Polyethylene ポリエチレン	Bags, films, bottles buckets, pipes バッグ、フィルム、ビンバケツ、パイプ	Shriveling 縮んでしわが寄る Softening and melting 軟化、溶融	120 120～140
Polymethyl-methacrylate ポリメチルーメタクリレート	Handles, covers, skylights, glazing ハンドル、カバー、天窓、グレイジング材	Softening 軟化 Bubble formation 泡の形成	130～200 250
PVC ポリ塩化ビニル	Cables, pipes, ducts, linings, profiles, handles, knobs, houseware, toys, bottles ケーブル、パイプ、ダクト、裏張り材、半面像、ハンドル、ノブ、家庭用品、おもちゃ、ビン	Degradation 有機化合物の分解 Smoke 煙を出す Brown colour 茶色に変色 Charring 炭化	100 150 200 400～500
セルロース	Wood, paper, cotton 木，紙，綿	Dark colour 暗い色になる	200～300
Solder はんだ	Plumbing joints 配管ジョイント	Melting 溶融	250
Lead 鉛	Plumbing Sanitary devices, toys 配管 衛生器具,おもちゃ	Melting 溶融 Rounding of sharp edges 角が丸くなる Drop formation しずくができる	300～350
Aluminium and light alloys アルミニウムと軽合金	Fixtures, brackets mechanical parts and items （天井・壁などに）取り付けた装備，ブラケット，機械的部分とアイテム	Softening 軟化 Melting 溶融 Drop formation しずくができる	400 650

付表 2.1 建物で一般に使用される材料に対する高温の影響[1]（つづき）

Substance 物質	Typical examples 典型的な使用例	Conditions 状況	Approximate temperature ℃ 推定受熱温度(℃)
Glass ガラス	Glazing, bottles（窓・戸・鏡などにはめる）（板）ガラス, ビン	Softening, rounding of sharp edges 軟化、角が丸くなる flowing 流れる	500～600 800
Silver 銀	Jewellery, spoons, cutlery etc. 宝石、スプーン、食卓用金物その他	Melting, Drop formation 溶融、しずくができる	950
Brass 真鍮	Locks, taps, door handles, clasps 鍵,蛇口,ドアハンドル,留め金	Melting (particularly at edges)、Drop formation 溶融(特に端部において)、しずくができる	900～1000
Copper 銅	Wiring, cables, ornaments 配線、ケーブル、装飾	Melting 溶融	1000～1100
Cast iron鋳鉄	Radiators, Pipes ラジエター,パイプ	Melting, Drop formation 溶融、しずくができる	1100～1200
Zinc 亜鉛	Sanitary devices, gutters, down pipes 衛生器具、側溝、縦樋	Drop formation しずくができる Melting 溶融	400 420
Bronze ブロンズ	Windows, fittings, door bells, Ornaments 窓、（天井・壁などに）取り付けた装備、ドアベル、装飾	Rounding of the edges 角が丸くなる Drop formation しずくができる	900 900～1000
Paints 塗料		Deterioration 劣化 Destruction 破壊	100 250
Wood 木材		Burning ,ash formation 燃焼、灰の形成	240

付表 2.2　建物で一般に使用される材料に対する高温の影響[2)]
（文献 1）との相違点を下線で示す）

Substance 物質	Typical examples 典型的な使用例	Conditions 状況	Approximate temperature ℃ 推定受熱温度(℃)
PVC ポリ塩化ビニル	Cables, pipes, ducts, linings, profiles, handles, knobs, houseware, toys, bottles <u>(Values depends on length of exposure to temperature)</u> ケーブル、パイプ、ダクト、裏張り材、半面像、ハンドル、ノブ、家庭用品、おもちゃ、ビン<u>（値は温度に曝された長さに依存する）</u>	Degradesn 有機化合物の分解 <u>Fumes</u> <u>気体化する</u> Browns 茶色になる Charring 炭化	100 150 200 400〜500
Solder はんだ Lead 鉛	Plumber joints Plumbing Sanitary installations, toys 配管ジョイント、配管、衛生器具,おもちゃ	Melts 溶融 Melts, sharp edges rounded 溶融し角が丸くなる <u>Drop formation</u> <u>しずくができる</u>	250 300〜350 <u>350〜400</u>
Aluminium and light alloys アルミニウムと軽合金	Fixtures, casings, brackets,smallmechanical parts （天井・壁などに）取り付けた装備，ブラケット，機械的小部品	Softens 軟化 <u>Melts</u> <u>溶融</u> Drop formation しずくができる	400 <u>600</u> 650
Glass ガラス	Glazing, bottles （窓・戸・鏡などにはめる）（板）ガラス，ビン	Softens, sharp edges rounded 軟化,角が丸くなる flowing asily,<u>viscous</u> 容易に流れる,<u>粘つく</u>	500〜600 800
Silver 銀	Jewellery, spoons, cutlery 宝石、スプーン、食卓用金物	<u>Melts</u> <u>溶融</u> Drop formation しずくができる	<u>900</u> 950
Brass 真鍮	Locks, taps, door handles, clasps 鍵,蛇口,ドアハンドル,留め金	Melts (particularly edges) 溶融(特に端部において) <u>Drop formation</u> <u>しずくができる</u>	900〜1000 <u>950〜1050</u>
Paints 塗料		Deteriorates 劣化 Destroyed 破壊	100 <u>150</u>
Wood 木材		<u>Ignites</u> <u>発火する</u>	240

【参考文献】

1)　fib：Fire design of concrete structures - structural behaviour and assessment. State-of-art report, fib Bulletin No. 46, 2008
2)　Assessment,　Design and Repair of Fire-damaged Concrete Structures,　2008

付－３　かぶりコンクリートの補修に使用するポリマーセメントモルタルに関する解説

１．はじめに

ポリマーセメントモルタルは通常のモルタルに比べ硬化が速く、収縮が小さく、防水性や耐薬品性も優れていることから建物の補修工事に広く使用されている。

しかし、現建築基準法では、補修に用いる材料はポリマーセメントモルタル、またはエポキシ樹脂モルタルに限定されている。しかし、このような有機化合物を含む補修材料は防火上の高温時の物性が重要となる。

２．用語の定義

「ポリマーセメントモルタル」は「ポリマーモルタル」などと類似し混同されやすかったが、2001 年 10 月に本会から刊行された「コンクリート・ポリマー複合体の施工指針(案)・同解説」の中で、用語の定義づけがなされた。

それによると“ポリマーセメントモルタル”とは、結合材にセメントとセメント混和用ポリマー(またはポリマー混和剤)を用いたモルタルのことであり、名称が類似する“ポリマーモルタル”は結合材にポリマーだけを用い、充填材および細骨材を加えたモルタルのことであり、“樹脂モルタル”もポリマーモルタルに分類される。そのため、前者に比べ後者の方が含まれるポリマー成分の割合は大きく燃焼性も高いと考えられる。

３．補修補強方法に関する指針

構造体の断面欠損補修方法で、「ポリマーセメント系断面修復工法」は実績が多い工法である。

建築基準法では、コンクリートの補修に用いることができる材料は、ポリマーセメントモルタル、エポキシ樹脂モルタルに限定されている。

本会編「鉄筋コンクリート造建築物の耐久性調査・診断および補修指針（案）・同解説」（2000 年）では以下のように記述されている。

３）コンクリートの断面修復

コンクリートの断面修復には、次のような種類がある。

ポリマーセメントモルタルによる充填

軽量骨材使用エポキシ樹脂モルタルの充填

①「断面修復材には、ポリマーセメントモルタルとポリマーモルタル（樹脂モルタル）の２系統の材料が使用されている。このうちポリマーモルタルのほとんどは軽量骨材使用エポキシ樹脂モルタルである。（中略）」

②「断面修復材に用いられるポリマーセメントモルタルは、一般にセメント：砂比が 1:2～3 程度で、ポリマーセメント比が 10～20%のモルタルである。（中略）」

③「断面修復材に用いられるエポキシ樹脂モルタルは一般に軽量骨材を使用した物で、エポキシ樹脂の主剤と硬化剤の二剤に、それぞれにケイ砂等の充填剤とシラスバルーン等の無機質微小中空体を配合したものである。（中略）」

4．ポリマーセメントモルタルの熱的性質について

構造体の断面欠損補修方法で、「ポリマーセメント系断面修復工法」は実績が多い工法である。

一般にポリマーセメント系材料は、ポリマーがある程度入っていないと、付着性に問題があり剥落しやすく、ポリマーの含有率が高いと防火上の支障を来たすことが知られている。

最も端的な防火上の支障としては、火災による火熱により壁等の表面から爆裂現象が起こり、壁等が加熱経過時間とともに断面欠損によりやせ細ることが挙げられる。耐火構造は令第 107 条に規定された時間にわたり通常の火災による火熱が加えられた場合、非損傷性、遮熱性および遮炎性を保持することが求められている。従前の耐火構造例示仕様は爆裂等の断面欠損が起こらないことを前提に壁厚さ等が規定されていたため、ポリマーセメントモルタル等を壁厚さ等に算入する場合には、爆裂等の防火上の支障が起こらないことを実験等により確認したものとする必要がある。なお、ポリマーセメントモルタルの層厚さが 20mm 以下であれば、沢出[1)2)]らは、5～10%程度（液体のポリマーとして 10～20%）のポリマーセメント比のポリマーセメントモルタルで被覆したコンクリートは、通常のセメントモルタルで被覆したそれと同程度の耐火性を有すると述べており、王ら[3)]は、ポリマーセメント比が 5%以内ならば、EVA 系補修材は高温下でもポリマー無混入の場合と同等の性能を有することを実験的に確認しているので、この範囲で使用する場合には、概ね防火上支障がないと考えられる。

ただし、エポキシ樹脂モルタルのように有機材料の含有率が高いものを使用するなど特殊な状況がある場合については、別途、実験等により確認することが望ましい。

柱、床、梁にポリマーセメントモルタルを使用する場合や鉄骨鉄筋コンクリート造の壁等に関しても同様である。

【参考データ１】

「ポリマーセメントモルタルの高温加熱後の曲げ強さ及び圧縮強さ性状」[3)]より、下記の加熱温度に対する、曲げ強さ、質量減少率、収縮量、圧縮強度はポリマーセメント比が5%までは0%とほぼ変わらない結果が得られている。

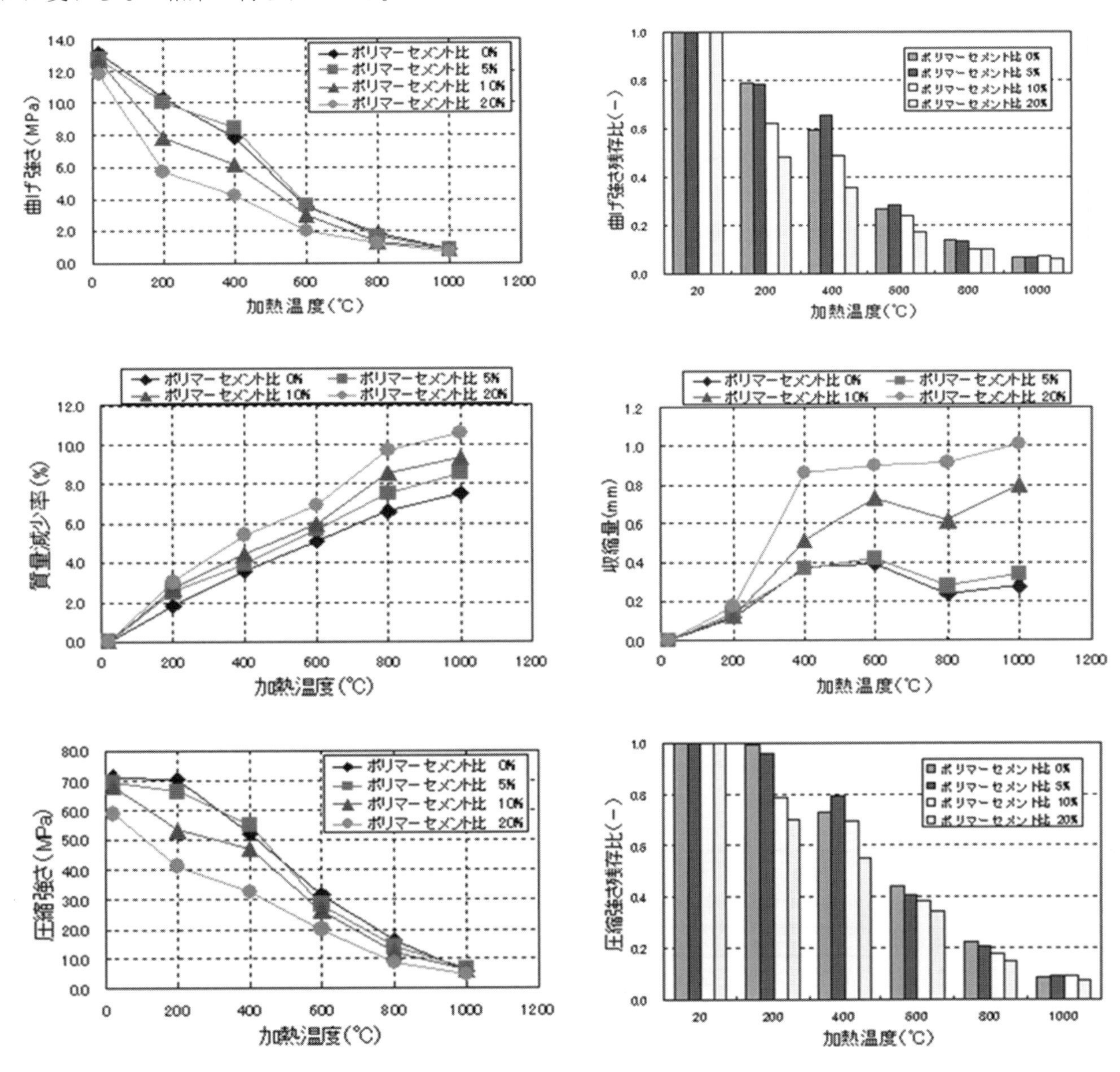

付図 3.1　ポリマーセメント比が及ぼす加熱温度と曲げ強さ・質量減少率・圧縮強さの関係

【参考データ２】

鉄筋コンクリート造建築物のかぶり厚さ確保に関する一連の研究結果[4)]から、「補修用ポリマーセメントモルタルの耐久性に関する検討およびその評価」[5)]では、中性化抵抗性と塩分浸透抵抗性をポリマーセメント比（P/C）および圧縮強さで整理している。

付表 3.1 に、実験に使用したポリマーセメントモルタルの特性を示す。市販品に使用されているポリマーは、エチレン・酢酸ビニル共重合体樹脂（EVA）、酢酸ビニル・バーサテート共重合樹脂（VVA）およびアクリルエステル共重合樹脂（PAE）である。調合既知のポリマーセメントモルタルについてはP/Cと単位ポリマー量（kg/m^3）を併記した。ポリマーはJIS A 6203に規定されるEVA（**付表 3.2**）を使用した。

付表 3.1　実験に使用したポリマーセメントモルタル

区別	記号	ポリマー種類	P/C（ポリマー量）	モルタルフロー（mm）	空気量（%）	圧縮強さ（N/mm^2）
市販品	A	EVA	4～8%	150	7.6	50.6
	B	EVA	5～6%	177	13.5	55.6
	C	EVA	約2%	170	8.5	75.2
	D	VVA	5～10%	169	4.6	55.0
	E	PAE	4～10%	164	12.5	51.5
	F	PAE	約4%	149	5.7	81.0
	G	PAE	4～5%	170	3.4	67.4
	I	PAE	4%以下	167	13.9	48.1
	J	PAE	5～10%	161	4.8	65.3
	K	PAE	1～5%	192	10.2	43.3
	L	PAE	2～5%	171	4.8	74.8
調合既知PCM	N	無し	—	188	3.5	66.4
	O	EVA	4.2%(20kg/m^3)	193	3.2	61.5
	P	EVA	10.5%(50kg/m^3)	192	3.6	57.0

付表 3.2　調合既知のポリマーセメントモルタルに使用したポリマーの特性値

再乳化形粉末樹脂	揮発分（%）	粒子径*1（%）	酸価（mgKOH/mg）	見掛け密度（g/mL）
EVA	2.0以下	2以下	2.0以下	0.50±0.10

*1　300μmふるい残分

中性化速度係数とポリマー種類別P/C量の関係を**付図 3.2** に、中性化速度係数と圧縮強さの逆数との関係を**付図 3.3** に示す。ばらつきは大きいものの、一般にはP/Cの増加に伴って中性化速度係数が小さくなる傾向がある。また、同程度の強度レベルの場合、各種のポルトランドセメントを使用したコンクリートとモルタルの中性化速度係数と比較すると、ポリマーセメントモルタルの方が小さくなっている。これより、中性化抵抗性は、ポリマーの種類や量よりも、圧縮強さに依存し、さらに、一般的なモルタルやコンクリートと比較して中性化抵抗性が大きいと考えられる。同様に、塩化物イオン浸透深さについて、**付図 3.4** および**付図 3.5** に示す。中性化抵抗性と同じ傾向であり、ポリマー種類ごとに圧縮強さが大きくなるほど塩化物イオン浸透性が小さくなる傾向が認められる。

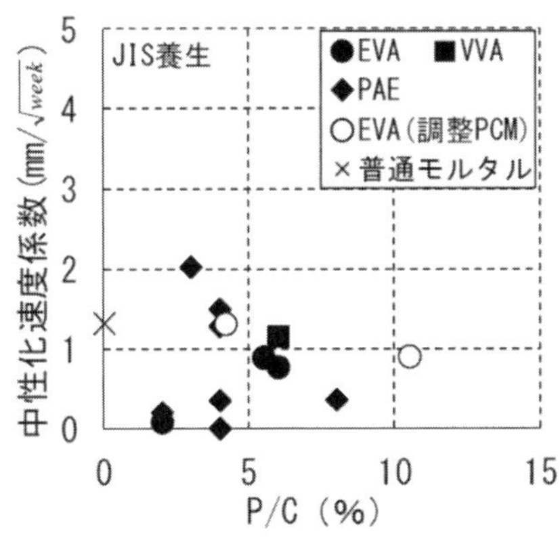

付図 3.2　中性化速度係数と P/C[5)]

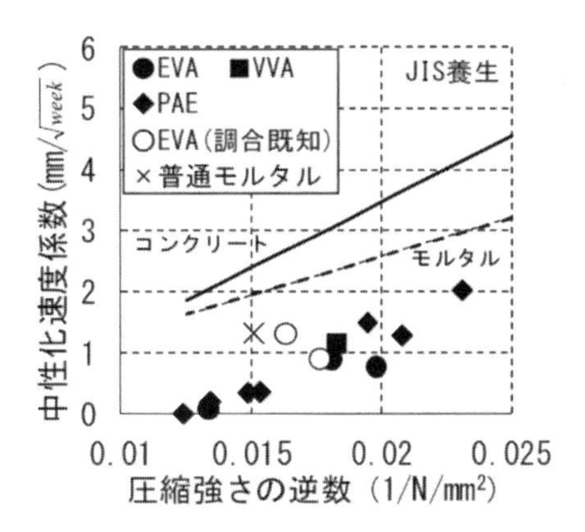

付図 3.3　中性化速度係数と圧縮強さの逆数[5)]

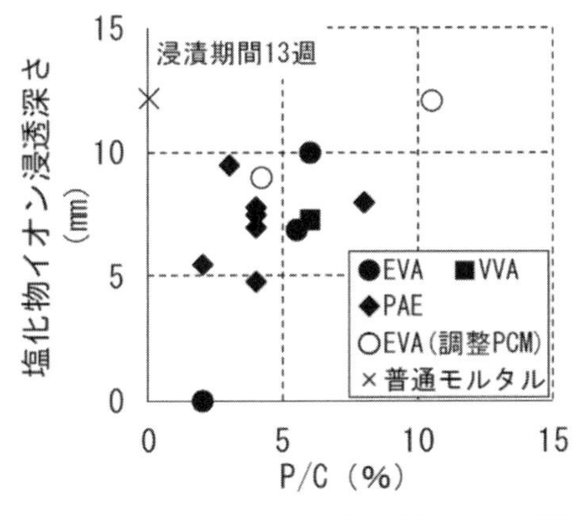

付図 3.4　塩化物イオン浸透深さと P/C[5)]

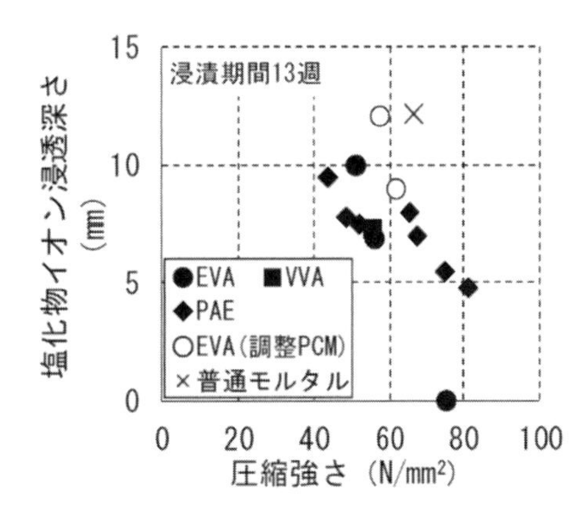

付図 3.5　塩化物イオン浸透深さと圧縮強さの逆数[5)]

以上のことから、ポリマーセメントモルタルの中性化抵抗性は、一般のモルタルやコンクリートと比較して大きく、適切な材料および養生によってコンクリート表面に施工することで、かぶりコンクリートと同等の保護効果が得られると考えられる。

さらに、鉄筋コンクリート造建築物のかぶり厚さ確保に関する一連の研究[4)]では、火災時に断面修復した RC 部材からポリマーセメントモルタルが剥落しないことを目的とした適切な剥落防止工法を把握するため、事前に爆裂しないことが確認されたポリマーセメントモルタルを用いて、床下面および柱側面の補修を行い、耐火実験[6)、7)]を実施している。

その結果、脱落防止用のアンカーピンや、剥落防止用のステンレスメッシュ等の設置が、火災時の剥落防止に有効であることを示している。

なお、文献 4)には、「かぶり厚さ確保のための補修施工要領書（案）」、「かぶり厚さ確保のための補修材料・工法選定マニュアル（案）」が添付されているので参考にすると良い。

【参考文献】

1)　沢出稔ほか：ポリマーセメントモルタルで被覆したコンクリートの耐火性(その2：試験体の外観変化)、日本建築学会大会学術講演梗概集，1986.8
2)　沢出稔ほか：ポリマーセメントモルタルで被覆したコンクリートの耐火性(その3：試験体の熱的挙動および耐火性の評価)，日本建築学会大会学術講演梗概集，1986.8
3)　王徳東ほか：ポリマーセメントモルタルの高温加熱後の曲げ強さおよび圧縮強さ性状、(東京大学工学部建築学科材料研究室　野口研究室ホームページに掲載された研究概要の文章より)，2006.5 http://bme.t.u-tokyo.ac.jp/researches/detail/wang_dedong/index.html
4)　建築研究所：建築研究報告，No.147，鉄筋コンクリート造建築物のかぶり厚さ確保に関する研究，2013.4
5)　高橋祐一ほか：補修用ポリマーセメントモルタルの耐久性に関する検討およびその評価、日本建築学会技術報告集，第19巻，第43号，pp.813-818，2013.10
6)　道越真太郎ほか：ポリマーセメントモルタルを用いて補修施工した鉄筋コンクリート造床試験体の耐火試験　その１・その２、日本建築学会大会学術講演梗概集（東海），pp.1115-1118，2012.9
7)　森田武ほか：ポリマーセメントモルタルを用いて補修施工した鉄筋コンクリート造柱の耐火実験　その１・その２，日本建築学会大会学術講演梗概集（東海），pp.1119-1122，2012.9

付－4　鋼材および鉄骨架構に関する補足

付－4.1　鋼材の機械的性質の調査を要する鋼材温度に関する補足

「4.6.1.2　鉄骨造部材の機械的性質の測定」では、機械的性質の調査条件を非調質鋼については500℃以上、調質鋼については350℃以上としたが、この温度に絞り込んだ経緯を以下「(1) 非調質鋼を利用した構造部材に関する機械的性質の調査要否」と「(2) 調質鋼を利用した構造部材に関する機械的性質の調査要否」に記す。各種鋼材の熱処理プロセスの概要を**付表 4.1.1** に、造形プロセスの概要を**付表 4.1.2** に示すが、非調質鋼か調質鋼かは、**付表 4.1.1** の主な適用ケースを参考に判断する。調質鋼かどうか不明な鋼材は、メーカーに問い合わせて確認する方がよい。不明な場合は調質鋼として扱う。また、以下は調査結果の分析時にも参考にされるとよい。

(1) 非調質鋼を利用した構造部材に関する機械的性質の調査要否

建築構造用鋼材の大半を占めるＦ値が 355N/mm^2 以下の JIS 鋼材は、鋼片を高温で押し延ばして所定の寸法に成形した後（=圧延）、自然冷却して製品化されている（**付表 4.1.1** 参照）。この「圧延まま」と呼ばれる鋼材の加熱冷却後の強度は、**付図 4.1.1 (a)～(d)**に示されるとおり、600℃未満の加熱では殆ど変化しない。これ以上の加熱では圧延工程で生じた結晶格子のゆがみが減少するため強度低下が発生する。本図に示す試験では、試験材の冷却条件が徐冷であったため、750℃以上の加熱を受けても強度が下がる傾向が得られているが、Ar_1 変態点（720℃前後）を超える加熱を受けた後に水を掛けるなどして急冷されると、強度は上がるが脆くなる。なお、**付図 4.1.1 (a)～(e)**に示した鋼材の加熱冷却後強度は、1967 年に日本鋼構造協会耐火小委員会が調査した結果[1)]であり、図のタイトルに記した鋼板をグラフ横軸の温度まで加熱して 1 時間保持した後、常温まで除冷して、その後に JIS に準拠した常温引張試験を行う方法で求められている。1967 年当時の JIS と現在の JIS は微妙に異なるため、鋼材の種別を表す記号（SS41 など）は、1967 年当時のものを採用した。**付図 4.1.1 (f)～(h)**に 2016 年以降に論文発表された SN 鋼材の加熱冷却後の強度を示すが、上記傾向は同様である。

TMCP 製法は、鋼片を通常よりも低温域で圧延した後、所定の温度まで加速冷却することで金属組織を微細化する。少量の合金で、高強度・低降伏比・高溶接性の鋼材を得る製造プロセスであり、建築分野では 1990 年代より、おもに引張強さが 490～590N/mm^2 クラスの鋼材の製造方法として利用されている。圧延温度や冷却開始・終了温度は、製品の必要品質と元鋼片の成分ごとに異なり、それぞれ厳格に管理・制御されているが、火災後の機械的性質への影響が大きい冷却終了温度は、最も低いもので 550℃程度の値が採用されている。火災時の鋼材温度が冷却終了温度以下の場合は、微細化した金属組織に影響が生じる恐れはなく、火災後の機械的性質は、概ね元に戻る。**付図 4.1.1 (i)～(j)**に TMCP 鋼材の加熱冷却後の強度を参考までに示す。

STKN400 等の円形鋼管や BCR295 等の角形鋼管の大半は、「圧延まま」の鋼材を冷間で曲げ加工して製造されている（**付表 4.1.2** 参照）。これらの加熱冷却後の強度は、冷間加工で結晶格子のゆがみが増幅されているため、「圧延まま」の鋼材よりも 100℃程度低い加熱で低下する恐れがある（**付図 4.1.1 (k)**参照）。

鋼材の加熱冷却後の強度に及ぼす化学成分の影響は、火災時の熱で鋼中元素の移動が起こり新たな析出（＝元素結合）が生じることにより発生する。新たな析出が生じると、一般的には鋼材の加熱冷却後強度は上昇するが、500℃以下の加熱では鋼中元素の移動は極めて起こりにくい。

以上を勘案して、非調質鋼を利用した構造部材の加熱冷却後の機械的性質は、500℃以上に加熱された懸念のある場合に限り調査するとした。

参考までに、2000 年建設省告示第 2464 号は、新築や大規模修繕を対象としたものだが、「鋼材の加工に際して 500℃を超える加熱を行う場合は、加工後の機械的性質等が加工前の品質と同等以上であることを確かめること」としている。

(2) 調質鋼を利用した構造部材に関する機械的性質の調査要否

PC 鋼棒に代表される調質鋼は、**付表 4.1.1** および**付表 4.1.2** に示すように、焼入れ焼戻し工程を経て製造されている。最初の Ar_3 変態点以上の温度への再加熱とその後の急冷は、金属組織をマルテンサイトと呼ばれる硬く高強度の組織に変態させる工程である。引き続きの再加熱とその後の徐冷は、硬化し、脆くなり過ぎた金属組織を適度に柔らかく粘りのある組織に戻す工程である。「圧延まま」のプロセスによる場合に比べて、少ない合金で鋼材の高強度化が図れるため、良好な溶接性が確保できる。我が国では、1965 年以降、F 値が 400N/mm^2 程度以上の高強度鋼の製造プロセスとして利用されている。このプロセスによる鋼材は、焼戻し温度以上に加熱されると新たな焼戻しが起きるため、被災前より強度は下がる。**付図 4.1.1 (e)**は、非調質型の SM58 と調質型の SM58 の加熱冷却後強度を、**付図 4.1.2 (a)**は調質型の SA440 の加熱冷却後強度を表している。**付図 4.1.2 (b)** は、800℃加熱冷却後の SM58 の残存強度を示している。同図の縦軸は 800℃加熱冷却後の引張強さを加熱冷却前の引張強さで除した値であり、横軸は 800℃加熱冷却後の降伏点（または耐力）を加熱冷却前の降伏点（または耐力）で除した値である。600℃以下の加熱では、非調質型と調質型の強度変化は僅かだが、700℃以上の加熱では、調質型に著しい強度低下が現れている。**付図 4.1.3** には、PC 鋼棒の加熱冷却後の強度が示されている。この鋼材も、400℃以上では新たな焼戻しが起きるため、冷却後の強度低下は著しい。焼戻し温度は製造者ごとに製品の必要性能と熱処理前の鋼材の成分によってさまざまな値が採用されており、一定ではない。PC 鋼棒など極めて高い強度が要求される場合は 400℃程度の焼戻しが行われ、比較的低強度のものでは 600℃前後の焼戻しが行われている。粘り強さが必須の建築構造用鋼材では、350℃以下の焼戻し温度が採用されることはない。

以上から、調質鋼による構造部材は、機械的性質の調査対象を 350℃以上に加熱された懸念のある部材に限ってよいとした。

なお、近年では、TMCP 製法に用いる設備を利用して 200℃程度の温度域まで加速冷却することにより金属組織を強化し、その後に焼戻しを行う高強化プロセスが実用化され始めている。このプロセスは、TMCP 製法の一部として区分されることもあるが、火災後の機械的性質を検討する上では調質鋼の製造プロセスとして区分した方がよい。焼戻し温度に着目して、機械的性質の調査要否を検討するとよい。

付表 4.1.1　鋼板・形鋼・棒鋼の典型的な熱処理プロセス

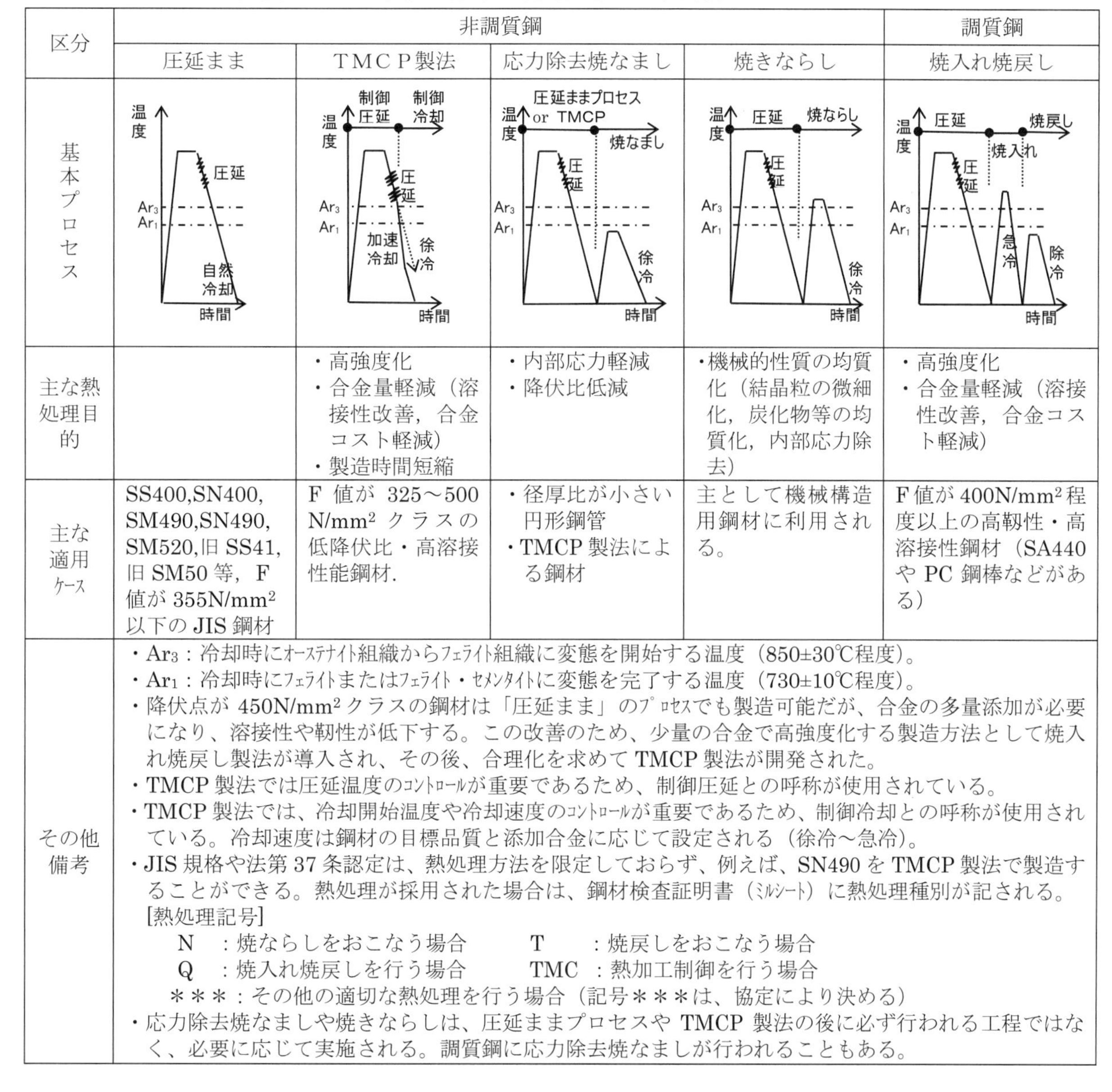

区分	非調質鋼				調質鋼
	圧延まま	TMCP製法	応力除去焼なまし	焼きならし	焼入れ焼戻し
基本プロセス	温度 / 圧延 / Ar_3 / Ar_1 / 自然冷却 / 時間	制御圧延 / 制御冷却 / 温度 / 圧延 / Ar_3 / Ar_1 / 加速冷却 / 徐冷 / 時間	圧延ままプロセス or TMCP / 温度 / 焼なまし / 圧延 / Ar_3 / Ar_1 / 徐冷 / 時間	温度 / 圧延 / 焼ならし / 圧延 / Ar_3 / Ar_1 / 徐冷 / 時間	温度 / 圧延 / 焼戻し / 焼入れ / 圧延 / Ar_3 / Ar_1 / 急冷 / 除冷 / 時間
主な熱処理目的		・高強度化 ・合金量軽減（溶接性改善，合金コスト軽減） ・製造時間短縮	・内部応力軽減 ・降伏比低減	・機械的性質の均質化（結晶粒の微細化，炭化物等の均質化，内部応力除去）	・高強度化 ・合金量軽減（溶接性改善，合金コスト軽減）
主な適用ケース	SS400,SN400, SM490,SN490, SM520,旧 SS41, 旧 SM50 等，F 値が 355N/mm^2 以下の JIS 鋼材	F 値が 325～500 N/mm^2 クラスの低降伏比・高溶接性能鋼材.	・径厚比が小さい円形鋼管 ・TMCP 製法による鋼材	主として機械構造用鋼材に利用される。	F 値が 400N/mm^2 程度以上の高靭性・高溶接性鋼材（SA440 や PC 鋼棒などがある）
その他備考	・Ar_3：冷却時にオーステナイト組織からフェライト組織に変態を開始する温度（850±30℃程度）。 ・Ar_1：冷却時にフェライトまたはフェライト・セメンタイトに変態を完了する温度（730±10℃程度）。 ・降伏点が 450N/mm^2 クラスの鋼材は「圧延まま」のプロセスでも製造可能だが、合金の多量添加が必要になり、溶接性や靭性が低下する。この改善のため、少量の合金で高強度化する製造方法として焼入れ焼戻し製法が導入され、その後、合理化を求めて TMCP 製法が開発された。 ・TMCP 製法では圧延温度のコントロールが重要であるため、制御圧延との呼称が使用されている。 ・TMCP 製法では、冷却開始温度や冷却速度のコントロールが重要であるため、制御冷却との呼称が使用されている。冷却速度は鋼材の目標品質と添加合金に応じて設定される（徐冷～急冷）。 ・JIS 規格や法第 37 条認定は、熱処理方法を限定しておらず、例えば、SN490 を TMCP 製法で製造することができる。熱処理が採用された場合は、鋼材検査証明書（ミルシート）に熱処理種別が記される。 [熱処理記号] N　：焼ならしをおこなう場合　　T　：焼戻しをおこなう場合 Q　：焼入れ焼戻しを行う場合　　TMC：熱加工制御を行う場合 ＊＊＊：その他の適切な熱処理を行う場合（記号＊＊＊は、協定により決める） ・応力除去焼なましや焼きならしは、圧延ままプロセスや TMCP 製法の後に必ず行われる工程ではなく、必要に応じて実施される。調質鋼に応力除去焼なましが行われることもある。				

付表 4.1.2　H形鋼・円形鋼管・冷間ロール成形角形鋼管・デッキプレート等の造形プロセス概要

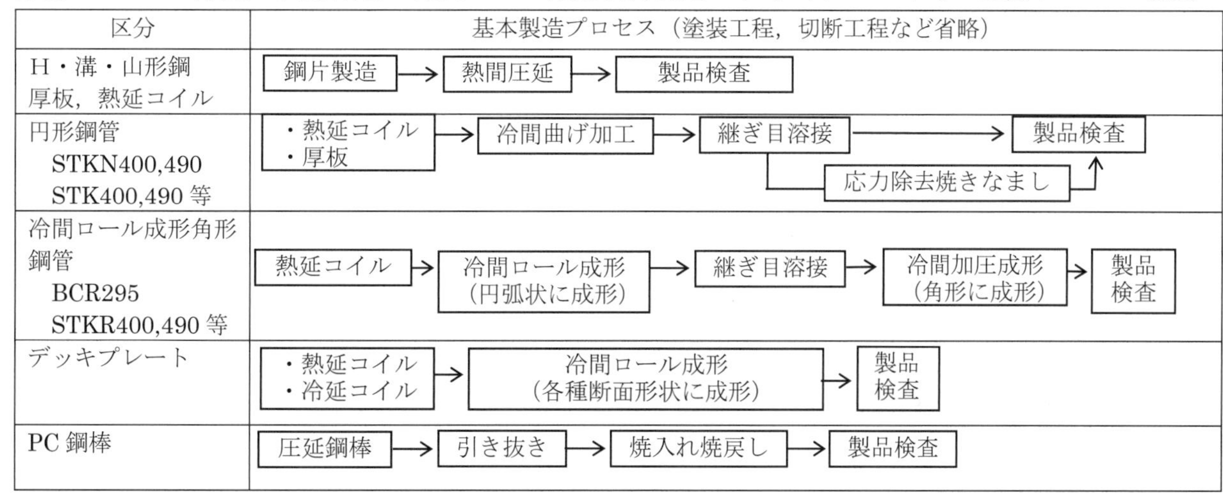

区分	基本製造プロセス（塗装工程，切断工程など省略）
H・溝・山形鋼 厚板，熱延コイル	鋼片製造 → 熱間圧延 → 製品検査
円形鋼管 STKN400,490 STK400,490 等	・熱延コイル ・厚板 → 冷間曲げ加工 → 継ぎ目溶接 → 製品検査 （継ぎ目溶接 → 応力除去焼きなまし → 製品検査）
冷間ロール成形角形鋼管 BCR295 STKR400,490 等	熱延コイル → 冷間ロール成形（円弧状に成形） → 継ぎ目溶接 → 冷間加圧成形（角形に成形） → 製品検査
デッキプレート	・熱延コイル ・冷延コイル → 冷間ロール成形（各種断面形状に成形） → 製品検査
PC 鋼棒	圧延鋼棒 → 引き抜き → 焼入れ焼戻し → 製品検査

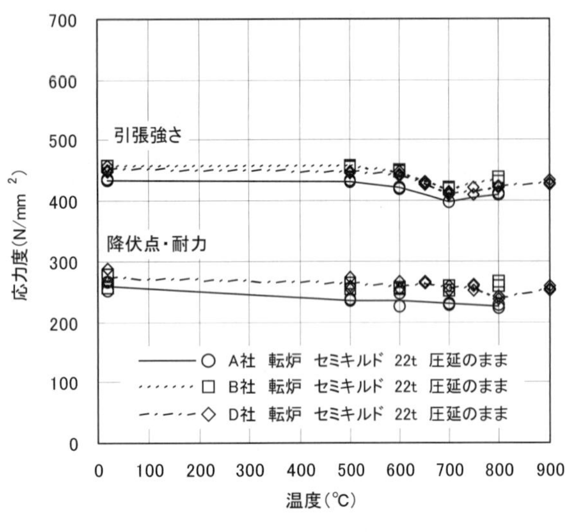

付図 4.1.1(a)　SS41 の加熱冷却後の強度 1)

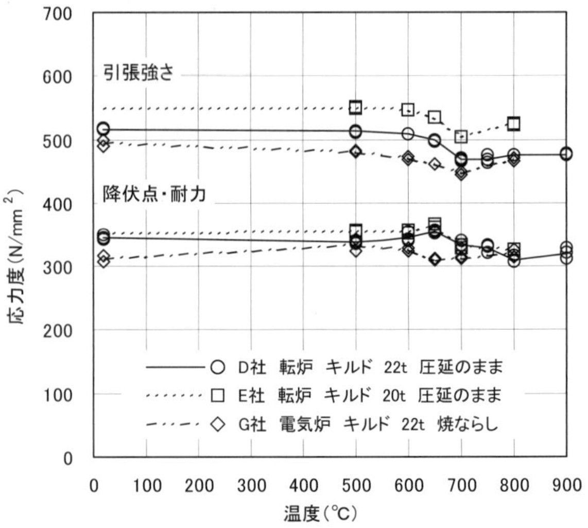

付図 4.1.1 (b)　SM50B の加熱冷却後の強度 1)

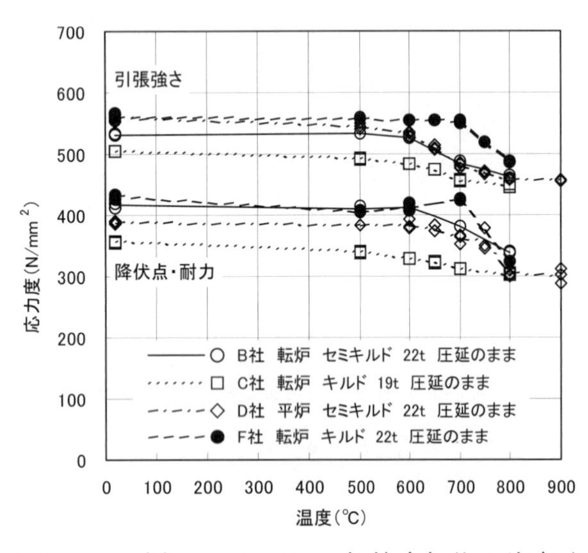

付図 4.1.1(c)　SM50YB の加熱冷却後の強度 1)

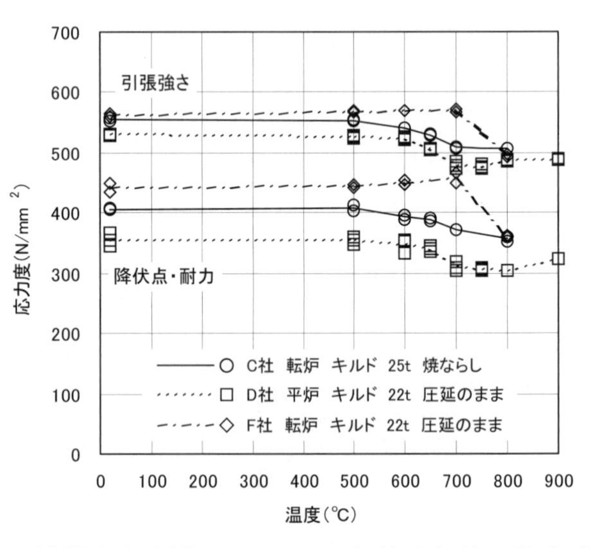

付図 4.1.1(d)　SM53B の加熱冷却後の強度 1)

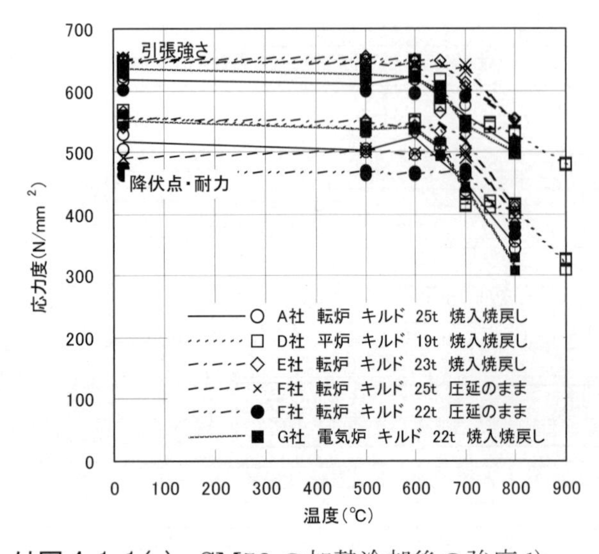

付図 4.1.1(e)　SM58 の加熱冷却後の強度 1)

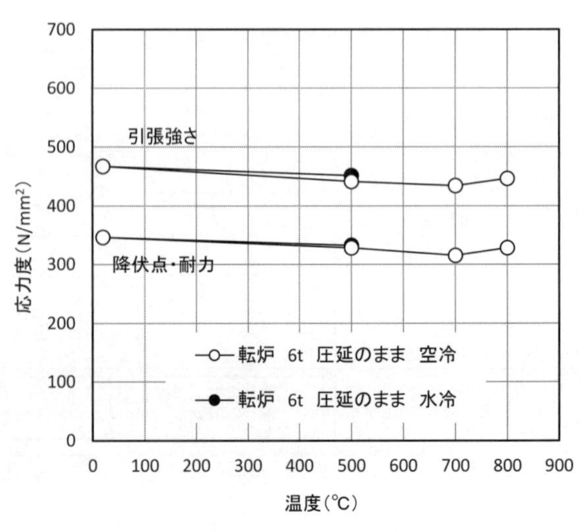

付図 4.1.1(f)　SN400A の加熱冷却後の強度 2)

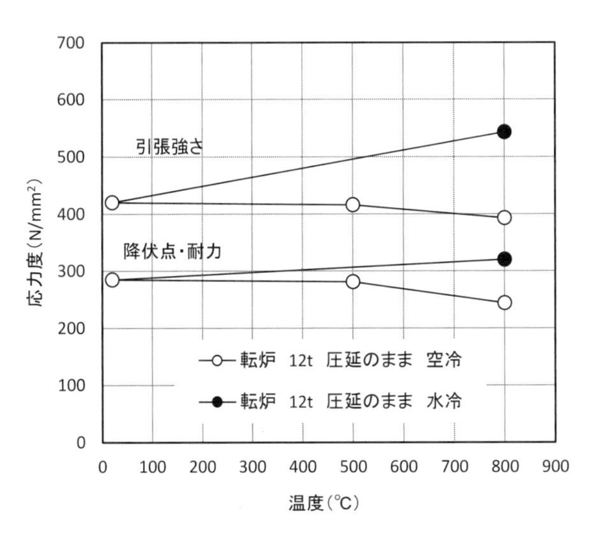

付図 4. 1. 1 (g)　SN400B の加熱冷却後の強度 3)

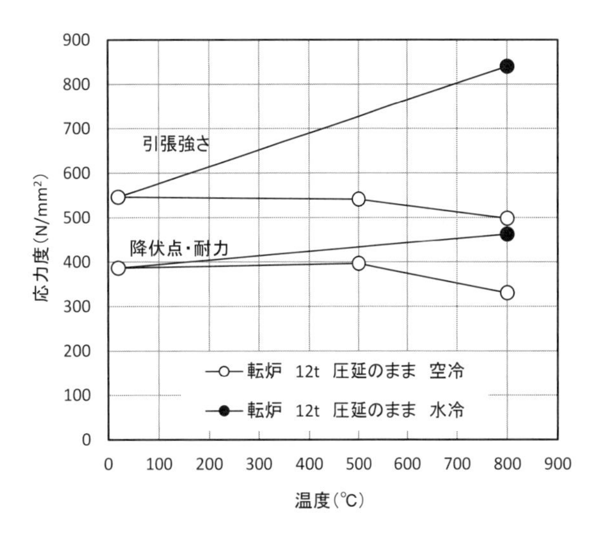

付図 4. 1. 1 (h)　SN490B の加熱冷却後の強度 3)

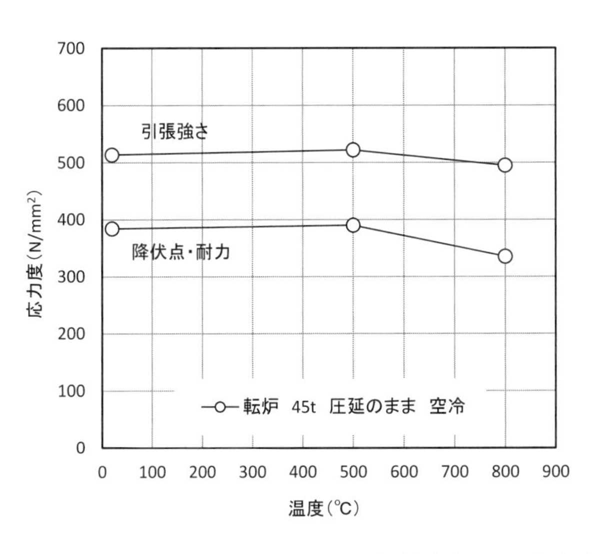

付図 4. 1. 1 (i)　TMCP325B の加熱冷却後の強度 4)

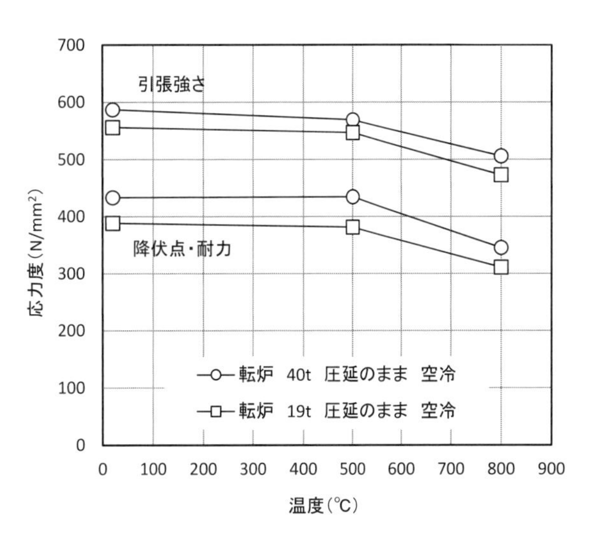

付図 4. 1. 1 (j)　TMCP385B の加熱冷却後の強度 4)

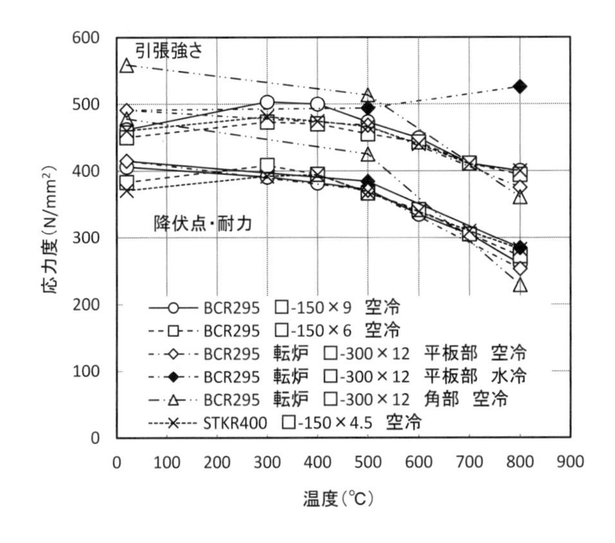

付図 4. 1. 1 (k)　冷間成形角形鋼管の加熱冷却後の強度 5),6)

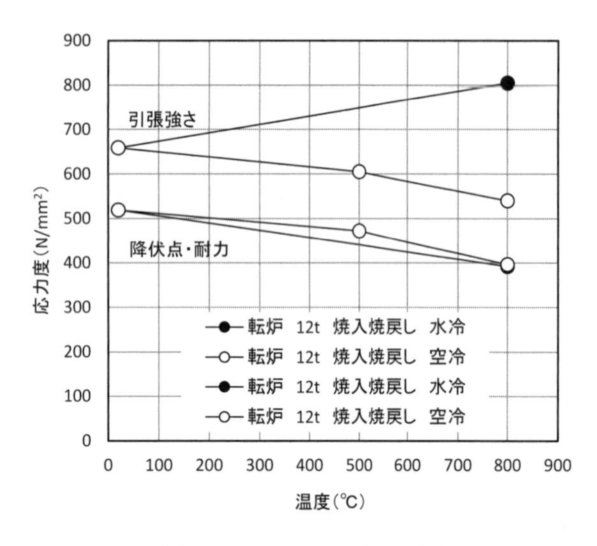

付図 4. 1. 2(a)　SA440B の加熱冷却後の強度 3)

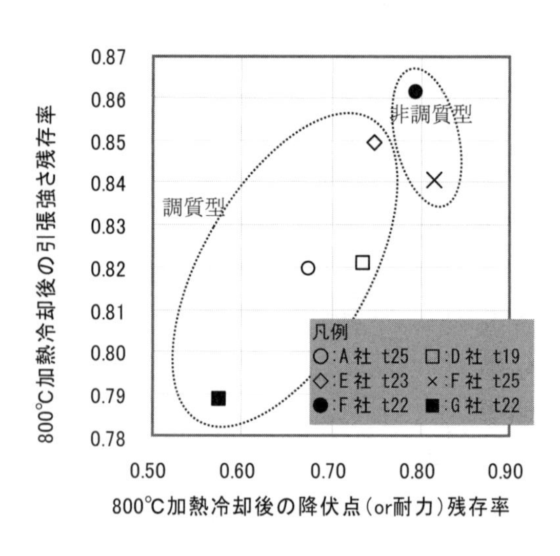

付図 4. 1. 2(b)　800℃加熱冷却後の SM58 の残存強度

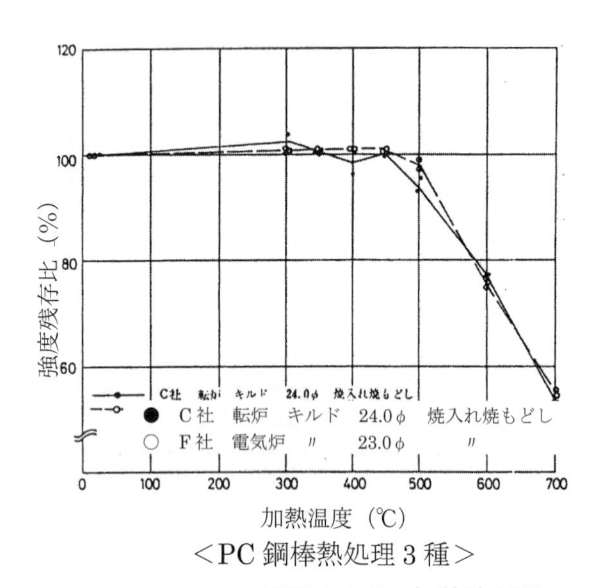

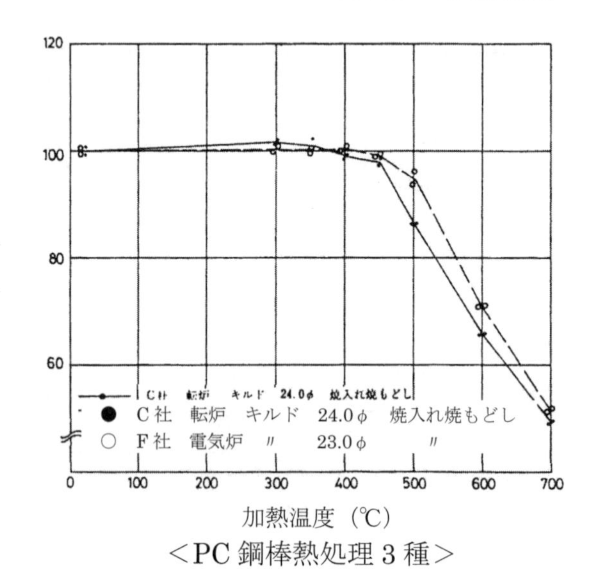

＜PC 鋼棒熱処理 3 種＞　＜PC 鋼棒熱処理 3 種＞

付図 4. 1. 3　加熱冷却後の PC 鋼棒の残存強度（降伏点）7)

【参考文献】

1) 日本鋼構造協会高温強度班：構造用鋼材の高温時ならびに加熱後の機械的性質,JSSC,Vol.4,No33,1968
2) 近藤史朗，杉本薫昭，村上行夫，春畑仁一，西村光太，鈴木淳一：加熱履歴温度及び冷却方法を考慮した鋼材の機械的性質について　その 1　JIS Z 2241 の方法による引張試験結果，日本建築学会大会学術講演梗概集，pp145-146，2016.8
3) 近藤史朗，杉本薫昭，村上行夫，春畑仁一，西村光太，鈴木淳一：加熱履歴温度及び冷却方法を考慮した鋼材の機械的性質について　その 4　引張特性に及ぼす鋼種の影響，日本建築学会大会学術講演梗概集，pp169-170，2017.7
4) 村上行夫，近藤史朗，春畑仁一，杉本薫昭，吉谷公江：加熱履歴温度及び冷却方法を考慮した鋼材の機械的性質について　その 7　TMCP 鋼の引張特性，日本建築学会大会学術講演梗概集，pp101-102，2020.9
5) 植戸あや香，村上行夫，御手洗達也，上田太次：加熱履歴温度及び冷却方法を考慮した鋼材の機械的性質について　その 9　BCR の引張特性，日本建築学会大会学術講演梗概集，pp175-176，2021.7
6) 黒岩裕樹，岡部猛，安部武雄，尾崎達也：冷間ロール成形角形鋼管短柱の加熱後冷却時の圧縮挙動，日本建築学会構造系論文集，Vol.78，No.688，pp1159-1166，2013.6
7) 日本鋼構造協会：鉄筋コンクリート用棒鋼及び PC 鋼棒・鋼線の高温時ならびに加熱後の機械的性質,JSSC,Vol.5,No45,1969

付－4.2　鉄骨造架構の変状

鉄骨架構の加熱冷却後の残留応力・変形を解析的に明らかにするために、弾塑性熱応力変形解析を行った事例[1]を示す。

付図 4.2.1 (a)に架構 A のモデル図を、付図 4.2.1 (b)にその解析結果を、付図 4.2.1 (c)に架構 B のモデル図を、付図 4.2.1 (d)にその解析結果を、付図 4.2.1 (e)に架構 C のモデル図を、付図 4.2.1 (f)にその解析結果を示す。架構 A は内側スパンのみが火災区画となるケース、架構 B は外側スパンのみが火災区画となるケース、架構 C は層全体が火災区画となるケースである。解析から得られた知見を以下に示す。

①　火災区画内の梁の残留引張り軸力によって柱に生じる曲げモーメントは、火災区画の上下 1～2 層分にまで影響を及ぼす（付図 4.2.1 (a)(c)(e)参照）。

②　いずれの架構においても、冷却後の常温における柱軸力は、加熱前の軸力とほぼ同等の大きさに戻る（付図 4.2.1 (b)(d)(f)の柱軸力参照）。

③　いずれの架構においても、冷却後の常温における梁の残留引張軸力は、最高履歴温度が高いほど大きい（付図 4.2.1 (b)(d)(f)の梁軸力参照）。

④　いずれの架構においても、冷却後の常温における柱の残留曲げモーメントは、最高履歴温度が高いほど大きく、その値は最高履歴温度が 500℃の場合降伏モーメントと同等かそれ以上である（付図 4.2.1 (b)(d)(f)の柱曲げモーメント参照）。

⑤-A　架構 A において、冷却後の常温における梁の残留曲げモーメントは、加熱前より減少している。梁両側の柱の拘束が大きいので、冷却過程で引張力によりスパン中央の曲げモーメントが減少するものと考えられる（付図 4.2.1 (b)の梁曲げモーメント参照）。

⑤-BC　架構 B および架構 C において、冷却後の常温における梁の残留曲げモーメントは、加熱前とほぼ同等の大きさに戻っている。梁の軸方向変形に対する柱の拘束力が弱いためと判断される（付図 4.2.1 (d)(f)の梁曲げモーメント参照）。

⑥　いずれの架構においても、冷却後の常温における柱の残留柱頭水平変位は、最高履歴温度が高いほど大きい（付図 4.2.1(b)(d)(f)の柱頭水平変位参照）。

⑦　いずれの架構においても、冷却後の梁の残留中央たわみは、最高履歴温度が高いほど大きく、冷却過程におけるたわみの変化はほとんどない（付図 4.2.1 (b)(d)(f)の梁中央たわみ参照）。

【参考文献】

1) 森田武：火災加熱を受けた鉄骨架構の冷却後の残留応力・変形に関する解析的検討，日本建築学会大会学術講演梗概集（東北）　pp. 59-62，2000. 9

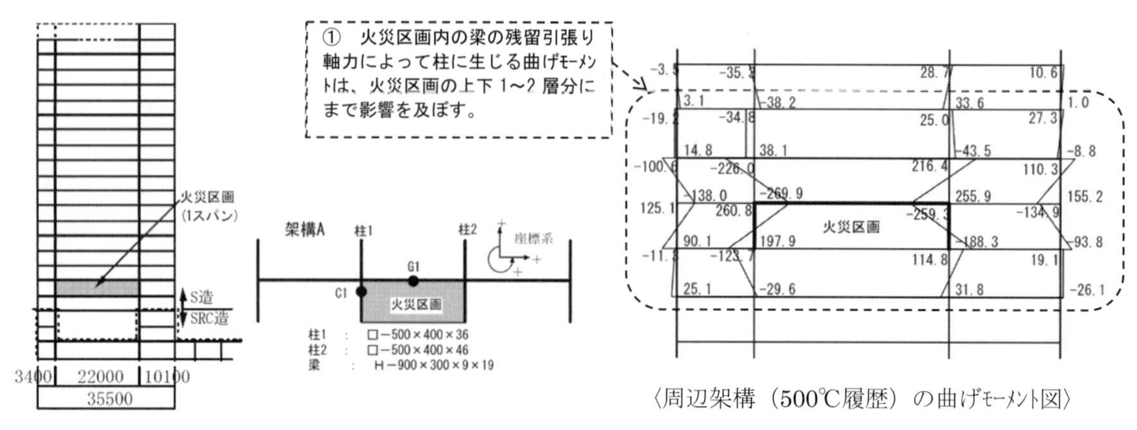

付図 4.2.1(a)　架構 A(内側スパン火災)のモデル図 1)

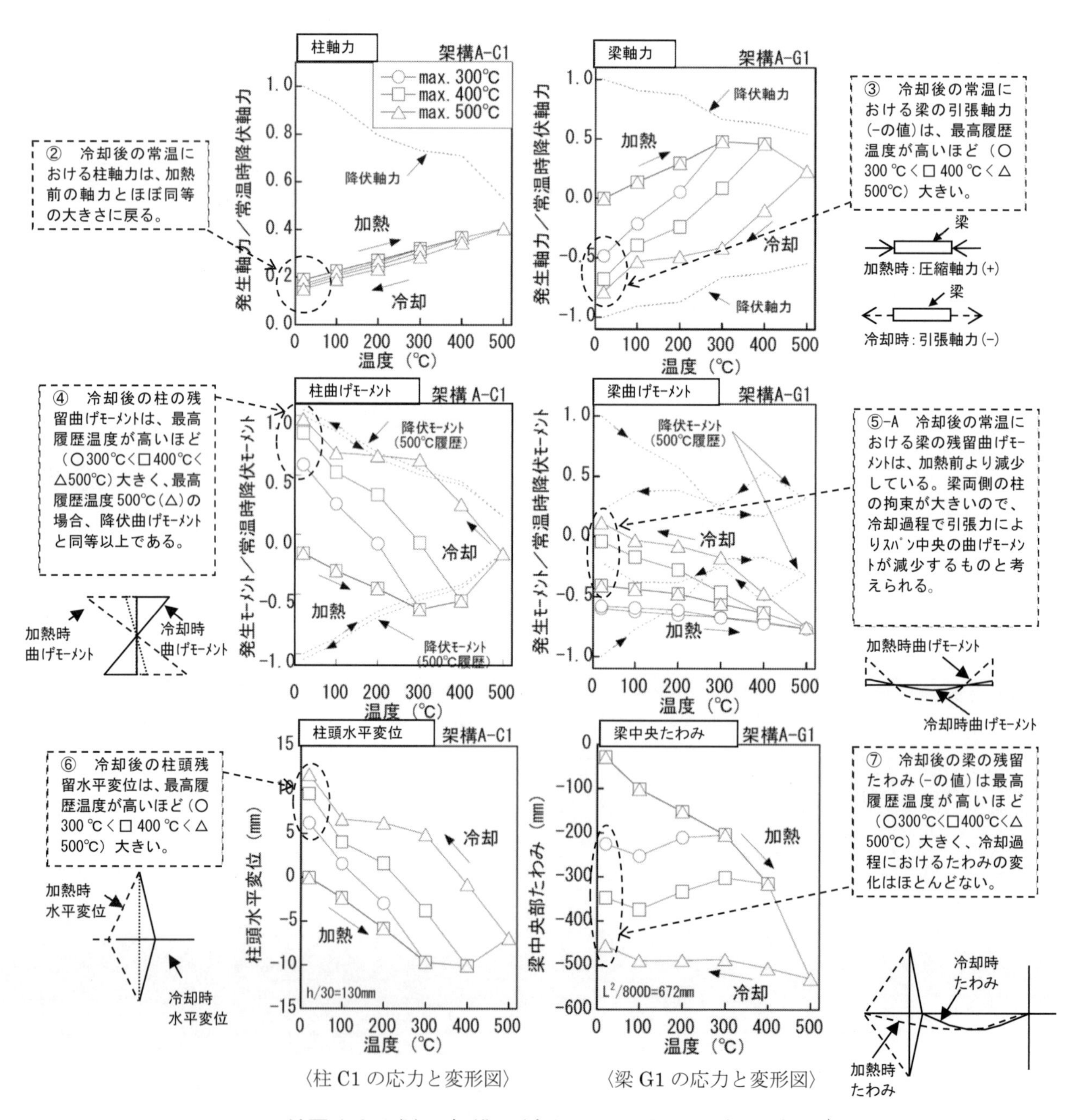

付図 4.2.1(b)　架構 A(内側スパン火災)の解析結果 1)

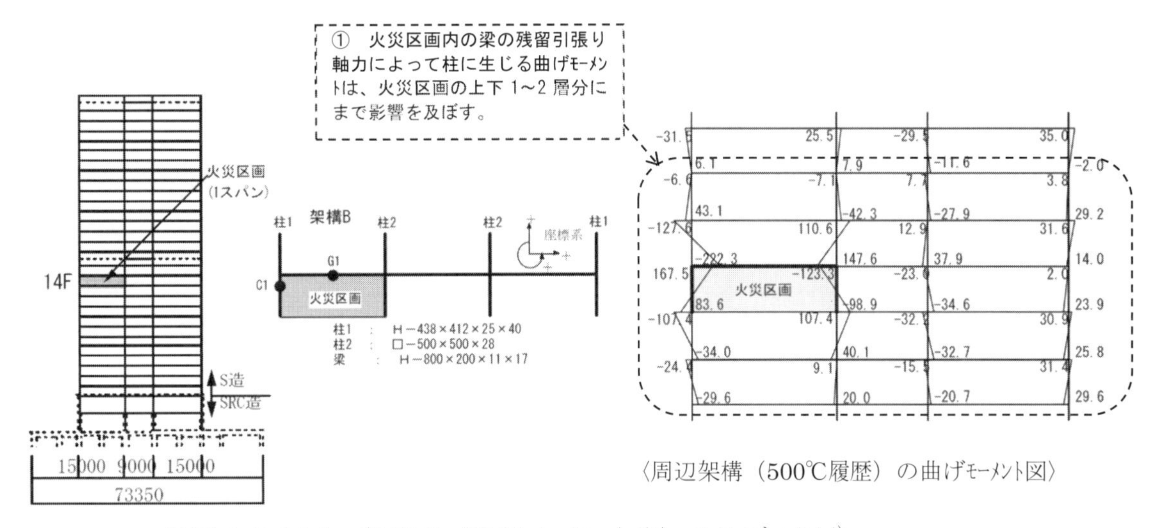

〈周辺架構（500℃履歴）の曲げモーメント図〉

付図 4.2.1(c)　架構 B（外側スパン火災）のモデル図 [1)]

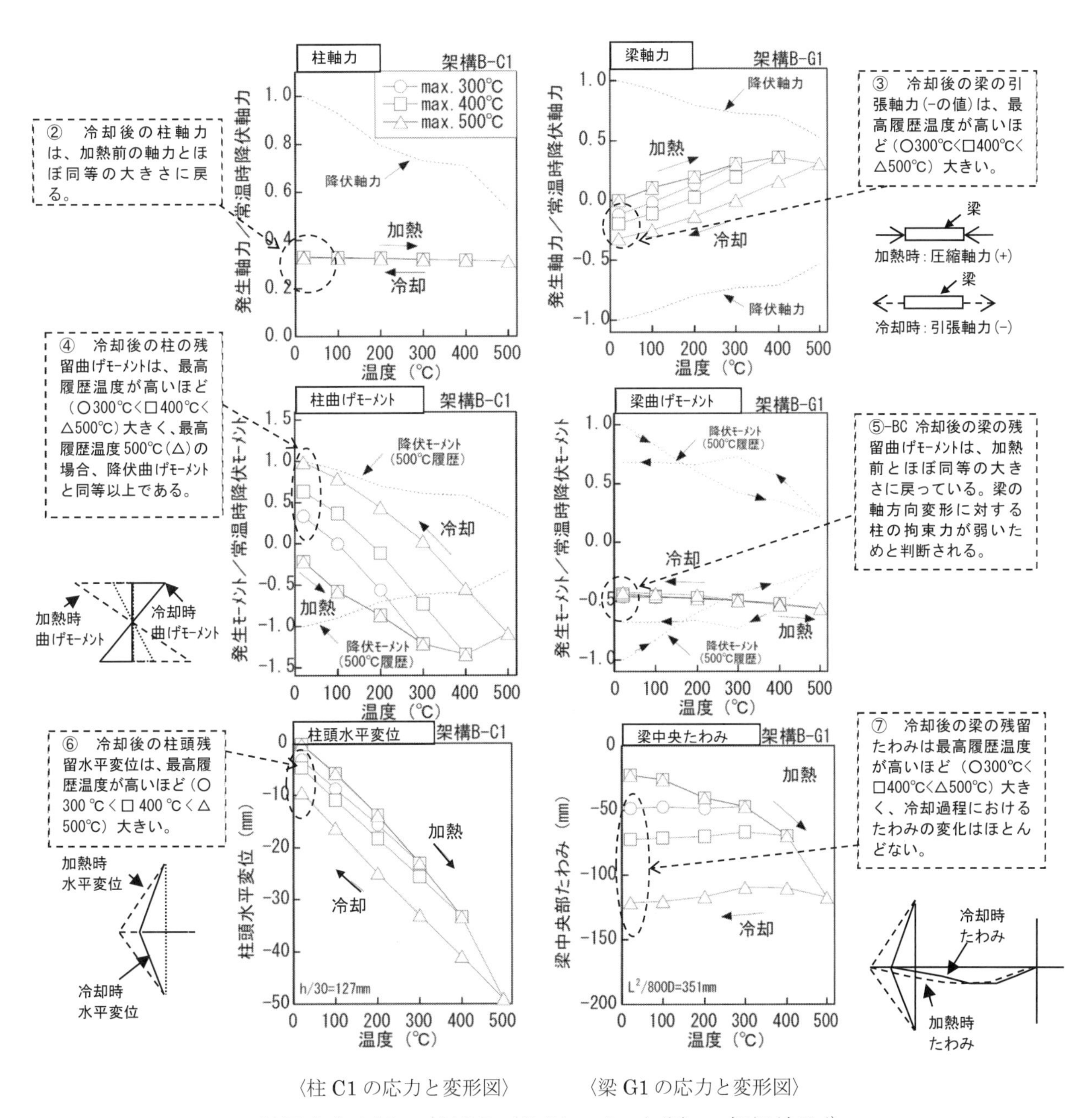

〈柱 C1 の応力と変形図〉　　〈梁 G1 の応力と変形図〉

付図 4.2.1(d)　架構 B（外側スパン火災）の解析結果 [1)]

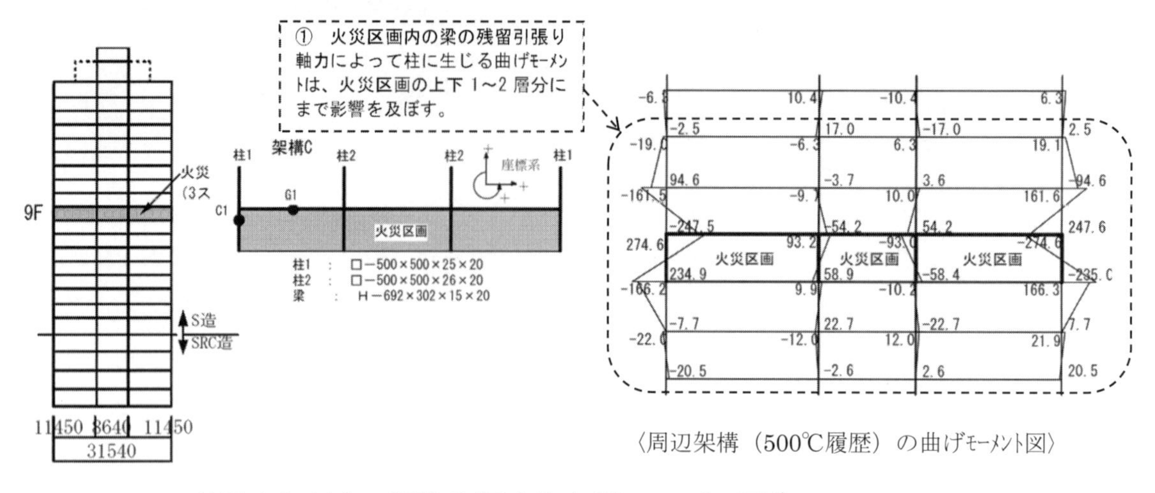

付図 4.2.1(e)　架構 C(層全体火災)のモデル図 1)

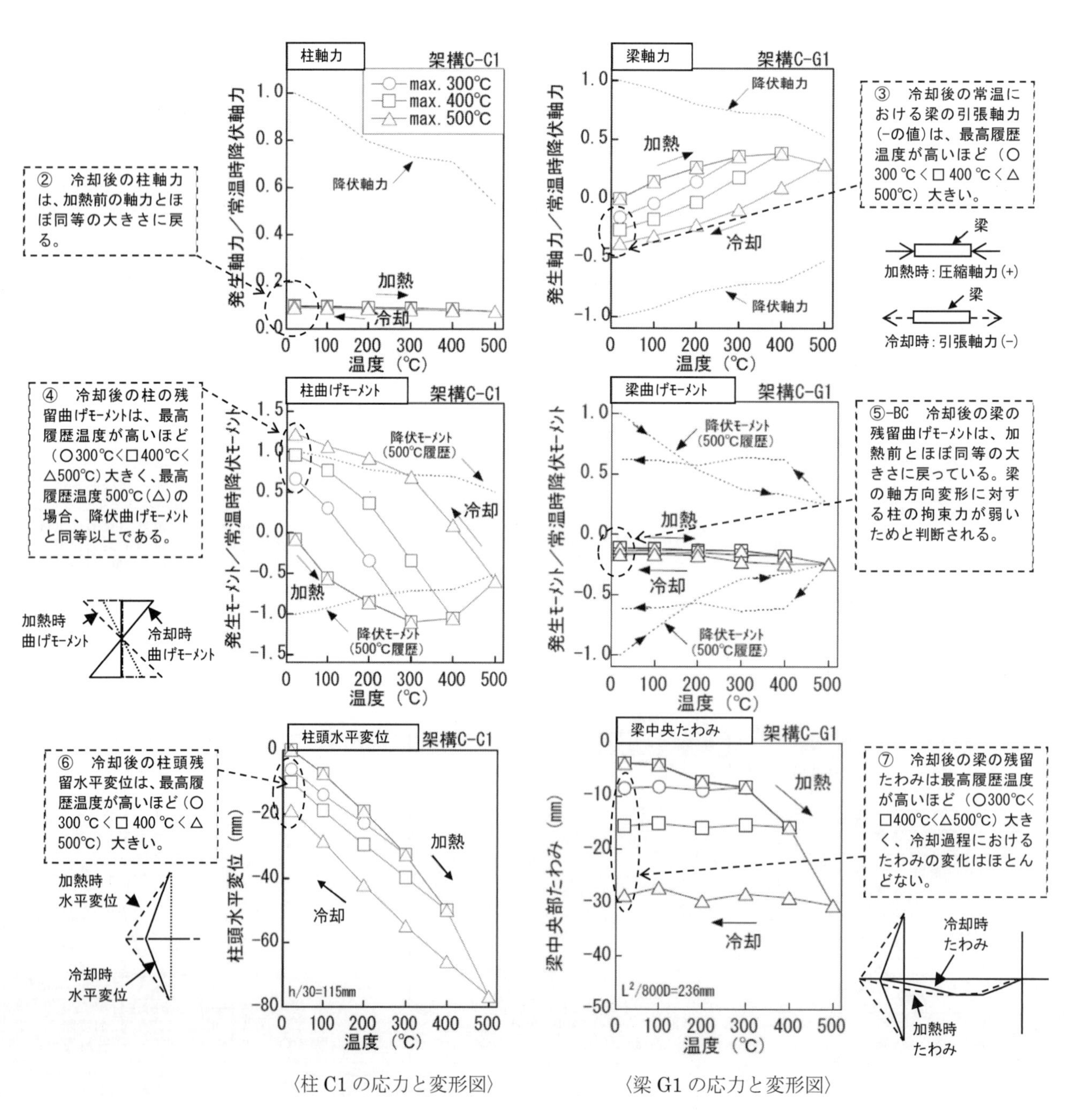

付図 4.2.1(f)　架構 C（層全体火災）の解析結果 1)

付－5 計算による補完と裏付け

計算による耐火建築物の火害の推定は半世紀以上前から行われている[例えば1)-4)]。文献1)には耐火建築物の室火災温度の推定、文献2)にはRC部材の火災後の許容耐力の計算、文献3)にはRCラーメン構造の熱応力の計算が報告されている。文献4)には、火災温度と部材内部温度および部材・架構の構造耐力の計算方法ならびに熱応力の算定例として実際に火災を被った鉄筋コンクリート造工場の梁の終局強度や熱応力と変形の計算が示されている。また、文献5)や文献6)などでは、部材の内部温度を計算し、受熱温度に応じた構造材料の強度低下を考慮して、部材耐力の推算を行なっている。

近年は、工学的手法による耐火設計の発展によって、コンピュータを用いた数値計算による火災性状・部材温度・力学性状の推定が可能である。文献7)にはこれらの数値計算手法がまとめられており、これらの手法を用いることによって、本編に示した種々の調査方法では得られない性状や状態（例えば、部材内部の詳細な温度分布・応力分布・ひずみ分布・残留応力など）を推定することができる。火災後を想定した解析的検討には、床を考慮した鉄骨造架構の火災時・火災後の残留応力と残留変形に関する報告[8)]やRC造架構の火災後の地震応答に関する報告[9)]などがある。

このように、計算による火害の推定は、前提条件・手法・解析ツールなどの限界を明確にした上で適用するのであれば、火害診断および補修・補強方法の検討に際してより的確な判断を行うための有用な情報を提供するものである。

計算による方法の流れを付図5.1に示す。ここでは、火災性状と部材温度および力学的性状に関する解析的な推定方法の概要について述べる。なお、計算に利用できるデータが二次調査などで得られている場合には、計算値との比較・検証や次段階の計算の入力値として当該データを用いる。例えば、二次調査によって部材内部温度のデータが得られている場合には、この温度データを直接入力して構造耐力の計算を行う場合が考えられる。

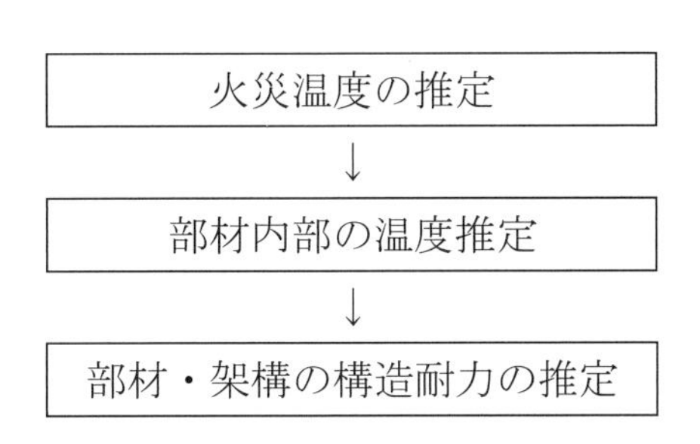

付図5.1 計算による方法の流れ

1. 火災性状の推定

(1) 概要

建築部材が曝される火災を屋内火災および屋外火災の二つに大きく分類すると、屋内火災については、局所火災と盛期火災および開口部からの噴出火炎、屋外火災については隣棟火災および屋外可燃物の燃焼などが考えられる。

局所火災：建築空間の大きさに対して可燃物量が少ない場合または可燃物が互いに分散して配置

されているような場合にはフラッシュオーバーが生じず、空間内に局所的に火炎が立ち上がるような火災性状となる。このような火災を局所火災と言っており、火炎直上に位置する梁や床などの部材が部分的に高温に曝され、火炎から離れた部材では主に熱気流によって加熱される。
盛期火災：開口部の限られた建築空間（区画された空間）に可燃物が多く存在する場合、フラッシュオーバーを起こして空間全体の可燃物が燃焼する。このような火災を盛期火災と言い、供給される空気量によってその火災の温度や継続時間が支配される。盛期火災では、火災区画内の温度が一様に高温になり、区画を構成する柱・梁・床・壁などの部材が受ける加熱は部位によって大差がないと考えるのが一般的である。
開口からの噴出火炎：建物の外壁や外壁より外側に位置する部材では、当該建物の開口を通じて噴出する火炎により加熱される。
隣棟火災：隣の建物で火災が発生した場合、その火災によって火害を被ることがある。隣棟火災によって受ける加熱は、隣棟建物の耐火性能によって異なる。例えば、隣棟建物が耐火建築物の場合には開口からの噴出火炎による加熱を受け、木造建築物の場合には建物が一つの大きな可燃物として考えられるような火災の加熱を受ける。
屋外可燃物の燃焼：自由空間において可燃物が燃焼した場合、火炎からの放射や対流によって外壁や外壁より外側に位置する部材が局所的に加熱される。

(2) 計算方法

設計用の計算ではあるが、火災性状の計算方法として本会発行の「鋼構造耐火設計指針」[10)]に詳細な記述がある。ここでは詳細な計算方法の説明は省略する。前記文献を参考にされたい。

2. 部材温度の推定

(1) 概要

推定された火災温度と時間の関係を、計算対象とする部材に与えることによって、部材内部温度を算定する。火災温度が時間により刻々と変化することから、部材温度も時間によって刻々と変化する。一般には温度解析プログラムを用いて非定常の熱伝導計算を行い、部材内部の温度を算定する。

(2) 計算方法

差分法や有限要素法による計算方法がある。火災時における部材温度の計算方法については、文献 7)や本会「鋼構造耐火設計指針」[10)]に詳細が記述されている。また、部材温度の計算に必要な構造材料の熱定数については、本会「構造材料の耐火性ガイドブック」[11)]に主なデータが掲載されているので参考にされたい。

(3) 注意事項

適用する材料の熱定数によって計算結果が左右される。また、コンクリートの水分の取扱いによっても計算結果が異なってくる。したがって前提条件を明確にしておく必要がある。

3. 構造耐力の推定

(1) 概要

構造耐力を推定する方法として、時間により刻々と変化する部材温度を反映させた解析と、火災時の最高受熱温度のみに着目した解析があげられる。前者に関しては、有限要素法などを利用した解析プログラムが必要であるが、部材温度の時間依存性を考慮できるので、部材に生じる熱応力・変形の過程を追うことができる。後者に関しては、最高受熱温度に対応する材料の残存強度特性（強度、ヤング係数）を考慮して、コンクリートや鋼といった部材の構成材料の残存強度特性を部材断面について積分することにより、残存耐力を推定する方法である。

(2) 計算方法

有限要素法などを利用した解析方法については文献 7)などを、熱応力や変形の計算に必要な構造材料の力学特性については、本会発行の「構造材料の耐火性ガイドブック」[11]に主なデータが掲載されているので参考にされたい。

部材を構成する材料の残存強度特性を部材断面について積分することにより残存耐力を推定する方法の例として、最も単純な方法は部材断面について最高履歴温度に応じたコンクリートの残存圧縮強度と鉄筋の残存強度を積分するものである。この方法により算定された柱部材の残存耐力は、実際の残存耐力と比較的一致するようである[12),13)]。ただし、残存強度を積分した耐力は、火災時の支持荷重・断面欠損・ひび割れ・残留応力などの影響を考慮できないことから、耐力の上限値として考えた方が良い。

(3) 注意事項

構造耐力の推定に至るまでに火災温度の推定と部材温度の推定があり、それぞれの推定では与条件や解析手法に種々の仮定がある。したがって、推定された構造耐力には各段階で蓄積される種々の誤差が含まれることは否めない。

【参考文献】

1) 藤田金一郎：耐火造室内火災の毎時燃焼量，火災主要期継続時間等の理論的考察と火害コンクリート造建物の経歴温度推定への応用，日本建築學會研究報告　第 6 号，pp.429-431, 1950
2) 竹之内清次：火害を受けた鉄筋コンクリート梁及び柱の許容耐力に就て：常用設計式による検討，日本建築學會研究報告　第 12 号，pp.171-174，1951
3) 原田有，仕入豊和，古村福次郎，寺本隆幸：火熱を受けた鉄筋コンクリート構造の被害について：第 2 報・建築学会編,鉄筋コンクリート構造計算規準の計算例による熱応力，日本建築学会論文報告集　第 103 号，p.384，1964
4) 原田有：建築耐火構法，工業調査会，1973
5) 若松孝旺：被火災コンクリート部材の火害度の推算－矩形鉄筋コンクリート梁の場合について，22)災害の研究，第 13 巻，日本損害保険協会，1982
6) 吉田正友：コンクリート系構造部材の火害診断手法に関する研究(学位論文)，1996
7) 国土開発技術研究センター：建築物の総合防火設計法 第 4 版 耐火設計法，日本建築センター，1989
8) 濱田直之，平島岳夫：鉄骨架構の火災時および火災後における応力変形性状，2007 年度日本建築学会　関東支部研究報告集，pp.393-396，2007
9) 卯野恵美，衣笠秀行：梁崩壊型 RC 構造物の火災による部分的性能劣化が崩壊機構に及ぼす影響，コンクリート工学年次論文集 Vol.29 No.3，pp.883-888，日本コンクリート工学協会，2007
10) 日本建築学会：鋼構造耐火設計指針，2017
11) 日本建築学会：構造材料の耐火性ガイドブック，2017
12) 清峰俊太郎，平島岳夫，上杉英樹：標準加熱を受ける RC 柱の断面内応力分布に関する解析的研究，日本建築学会大会学術講演梗概集（防火），pp.255-256，2003
13) 菊田繁美：超高強度鉄筋コンクリート柱の耐火性に関する研究，日本建築学会大会学術講演梗概集（防火），pp.17-20，2006

付－６　鉄筋コンクリート造の二次調査に関するその他の方法

鉄筋コンクリート造の二次調査の調査項目には、本文で説明した試験方法以外にもいくつかの方法が提案されている。ここでは、超音波伝搬速度の測定（付-6.1）、超音波トモグラフィ法（付-6.2）、弾性波トモグラフィ法（付-6.3）、ついて紹介する。なお、前指針の内容から、X 線回折（前指針 付-6.3）、示差熱天秤分析（前指針 付-6.4）については、3.2.1 項に分析結果とともに解説に含めた。比色分析（前指針 付-6.5）については、内容を再構成し本文 3.4.3.5 色彩測定に含めた。

付−6.1 超音波伝搬速度の測定

(1) 概要

火害を受けたコンクリートの超音波伝搬速度と圧縮強度との間にある高い相関関係（**付図 6.1.1** 参照）を利用して、加熱劣化したコンクリートの超音波伝搬速度を測定することによって、非破壊によりコンクリート強度を推定する方法である。また、火害を受けたコンクリートの加熱劣化深さをある程度推定することも可能である。

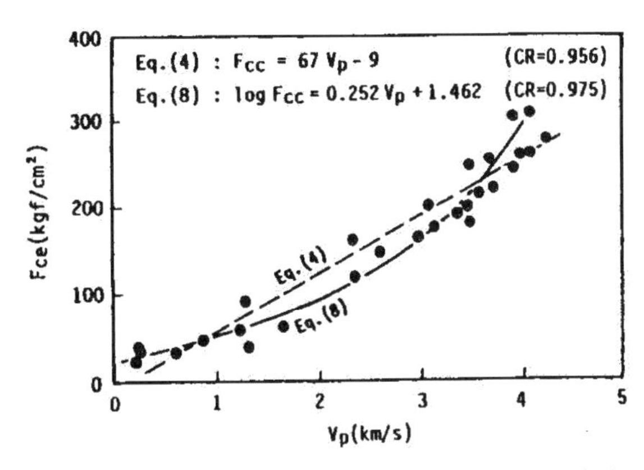

付図 6.1.1 火害を受けたコンクリートの超音波伝搬速度と圧縮強度 1)

(2) 試験方法

i）試験体、試料

本測定は非破壊試験であるので、試料を採取する必要はない。

ii）測定システム・測定方法

測定システムの一例を**付図 6.1.2** 示す。圧縮強度を推定する場合は、文献 1)によると、加熱劣化したコンクリートに発振子と受振子を対向させ配置して超音波の伝搬速度を測定する（透過法）。

一方、加熱劣化深さを推定する場合には、文献 2)によると、**付図 6.1.3** に示すように、発・受振子の距離を変えて同一面上で測定する方法（表面法）によって、10 か所程度の超音波伝搬速度を測定して推定する。

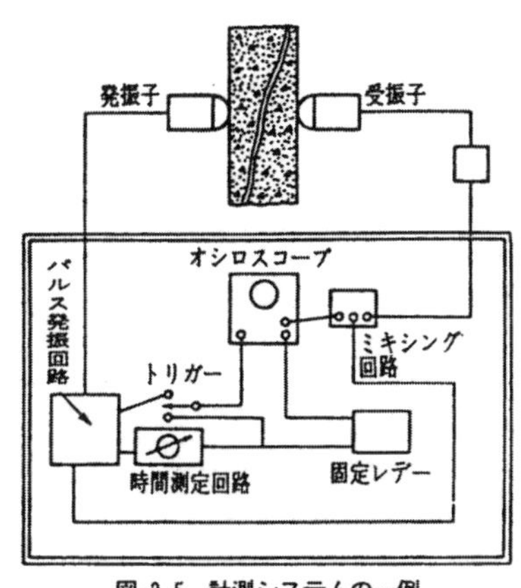

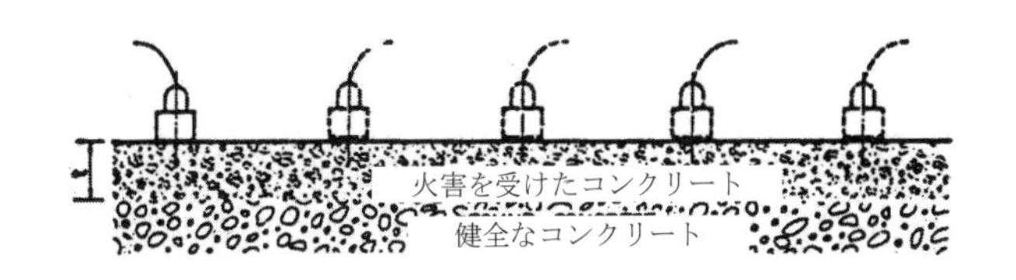

付図 6.1.2 超音波伝搬速度測定のシステム 3) 付図 6.1.3 超音波伝搬速度の測定方法（表面法）2)

iii）圧縮強度の推定

文献 1)によると、**付図 6.1.1** に示す式(付 6.1.1)により圧縮強度を推定できるとしている。

$$\mathrm{Log\ Fcc} = 0.252\mathrm{Vp} + 1.462 \quad （重相関係数=0.975） \qquad （付\ 6.1.1）$$

ここで、Fcc　：圧縮強度(kgf/cm²)

　　　　Vp　：超音波伝搬速度(km/s)

ただし、文献 1)で使用しているコンクリートは、普通ポルトランドセメント、川砂、川砂利を使用した水セメント比 50%～70%のコンクリートであり、100℃～800℃の範囲で 100℃ごとに加熱劣化したコンクリートについて超音波伝搬速度を測定した結果（**付図 6.1.4** 参照）から推定式を求めている。したがって、文献 1)と異なる材料・調合のコンクリートの場合は、加熱を受けていない箇所から試料を採り、**付図 6.1.4** の関係を測定して推定式を求める必要がある。

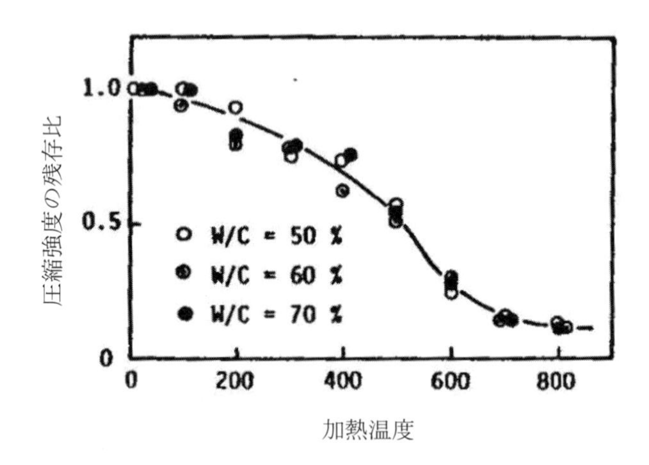

付図 6.1.4　加熱温度による圧縮強度の低下率[1)]

iv）加熱劣化深さの推定

健全な部分の音速は一定なので、発・受振子の間の距離がある程度離れると、距離と伝搬時間は比例する[4)]。文献 2)によると、**付図 6.1.5** に示す発・受振子間距離と超音波伝搬時間の関係から変曲点（加熱劣化したコンクリートと健全なコンクリートとの境界）を求め、その変曲点までの傾き（α）とそれ以降の傾き（β）、変曲点における発・受振子間距離（Xo）により、式(付 6.1.2)を用いて加熱劣化深さ（t）を推定できるとしている。

$$t = \frac{Xo}{2}\sqrt{\frac{\tan\alpha - \tan\beta}{\tan\alpha + \tan\beta}} \qquad （付\ 6.1.2）$$

ここで、t　：加熱劣化深さ(mm)

　　　　Xo　：**付図 6.1.5** の変曲点の発・受振子間距離(mm)

　　　　α　：**付図 6.1.5** の変曲点までの関係式における傾き

　　　　β　：**付図 6.1.5** の変曲点以降の関係式における傾き

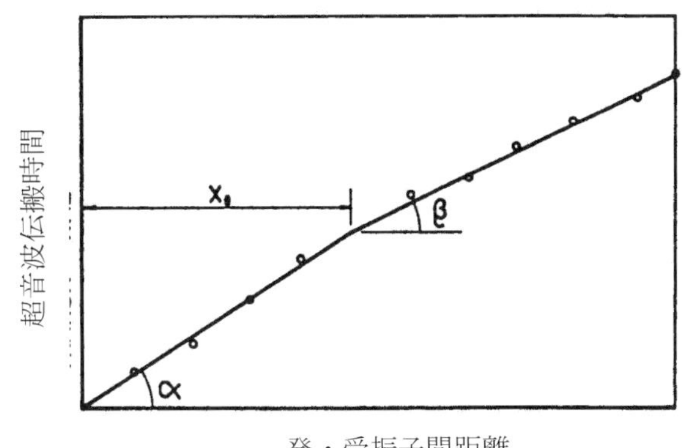

付図 6.1.5 発・受振子間距離と超音波伝搬時間との関係 2)

(3) 注意事項

圧縮強度の推定については、透過法による測定では推定可能とされているが、表面法ではどの程度の精度まで推定できるのか不明である。また、本推定方法は、コンクリート部材を一様に測定するものであるため、深さ方向の圧縮強度分布までは推定できない。なお、いずれの推定方法もコンクリート内の超音波伝搬速度を測定することから、鉄筋や配管などの埋設物が存在する場合、推定精度が低下してしまう。

(4) 適用例

文献 5)では、いくつかの試験方法について、火害調査への適用性を検討している。超音波法もこの中に取り上げられており、透過法および表面法による音速測定が行われている。実験の結果、透過法に比べて表面法の方がコンクリート表層部の微細構造の変化を敏感に捉えることができ、受熱温度が高いほど急激に音速が低下したとしている。また、散水や加熱後の日数の影響もなかったとしている。これらの結果から、超音波法は現場で直接評価しうる試験方法であるとし、具体的な適用方法として、あらかじめ鉄筋探査器により鉄筋位置を把握し、音速に影響のないことを確認してから、表面法による音速測定を行うことを提案している。

【参考文献】

1) 谷川恭雄, 太田福男：火害を受けたコンクリートの非破壊試験, 日本建築学会大会学術講演梗概集, pp.325-326, 1983.9
2) Hung-Wan Chung and Kwok Sang Law : Assessing Fire Damage of Concrete by the Ultrasonic Pulse Technique, CEMENT, CONCRETE, AND AGGREGATES, pp.84-88, 1985
3) 日本コンクリート工学協会：コンクリート構造物の診断のための非破壊試験方法研究委員会報告書, pp.8-27, 2001.3
4) fib : Fire design of concrete structures - structural behaviour and assessment. State-of-art report, fib Bulletin No. 46, 2008
5) 小林幸一, 枝広英俊：火害を受けたコンクリート構造物に対する非破壊・微破壊試験の適用に関する研究, 日本建築学会構造系論文集, Vol.73, No.629, pp.1027-1034, 2008.7

付－6.2　超音波トモグラフィ法

(1) 概要

超音波伝搬速度による方法は、非破壊試験の中でも早くから利用されてきた手法のひとつであり、これまで圧縮強度やヤング係数などのコンクリートの物性値や、ひび割れ深さの推定など、さらには火害による加熱劣化深さの推定にも用いられてきた。また、近年では、医学の分野において考案されたCT（コンピューター・トモグラフィ）を利用し、超音波伝搬速度のトモグラフィを用いたコンクリート構造体内部の品質を推定する方法が開発されている[1]。ここで紹介する調査技術は、この超音波トモグラフィ法を、火害を受けたコンクリートに対し応用したものであり、本技術を適用することによって火害後のコンクリート構造体内部における超音波伝搬速度の分布を測定することができ、ヤング係数ならびに圧縮強度の断面分布の推定を行うことができる[2]。

(2) 試験方法

ｉ）試験体、試料

本測定は非破壊試験であるので、試料を採取する必要はない。

ⅱ）測定システム

測定システムは付－6.1「超音波伝搬速度の測定」のシステムと同じである。

ⅲ）測定方法

測定方法は、**付図 6.2.1** に示すように、測定対象部位を n 個のブロックに分割した後に、測定対象部を網羅するように超音波の発振子(S)と発振子(R)を移動させながら伝搬時間の測定を繰り返し m 回行い、Si・Rk 振動子間の測定で得られた超音波の伝搬速度(t_{ik})とその測定時に超音波が j ブロックを通過する長さ($_{ik}l_j$)および j ブロックの超音波速度(V_j)との間に、式(付 6.2.1)なる関係が成立することを用いて各ブロックの超音波速度(V_j)を最小二乗法などを利用して求める[3]。**付図 6.2.2** に超音波伝搬速度の断面分布の一例を示す。なお、超音波走査線の設定の仕方に応じて、2次元的および3次元的な内部表現が可能である。

$$t_{ik} = \sum_{j=1}^{n} \frac{_{ik}l_j}{V_j} \quad \text{ここに、} i=1, 2, 3, \cdots, m\text{、} k=1, 2, 3, \cdots, m \qquad (\text{付 } 6.2.1)$$

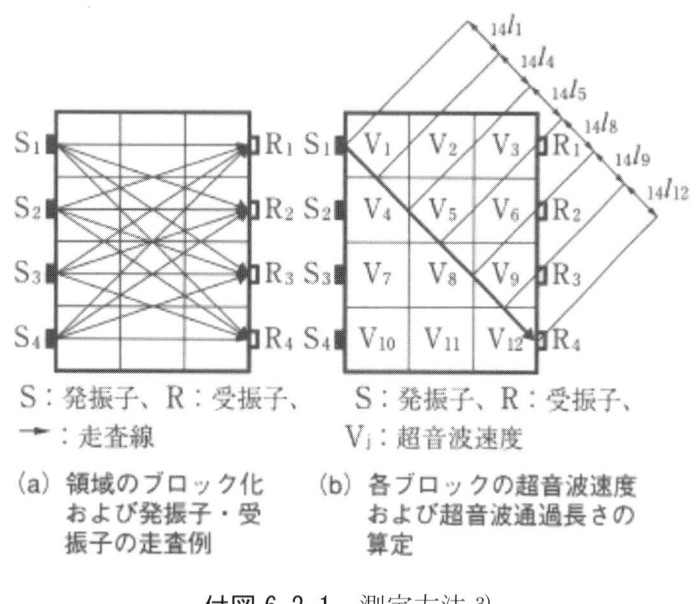

付図 6.2.1　測定方法 3)

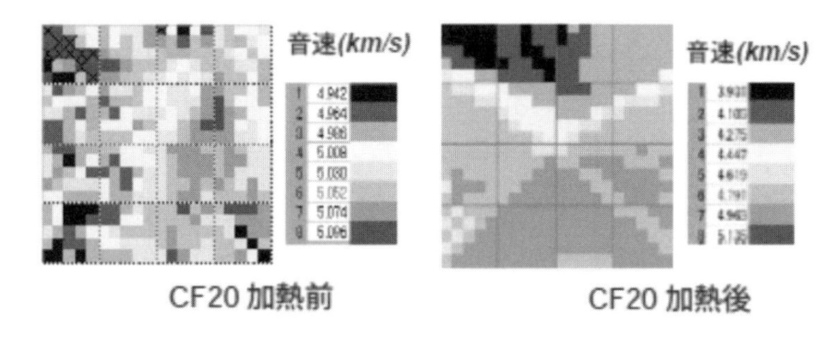

付図 6.2.2　超音波伝搬速度の断面分布の一例 2)

iv）圧縮強度の推定

付図 6.2.3 に示すように、火害を受けたコンクリートにおいても、超音波伝搬速度と圧縮強度の関係は直線的な比例関係にあることを利用して推定する。火害を受けたコンクリートおよび健全なコンクリートの超音波伝搬速度をいくつか測定し、同じ箇所から採取したコアの圧縮強度との関係を求め、それを推定式として任意の火害を受けたコンクリートの圧縮強度を推定する。

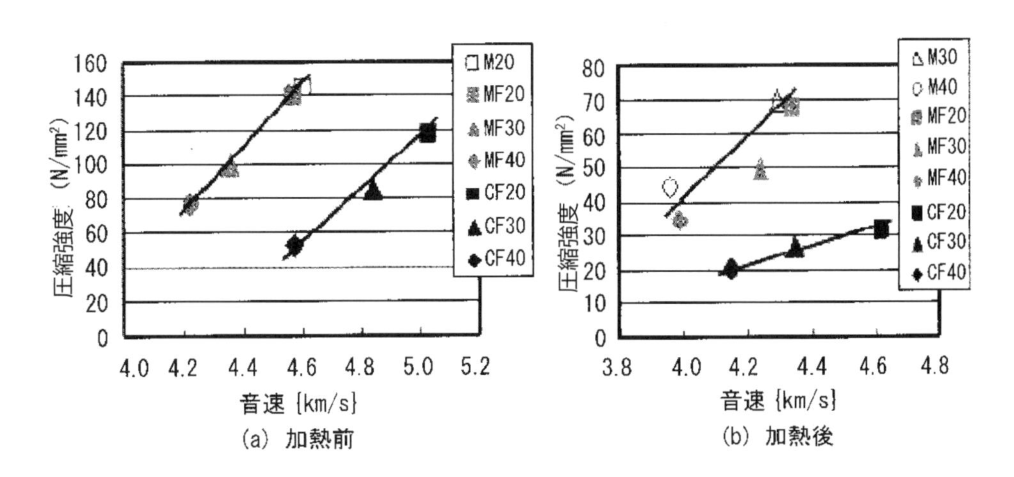

付図 6.2.3　加熱前後のコンクリートにおける超音波伝搬速度と圧縮強度の関係 2)

v）ヤング係数の推定

付図 6.2.4 に示すように、火害を受けたコンクリートにおいても、式(付 6.2.2)に示す理論式を用いて超音波伝搬速度から求めたヤング係数（動弾性係数）と実測したヤング係数（静弾性係数）との関係は直線的な比例関係にある。両者はほぼ同じ値であるが、一般的に言われているようにやや超音波伝搬速度から求めたヤング係数（動弾性係数）の方が大きい。このことを利用して、理論式から推定するか、圧縮強度と同様、火害を受けたコンクリートおよび健全なコンクリートの超音波伝搬速度をいくつか測定し、同じ箇所から採取したコアのヤング係数との関係を求め、それを推定式として任意の火害を受けたコンクリートのヤング係数を推定する。

$$E_c = \rho V^2 \frac{(1+\nu)(1-2\nu)}{1-\nu} \qquad \text{(付 6.2.2)}$$

ここに、Ec：ヤング係数、ρ：密度、V：音速、ν：ポアソン比

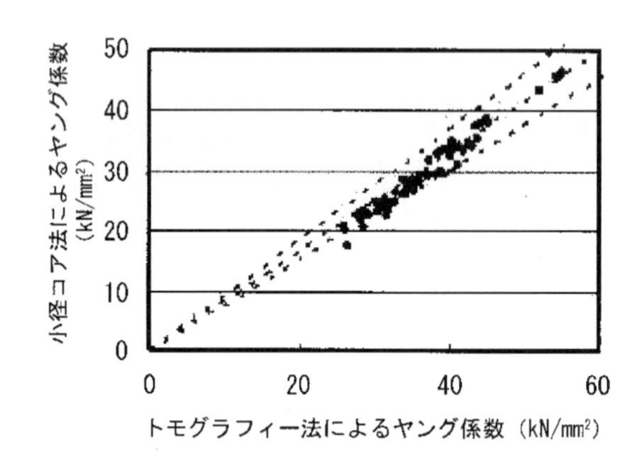

付図 6.2.4　超音波伝搬速度から求めた理論上のヤング係数と小径コアのヤング係数との関係[2)]

(3) 注意事項

本技術も超音波伝搬速度を用いた方法の一つなので、付－6.1「超音波伝搬速度の測定」の注意事項と同じである。なお、測定面は少なくとも２面以上必要であり、柱などの４面が測定できる部材でないと推定精度が低い。

【参考文献】

1)　木村芳幹，谷川恭雄：超音波速度度による高強度コンクリート構造体の品質の推定，コンクリート工学年次論文集, Vol.23, No.1, pp.577-582, 2001.7.

2)　朴相俊，林口幸子，谷川恭雄，寺西浩司，木村芳幹：超音波トモグラフィー法によるコンクリートの火害度推定方法に関する研究（その１：実験概要および音速分布の結果、その２：超音波トモグラフィー法による火害度推定），日本建築学会大会学術講演梗概集（中国），pp.799-802, 2008.9

3)　山田和夫：コンクリート構造物の非破壊検査・診断方法（第３章　弾性波を利用した内部探査方法），セメントジャーナル, pp.53-54, 2004.9

付－6.3 弾性波トモグラフィ法

(1) 概要

超音波伝搬速度による方法では、一般に 50kHz 程度に共振点を有する発振子および探触子を用いることが多いが、高周波数領域の弾性波は距離の増加に伴う減衰（幾何減衰）が大きく、劣化による伝搬速度の低下とセンサ間距離の影響による見かけの速度低下の両者が結果に影響する。一方、鋼球打撃による弾性波入力（衝撃弾性波法）では、超音波法よりも入力周波数が低く、入力エネルギーも大きいため、これらの影響が小さく、比較的広範囲を測定対象として劣化範囲が推定可能とされている。ここでは、火害を受けたコンクリートの弾性波トモグラフィ法の適用事例[1),2)]を紹介する。

(2) 試験方法

i）試験体、試料

本測定は非破壊試験であるので、試料を採取する必要はない。

ii）測定システム

弾性波の入力には、入力周波数を調整するため一般に径の異なる複数の鋼球が用いられる。ここでは，φ9.6mm の鋼球打撃により弾性波の入力を行った例を示す。なお，入力される弾性波の周波数と鋼球径の関係は文献 3)を参照されたい。

弾性波の検出には、加速度計、AE センサ等が主に使用され、試験目的に応じて選択するのが望ましい。測定データ（波形データ）の記録は、1μs 以下のサンプリング時間間隔を持つ測定器で記録することが望ましい。

iii）測定方法

ここでは、60kHz 共振型 AE センサを加熱面上に 16 個、付図 6.3.1 のように配置した例を紹介する。打撃位置は各センサの近傍（20mm 程度内）であり、16 か所にて打撃を行った。

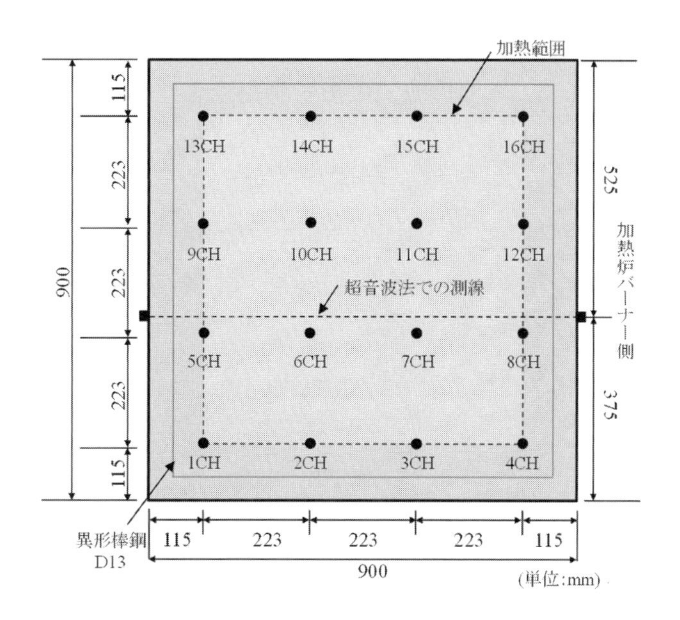

付図 6.3.1 センサの配置図[2)]

付図 6.3.2 に弾性波トモグラフィ解析結果を示す。図より、加熱温度が高くなると加熱面全体の弾性波速度が低下する様子が視覚的に把握でき、火害による面的な劣化評価手法に適用可能であることが示されている。

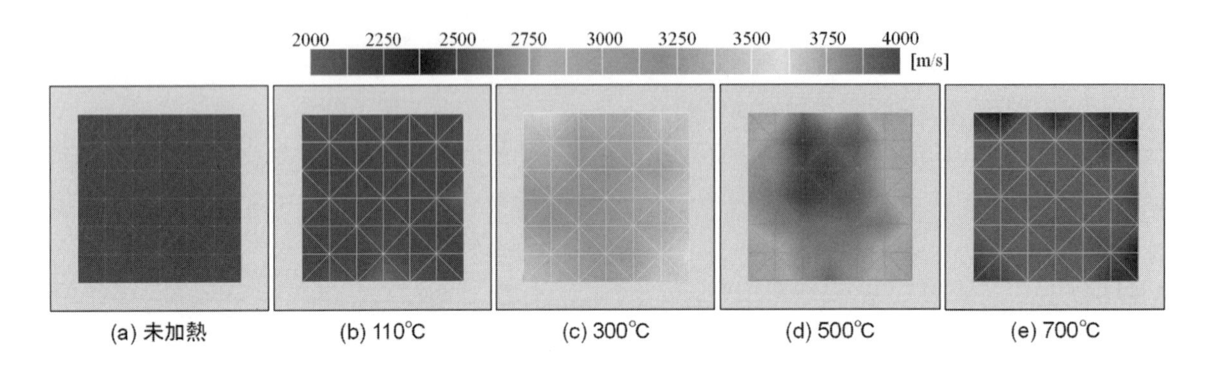

付図 6.3.2 弾性波トモグラフィ解析結果 2)

さらに、加熱面にて弾性波の入出力を行った結果から、加熱面からの深さが増加するに伴い、弾性波が単調増加すると仮定して深さ方向の速度構造を推定し、火害による劣化深さを推定した結果を**付図 6.3.3** に示す。これより、弾性波の一面入出力により、劣化深さがある程度推定できる可能性が示されている。

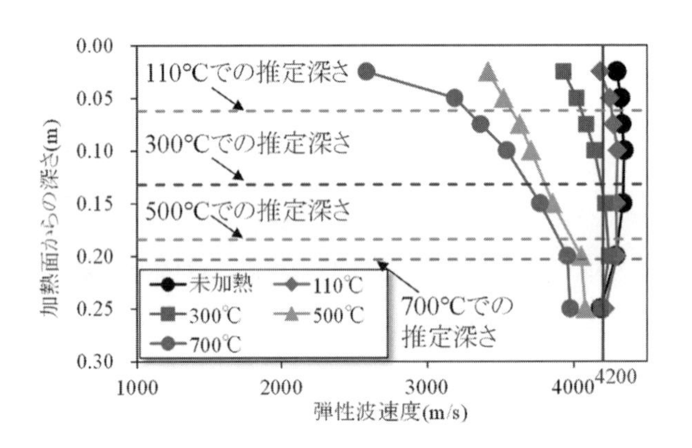

付図 6.3.3 弾性波法による劣化深さ推定結果 2)

(3) 注意事項

ここで紹介した結果は、無筋コンクリートを対象とした実験から得られた結果であり、本手法を鉄筋コンクリートに適用するためには、弾性波が鉄筋を伝搬する影響を考慮する必要がある。具体的には、付−6.1「超音波伝搬播速度の測定」と同様に、あらかじめ鉄筋探査器により鉄筋位置を把握し、弾性波伝搬に影響のないことを確認してから、測定を行うことが望ましい。

【参考文献】

1) 大野健太郎，小澤満津雄，内田慎哉，岩野聡史，麓隆行，迫井裕樹：弾性波トモグラフィ法による火害を受けたコンクリートの劣化範囲推定に関する基礎検討，土木学会 第 71 回年次学術講演会講演概要集, V-464, pp.927-928, 2016

2) 大野健太郎，前田祐輔，内田慎哉，春畑仁一：弾性波の速度構造による火害を受けたコンクリートの劣化評価手法に関する基礎的検討，コンクリート工学年次論文集, Vol.39, No.1, pp.1909-1914, 2017.6

3) 日本非破壊検査協会：コンクリートの非破壊試験−弾性波法−第 2 部：衝撃弾性波法，NDIS 2426-2:2014

付−7 火害調査準備物品リストおよび火害調査票

付−7.1 火害調査準備物品リスト

ここでは、火害調査を実施する場合、あらかじめ確認しておくことや準備すべき物品のリストを掲載した。調査対象によって取捨選択してご利用いただきたい。

用途		物品					
調査環境整備用	電源関係		通電の確認		発電装置		
	足場関係		脚立		足場組		ローリングタワー、高所作業車など
	照明器具		投光機		懐中電灯		
調査全般	服装その他		作業着		ヘルメット		安全靴
			軍手		雑巾		マスク
			長靴				
	参考図書		建物の火害診断および補修・補強方法　指針・同解説　2024				
予備調査実施用	建物概要を示す資料		竣工年次等		構造計算書		過去の火害状況
	設計図書		図面		仕上げ表		設備関係系統図
	関連法規資料		建築基準法		消防法関連法規		各地方行政庁の建築関連法規
			各地方行政庁の消防関連法規				
	火災概要を示す資料		新聞記事		火害調査票（付-7.2）		
一次調査実施用	写真記録		カメラ		保存用メディア		電池(予備)
			黒板		チョーク		写真記録紙
	打音検査		検査棒				
	表面調査		カワスキ（ヘラ）				
	炭化深さ測定		ワイヤブラシ		ノコギリ		
	筆記具類		筆記具		マジックペン		画板
	その他		各調査シート		電卓		記録用タブレット
二次調査実施用	コア抜取時		鉄筋探査機		コアマシン		水
	鋼材切断時		ガス切断機				
	ひび割れ幅の測定		クラックスケール		ノギス		
	たわみ測定		レベル		標尺		水平器
	寸法計測		コンベックス		鋼尺		下げ振り
			水糸		レーザー水準器		
	非破壊試験		リバウンドハンマー		テストアンビル		各種非破壊試験機
	中性化試験（はつり含む）		無水フェノールフタレイン溶液		フェノールフタレイン１%エチルアルコール溶液		噴霧器
			ハンマー		電動ピック		ジャンボブレーカ

付－7.2　火害調査票

物件名		記入者名	
		記入日	年　月　日

項　目		記載例	記入欄
建物概要	構造種別	RC 造・鉄骨造等	
	構造形式	ラーメン構造・壁式構造等	
	用途	集合住宅・倉庫等	
	階数	地上○階、地下○階	
	およその面積	○,○○○m^2	
	所在地	○○県○○市	
	竣工（予定）年	平成○○年	
	耐火被覆の有無、種類	ロックウール吹付け等	
	(RC)コンクリートの種類	普通・軽量等	
	(RC)コンクリートの設計基準強度（Fc）	Fc=18N/mm^2	
	(S)鋼材種別	SS400 等	
火災および被害の概要※1	火災発生日	平成○○年○月○日	
	出火原因	コンロの火がカーテンに燃え移った。	
	出火推定位置	○階○○号室台所	
	出火推定時刻	午前○時○○分	
	消火開始時刻	午前○時○○分	
	鎮圧時刻	午前○時○○分	
	鎮火時刻	午前○時○○分	
	延焼経路および火害の範囲（最大被災個所）	○階○○号室全体に火災が拡大。最大被災個所は台所。	
	出火時の気象	天候：○，気温：○℃，湿度：○○%RH，風向：○○，風速：○m/s	
	特記すべき被害状況	台所の天井に爆裂有り。	
建物現況※2	構造躯体が被災直後の状況が保存されているか。		
	被災部材に近づいて目視観察可能か。（足場が確保されているか）		
建物図面※2	各階平面図、平面詳細図		
	断面図、断面詳細図、立面図（東西南北）		
	構造図（床梁伏図、軸組図、部材断面リスト、配筋図等）		
	仕上げ表、各室展開図（被災部分のみ）		
写真	被害状況の写真（数枚）		
その他	調査時期への要望等（その他必要事項を記入）		

※1：火災および被害の概要については、必要に応じて消防署等に確認してください。
※2：建物状況および建物図面については、この用紙とは別に準備願います。

付－8　火 災 事 例

付－8.1　ＳＲＣ造建物の火害調査実施例

火害を受けた鉄骨鉄筋コンクリート造地下１階、地上９階建の建物について調査を行った例を示す。なお、付－8.1 は平成 15 年（2003 年）に行った火害調査の実施例であり、本指針の旧版である「建物の火害診断及び補修・補強方法」（2004 年）の出版準備段階の知見に基づいた調査となっている。一部、本指針の記載内容と整合しない箇所もあるが、公開可能な火害調査例として貴重であることから、調査内容を改変せずに掲載している。

1.　調査建物の概要

建物名：東京工業大学総理工実験棟（Ｇ５棟）
所在地：神奈川県横浜市緑区長津田町 4259
（東京工業大学構内）
構　造：鉄骨鉄筋コンクリート造
　　　　地下１階、地上９階建
用　途：学校（実験室他）
建築面積：　719 m^2
延べ床面積：6717 m^2
竣工年月：平成７年１月
コンクリート設計基準強度：24N/mm^2

調査建物の火害室付近の平面図を**付図 8.1.1** に、調査対象室の平面図を**付図 8.1.2** に、断面図を**付図 8.1.3** に、調査建物全景を**付写真 8.1.1** に示す。

また、火害室付近の地下１階伏図、柱芯伏図、１階鉄骨伏図、柱断面リスト、大梁断面リスト、壁配筋リスト、小梁詳細図を末尾の**付参考図 8.1.1～8.1.7** に示す。

2.　火災の概要

出火原因：実験試料（炭化材料）からの自然発火
出火場所：地下１階環境制御実験準備室（**付図 8.1.1** 参照）
出火推定時刻：平成 14 年 8 月 14 日
　　　　　　　午前 10 時 10 分頃
　　　　　　　（火災報知器の作動時刻）
放水開始時刻：　同日　午後 0 時 00 分頃
鎮圧時刻：　　　不明
鎮火時刻：　　　同日　午後 0 時 06 分頃
出火当時の気象：　天候：晴れ　　　　気温：31.3℃
（当日 10 時の　　相対湿度：52%RH　風向：西南西
　東京の気象）　　風速：4.1m/s

3.　調査項目（調査フロー）

調査は RC 造部材の火害等級判定のフロー（**解説図 3.1.2**）に従い、次の手順で実施した。

①予備調査　建物概要の調査、火災情報の収集（上記「火災の概要」に示す）、設計図書の準備を行った。

②一次調査　目視調査（結果は 4.1 節に示す）により、地下１階環境制御実験準備室および環境制御実験室付近（**付図 8.1.1～8.1.3** 参照）は、火害等級Ⅱ級以上と判断した。ただし、環境制御実験室東壁は、軽量鉄骨製の下地が残存していたので火害等級Ⅰ級とした。また、上記室以外の部分もすべて火害等級Ⅰ級と判断した。

リバウンドハンマー（シュミットハンマー）によるコンクリートの反発硬度試験（圧縮強度推定）を行っ

付表 8.1.1　測定位置および測定項目一覧

測定位置番号	部位		リバウンドハンマーによる反発硬度測定	コンクリート・コア番号	圧縮強度試験	中性化深さ試験	ＵＶスペクトル法による受熱温度推定
①	火害部	壁	×	①	○	○*	○**
②		はり	○	②			
③		柱	○	③			
④		柱	○	④－１	○	×	○
				④－２	×	○	×
⑤		壁	×	⑤	○	○*	○**
⑥		はり	○	⑥			
⑦		柱	○	⑦－１	○	×	○
				⑦－２	×	○	×
⑧		壁	○	⑧	○	○*	○**
⑨		はり	○	⑨			
⑩		壁	×	⑩			
⑪		壁	○	⑪			
⑫		はり	○	⑫			
⑬		床	○	⑬			
⑭		床	×	⑭			
⑮		床	×	⑮			
⑯	健全部	壁	○	⑯	○	×	○
⑰		壁	×	⑰		○	×

注：○は調査を実施した部位を示す。
＊：コア割裂後半分のサンプルで実施した。
＊＊：コア割裂後残り半分のサンプルで実施した。
④、⑦はコア抜きの際、途中で切断された短いサンプルを、それぞれ④－２、⑦－２として中性化深さの測定に用いた。

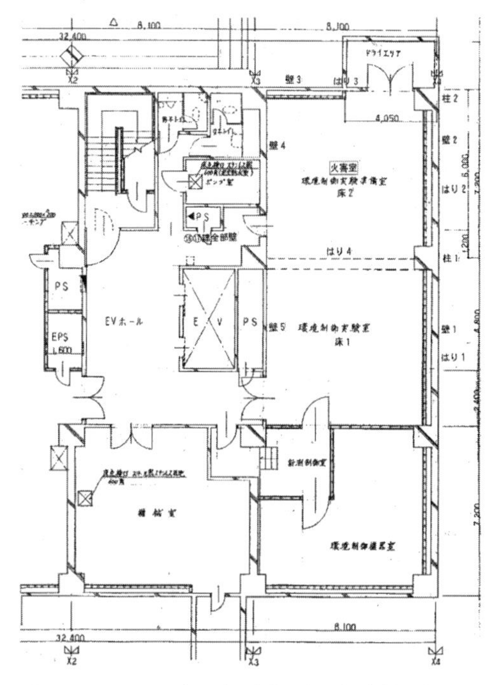

付図 8.1.1　調査対象建物（火害室付近）平面図

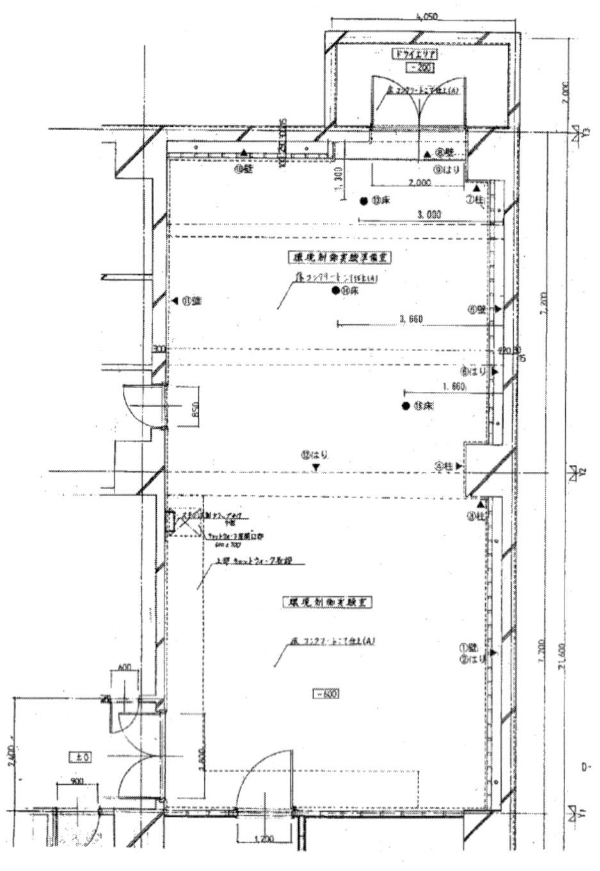

付図 8.1.2　調査対象室平面図

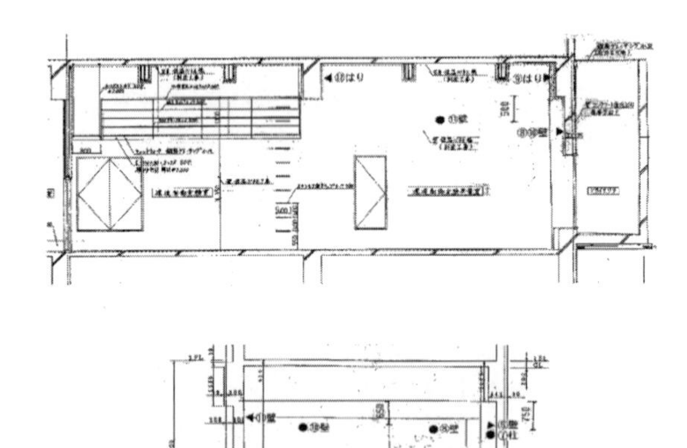

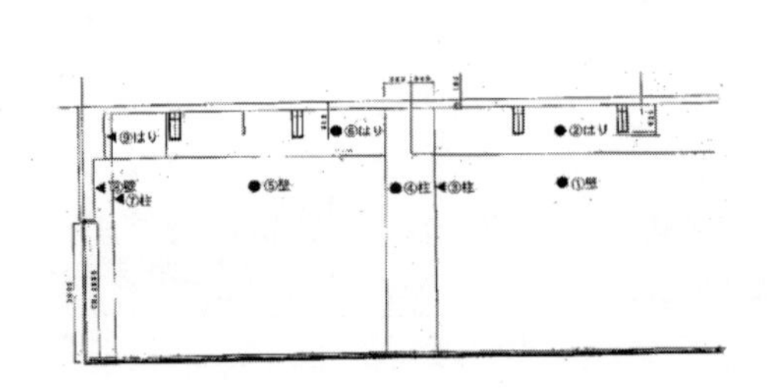

付図 8.1.3　調査対象室断面図

た（結果は 4.2 節に示す）。火害部の圧縮強度推定値は、健全部と大きな差は見られなかった。

③二次調査＜力学的試験による方法＞

コンクリートコアによる圧縮強度試験およびコンクリートコアによる中性化深さ測定を行った。調査結果より火害等級はⅢ級以下であり、これだけの調査でも充分ではあるが、今回は補修範囲を確定するため**＜材料分析による方法＞**であるＵＶスペクトル法によるコンクリートの受熱温度推定も行った。

この結果、調査は、火害を受けた地下１階環境制御実験準備室および環境制御実験室付近（**付図 8.1.1〜8.1.3** 参照）を対象とし、下記の項目イ）〜ホ）について行うことになった。調査ロ）〜ホ）の測定位置および測定項目の一覧を**付表 8.1.1** に示す。

イ）火害状況の目視調査
ロ）リバウンドハンマーによるコンクリートの反発硬度試験（圧縮強度推定）
ハ）コンクリートコアによる圧縮強度試験
ニ）コンクリートコアによる中性化深さ測定
ホ）ＵＶスペクトル法によるコンクリートの受熱温度推定

4.　調査方法および調査結果

4.1　火害状況の目視調査

火害状況の目視調査は平成 15 年 2 月 7 日に実施した。

目視調査は、火害を受けた地下１階環境制御実験準備室および環境制御実験室付近(**付図 8.1.1〜8.1.3** 参照)を対象とした。なお調査時には、壁・天井面に貼られていた保温パネル（亜鉛鉄板）や備品類等は全て撤去されていた。

以下に調査対象部（**付図 8.1.1〜8.1.3** 参照）の損傷状況を示す。また**付写真 8.1.2〜8.1.16** に火害状況を示す。

1）柱の損傷状況

1)-1. 柱１（**付写真 8.1.4** 参照）

西面（環境制御実験準備室側）は、上部の比較的広範囲がピンク色に変色し、その部分にはひび割れが認められた。下部には煤が付着し、部分的にひび割れが認められた。

南面は、上部と下部に小規模なコンクリートの表層剥落が認められた。上部はピンク色に変色し、表層剥落部分より東側部分にはひび割れも認められた。下部には煤が付着していた。

東面（環境制御実験室側）は、上部に部分的なひび割れが認められ、全体に煤が付着していた。

1)-2. 柱２（**付写真 8.1.6** 参照）

東面は、中央付近にコンクリートの表層剥落（最大深さ：7mm）があった。表層剥落部分より上部はピンク色に変色し、細かなひび割れが認められた。下部には煤が付着していた。

南面は、上部はピンク色に変色し、部分的に細かなひび割れが認められた。下部には煤が付着していた。

以上より、柱１、２の受熱温度はコンクリートのピンク色に変色した部分で 300～600℃（火害等級Ⅲ）、煤の付着部分で 300℃以下（火害等級Ⅱ）であったと推定される。

２）はりおよび小梁の損傷状況

2)-1. はり１（付写真 8.1.3 参照）

側面および下面とも全体に煤が付着していた。

2)-2. はり２（付写真 8.1.5 参照）

側面および下面とも、全体にピンク色に変色し、ひび割れが認められた。また、東側の長い範囲で角部が欠けていた。

2)-3. はり３（付写真 8.1.7 参照）

側面および下面とも、全体にピンク色に変色していた。

2)-4. はり４（付写真 8.1.12、8.1.13 参照）

東面（環境制御実験室側）は、上部に煤が付着し、下部はピンク色に変色し、部分的にひび割れが認められた。

下面は、柱１に近い部分にコンクリートの表層剥落があった。全体にピンク色に変色し、ひび割れが多く認められた。

西面（環境制御実験準備室側）は、全体的にピンク色に変色し、南北方向に長いひび割れが認められ、特に北方向にひび割れが多く認められた。

2)-5. 鉄骨小ばり（付写真 8.1.11 参照）

全体に茶色に変色していた。

以上より、はり１～４の受熱温度はコンクリートのピンク色に変色した部分で 300～600℃（火害等級Ⅲ）、煤の付着部分で 300℃以下（火害等級Ⅱ）であったと推定される。

３）壁の損傷状況

3)-1. 壁１（付写真 8.1.3 参照）

南面上部に煤が付着していた。

3)-2. 壁２（付写真 8.1.4～8.1.6 参照）

南面下部（高さ約 2m）に煤が付着し、コンクリートの表層剥落が多数認められる箇所があった。また、壁面の西から中央にかけて長いひび割れが認められたが、コールドジョイントに起因するひび割れであると思われる。

3)-3. 壁３（付写真 8.1.6、8.1.7 参照）

東面下部に煤が付着し、上部はピンク色に変色していた。北側にある開口部の上部に小面積のコンクリートの表層剥落が数ヶ所認められた。また、開口部より南側の上部にはひび割れが多数認められた。

3)-4. 壁４（付写真 8.1.8 参照）

北面下部に煤が付着し、上部はピンク色に変色していた。また、上部の所々にひび割れが認められた。

3)-5. 壁５（付写真 8.1.9 参照）

北面は、西側の大部分は変色していなかったが、その他の部分には煤が付着していた。また、はり４の下部はピンク色に変色し、ひび割れが認められた。

以上より、壁１～５の受熱温度はコンクリートのピンク色に変色した部分で 300～600℃（火害等級Ⅲ）、煤の付着部分で 300℃以下（火害等級Ⅱ）であったと推定される。

４）床（上階床）の損傷状況

4)-1. 床１（付写真 8.1.11 参照）

床１の下面（デッキプレート仕上げ）は、全体的に焦げ茶色に変色していた。

4)-2. 床２（付写真 8.1.14 参照）

床２下面西側部分（西側小ばりより西の部分、コンクリートが露出した仕上げ）は、全面がピンク色に変色していた。

床２下面東側部分（西側小ばりより東の部分、デッキプレート仕上げ）は、焦げ茶色に変色していた。

以上より、床１、２（上階床）の受熱温度はコンクリートのピンク色に変色した部分で 300～600℃（火害等級Ⅲ）であったと推定される。

５）その他の部分

5)-1. 東壁（付写真 8.1.10 参照）.

軽量鉄骨製の下地が残存しコンクリート部分には煤が付着しているのが認められた。

5)-2. エレベーターホール（付写真 8.1.15 参照）

壁上部に煤が付着していた。

5)-3. ドライエリア上部（１階部分）（付写真 8.1.16 参照）

外壁タイルに煤が付着していたが、すでに全て剥がされていた。

付表 8.1.2（1）　コンクリートコアの試験結果

供試体番号	部位		圧縮強度測定									リバウンドハンマーによるコンクリートの推定強度	
			平均直径 d (mm)	高さ h (mm)	質量 w (kg)	最大荷重 Pmax. (×10^3N)	圧縮強度*1 F (N/mm²)	補正係数	補正後の*2 圧縮強度 (N/mm²)	供試体内の鉄筋数量 (数量−径)	火害ひび割れ部切断長さ(mm)	補正反発硬度	圧縮強度推定値*3 (N/mm²)
①	火害部	壁	102.9	133.8	2.44	272	32.7	0.937	30.6	なし	45		
②	火害部	はり	103.1	154.9	2.91	319	38.2	0.961	36.7	なし	35	47.4	26.7
③	火害部	柱	83.0	165.2	2.01	176	32.5	1.000	32.5	なし	なし	42.3	22.6
④	火害部	柱	83.1	150.5	1.84	190	35.0	0.984	34.4	1−φ7	なし	43.8	23.8
⑤	火害部	壁	102.5	131.2	2.47	290	35.1	0.934	32.8	1-D16	54		
⑥	火害部	はり	102.5	170.9	3.11	223	27.0	0.974	26.3	なし	40	46.7	26.1
⑦	火害部	柱	83.1	161.4	1.96	192	35.4	1.000	35.4	なし	45	43.4	23.4
⑧	火害部	壁	102.4	161.2	2.97	265	32.2	0.967	31.1	なし	40	45.4	25.0
⑨	火害部	はり	102.6	198.8	3.65	276	33.4	1.000	33.4	なし	50	42.2	22.5
⑩	火害部	壁	102.6	168.3	3.11	277	33.5	0.972	32.6	なし	46		
⑪	火害部	壁	102.6	160.5	2.95	275	33.3	0.966	32.2	なし	46	46.4	25.9
⑫	火害部	はり	103.0	160.1	2.99	269	32.3	0.965	31.2	なし	38	46.1	25.6
⑬	火害部	床	103.2	169.7	3.10	216	25.8	0.972	25.1	なし	なし	47.5	23.6
⑭	火害部	床	103.1	156.0	2.93	258	30.9	0.962	29.7	1-D10	なし		
⑮	火害部	床	103.1	136.7	2.52	261	31.3	0.941	29.5	なし	35		
⑯	健全部	壁	103.1	118.4	2.17	293	35.1	0.909	31.9	なし	なし	45.4	25.0
⑰	健全部	壁	103.1	118.4	2.19	326	39.0	0.909	35.5	なし	なし		

※1：圧縮強度Ｆは下式により計算した。

$$F = Pmax. \times 4 / (\pi d^2) \quad (N/mm^2)$$

ここに，　Pmax.　：最大荷重　（N）
　　　　　d　　　：供試体の直径(mm)

※2：補正後の圧縮強度は、供試体の直径と高さとの比が 1.0 を上回り 1.90 より小さい場合に、JIS A 1107-2002 に規定する補正係数を乗じて直径の 2 倍の高さをもつ供試体の強度に換算した値を示す。ただし、補正後の圧縮強度が 40 N/mm² を上回る場合には、圧縮強度の補正は行わない。

※3：圧縮強度推定値 Fc は次式で計算した。

$$Fc = \alpha(-184 + 13Ro) \times 9.8/100 \quad (N/mm^2)$$

ここに，α：材齢による補正係数
　　　　Ro：反発硬度

付表 8.1.2（2） コンクリートコアの試験結果

供試体番号	部位		中性化深さ(mm)測定[*1] 各測定値			平均値	最大値	仕上げ材と厚さ(mm)	UVスペクトル法による受熱温度推定 受熱温度推定値（上段:火害側からのサンプル位置(mm)）（下段:受熱温度推定値(℃)）			
①	火害部	壁	12.0	10.5	13.0	12.8	25.0	なし	10～20	20～30	30～40	40～50
			12.5	11.0	10.0				推定不能[*2]	推定不能[*2]	推定不能[*2]	推定不能[*2]
			25.0	14.5	18.0							
②	火害部	はり	12.0	9.5	15.5	13.4	18.5	なし	10～20	20～30	30～40	40～50
			15.5	8.0	14.0				210	170	150	110 以下
			12.0	15.0	18.5							
③	火害部	柱	9.5	4.0	9.0	12.4	18.0	なし	10～30	30～50	50～70	70～90
			6.5	18.0	13.0				推定不能[*2]	160	140	130
			9.5	14.5	16.0							
④	火害部	柱	8.0	10.0	10.5	11.1	13.5	なし	20～30	30～40	40～50	50～60
			10.0	12.5	8.5				250	200	140	120
			12.5	11.5	13.5							
⑤	火害部	壁	8.0	6.0	22.5	15.3	26.5	なし	10～20	20～30	30～45	45～55
			12.5	5.5	16.0				290	230	200	180
			6.0	26.5	15.5							
⑥	火害部	はり	16.0	14.0	15.5	10.9	19.0	なし	10～20	20～30	30～40	40～50
			19.0	10.0	12.0				410	220	200	150
			15.5	5.0	9.0							
⑦	火害部	柱	3.5	3.0	16.0	7.8	16.0	なし	10～20	20～30	30～40	40～50
			8.0	2.0	11.5				170	130	120	110 以下
			4.0	4.0	10.0							
⑧	火害部	壁	15.5	4.0	3.5	6.4	14.5	なし	10～20	20～35	35～45	45～55
			12.0	14.5	6.5				推定不能[*2]	280	210	170
			9.5	6.5	3.5							
⑨	火害部	はり	8.5	10.5	7.5	10.9	19.0	なし	10～20	20～40	40～50	50～60
			19.0	14.0	8.0				270	230	110	110 以下
			10.0	7.5	18.0							
⑩	火害部	壁	6.5	26.0	10.5	13.4	26.0	なし	10～20	20～40	40～50	50～60
			12.5	11.0	7.0				290	250	200	190
			22.5	13.0	13.0							
⑪	火害部	壁	5.0	13.0	14.5	14.4	18.0	なし	10～20	20～35	35～45	45～55
			8.5	14.0	11.0				300	250	200	140
			11.0	16.0	18.0							
⑫	火害部	はり	15.0	16.0	11.0	11.2	16.0	なし	10～20	20～35	35～45	45～55
			8.0	6.5	6.5				280	250	110 以下	110 以下
			11.0	11.5	15.5							
⑬	火害部	床	4.5	16.0	6.0	9.1	16.0	なし	10～20	20～30	30～40	40～50
			7.0	8.0	7.0				290	260	190	110 以下
			11.0	5.0	12.5							
⑭	火害部	床	2.0	0.0	3.0	1.3	3.0	デッキ（亜鉛鉄板厚 0.45	推定不能[*3]			
			1.0	0.0	2.5							
			0.0	0.0	2.5							
⑮	火害部	床	2.0	1.0	3.0	1.9	3.0	デッキ（亜鉛鉄板厚 0.45	10～20	20～30	30～40	40～50
			2.0	1.5	2.5				280	220	180	140
			1.5	2.5	1.0							
⑯	健全部	壁							検量線作成			
⑰	健全部	壁 PS側	2.0	0.0	3.0	2.7	7.5	なし				
			5.0	7.5	6.5							
			0.0	0.0	0.0							
		壁 ホールEV側	2.5	5.0	4.5	3.8	5.0	なし				
			5.0	2.0	3.5							
			3.0	3.5	5.0							

*1：表中、下線数字部分はコンクリート表面にひび割れが認められた位置での中性化深さであり、経年劣化の可能性も考えられる。

*2：火害側の受熱温度が低いと推定され受熱温度推定が不能であった箇所を示す。これは、火害側のコンクリートコアにリグニンスルホン酸系混和剤以外の有機物が混入していたことによると考えられる。

*3：全ての吸光度が推定式の値より大きすぎ、受熱温度の推定は不可能であった。

4.2　リバウンドハンマーによるコンクリートの反発硬度試験（圧縮強度推定）

火害部および健全部において、N型リバウンドハンマーを用いてコンクリートの反発硬度を測定し、コンクリートの圧縮強度を推定した。測定結果を**付表 8.1.2 (1)**に、推定強度測定位置を**付図 8.1.1～8.1.3** に、測定状況を**付写真 8.1.28** に示す。

圧縮強度推定値Ｆｃは次式で計算した。

$Fc = \alpha\ (-184+13R_0) \times 9.8/100$ （N/mm²）

ここで、R_0：反発硬度、α：材齢による補正係数ただし、打撃方向が水平でない場合（⑬）、R_0は傾斜角に対する補正値ΔR(=5)を加えた。

4.3　コンクリートコアによる圧縮強度試験

前節 4.1 の目視調査より、健全な壁部分で 2 か所および火害を受けている柱、はり、床、壁部分で 15 か所の計 17 か所（**付図 8.1.1～8.1.3** 参照)においてコンクリートコアを採取し、圧縮強度試験を平成 15 年 2 月 26 日に実施した。なお、コンクリートコア採取時には、鉄筋探査機を用い、なるべく鉄筋を含まないサンプルとなるように調整した。

コンクリートコア採取状況を**付写真 8.1.17～8.1.19** に、採取したコンクリートコアの状況を**付写真 8.1.20** にそれぞれ示す。

コンクリートコアの圧縮強度試験方法は、JIS A 1107-2002「コンクリートからのコアおよびはりの切取り方法ならびに強度試験方法」に従い、各供試体の載荷面は、研磨または石こうキャッピングを施した。

なお、圧縮強度 F は下式により計算した。

$F = P_{max.} \times 4 / (\pi d^2)$　　(N/mm²)

ここに，$P_{max.}$　：最大荷重　　(N)

d　　：供試体の直径 (mm)

また、補正後の圧縮強度は、供試体の直径と高さとの比が 1.0 を上回り 1.90 より小さい場合に、JIS A 1107-2002 に規定する補正係数を乗じて直径の 2 倍の高さをもつ供試体の強度に換算した値を示す。ただし、補正後の圧縮強度が 40N/mm² を上回る場合には、圧縮強度の補正は行わなかった。

コンクリートコアの圧縮強度試験結果を**付表 8.1.2 (1)** に示す。

4.4　コンクリートコアによる中性化深さ測定

前節 4.3 の試験後、供試体を縦方向に割裂し、割裂面にフェノールフタレイン 1%エチルアルコール溶液を吹き付け、赤変反応を利用してコンクリートの中性化深さ測定を平成 15 年 3 月 10 日に実施した。

中性化深さの状況を**付写真 8.1.21～8.1.27** に、測定結果を**付表 8.1.2 (2)** にそれぞれ示す。

なお、中性化深さ測定は、試薬の噴霧から約 72 時間後に、コンクリート表面から赤紫色部分までの距離をほぼ等間隔で 9 箇所ずつ測定した。また、これらの測定値とは別に最大値を測定した。

4.5　ＵＶスペクトル法によるコンクリートの受熱温度推定

コンクリートコアの採取位置を 4.5.1 項、受熱温度推定用試料の採取方法を 4.5.2 項、受熱温度の推定方法を 4.5.3 項および推定結果を 4.5.4 項にそれぞれ示す。

4.5.1　コンクリートコア採取位置

採取したコンクリートコア試料一覧を**付表 8.1.1** に、採取位置を**付図 8.1.1～8.1.3** に示す。

4.5.2　受熱温度推定用試料採取方法

受熱温度推定用試料の採取方法を**付図 8.1.4** に示す。有機化合物の燃焼ガスがコンクリート内部へ浸透していると思われる表面より 0～10mm 部分を取り除いてサンプルとした。(**付表 8.1.2 (2)**参照)

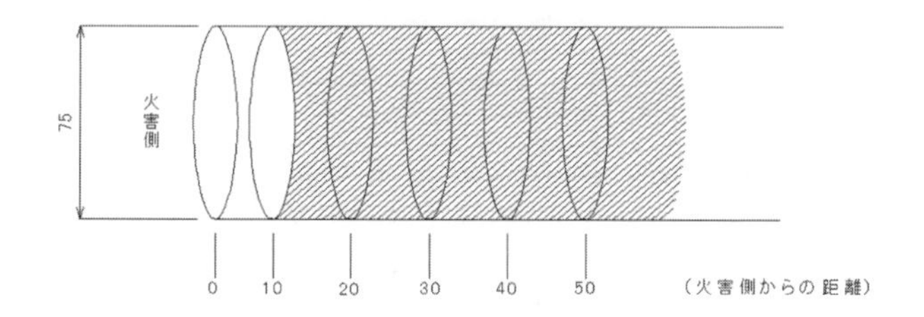

注）図中の切断寸法はコンクリートコアによって異なる（**付表 8.1.2（2）**参照）。

付図 8.1.4　受熱温度推定用試料（寸法単位：mm）

4.5.3　受熱温度推定方法

(1)検量線用試料

検量線用試料は、⑯(健全部)のコアを厚 15mm 毎に切断をおこない、電気炉内にて所定温度（110℃、200℃、250℃、300℃、400℃および 500℃）にて 1 個ずつ、1 時間加熱を行った。(**付写真 8.1.29** 参照)

(2)試料粉末の作製

火害部および健全部の切断した試料は、鉄鉢内でコンクリート中の砕石が原状のまま残る程度に粉砕を行った。その後、36Mesh（425μm）のふるいを通過する部分を振動ミルにて微粉砕(5～10μm)し、試料粉末とした。

(3)試料溶液の作製

試料粉末 3ｇを 200 mL ビーカーに採取し、90mℓ の純水を加えて 1 時間煮沸した後、吸引ろ過を行った。ろ液は予め塩酸(1+1) 1 mL を入れた 100mL メスフラスコに採取し、ろ過後、定容とした。また、ろ過後のろ紙上の残留物は、再び上記使用のビーカーに水にて洗い落とし、100mℓとして1時間再煮沸し、以下同様の操作を行い2回目抽出の試料溶液とした。

(4)ＵＶスペクトル分析

試料溶液を50mm石英セルに移し、分光光度計（島津製作所製ＵＶ-200）を使用してＵＶスペクトル分析を行った。加熱温度の違いにより吸光度の差が顕著に現われ、しかも安定して測定できる波長260nmでの加熱温度と吸光度の関係を受熱温度測定に用いた。(波長260nmにおける吸光度は、1回目抽出試料溶液の吸光度と2回目抽出試料溶液の吸光度との合計値(以下、合計吸光度と呼ぶ)とした)。

推定式を用いて火害を受けたコンクリートコアの受熱温度を推定した。

(5)受熱温度の推定

検量線用試料（健全部）について、波長260mmにおける吸光度と加熱温度の関係を示す検量線を作成、110～300℃までの受熱温度推定式（回帰式）を算出した。

4.5.4　受熱温度推定結果

4.5.4.1　検量線

検量線を付図8.1.5に示す。

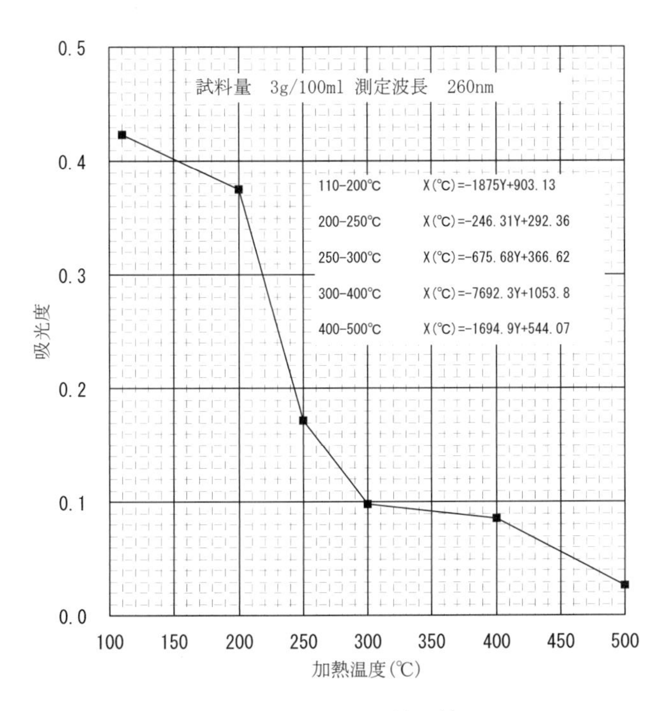

付図8.1.5　検量線

4.5.4.2　推定結果

受熱温度推定式から求めた受熱温度推定結果の例を付表8.1.3に示す。

付表8.1.3　受熱温度推定結果の例

	1回目抽出	2回目抽出	合計	受熱温度(℃)
②-1	0.280	0.065	0.345	210
②-2	0.322	0.068	0.390	170
②-3	0.325	0.077	0.402	150
②-4	0.375	0.080	0.455	110以下

5.　まとめ

以上の調査結果より、以下のことが判明した。

(1) 目視観察結果より、コンクリート表面の受熱温度は火害による損傷が比較的大きいピンク色に変色した箇所で600℃以下と推定されるが、それ以外の部分は概ね300℃以下であったと推定される。

(2) コンクリートコアの圧縮強度試験結果より、火害部の強度は25.1～36.7N/mm²、健全部で31.9～35.5N/mm²であった。火害部において健全部よりも若干の強度低下が認められるものもあるが、火害部はすべて設計基準強度24N/mm²を上回っていた。

(3) コンクリートコアの中性化深さ測定結果より、火害部（⑭、⑮はデッキ付の床のため除く）の中性化深さは平均値で6.9～14.1mm、健全部で2.7～3.8mmであった。

(4) ＵＶスペクトル法によるコンクリートの受熱温度推定結果より、火害部の受熱温度は最高で410℃（⑥はり）であった。その他の部分は概ね300℃以下であった。

最も被害が大きかったと考えられる部分（⑥はり）のコンクリートの表層（火害側からの距離10～20mm）で、受熱温度は約410℃と推定されるが、対象部位付近の中性化深さが19mm以下であり、表層から20mmまで中性化は進行していない。また、コンクリートコアの中性化深さは最大でも26.5mm（⑤壁、ひび割れ部）であり、かぶり厚30mm以上の主筋は受熱温度500℃に達していなかったと推定される。

火害側から10mmまでの表層部分の受熱温度は、410℃以上の部分もあったと推定される。

付写真8.1.1
調査建物全景

付写真8.1.5　壁２、はり２

付写真8.1.2　調査対象室全景
（手前：環境制御実験室　奥：環境制御実験準備室）

付写真8.1.6　柱２　右：壁２、左：壁３

付写真8.1.3　壁１、はり１

付写真8.1.7　壁３、はり３

付写真8.1.4　柱１　右：壁１、左：壁２

付写真8.1.8　壁４

付写真8.1.9　壁５

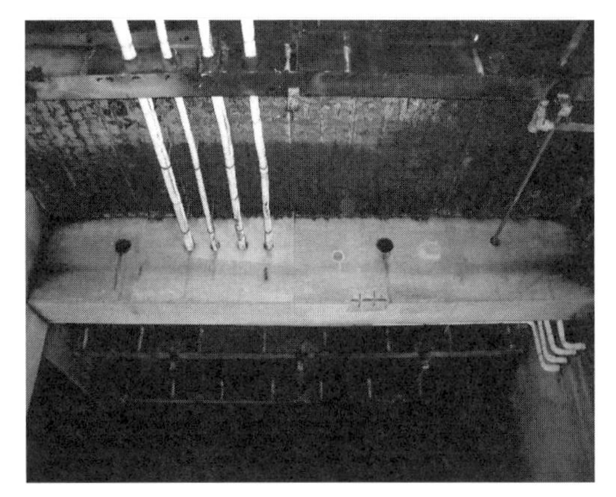

付写真8.1.13　はり４西面

付写真8.1.10　東壁

付写真8.1.14　床２

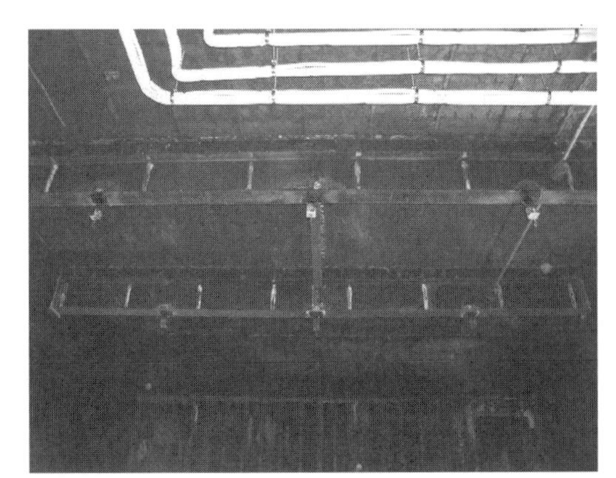

付写真8.1.11　床１

付写真8.1.15　エレベーターホール

付写真8.1.12　はり４（東面）

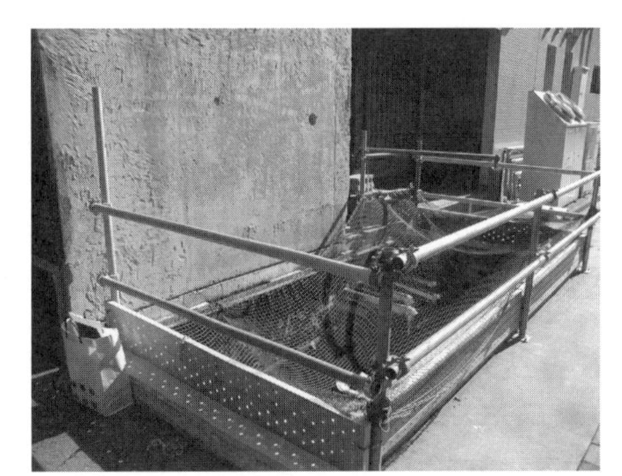

付写真8.1.16　ドライエリア上部（１階部分）（清掃済）はり４（東面）

付写真 8.1.17　コンクリートコア採取状況
②はり

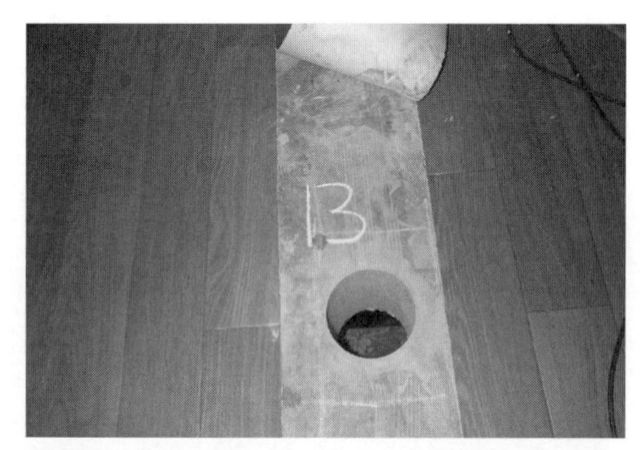

付写真 8.1.18　コンクリートコア採取状況
⑬床

付写真 8.1.19　コンクリートコア採取状況
⑯壁、⑰壁（健全部）

付写真 8.1.20　採取したコンクリートコア
①、②、③（火害部）

付写真 8.1.21　中性化試験後のコンクリートコア
①、②、③（火害部）
注）コンクリート表面にひび割れが認められた

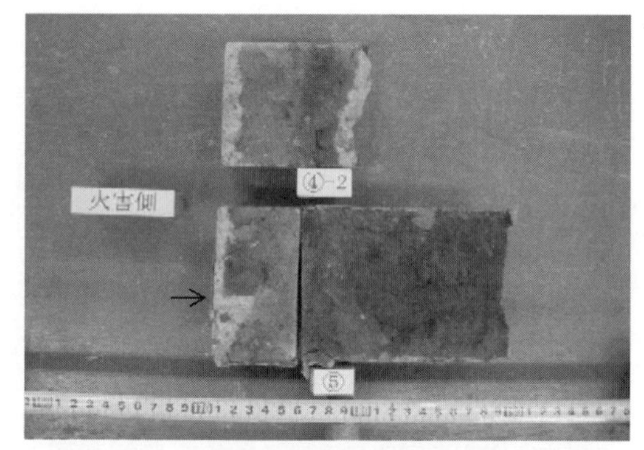

付写真 8.1.22　中性化試験後のコンクリートコア
④－2、⑤（火害部）

付写真 8.1.23　中性化試験後のコンクリートコア
⑥、⑦－2（火害部）

付写真 8.1.24　中性化試験後のコンクリートコア
⑧、⑨、⑩（火害部）

付写真 8.1.25　中性化試験後のコンクリートコア⑪、⑫、⑬（火害部）

付写真 8.1.26　中性化試験後のコンクリートコア⑭、⑮（火害部）

付写真 8.1.27　中性化試験後のコンクリートコア⑰（健全部）

付写真 8.1.28　シュミットハンマーによる反発硬度測定状況　⑥（はり）

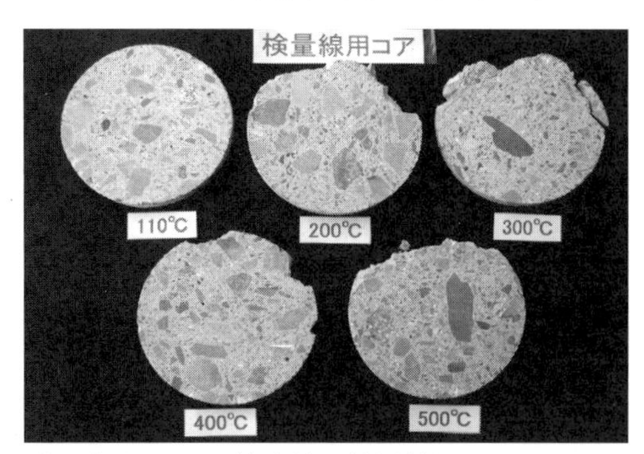

付写真 8.1.29　粉砕前の検量線用コンクリートコア外観
（110℃、200℃、300℃、400℃、500℃）

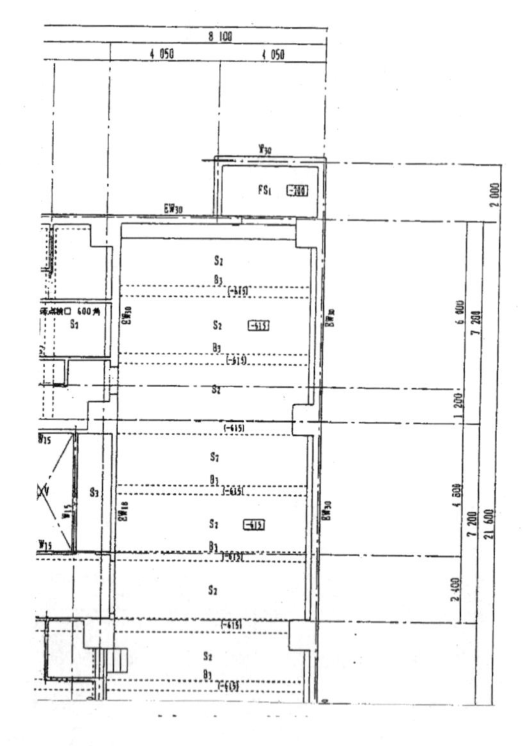

付参考図 8.1.1　地下１階伏図

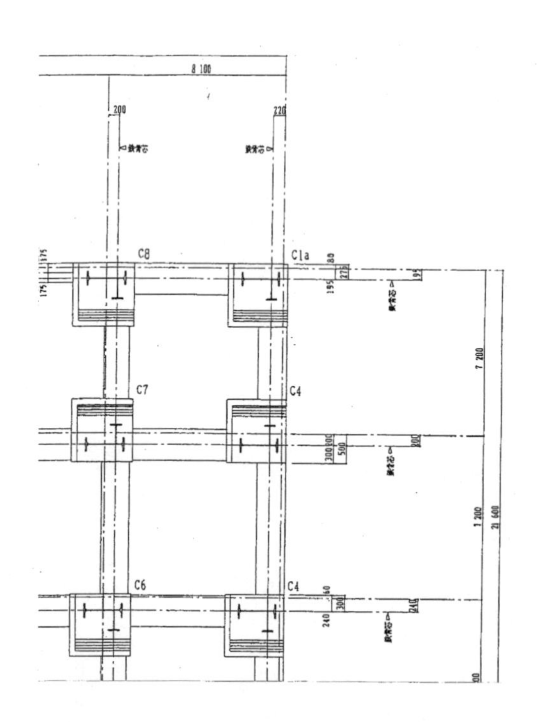

付参考図 8.1.2　柱芯伏図

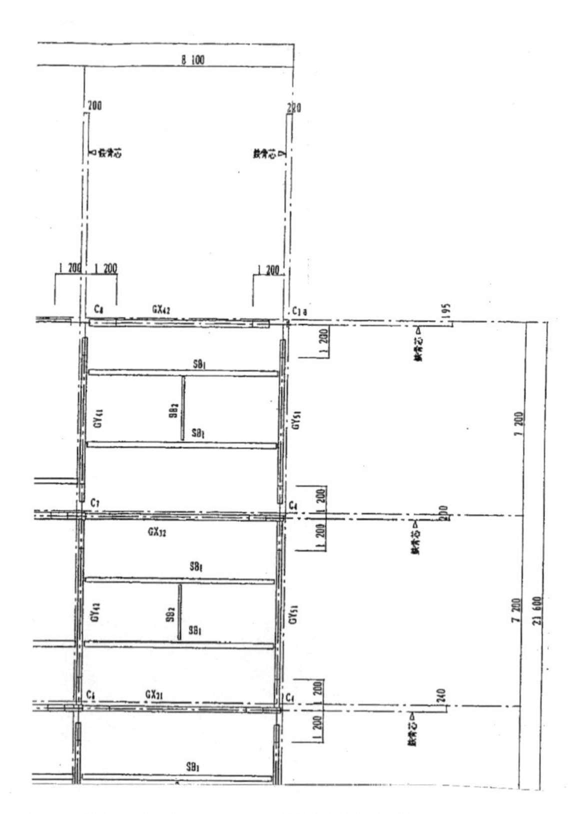

付参考図 8.1.3　１階鉄骨伏図

C4	C6	C7	C8	C1a
柱頭	柱頭	柱頭	柱頭	柱頭
825 275 1 100 300 800 250 1 100	300 800 1 100 800 300 150 1 100	850 300 1 150 850 300 150 1 150	275 825 1 100 800 300 160 1 100	825 275 1 100 800 300 150 1 100
8-D25 + 2-D13	8-D25 + 2-D13	12-D25 + 2-D13	8-D25 + 2-D13	8-D25 + 2-D13
□-D13-@100	□-D13-@100	□-D13-@100	□-D13-@100	□-D13-@100
H- 700x200x12x22	BH- 700x250x19x36	BH- 700x250x14x36	BH- 700x250x14x36	BH- 700x250x14x36
BT- 550x200x 9x19	BT- 550x200x 9x19	BT- 550x200x 9x19	BT- 550x200x 9x19	BT- 550x200x 9x19
柱脚	柱脚	柱脚	柱脚	柱脚
1 100 1 100	1 100 1 100	1 150 1 150	1 100 1 100	1 100 1 100
20-D25	32-D25	32-D25	20-D25	32-D25
□-D13-@100	□-D13-@75	□-D13-@100	□-D13-@100	□-D13-@100
H- 700x200x12x22	BH- 700x250x19x36	BH- 700x250x14x36	BH- 700x250x14x36	BH- 700x250x14x36
BT- 550x200x 9x19	BT- 550x200x 9x19	BT- 550x200x 9x19	BT- 550x200x 9x19	BT- 550x200x 9x19

付参考図 8.1.4 柱断面リスト

GY11, GY51	GY31, GY41	GY32, GY42	
全断面	全断面	端 部	中 央
150 800 200 1 150 300 225 525	150 800 200 1 150 225 225 450	150 300 550	150 800 200 1 150
2-D25	2-D25	4-D25	2-D25
2-D25	2-D25	4-D25	2-D25
□-D13-@200	□-D13-@200	□-D13-@200	
4-D10	4-D10	4-D10	
BH- 800x200x 9x19	BH- 800x200x 9x19	BH- 800x200x 9x19	BH- 800x200x 9x19

付参考図 8.1.5.1 大梁断面リスト

GX31, GX32		GX33, GX22		GX42		
端 部	中 央	端 部	中 央	外 端	中 央	内 端
275 275 550	150 800 200 1 150	275 275 550	150 800 200	275 275 550		150 800 200 1 150
2-D29	2-D29	4-D29	2-D29	4-D25	4-D25	4-D25
0-D29 + 2-D25	0-D29 + 2-D25	0-D29 + 4-D25	0-D29 + 2-D25	4-D25	4-D25	4-D25
□-D13-@200		□-D13-@200		□-D13-@200		
4-D10		4-D10		4-D10		
BH- 800x200x 9x19	BH- 800x200x 9x16	BH- 800x250x16x40	BH- 800x250x16x	BH- 800x250x16x40	BH- 800x250x16x36	BH- 800x250x16x40

付参考図 8.1.5.2 大梁断面リスト

EW30	EW18, W18	W35	W30
300	180	350	300
D16-@150(ダブル)	D10-@150(ダブル)	D13-@150(ダブル)	D13-@100(ダブル)
D16-@150(ダブル)	D10-@150(ダブル)	D13-@150(ダブル)	D13-@150(ダブル)
2-D22+2-D16	2-D16+2-D13	4-D16	
2-D22+2-D16	2-D25+2-D13 (W18 2-D16+2-D13)	4-D16	
4-D13	2-D13	2-D13	

付参考図 8.1.6　壁断面リスト

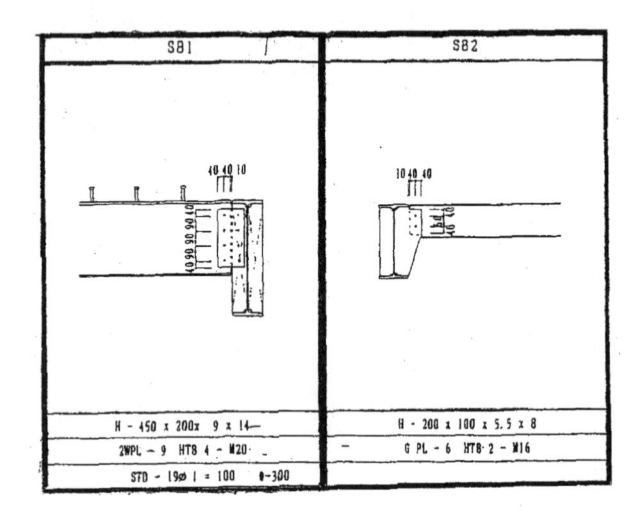

付参考図 8.1.7　小梁詳細図

付－8.2　ＳＲＣ造建物の火害補修実施例

付－8.1 に示した火害調査結果に基づき、補修工事を実施した例を示す。
建物名：東京工業大学総理工実験棟（G5棟）
火災概要：付－8.1　火害調査実施例参照

補修内容
(1)回復目標の設定
　構造安全性、耐火性の回復目標は、設計条件を満足することとした。耐久性の回復目標は、他の健全部位と同程度以上の耐久性に復旧することを目標とした。

(2)補修・補強工法の選定
　壁・柱・梁：火害等級Ⅲ級以下であり、かぶりコンクリートの補修方法の中から、モルタルグラウト法を選定した。各部材のはつり深さは火害調査結果を基に決定した。
　床：デッキ型枠スラブの下面が被害を受けた状態であり、補修・補強法として以下の 3 方法が考えられたが、所有者の意向により、方法 1 が採用された。
　　方法 1：スラブを小梁(SB)と共に除去し、全く新しく施工し直す。
　　方法 2：下端の鋼板と被災部分のコンクリートを除去し、コンクリート脱落防止用のピンと接着性の高いモルタルによって補修する。
　　方法 3：現状のスラブを補修せずに、追加の小梁を複数設置する。

(3)補修・補強工事
①はつり工事
　工事期間：平成15年3月5日～3月31日
　工事内容：火災により劣化した構造躯体(壁、柱、梁)の表面部をウォータージェット工法により除去する。
　　コンクリートはつり　壁：厚20～30mm　柱:厚15mm　梁:厚15mm
　手順：１．養生（側溝、開口部、空調配管等）
　　　　２．ウォータージェットはつり
　　　　３．手はつり（梁部、側溝部等）
　　　　４．はつり後ブラシ清掃

②モルタル充填工事
　工事期間：平成15年5月6日～6月30日
　工事内容：①によって劣化部分を除去した構造躯体(壁、柱、梁)に、剥離防止用金網張りを施工し、無収縮モルタルを充填する。
　　壁・柱・梁・無収縮モルタル充填仕上げ(厚50mm)
　手順：１．セパレーター用墨出
　　　　２．ワイヤーメッシュ取付け
　　　　３．吸水調整剤散布
　　　　４．合板型枠用セパレーター取付け、調整
　　　　５．合板型枠建込
　　　　６．型枠寸法確認
　　　　７．無収縮モルタル打設

8．打設後シート養生
9．合板型枠解体
10. 徐々に上に進め、2～9の作業を繰り返す。
11. 梁部分については、鋼製型枠と合板型枠を併用する
12. すべての型枠を除去して完了

③スラブ新設工事

工事期間：平成15年8月21日～9月30日

工事内容：火災を受けた1階コンクリートスラブを全て撤去し、新たにコンクリートスラブを設ける。既設鉄骨梁は、さび止め塗装を行う。

コンクリート床スラブ：設計基準強度24N/mm²、スランプ18cm

手順：1．養生、足場架設
2．旧スラブコンクリート解体　（デッキや鉄筋は切断）
3．梁型枠、スラブ型枠設置
4．無収縮モルタル打設
5．デッキプレート敷き込み
6．スラブ配筋
7．スラブ内電気配管施工
8．打継部接着材塗布
9．コンクリート打設
10. 地下一階鉄骨さび止め塗装

①はつり工事

A．工事概要図

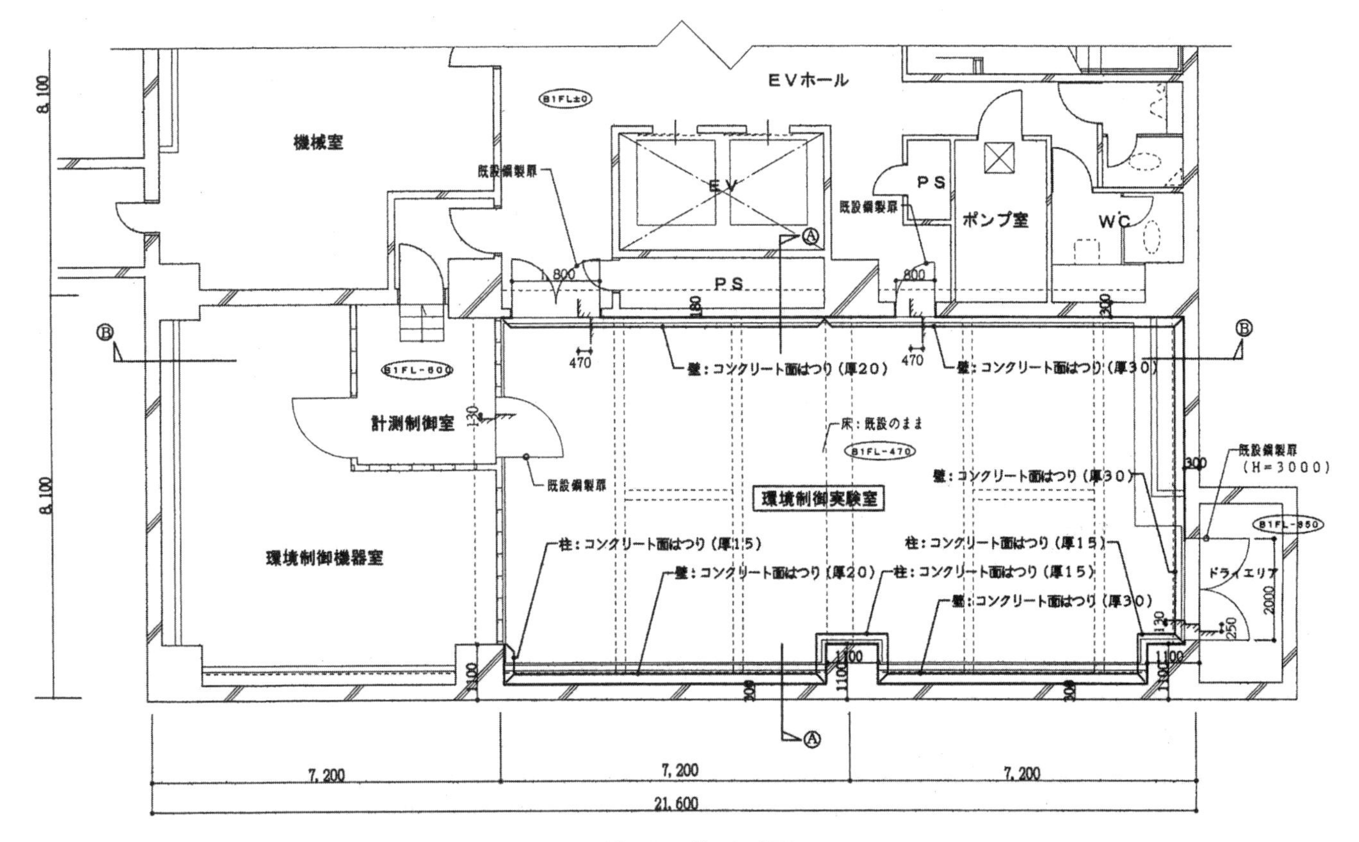

付図 8.2.1　地下１階平面図

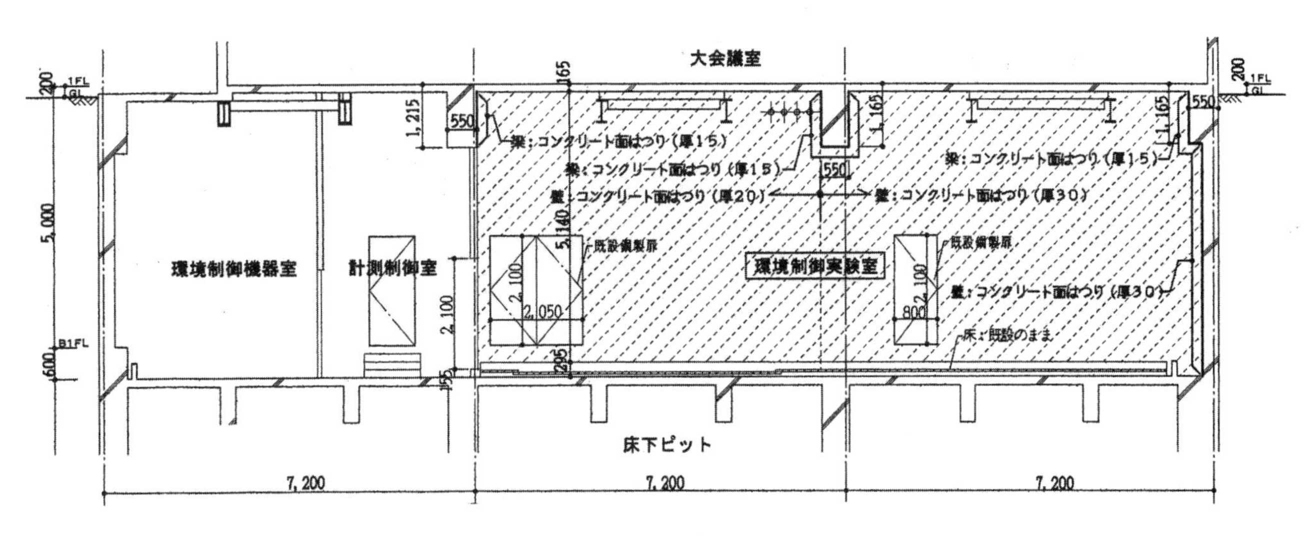

付図 8.2.2　B－B断面図

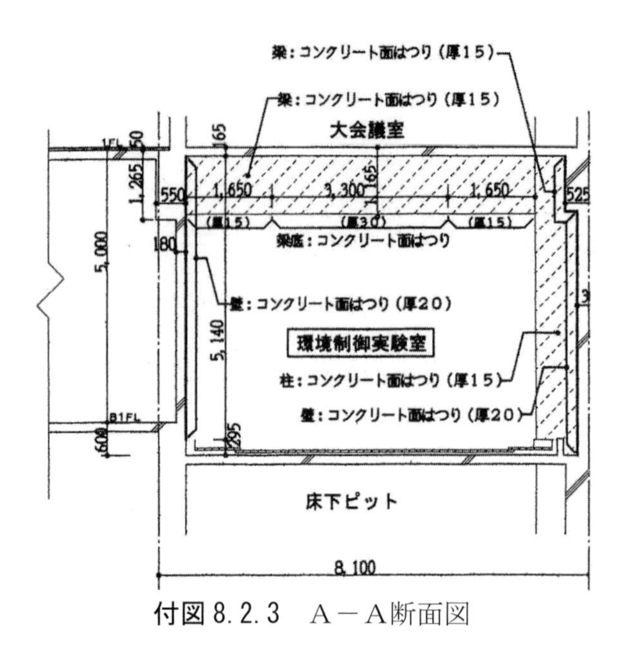

付図 8.2.3　A－A断面図

B．工事状況写真

付写真 8.2.1　ウォータージェットはつり状況（壁C面）

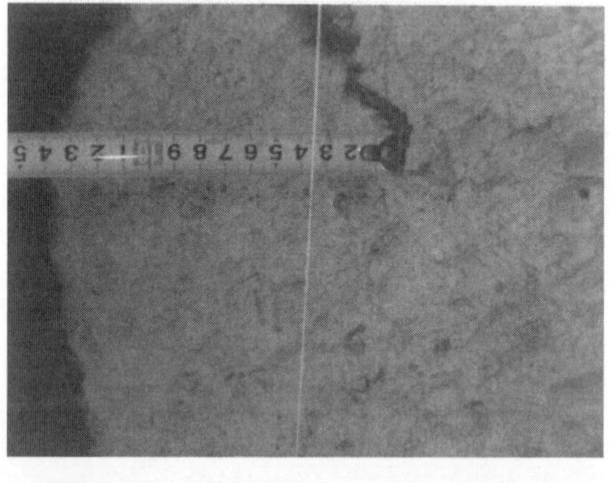

付写真 8.2.2　はつり後の状況（出来形測定）（壁C面）

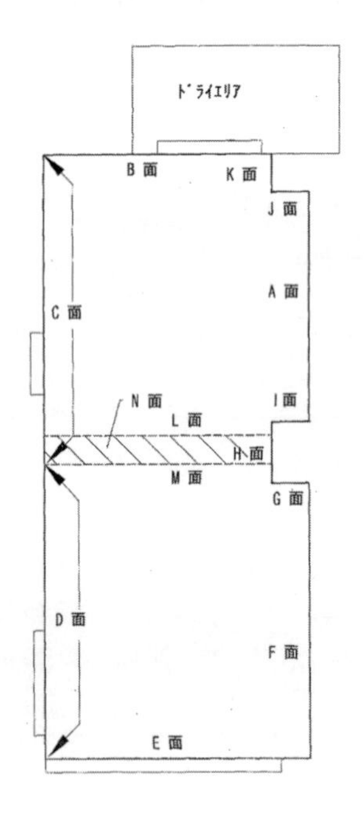

付写真 8.2.3　はつり後清掃（壁C面）

②モルタル充填工事

A．工事概要図

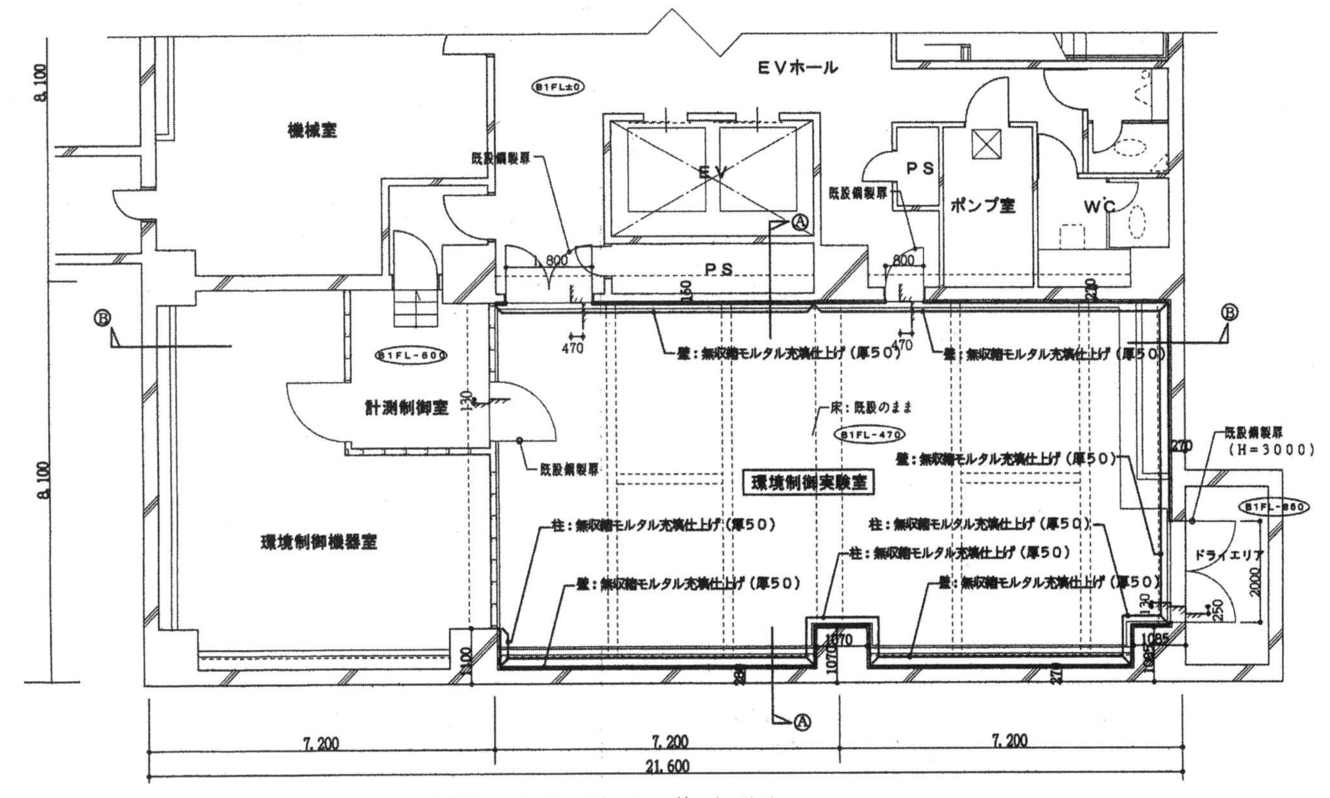

付図 8.2.3　地下１階平面図

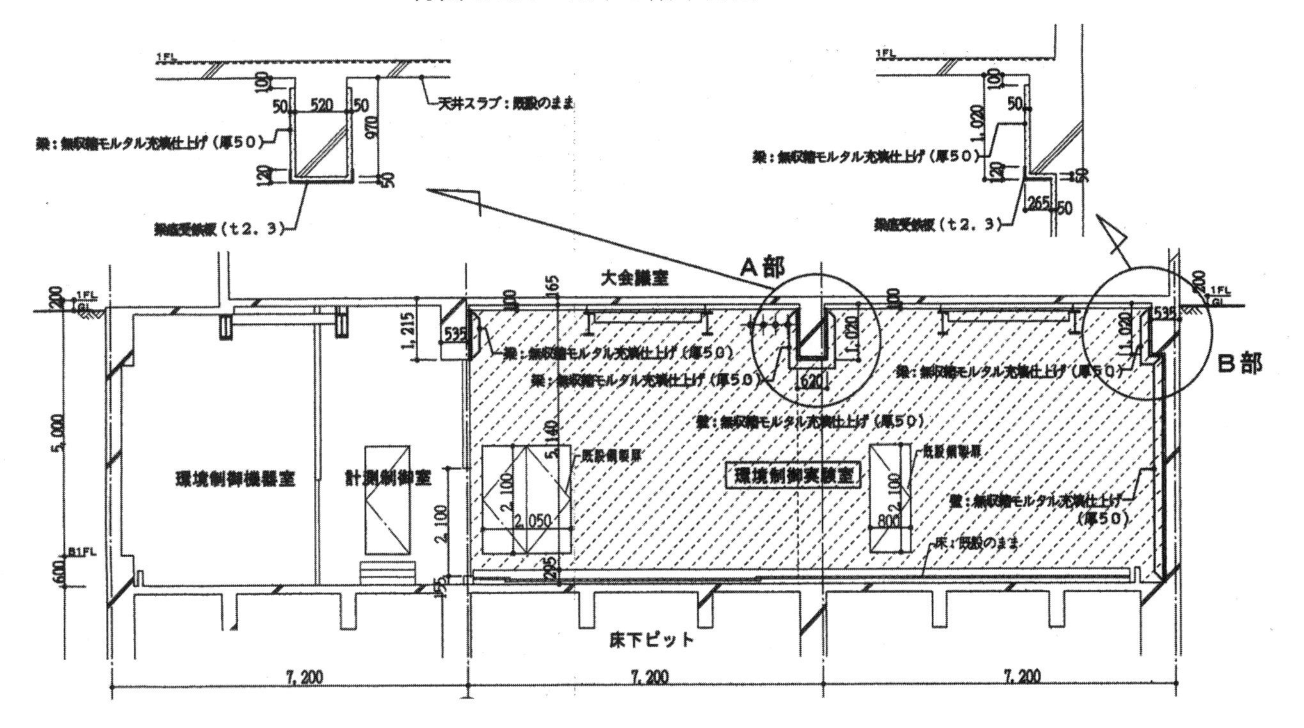

付図 8.2.4　B－B断面図

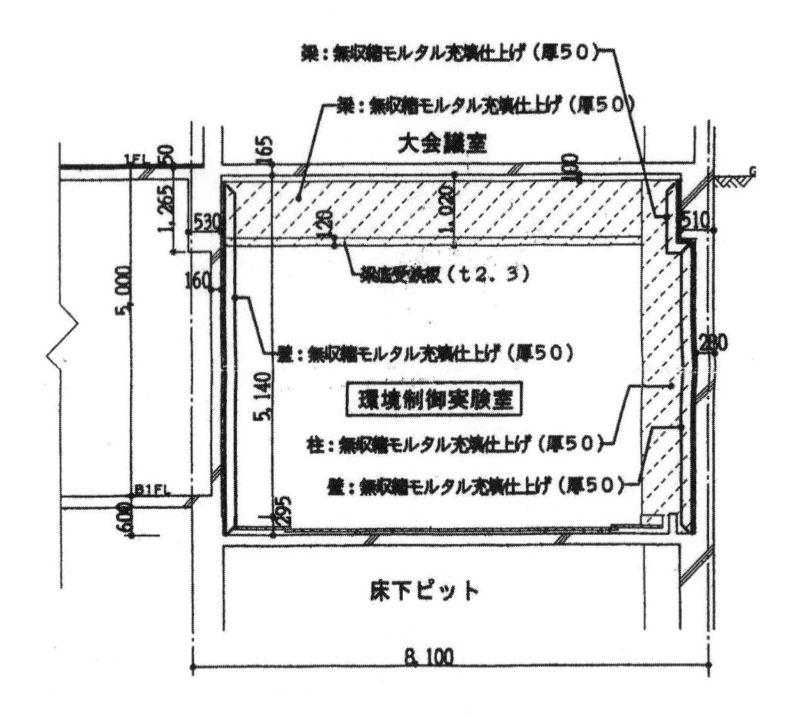

付図 8.2.5　A－A断面図

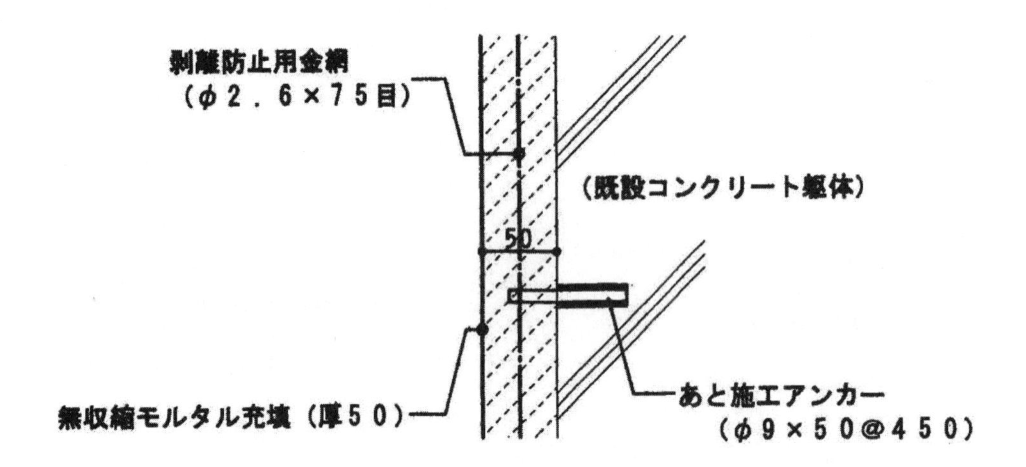

付図 8.2.6　躯体改修断面図

B．工事状況写真

付写真8.2.4　ワイヤーメッシュ取付状況（壁Ｃ面）

付写真8.2.5　ワイヤーメッシュ取付状況（梁Ｂ面）

付写真8.2.6　吸水調整材散布状況（壁Ｃ面）

付写真8.2.7 合板型枠建込完了（壁C面）

付写真8.2.8　合板型枠寸法確認（壁Ｃ面）

付写真8.2.9　鋼製型枠取付完了（梁B面）

付写真8.2.10　無収縮モルタル打設状況（壁B面）

付写真8.2.11　無収縮モルタル打設状況（梁E面）

付写真8.2.12　型枠解体完了（壁Ｃ面）

付写真8.2.13　無収縮モルタル充填工事完了（壁C面）

付写真8.2.14　無収縮モルタル充填工事完了（柱H面）

付写真8.2.15　無収縮モルタル充填工事完了（梁N面）

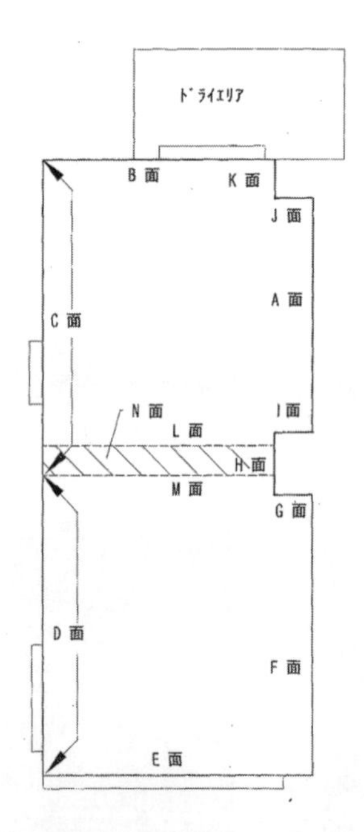

③スラブ新設工事

A. 工事概要図

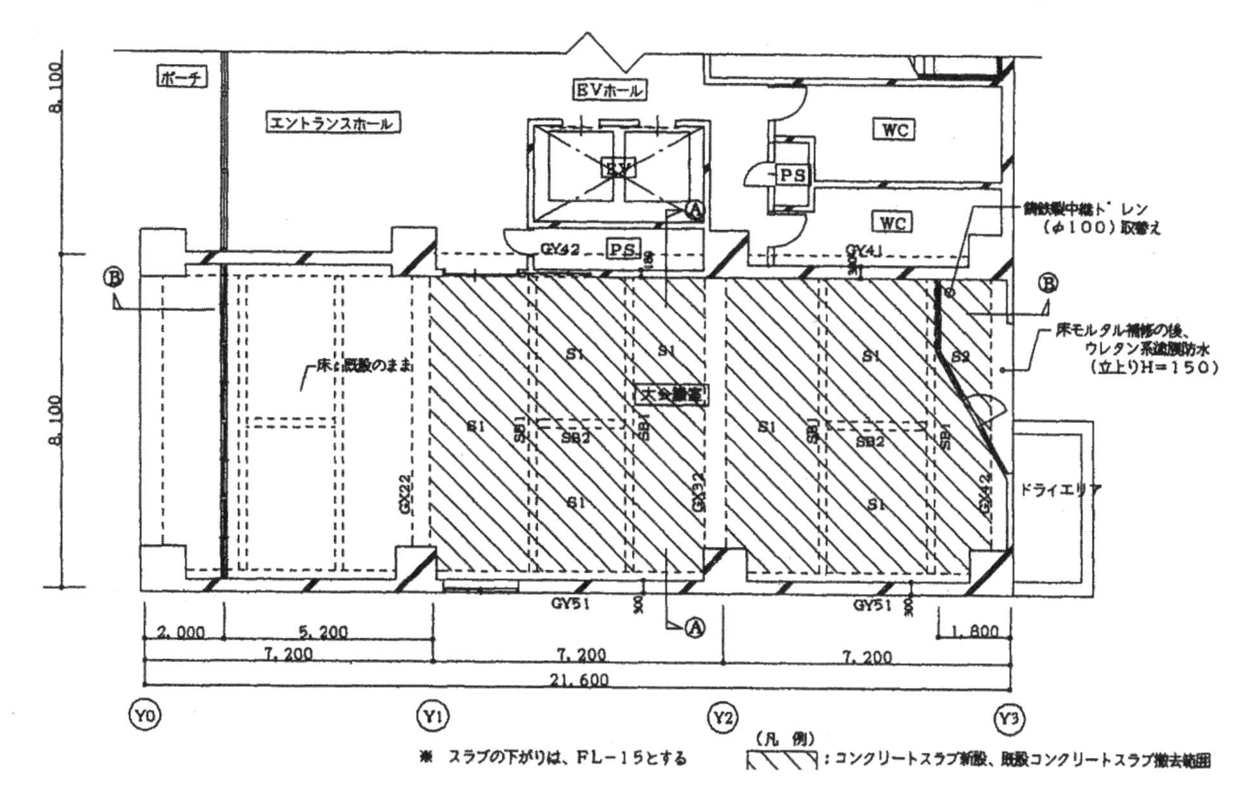

付図 8.2.7 1階平面図

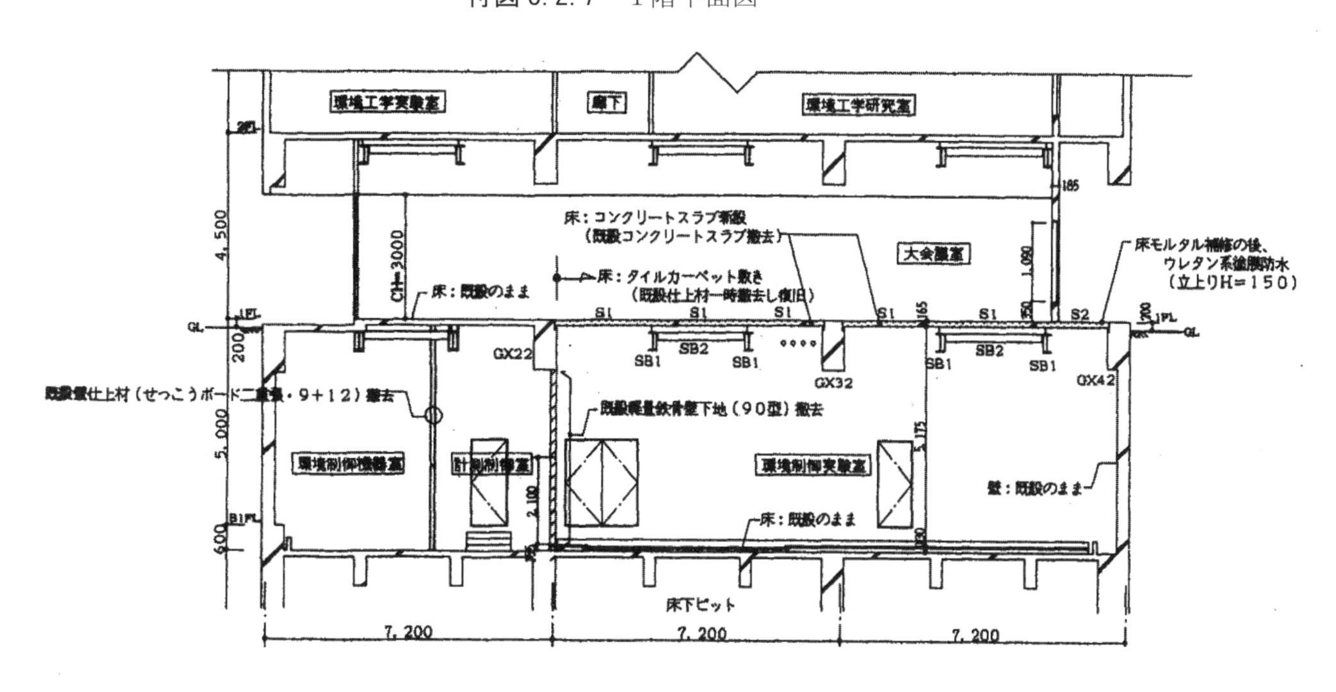

付図 8.2.8 B−B断面図

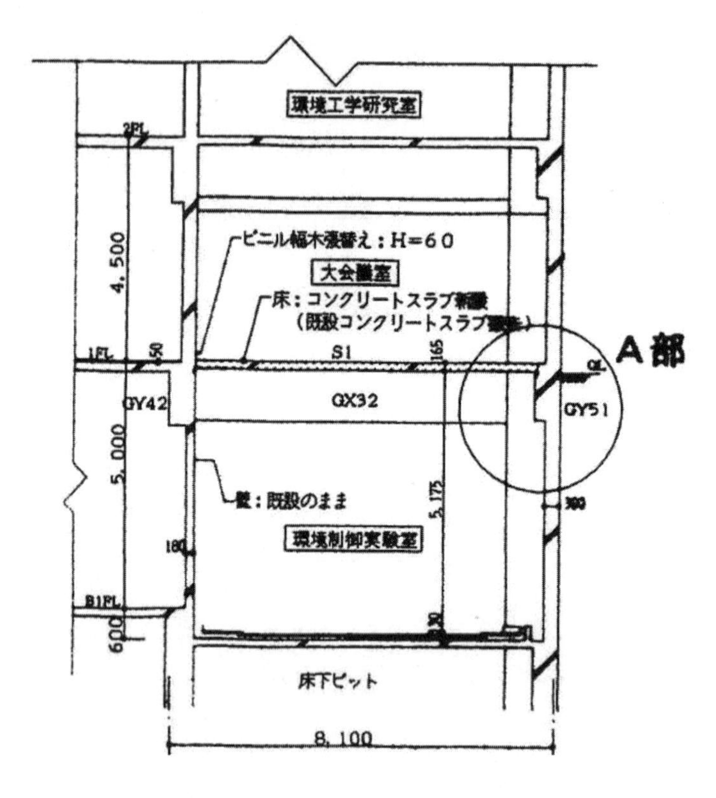

付図 8.2.9　A－A断面図

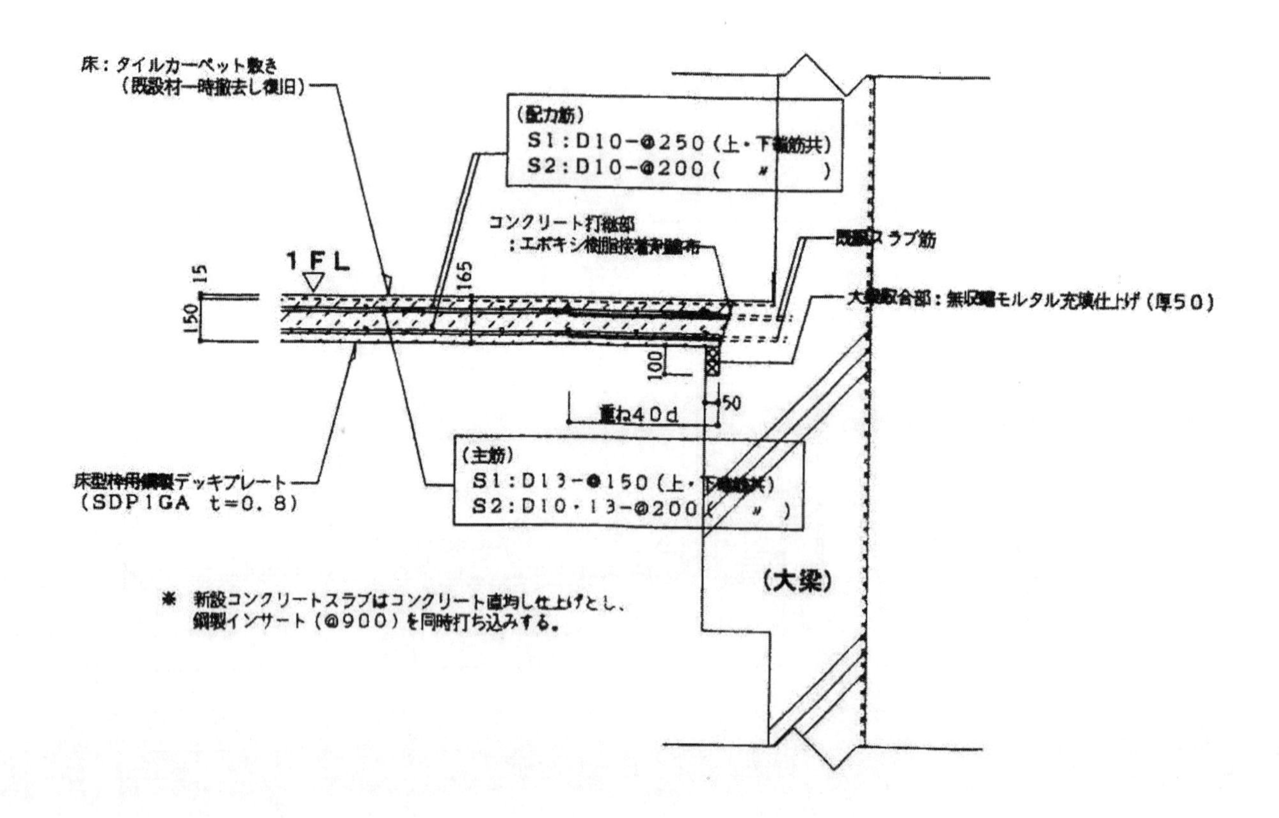

付図 8.2.10　A部詳細図

B. 工事状況写真

付写真8.2.16 スラブコンクリート解体状況

付写真8.2.17 スラブコンクリート解体完了

付写真8.2.18 スラブ型枠施工

付写真 8.2.19 デッキプレート敷き

付写真8.2.20 スラブ配筋

付写真8.2.21 コンクリート打設

付写真8.2.22 鉄骨梁さび止め塗装完了

付－8.3　S造倉庫の火害調査実施例

付-8.3は平成22年（2010年）に行った火害調査の実施例であり、本指針の旧版である「建物の火害診断及び補修・補強方法指針（案）・同解説」（2010年）の知見に基づいた調査となっている。一部、本指針の記載内容と整合しない箇所もあるが、公開可能な火害調査例が貴重であることから、調査内容を改変せずに掲載している。

1. 調査対象建物の概要

所在地：中部地方
構造：鉄骨造，2階建て
用途：倉庫（冷凍・冷蔵倉庫）
建築面積：4817.46 m²
延べ床面積：8555.08 m²
竣工：2004年
平面図を付図8.3.1に示す。

付図8.3.1　調査対象建物平面図

2. 火災状況

出火原因：不明
出火点：2階床と1階天井の間、X6-Y4付近（付図8.3.1, 8.3.2参照）
火災発生年：2009年
火災時間：約8時間半
天候：晴れ，気温：27℃

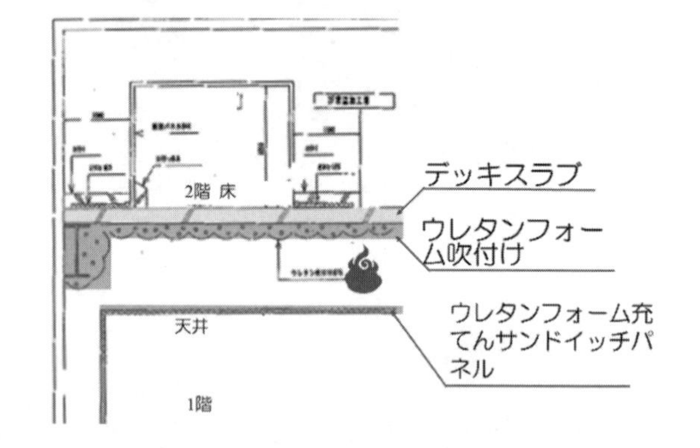

付図8.3.2　調査対象建物部分断面図

3. 調査項目

(1) 火害状況の目視調査
(2) 柱の倒れ量および梁のたわみ量の測定
(3) 鋼材の引張強度および静弾性係数試験
(4) 高力ボルトの引張強度試験

4. 調査結果

4.1 火害状況の目視調査

火害の状況より、X6通Y4通付近の天井裏から出火した火災は、時間をかけてX7通Y2通～X8通Y1通方向及びX2通Y2通～X1通Y1通方向へ拡大し、東側開口部から給気を得て燃え広がったものと推定された。被害が大きかったのは、X6通Y4通付近、X7通Y2通付近、X1通Y1通付近であった。

構造躯体の受熱温度は、鋼材の塗料および被覆材（吹付け硬質ウレタンフォーム）の状況から付表8.3.1に示すA～Dの四分類で推定した。観察結果に基づく各部材の推定受熱温度を付図8.3.3に示す。また、目視で明確に変形が確認された梁を付図8.3.4に、目視で確認できた高力ボルトの破断本数を付図8.3.5に示す。梁の変形状況の例を付写真8.3.1に、高力ボルト破断状況の例を付写真8.3.2に示す。

付表8.3.1　目視調査結果の分類

ランク	目視調査結果	推定受熱温度	推定根拠
A	・吹付け硬質ウレタンフォーム及び塗料が完全に焼失していた。	600℃以上	塗料の焼失は600℃以上
B	・吹付け硬質ウレタンフォーム及び塗料が一部焼失し、すすが焼失していた。	500℃以上	すすの焼失は500℃以上
C	・吹付け硬質ウレタンフォームが炭化して残存していた。	300～500℃	BとDの中間であるため
D	・吹付け硬質ウレタンフォームの上にすすが付着していた。被覆材を除去すると健全な塗装が残存していた。 ・もしくは火災による被害は確認できなかった。	300℃以下	すす付着は300℃以下

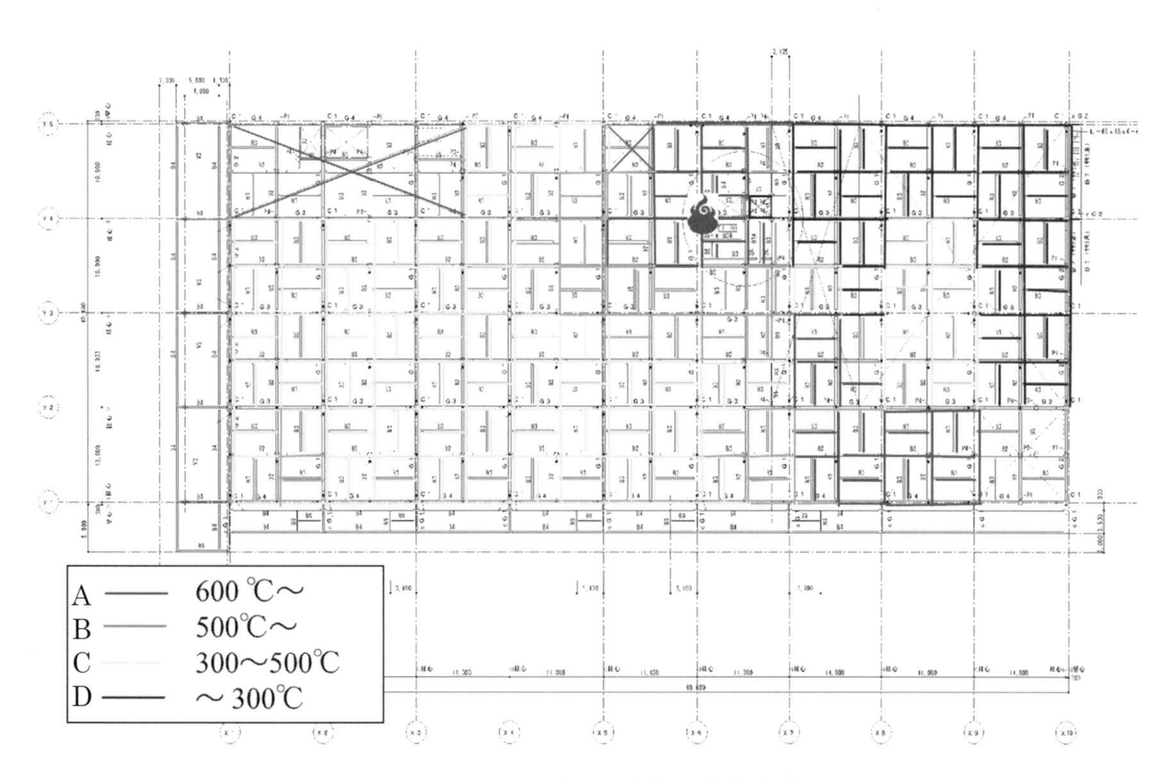

付図 8.3.3　部材の受熱温度推定結果

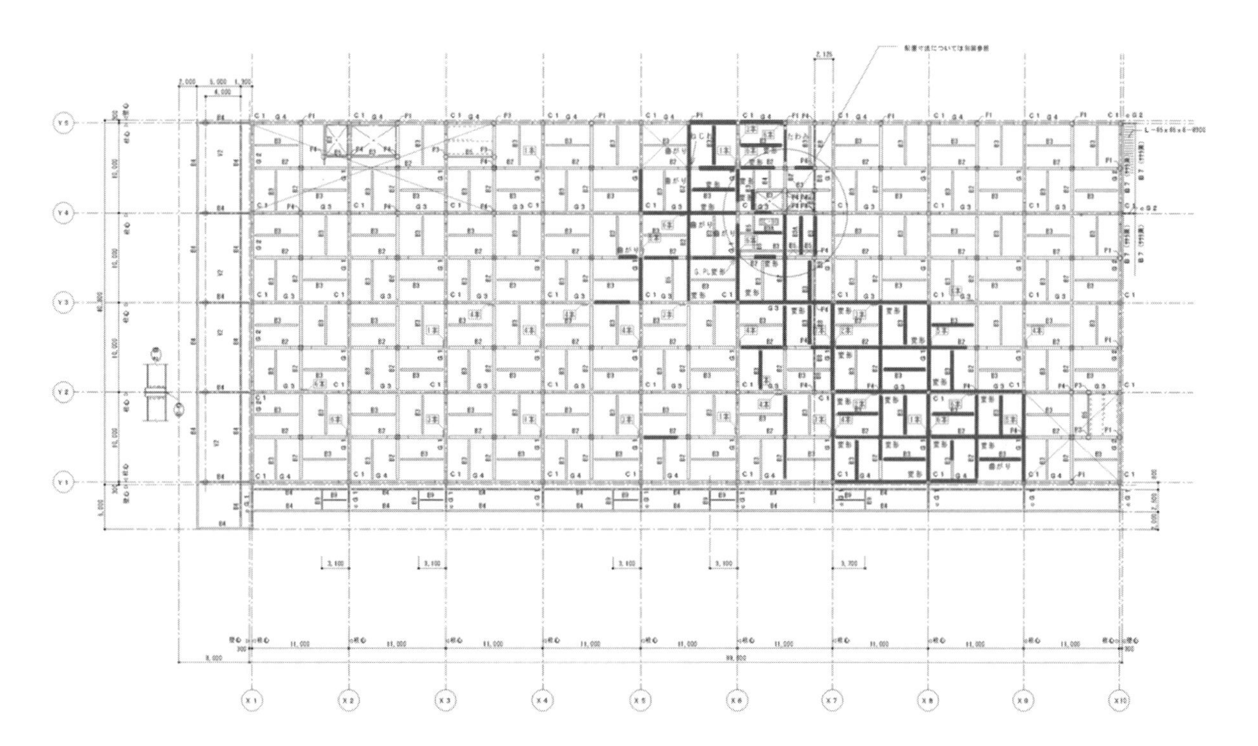

付図 8.3.4　目視で変形が確認された梁

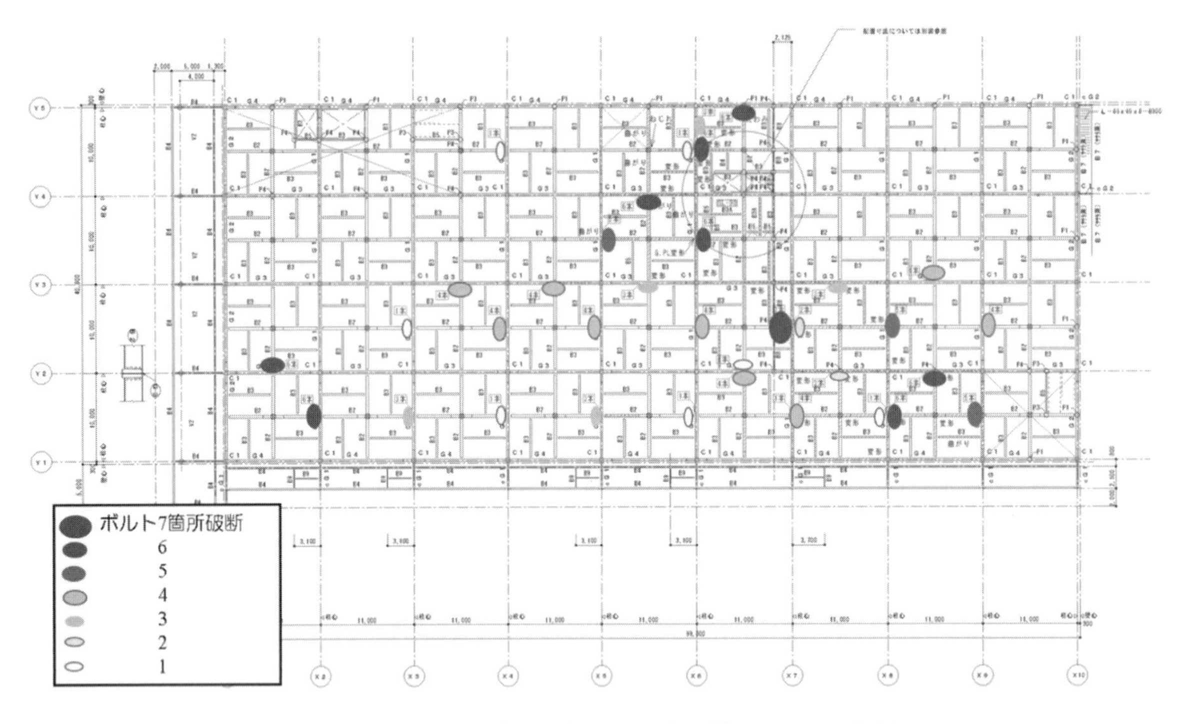

付図 8.3.5　高力ボルトの破断箇所および本数

付写真 8.3.1　梁の変形（局部座屈）の例

付写真 8.3.2　高力ボルトの破断が見られた梁－梁接合部および破断したボルト

受熱温度が 600℃以上と推定される部材は、X6 通 Y4 通付近及び X7 通 Y2 通付近に集中していた。鉄骨部材の変形の被害は、X5 通 Y5 通～X9 通 Y1 通の範囲に集中していた。また、高力ボルトの破断は、調査範囲内に広く分布していた。

4.2　柱の倒れ量および梁のたわみ量の測定

調査範囲内の柱の倒れ量および梁のたわみ量を調査した。

柱の倒れ量の測定は下げ振りを用いて高さ 4m の倒れ量を測定した。梁のたわみ量の測定は、X1Y1 位置を基準としてトランシットを用いて行った。

柱の倒れの測定結果を**付図 8.3.6** に、梁のたわみ量の測定結果を**付図 8.3.7** に示す。

柱の残留変形は、X5 通～X8 通で大きく、X8Y2 柱で最大北へ 25 ㎜、東へ 10 ㎜の倒れが計測された。また梁の残留変形は調査範囲内のほぼ全域で確認され、X6 通梁で最大 62 ㎜垂れ下がっていた。

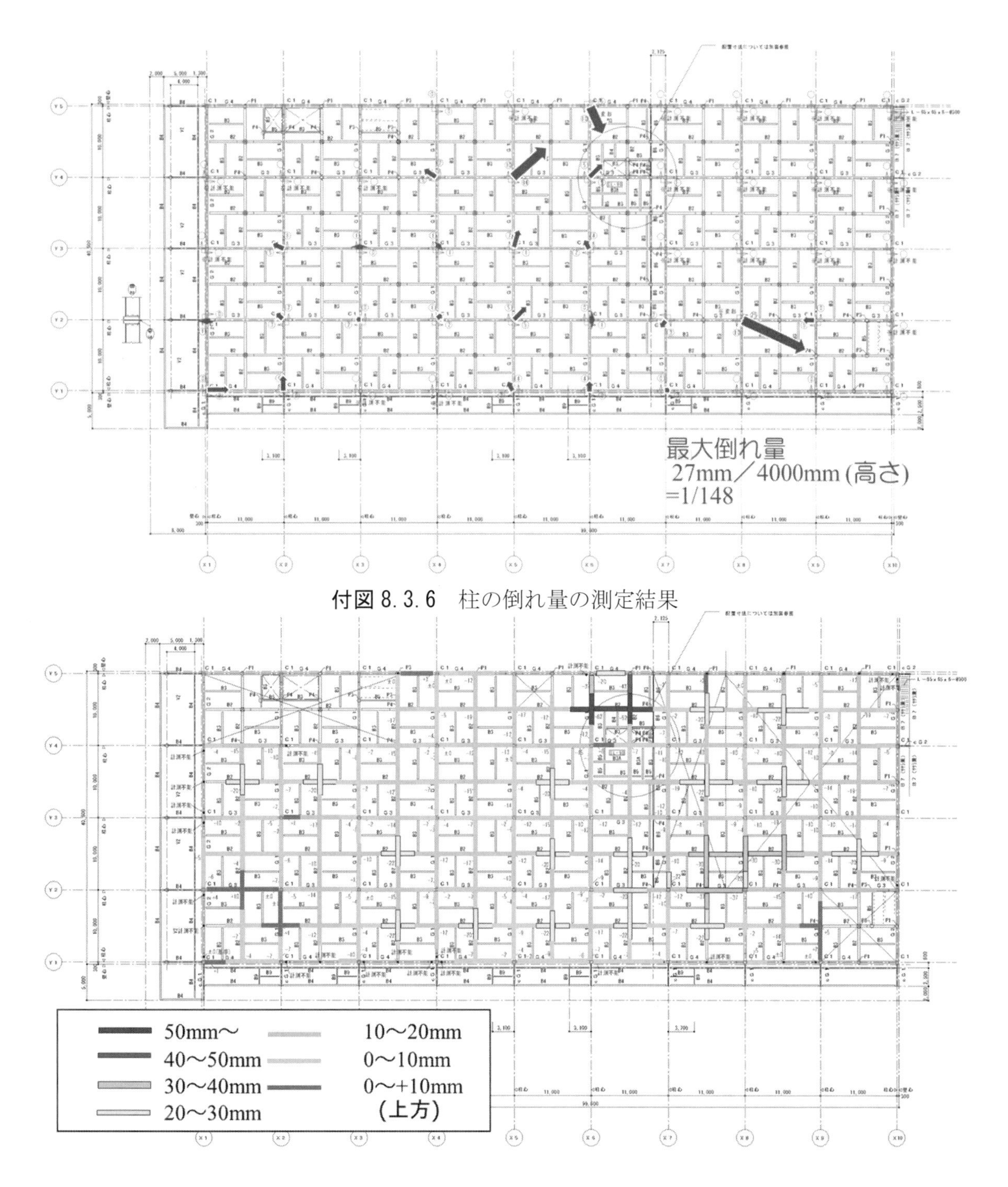

付図 8.3.6　柱の倒れ量の測定結果

付図 8.3.7　梁のたわみ量の測定結果

4.3　鋼材の引張強度および弾性係数試験

目視調査で受熱温度が 300℃以上と判断された A～C ランクの鋼材の残存強度を推定する目的で 1 階の**付図 8.3.8** に示す 5 か所の小梁からそれぞれ試験体 1 本(ランク A から 3 片 ,B から 1 片 ,C から 1 片、合計 5 本)を採取し、引張強度および静弾性係数試験を実施した。

採取位置を**付図 8.3.8** に示す。鋼材の引張強度試験結果および静弾性係数試験結果を**付表 8.3.2** に、鋼材の機械的性質(JIS G 3101 規格値)を**付表 8.3.3** に、試験片番号 No.1 の応力ひずみ曲線を**付図 8.3.9** にそれぞれ示す。

なお、鋼材の試験片および引張試験方法は JIS Z 2201-1998「金属材料引張試験片」および JIS Z 2241-1998「金属材料引張試験方法」に準じて実施した。

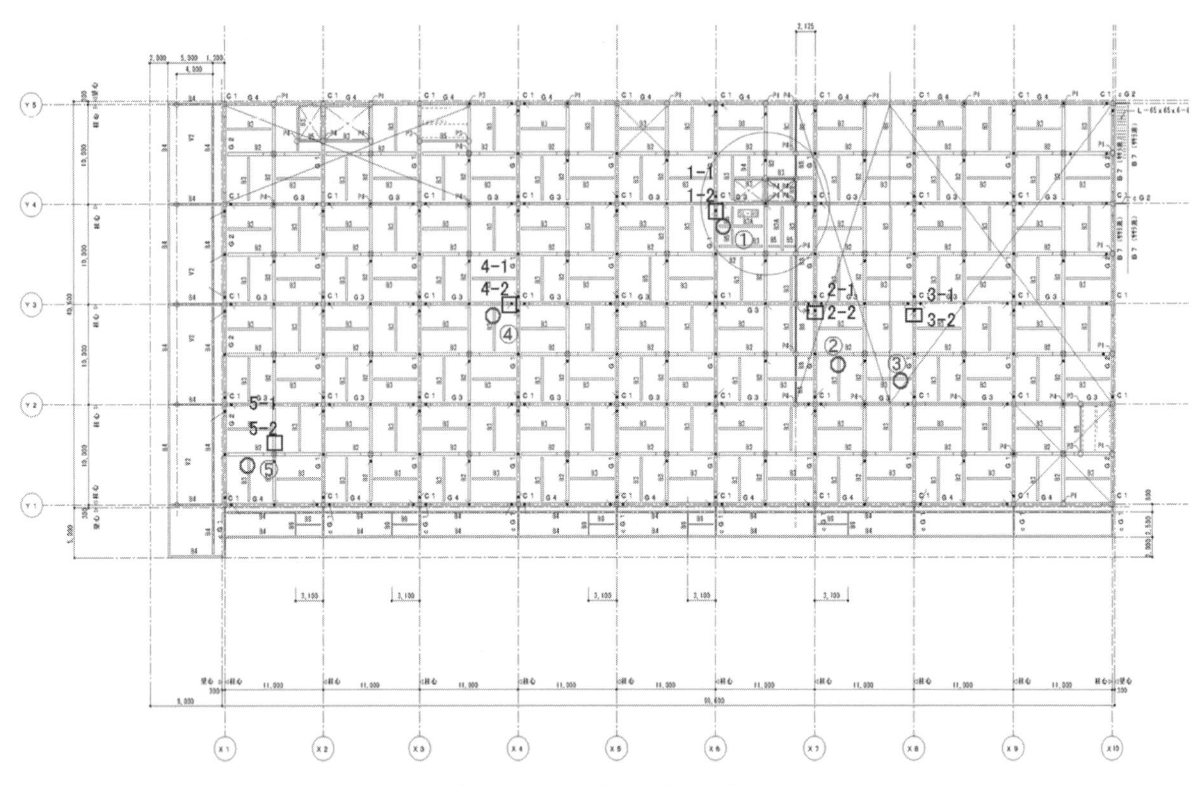

付図 8.3.8　鋼材および高力ボルト採取位置

付表 8.3.2　鋼材の引張強度および静弾性係数試験結果

採取位置	試験片番号	上降伏点 (N/mm²)	引張強さ (N/mm²)	破断伸び (%)	静弾性係数 (kN/mm²)
A	1	303	443	31	207
	2	277	419	31	209
	3	301	445	30	205
C	4	347	452	33	206
B	5	296	436	31	206

付表 8.3.3　鋼材の機械的性質（JIS G 3101 による規格値）

種類の記号	厚さ (mm)	降伏点または耐力 (N/mm²)	引張強さ (N/mm²)	伸び (%)
SS400（SS41）	16 以下	245 以上	400～510	17 以上

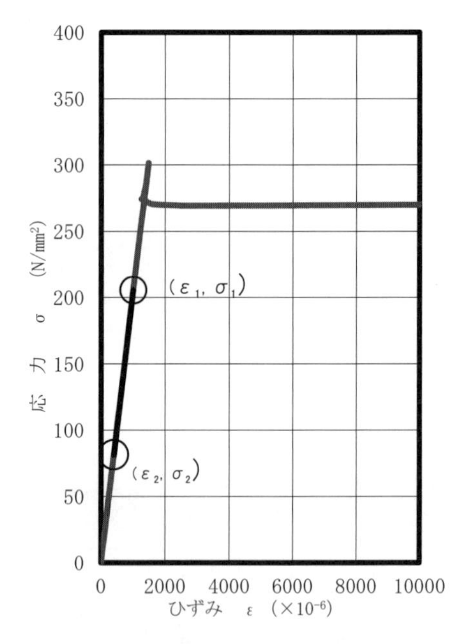

付図 8.3.9　応力−ひずみ曲線
（試験片番号：No.1）

A～C ランクから採取したすべての試験片において、降伏点、引張強さ、伸びに関する試験結果が、JIS 規格値の範囲内にあった。また、静弾性係数は 205～209（kN/mm²）で、応力−ひずみ曲線から明確に降伏点が読み取れる状況であったことから、鋼材の受熱温度は変態点（720℃）以下であったと推定できる。

4.4 高力ボルトの引張強度試験

目視調査で受熱温度が 300℃以上と判断された A～C ランクの高力ボルト接合部の健全性を推

定する目的で**付図 8.3.8** に示す 5 か所（ランク A から 2 か所, B から 1 か所, C から 2 か所）より高力ボルト（F10T、M22）を各 2 本合計 10 本採取し、引張強度試験を実施した。

引張強度試験結果を**付表 8.3.4** に、高力ボルトの機械的性質（JIS B 1186 規格値）を**付表 8.3.5** に示す。

なお、高力ボルトの引張強度試験は、JIS B 1186「摩擦接合用高力六角ボルト、六角ナット、座金のセット」の試験方法に準じて実施した。

付表 8.3.4 高力ボルトの引張強度試験結果

採取位置	試験体記号	最大荷重（kN）
A	1-1	245
	1-2	253
	2-1	349
	2-2	345
C	3-1	350
	3-2	351
	4-1	350
	4-2	348
B	5-1	319
	5-2	280

付表 8.3.5 高力ボルト製品の機械的性質（JIS B 1186 による規格値）

ボルトの機械的性質による等級	引張荷重(最小)(kN)（ねじの呼び：M22）	硬さ
F10T	303	27～38HRC

A～C ランクから採取した高力ボルトの引張強度試験結果より、A ランクの試験体 1-1 及び試験体 1-2、B ランクの試験体 5-2 が JIS B 1186 の引張強度の規格値を満たしていなかった。

4.5 火害調査結果（まとめ）

目視調査結果より、受熱温度が 600℃以上と推定される部材は、X6 通 Y4 通付近および X7 通 Y2 通付近に集中していた。鉄骨部材の変形の被害は、X5 通 Y5 通～X9 通 Y1 通の範囲に集中していた。また、高力ボルトの破断は、調査範囲内に広く分布していた。

調査範囲内の梁及び柱の残留変形量調査の結果、梁の残留変形は調査範囲内のほぼ全域で確認され、X6 通梁で最大 62 ㎜垂れ下がっていた。また柱の残留変形は、X5 通～X8 通で大きく、X8Y2 柱で最大北へ 25 ㎜、東へ 10 ㎜の倒れが計測された。

採取したすべての鋼材試験片において、降伏点、引張強さ、伸びに関する試験結果が、JIS 規格値の範囲内にあった。また、静弾性係数は 205～209（kN/mm^2）で、応力ーひずみ曲線から明確に降伏点が読み取れる状況であったことから、鋼材の受熱温度は変態点（720℃）以下であったと推定できる。

採取した高力ボルトの引張強度試験結果より、A ランクの試験体 1-1 及び試験体 1-2、B ランクの試験体 5-2 が JIS B 1186 の引張強度の規格値を満たしていなかった。

5. 火害等級の判定

本会「建物の火害診断および補修・補強方法　指針（案）・同解説」のフローに基づき、部材の火害等級を決定した。

目視で変形が確認された部材は火害等級Ⅴとした。推定受熱温度で 300℃以下で、許容変形量(1)以下のものは火害等級Ⅱとした。推定受熱温度で 500℃以下で、許容変形量(2)以下のものは火害等級Ⅲとした。推定受熱温度 500℃以上の部材は鋼材の強度には問題がなかったので火害等級Ⅴには分類せず、火害等級Ⅳとした。建物の被災度はＢ（補修・補強により再使用可能）とした。

推定した火害等級の一覧を**付図 8.3.10** に示す。

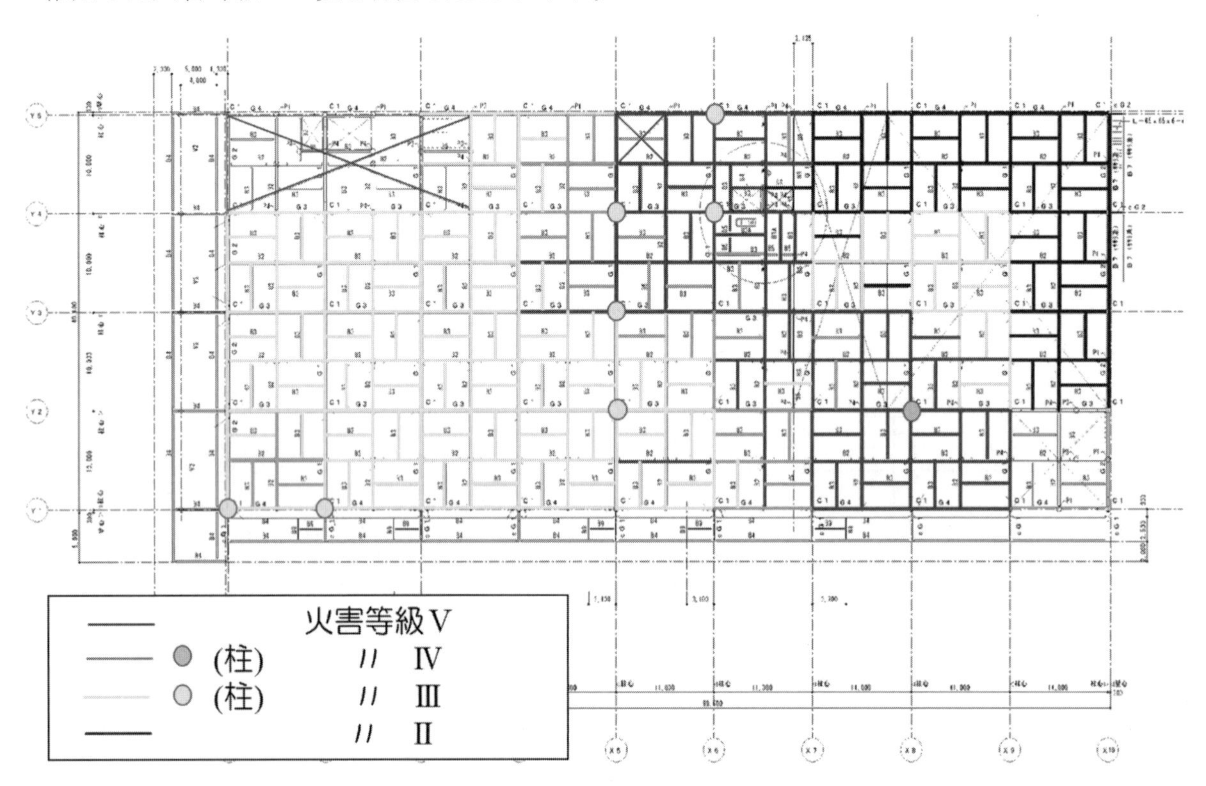

付図 8.3.10　推定した火害等級一覧

6. 火害調査後

火害調査ではいくつかの部材を交換もしくは補修・補強すればこの建物は再利用可能と判断されたが、建物の所有者は取り壊し後、再建築することを決めた。その理由は、コスト面と建設期間（倉庫を閉鎖しておく期間の長さ）ということであった。

付－8.4 ＳＲＣ造集合住宅の火害調査実施例

付－8.4 は平成 23 年（2011 年）に行った火害調査の実施例であり、本指針の旧版である「建物の火害診断及び補修・補強方法指針(案)・同解説」（2010 年）の知見に基づいた調査となっている。一部、本指針の記載内容と整合しない箇所もあるが、公開可能な火害調査例として貴重であることから、調査内容を改変せずに掲載している。

1. 調査対象建物の概要

所在地：関東地方

構造：鉄筋鉄骨コンクリート造（地上 13 階建）

用途：共同住宅

竣工年：1982 年

調査対象住戸の平面図を**付図 8.4.1** に示す。

2. 火災状況

出火元：台所の天ぷら油

出火推定時刻：平成 23 年○月○日 午後 9 時 23 分頃

鎮火時刻：同日午後 11 時 10 分頃

出火当時の気象：気温 9.5℃

風向南東、風速 2.7m/s

3. 調査項目

(1) 火害状況の目視調査

(2) 梁、天井スラブの残留変形量調査

(3) コンクリートコアの圧縮強度試験および中性化深さ試験

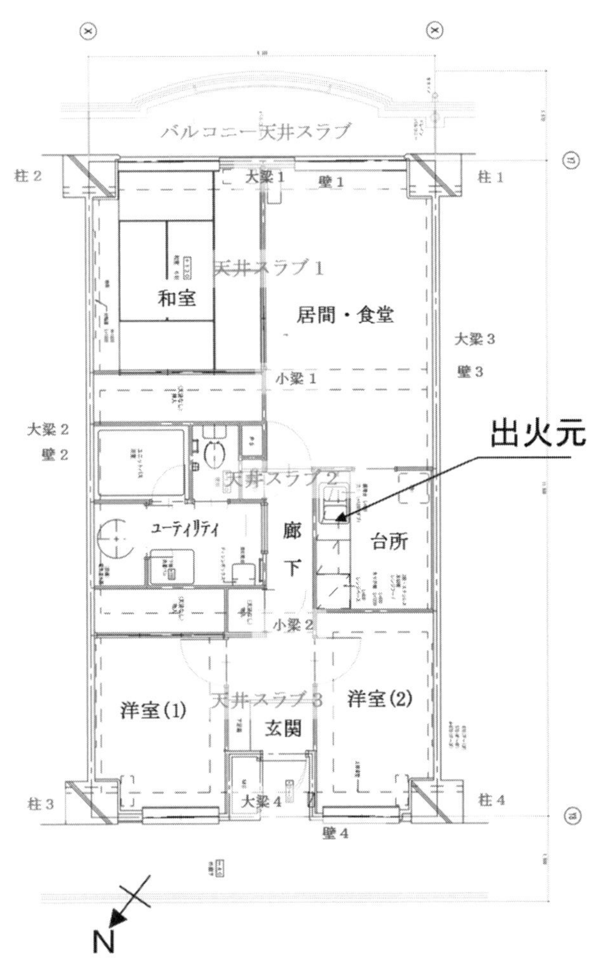

付図 8.4.1 調査対象住戸平面図

4. 調査結果

4.1 火害状況の目視調査

以下の目視結果および聞取り調査により、調査範囲を対象室（バルコニー含む）に限定した。

上階の状況：ベランダから煤が流入した痕跡があったが、上階室内まで火災は延焼していなかったことを確認した。
ドア等の建具にゆがみがある。（聞き取り調査）
床が少し沈んだように感じられる。（聞き取り調査）

下階の状況：水損による被害はあったが、下階への延焼はしなかったことを確認した。

隣室の状況：バルコニー天井部分は塗料が残った上に煤が付着していた。それ以外に火災による被害は確認できなかった。

調査対象室の目視調査の結果、居間･食堂部分の被害が最も大きく、和室部分、台所部分がそれに次ぐ被害であった。大梁１、大梁３、小梁１、壁３に受熱温度が 950℃以上と推定される部分があり、大梁１～３、天井スラブ１、２、壁２に受熱温度が 600～950℃と推定される部分があった。詳細を**付表 8.4.1** に示す。

付表 8.4.1　目視調査結果詳細（構造躯体の推定受熱温度および推定根拠）（1）

部位	部材		目視調査結果	構造躯体の推定受熱温度	推定根拠※
	部材名	詳細			
柱	柱 1	北面・東面	・煤が付着していた。	300℃以下	8
	柱 2	北面・西面	・煤が付着していた。	300℃以下	8
	柱 3	南面・西面	・火災による被害はなかった。	被害なし	－
	柱 4	南面・東面	・火災による被害はなかった。	被害なし	－
大梁	大梁 1	北面　居間・食堂部分	・コンクリートが淡黄色に変色していた。	950℃以上	1
		北面　和室部分	・コンクリートが灰白色に変色していた。	600～950℃	2
	大梁 2	西面　和室部分	・コンクリートが灰白色に変色していた。 ・表層爆裂 7～8 箇所あり。 ・「浮き」あり。	600～950℃	2
		西面　ユーティリティ部分	・煤が付着していた。	300℃以下	1
		西面　洋室(1)部分	・仕上げクロスが炭化して残存していた。 ・コンクリート表面は健全であった。	300℃以下	9
	大梁 3	東面　居間・食堂部分	・コンクリートが淡黄色に変色していた。 ・コーナー剥落 4 箇所、表層爆裂 1 箇所あり。 ・「浮き」あり。 ・ひび割れ多い。 ・亀甲状のひび割れあり。	950℃以上	1
		東面　台所部分	・コンクリートが灰白色に変色していた。 ・PC 継手部のモルタルが剥落していた。 ・上部煤付着、下部煤焼失 ・コーナー剥落、「浮き」あり	600～950℃	2
		東面　洋室(2)部分	・仕上げクロスが炭化して残存していた。 ・コンクリート表面は健全であった。	300℃以下	9
	大梁 4	洋室(1)部分、洋室(2)部分	・仕上げクロスが炭化して残存していた。 ・コンクリート表面は健全であった。	300℃以下	9
		玄関部分	・塗装が残った上に煤が付着していた。	300℃以下	8
小梁	小梁 1	南面・下面 居間・食堂部分	・コンクリートが淡黄色に変色していた。 ・ほぼ全面にわたりコーナー剥落（最大高さ 170mm 奥行 140mm）あり。 ・主筋露出。 ・ひび割れ多い。	950℃以上	1
		北面　居間・食堂部分	・コンクリートが淡黄色に変色していた。 ・ほぼ全面にわたりコーナー剥落。 ・「浮き」あり。	950℃以上	1
		南面・下面　和室部分	・上部は煤が付着していた。 ・下部は煤が焼失していた。 ・「浮き」あり。	500℃以上	5
		北面　和室部分	・東側は煤が付着していた。 ・西側は煤が焼失していた。 ・コーナー剥落あり。 ・「浮き」あり。	500℃以上	5
	小梁 2	南面・北面　台所部分	・煤が付着していた。	300℃以下	8
		下面　台所部分	・仕上げクロスが健全に残存していた。	被害なし	－
		南面・下面　廊下部分	・煤が付着していたが、コンクリートは脆弱化していたので、火災後に付着した可能性がある。 ・「浮き」あり。	500℃以上	6
		北面　廊下部分	・煤が焼失していた。	500℃以上	5
		南面・下面・北面　ユーティリティ部分	・煤が付着していた。	300℃以下	8
天井スラブ	天井スラブ 1	居間・食堂部分	・コンクリートが灰白色に変色していた。 ・ひび割れ（最大 0.9mm 幅）あり	600～950℃	2
		和室部分	・煤が焼失していた。 ・ひび割れ（最大 0.9mm 幅）あり	500℃以上	5

付表 8.4.1　目視調査結果詳細（構造躯体の推定受熱温度および推定根拠）(2)

部位	部材		目視調査結果	構造躯体の推定受熱温度	推定根拠※
	部材名	詳細			
天井スラブ	天井スラブ 2	居間･食堂部分	・コンクリートが灰白色に変色していた。 ・亀甲状ひび割れあり。	600～950℃	2
		台所部分	・煤が焼失していた。 ・亀甲状ひび割れあり。（東南側）	580℃以上	4
		廊下部分	・煤が付着していた。	300℃以下	8
		和室部分	・煤が焼失していた。	500℃以上	5
		ユーティリティ部分	・煤が付着していた。 ・南側の一部で煤が焼失していた。	300℃以下（一部500℃以上）	5
	天井スラブ 3	洋室(1)部分	・仕上げクロスが炭化して残存していた。 ・コンクリート表面は健全であった。	300℃以下	9
		玄関部分	・煤が焼失していた。	500℃以上	5
		洋室(2)部分	・仕上げクロスが炭化して残存していた。 ・コンクリート表面は健全であった。	300℃以下	9
	バルコニー天井スラブ	居間･食堂前部分	・一部塗装が焼失していた。塗装が残った部分には煤が付着していた。	600℃以上	3
		和室前部分	・塗装が残った上に煤が付着していた。	300℃以下	8
壁	壁 1	北面　居間･食堂部分	・煤が焼失していた。	500℃以上	5
		北面　和室部分	・煤が付着していた。	300℃以下	8
		南面　居間･食堂開口前上部	・下部はコンクリートが灰白色に変色していた。 ・上部は塗装が焼失していた。	600～950℃	2
		南面　開口間部分	・塗装が残った上に煤が付着していた。	300℃以下	8
		南面　和室開口前上部	・塗装が焼失し始めていた。	300～500℃	7
	壁 2	和室部分	・コンクリートが灰白色に変色していた。 ・表層爆裂（約 1200mm×800mm）あり。 ・亀甲状ひび割れあり。 ・煤が付着していた部分もあったが、火災後に付着したものと思われる。	600～950℃	2
		ユーティリティ部分	・煤が付着していた。	300℃以下	8
		洋室(1)部分	・仕上げクロスが炭化して残存していた。 ・コンクリート表面は健全であった。	300℃以下	9
	壁 3	居間･食堂部分	・コンクリートが淡黄色に変色していた。 ・表層爆裂 4 箇所あり。 ・亀甲状ひび割れあり。 ・煤が付着していた部分もあったが、火災後に付着したものと思われる。	950℃以上	1
		台所部分	・煤が付着していた。 ・北側と上部で煤が焼失していた。	300℃以下（一部500℃以上）	5
		洋室(2)部分	・仕上げクロスが炭化して残存していた。 ・コンクリート表面は健全であった。	300℃以下	9
	壁 4	洋室(1)部分・玄関部分・洋室(2)部分	コンクリート表面は健全であった。	被害なし	－

※推定根拠

1．コンクリートが淡黄色に変色は 950℃以上
2．コンクリートが灰白色に変色は 600～950℃
3．塗装の焼失は 600℃以上
4．亀甲状のひび割れは 580℃以上
5．煤の焼失は 500℃以上
6．煤が付着していたが、コンクリートは脆弱化していたので、火災後に付着した可能性があり、受熱温度は北面と同等の 500℃以上と推定した。
7．煤の焼失は 500℃以上、煤の付着は 300℃以下であり、その中間であるため 300～500℃と推定した。
8．煤の付着は 300℃以下
9．仕上げクロスが炭化して残存しコンクリート表面が健全であったことから、煤が付着する状況（6）より受熱温度は低いと推定した。

4.2 梁、天井スラブの残留変形量調査

火害を受けたと推定される大梁１、小梁１、小梁２、および天井スラブ１～３の残留変形量（たわみ量）を調査した。

残留変形量（たわみ量）は、床面に設置したレーザービームによる水平面を基準とした各部材の高さをコンベックスルールを用いて計測した。各部材の高さのうち、最も高かった位置を±0 とし、たわみ（垂下がり）量を正値として表示した。

残留変形量（たわみ量）調査結果を付図 8.4.2 に示す。天井スラブ１で最大 27mm、天井スラブ２で最大 30mm、小梁１で最大 9mm、小梁２で最大 7mm の残留変形（たわみ）が確認された。

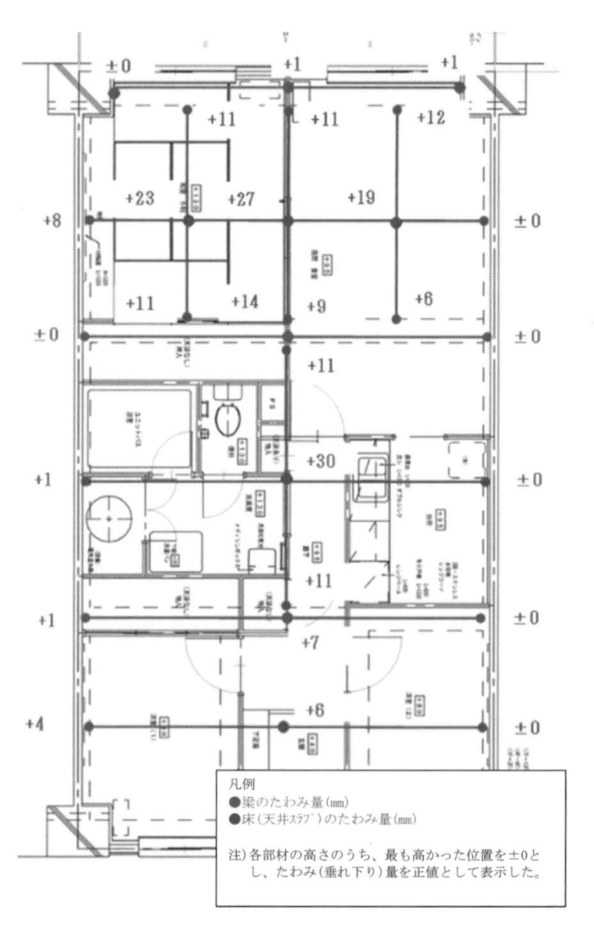

付図 8.4.2　残留変形量調査結果

4.3 コンクリートコアの圧縮強度試験及び中性化深さ試験

火害状況の目視調査結果から、火災による影響が懸念される梁から６本（供試体記号：梁１、梁２－１、梁２－２、梁３～梁５）、壁から３本（供試体記号：壁１－１、壁１－２、壁２）、天井スラブから１本（供試体記号：天１）と火災の影響をあまり受けていない梁と壁から２本（供試体記号：梁健、壁健）より、コンクリートコアを採取し、圧縮強度試験を実施した。さらに圧縮強度試験後のコアを縦に割裂し、割裂面にフェノールフタレイン 1%エチルアルコール溶液を吹き付け、赤変反応を利用してコンクリートの中性化深さを測定した。ただし、供試体記号：梁２－１、梁２－２、梁３、壁１－２、天１は、採取したコアの長さが短かったために、圧縮強度試験は行わず、中性化深さの測定のみ実施した。

コンクリートコアの採取位置を付図 8.4.3 に、圧縮強度試験結果を付表 8.4.2 に、中性化深さ試験結果を付表 8.4.3 に示す。

なお、コンクリートコアの圧縮試験は、JIS A 1107-2002「コンクリートからのコアの採取方法及び圧縮強度試験方法」に準じて実施した。

壁１－１、壁２は、健全部に比べ強度低下して

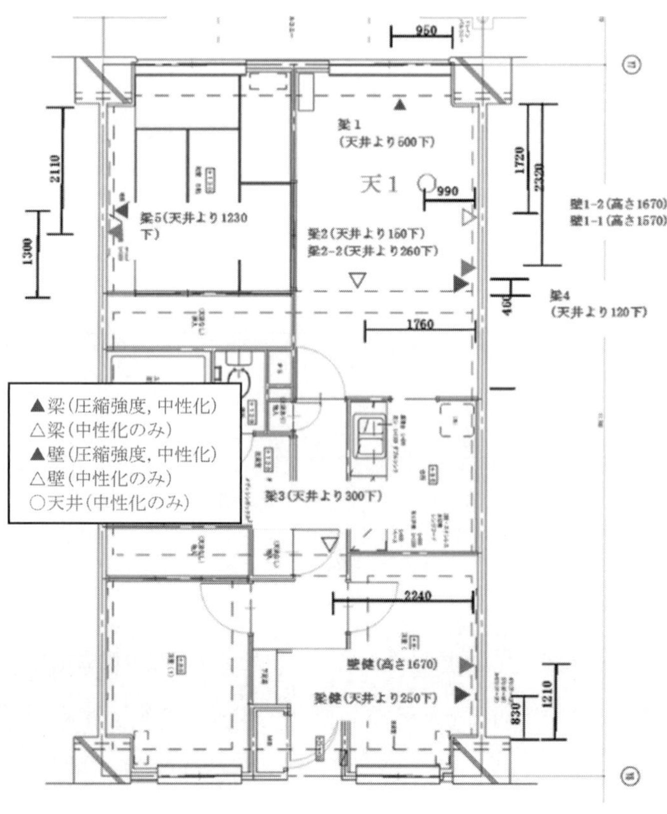

付図 8.4.3　コンクリートコア採取位置

いたが、設計基準強度（21N/mm^2）を満たしていた。梁１、梁５は健全部以上の強度を有していたが、梁４（大梁３より採取）は設計基準強度を満たしていなかった。

コンクリートコアの中性化深さ試験結果から、健全部の中性化深さに対して、壁および梁５は特に中性化は進行していなかった。一方、梁１～４および天井１は中性化が進行しており、火災による受熱温度が高かった可能性が示された。

付表 8.4.2 圧縮強度試験結果

供試体記号	圧縮強度(補正後)(N/mm^2)
壁１－１	21.8
壁２	22.4
梁１	31.6
梁４	19.3
梁５	30.5
壁健	28.3
梁健	25.4

付表 8.4.3 中性化深さ測定結果

供試体記号	中性化深さ(mm)		供試体記号	中性化深さ(mm)	
	平均	最大		平均	最大
壁１－１	3.6	6.5	梁３	16.7	26.0
壁１－２	4.6	6.0	梁４	5.0	11.0
壁２	0	0	梁５	1.3	2.0
梁１	17.4	28.5	天１	19.6	23.0
梁２－１	7.8	13.0	壁健	2.4	5.0
梁２－２	9.5	12.0	梁健	2.2	6.0

4.4 火害調査結果（まとめ）

目視調査結果より、居間･食堂部分の被害が最も大きく、和室部分、台所部分がそれに次ぐ被害であった。大梁１、大梁３、小梁１、壁３に受熱温度が 950℃以上と推定される部分があり、大梁１～３、天井スラブ１、天井スラブ２、壁２に受熱温度が 600～950℃と推定される部分があった。

梁、天井スラブの残留変形量調査結果から、天井スラブ１で最大 27mm、天井スラブ２で最大 30mm、小梁１で最大 9mm、小梁２で最大 7mm の残留変形（たわみ）が確認された。

コンクリートコアの圧縮強度試験結果から、壁１－１、壁２は、健全部に比べ強度低下していたが、設計基準強度（21N/mm^2）を満たしていた。梁１、梁５は健全部以上の強度を有していたが、梁４（大梁３より採取）は設計基準強度を満たしていなかった。

コンクリートコアの中性化深さ試験結果から、健全部の中性化深さに対して、壁および梁５は特に中性化は進行していなかった。一方、梁１～４および天井１は中性化が進行しており、火災による受熱温度が高かった可能性が示された。

5. 火害等級の判定

部材によっては部材内で被害状況が大きく異なる部材もあったが、その部材の中で最も被害がひどい状態から火害等級を推定した。推定結果を**付表 8.4.4** および**付図 8.4.4** に示す。建物の被災度はＢ（補修・補強により再使用可能）とした。

6. 火害調査後

建物の被災度はＢであったため、補修・補強を実施した。

付表 8.4.4　各部材の推定火害等級

部材名	推定火害等級	根拠
柱 1	Ⅱ	煤付着
柱 2	Ⅱ	煤付着
柱 3	Ⅰ	
柱 4	Ⅰ	
大梁 1	Ⅳ	推定受熱温度 950℃以上 圧縮強度は設計基準値以上 中性化進展
大梁 2	Ⅲ～Ⅳ	推定受熱温度 600～950℃ 圧縮強度は設計基準値以上
大梁 3	Ⅳ～Ⅴ	推定受熱温度 950℃以上 圧縮強度は設計基準値以下
大梁 4	Ⅱ	煤付着
小梁 1	Ⅳ	推定受熱温度 950℃以上 コーナー剥落、中性化進展
小梁 2	Ⅲ～Ⅳ	推定受熱温度 500℃以上 中性化進展
天井スラブ 1	Ⅳ	推定受熱温度 600～950℃ たわみ 27mm
天井スラブ 2	Ⅳ	推定受熱温度 600～950℃ たわみ 30mm
天井スラブ 3	Ⅲ～Ⅳ	推定受熱温度 500℃以上
バルコニー天井スラブ	Ⅳ	推定受熱温度 600℃以上
壁 1	Ⅲ～Ⅳ	推定受熱温度 500℃以上 圧縮強度は設計基準値以上
壁 2	Ⅲ～Ⅳ	推定受熱温度 600～950℃ 圧縮強度は設計基準値以上
壁 3	Ⅳ	推定受熱温度 600～950℃ 圧縮強度は設計基準値以上
壁 4	Ⅰ	

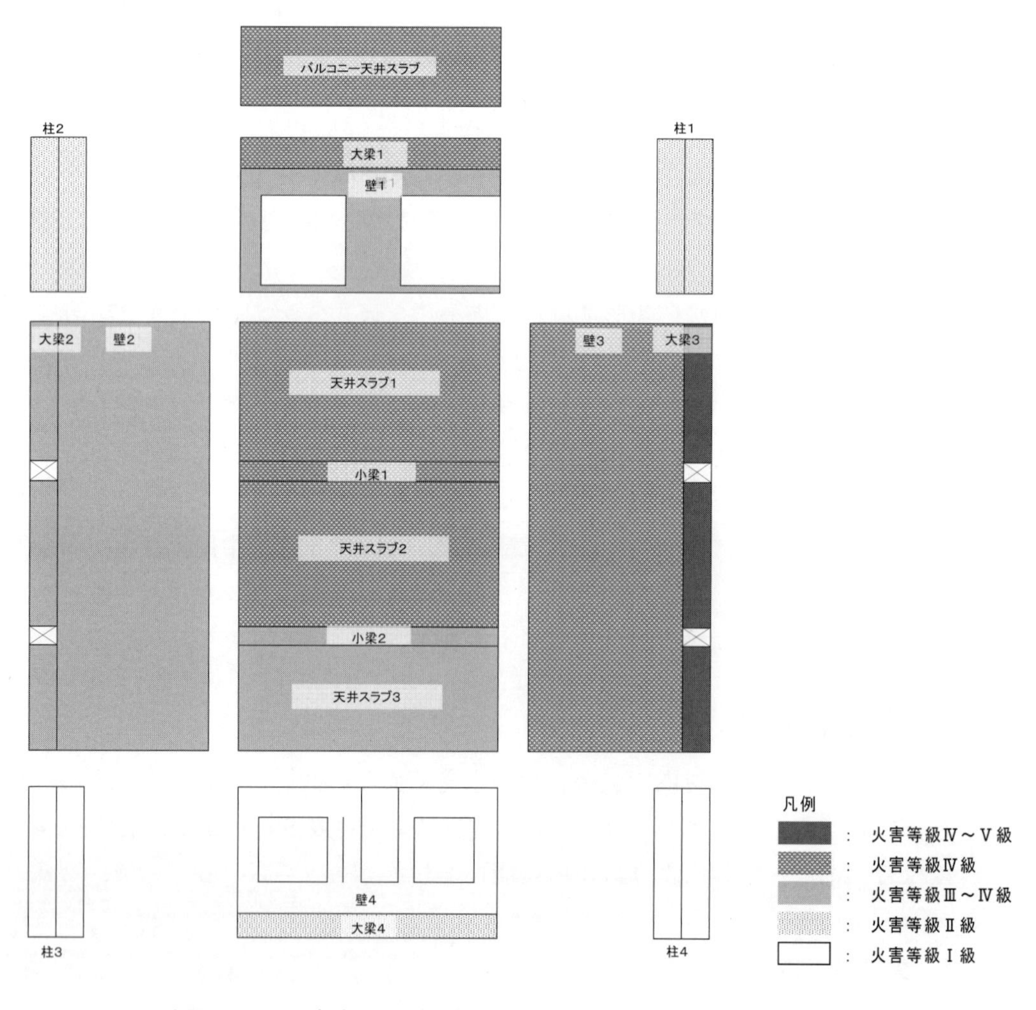

付図 8.4.4　各部材の推定火害等級

付−9 火害調査モデルケース

付−9.1 RC 造系火害調査実施モデルケース

付−8.1 に示した鉄骨鉄筋コンクリート造地下１階、地上９階建の建物について、本指針により調査診断を行うモデルケース事例を示す（**付写真 9.1.1**）。付−8.1 は、本指針以前の 2004 年に刊行された「建物の火害診断及び補修・補強方法」に掲載されたものであり、今回の指針改定に合わせた新しい調査診断を示すものである。

1. 調査項目（調査のフロー）

調査は、**解説図 3.1.1** に示した火害診断および補修補強のフローに従い、次の手順で実施する（**付図 9.1.1**）。

（１） 予備調査：
　① 建物概要の調査
　② 設計図書の準備
　③ 火災情報の収集
　を行う（**付表 9.1.1 参照**）。

（２） 一次調査：
　① 建物の被災度 C か否かの判定
　② 目視による被害状況の確認
　③ 火災進展状況（火災の影響範囲）の推定
　④ 受熱温度の推定
　を行う。

（３） 二次調査：
　一次調査結果により決定した調査範囲において、火害の程度を詳細に把握するために測定および試験を伴う調査を行う。
　① 非破壊検査
　② 力学的試験
　③ 材料分析

（４） 火害等級の判定：
　火害調査の結果から、**解説図 3.1.2** のフローに従い、Ⅰ級〜Ⅴ級の等級に分類する。RC 造部材の火害等級と部材状況の例は、**解説表 3.1.1** を参考に判定する。

（５） 被災度の判定：
　火害等級から、**解説表 3.1.2** に従い、被災度を判定する。

（６） 補修・補強工事：
　建物所有者または発注者からの回復要求に合わせ、**解説図 3.1.3** に示した、補修や補強箇所の確定、補修補強方法の立案ならびに工事を行う。
　なお、ここでは補修・補強は省略する。

これらの調査は、必ずしもフロー順ではなく必要に応じて前後して実施してもよい。特に目視調査における受熱温度の推定には、残された可燃物の状況が重要であり、火災直後からの調査が望ましい。

付写真 9.1.1 調査建物全景（付写真 8.1.1）

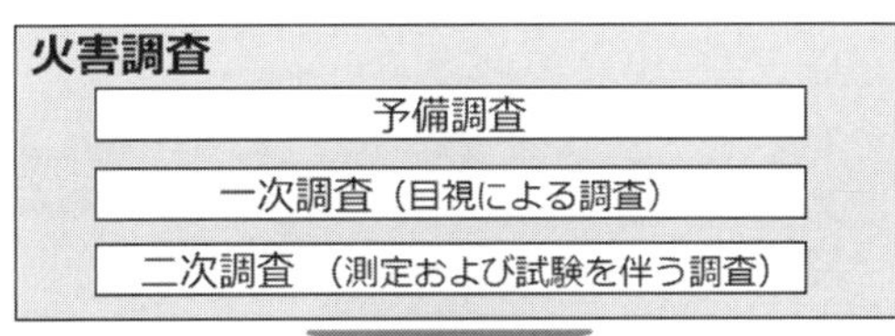

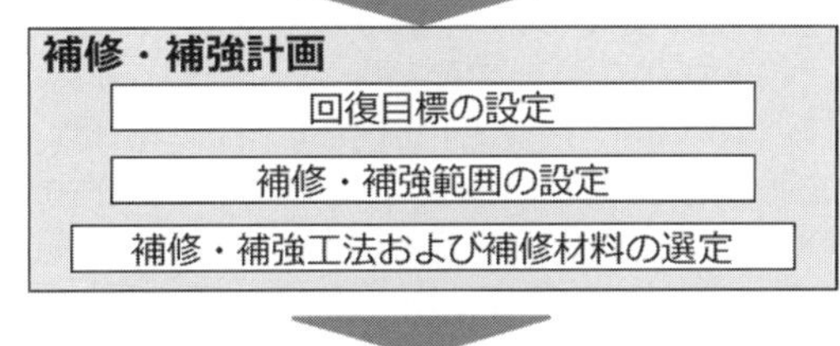

補修・補強工事

付図 9.1.1 火害診断および補修・補強のフロー

付表 9.1.1　予備調査の内容

（1）建物概要：
- 竣工年次　・用途
- 設計者、施工者、所在地　・構造種別（RC 造・鉄骨造・木造など）
- 構造形式（ラーメン構造、壁式構造など）
- 建築面積、延床面積、階数　・内装仕上げ

（2）建物の竣工後の諸履歴：
- 過去の火害状況および補修・補強記録
- 過去の地震などによる被害経歴および補修・補強記録
- 改装、改築、用途変更

（3）関連法規：
- 建築基準法（建築基準法施行令、告示および各種通達）
- 消防法関連法規
- 各地方行政庁の建築関連法規（例：東京都安全条例）
- 各地方行政庁の消防関連法規（例：火災安全条例－東京都）

（4）設計図書
- 各階平面図、平面詳細図　・断面図、断面詳細図
- 立面図（東西南北）　・仕上げ表、各室展開図
- 防火区画図　・設備関係系統図（特に、防災関係）
- 構造図（床梁伏図、軸組図、部材断面リスト、配筋図など）
- 構造計算書　・検査済証

（5）構造概要
- コンクリートの設計基準強度（Fc）
- コンクリートの種類（普通、軽量など）
- コンクリートの使用材料、調合（骨材の種類、最大寸法、セメントの種類、混和剤など）
- 鉄筋種別、強度

（6）火災情報
- 出火原因
- 出火時刻、鎮火時刻（火災継続時間）
- 出火位置
- 延焼経路および火害の範囲（最大被災個所）
- 可燃物の量と種類
- その他の特記事項（部材の崩壊、脱落など）
- 消火の状況（消防隊の活動状況）

2.　調 査 結 果

2.1　予備調査の結果

（1）建物概要
- 建　物　名　：東京工業大学総理工実験棟（G５棟）
- 所　在　地　：神奈川県横浜市
- 構　造　　：鉄骨鉄筋コンクリート造、地下１階、地上９階建て
- 用　途　　：学校（実験室他）
- 建築面積　：　719 m²
- 延べ床面積　：6717 m²
- 竣工年月　：1995 年 1 月

（2）構造概要
- コンクリートの設計基準強度：24N/mm²
- 図面等は省略する（付－8.1 参照）

（3）火災概要
- 出火原因　：実験試料（炭化材料）からの自然発火
- 出火場所　：地下 1 階環境制御実験準備室（付図 8.1.1（付図 9.1.2）参照）
- 出火推定時刻：2002 年 8 月 14 日 午前 10 時 10 分頃（火災報知器の作動時刻）
- 放水開始時刻：　同日　午後 0 時 00 分頃
- 鎮圧時刻　：　不明
- 鎮火時刻　：　同日　午後 0 時 06 分頃
- 出火時の気象：当日 10 時東京（天候：晴れ、気温：31.3℃、相対湿度：52%RH、風向：西南西、風速：4.1m/s）

2.2　一次調査の結果

（1）建物の被災度Ｃか否かの判定

被災度Ｃか否かの判定は、**解説表 3.3.1** に示す被災度Ｃ判定表に従い行った。

概観調査の結果、建物全体の崩壊や傾斜している箇所がなかった。さらに、大半の部材に著しい損傷が確認されなかった。よって、この建物は被災度Ｃではないと判定し、火害調査を継続実施することとした。

（2）目視による被害状況の調査

火害状況の目視調査を実施した。目視調査は、火害を受けた地下 1 階環境制御実験準備室及び環境制御実験室付近を対象に周辺部も対象とした。なお調査時には、壁・天井面に貼られていた保温パネル（亜鉛鉄板）や備品類等は全て撤去されていたので、コンクリート面を中心に行ったが、通常の場合は、**解説表 3.3.3** に示した代表的な材料の劣化状況と推定受熱温度も参考とする。

以下に調査対象部の損傷状況を示す。詳細は付－8.1 に記載の通りである。

１）柱の損傷状況

1)-1. 柱１（**付写真 8.1.4** 参照）

上部の比較的広範囲がピンク色に変色し、その部分にはひび割れが認められた。下部には煤が付着し、部分的にひび割れが認められた。

1)-2. 柱２（**付写真 8.1.6** 参照）

中央付近にコンクリートの表層剥落（最大深さ : 7mm）があった。表層剥落部分より上部はピンク色に変色し、細かなひび割れが認められた。下部には煤が付着していた。

２）はり及び小梁の損傷状況

2)-1. はり１（**付写真 8.1.3** 参照）

側面及び下面とも全体に煤が付着していた。

2)-2. はり２（**付写真 8.1.5** 参照）

側面及び下面とも、全体にピンク色に変色し、ひび割れが認められた。また、東側の長い範囲で角部が欠けていた。

2)-3. 鉄骨小梁（**付写真 8.1.11** 参照）

全体に茶色に変色していた。

３）壁の損傷状況

3)-1. 壁１（**付写真 8.1.3** 参照）

南面上部に煤が付着していた。

3)-2. 壁３（**付写真 8.1.6**、**付写真 8.1.7** 参照）

東面下部に煤が付着し、上部はピンク色に変色していた。

４）床（天井スラブ）の損傷状況

4)-1. 床１（**付写真 8.1.11** 参照）

床１の下面（デッキプレート仕上げ）は、全体的に焦げ茶色に変色していた。

4)-2. 床２（**付写真 8.1.14** 参照）

床２下面西側部分（西側小梁より西の部分、コンクリートが露出した仕上げ）は、全面がピンク色に変色していた。

以上より、柱、はり、壁、床（天井スラブ）の受熱温度はコンクリートのピンク色に変色した部分で 300℃～600℃、煤の付着部分で 300℃以下であったと推定できる。

５）その他の部分

5)-1.東壁（**付写真 8.1.10** 参照）

軽量鉄骨製の下地が残存しコンクリート部分には煤が付着しているのが認められた。

5)-2.エレベーターホール（**付写真 8.1.15** 参照）

壁上部に煤が付着していた。

5)-3.ドライエリア上部（１階部分）（**付写真 8.1.16** 参照）

外壁タイルに煤が付着していた。

（3）火災進展状況（火災影響範囲）の推定

上記の目視の結果から、以下のように進展状況を推定した。

①　環境制御実験準備室で火災が発生、室内に進展した。柱、はり、壁は、コンクリートのピンク色に変色した部分で 300℃～600℃、煤の付着部分で 300℃以下であったと推定される。

②　環境制御実験準備室の火災が環境制御実験室側に進展した。室内に煤の付着が認められ、300℃以下であっ

たと推定される。

③　両室の扉からの煙の流出により、EV ホールならびにドライエリアに煤の付着が認められた。

火災進展図を**付図 9.1.2** に示す。

（4）受熱温度の推定

上記、一次調査の結果から、**付図 9.1.2** に併せて示す。

（5）二次調査の対象

以上の一次調査の結果から、二次調査を実施する対象は、地下 1 階環境制御実験準備室及び環境制御実験室付近とし、目視調査により火害等級Ⅱ級以上と推定できる箇所および健全部と判断できる箇所とした。調査内容は、**解説表 3.1.3** に示した火害調査で使用する測定方法の特徴や**表 3.1** に示した二次調査の各項目の特徴と選択を参考に、調査項目を決定した。調査項目を**付表 9.1.2** に示す。

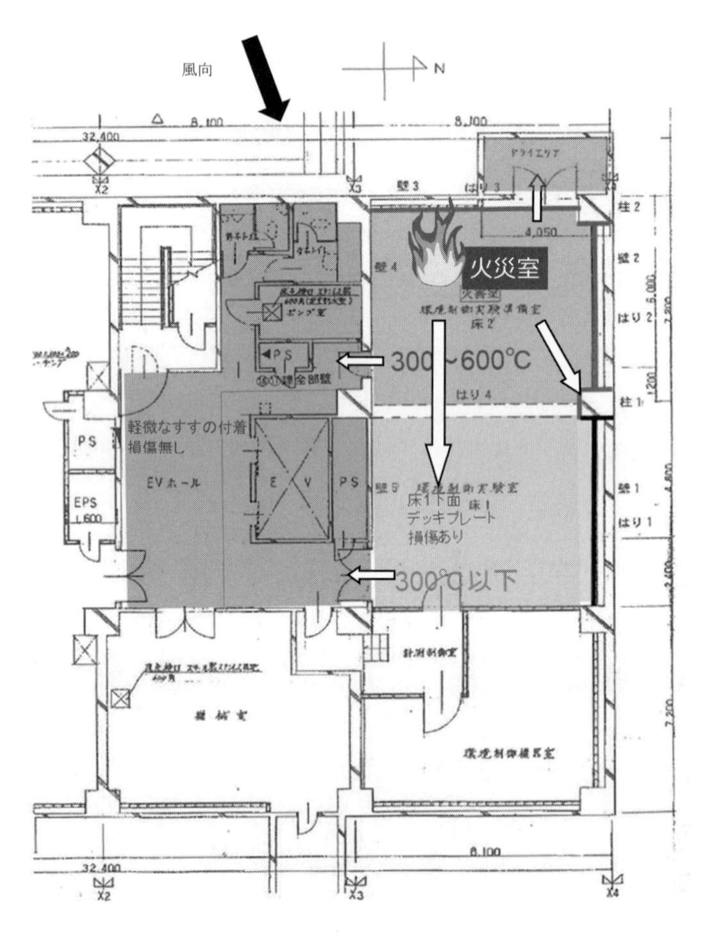

付図 9.1.2　火災進展図

付表 9.1.2　二次調査の項目

<table>
<tr><th rowspan="2">測定位置番号</th><th rowspan="2" colspan="2">部位</th><th colspan="2">非破壊試験</th><th colspan="4">コンクリートコア</th><th colspan="2">受熱温度推定</th></tr>
<tr><th>リバウンドハンマー試験</th><th>打撃試験</th><th>コンクリートコア番号</th><th>圧縮強度試験
孔内局部載荷試験</th><th>中性化深さの測定</th><th>UVスペクトル法</th><th>フェノールフタレイン溶液の噴霧</th></tr>
<tr><td>①</td><td rowspan="17">火害部</td><td>壁</td><td>－</td><td rowspan="19">○</td><td>①</td><td rowspan="3">○</td><td rowspan="3">○*</td><td rowspan="3">○**</td><td rowspan="19">○***</td></tr>
<tr><td>②</td><td>はり</td><td>○</td><td>②</td></tr>
<tr><td>③</td><td>柱</td><td>○</td><td>③</td></tr>
<tr><td rowspan="2">④</td><td rowspan="2">柱</td><td rowspan="2">○</td><td>④－1</td><td>○</td><td>－</td><td>○</td></tr>
<tr><td>④－2</td><td>－</td><td>○</td><td>－</td></tr>
<tr><td>⑤</td><td>壁</td><td>－</td><td>⑤</td><td rowspan="2">○</td><td rowspan="2">○*</td><td rowspan="2">○**</td></tr>
<tr><td>⑥</td><td>はり</td><td>○</td><td>⑥</td></tr>
<tr><td rowspan="2">⑦</td><td rowspan="2">柱</td><td rowspan="2">○</td><td>⑦－1</td><td>○</td><td>－</td><td>○</td></tr>
<tr><td>⑦－2</td><td>－</td><td>○</td><td>－</td></tr>
<tr><td>⑧</td><td>壁</td><td>○</td><td>⑧</td><td rowspan="8">○</td><td rowspan="8">○*</td><td rowspan="8">○**</td></tr>
<tr><td>⑨</td><td>はり</td><td>○</td><td>⑨</td></tr>
<tr><td>⑩</td><td>壁</td><td>－</td><td>⑩</td></tr>
<tr><td>⑪</td><td>壁</td><td>○</td><td>⑪</td></tr>
<tr><td>⑫</td><td>はり</td><td>○</td><td>⑫</td></tr>
<tr><td>⑬</td><td>床</td><td>○</td><td>⑬</td></tr>
<tr><td>⑭</td><td>床</td><td>－</td><td>⑭</td></tr>
<tr><td>⑮</td><td>床</td><td>－</td><td>⑮</td></tr>
<tr><td>⑯</td><td rowspan="2">健全部</td><td>壁</td><td>○</td><td>⑯</td><td rowspan="2">○</td><td>－</td><td>○</td></tr>
<tr><td>⑰</td><td>壁</td><td>－</td><td>⑰</td><td>○</td><td>－</td></tr>
</table>

注　：○は調査を実施した部位を示す。
＊　：コア割裂後半分のサンプルで実施した。
＊＊：コア割裂後残り半分のサンプルで実施した。
＊＊＊：必要に応じて実施した。
④、⑦はコア抜きの際、途中で切断された短いサンプルを、それぞれ④－２、⑦－２として中性化深さの測定に用いた。

2.3　二次調査の結果

一次調査結果より、より詳細に調査するため、各種非破壊検査、コンクリートコアによる力学試験およびコンクリートコアによる中性化深さ測定を行った。また、今回は補修範囲を確定する目的で、コンクリート断面方向の深さ方向の受熱温度を推定するため、コア孔を用いた孔内局部載荷試験、材料分析による試験であるＵＶスペクトル法とフェノールフタレイン溶液の噴霧によるコンクリートの受熱温度推定も行った。

（1）非破壊試験結果

非破壊試験は以下の試験を行った。

① リバウンドハンマー試験：リバウンドハンマーによるコンクリートの反発度の測定（JIS A 1155（コンクリートの反発度の測定方法））

② 打撃試験：機械インピーダンスによる方法

① リバウンドハンマー試験（圧縮強度推定）

火害部および健全部において、N 型リバウンドハンマーを用いてコンクリートの反発度を測定し、コンクリートの圧縮強度を推定した。測定結果は**付表 8.1.2** に示す。

圧縮強度推定値 *Fc* は次式で計算した。なお、圧縮強度の推定式は各種提案されているので、現場に適したものを選定して推定する。ここでは、例として材料学会による提案式[1)]を用いた。

$$F_c = \alpha(18.0 + 1.27R_0) \qquad (\mathrm{N/mm^2})$$

ここで、R_0：反発度、α：材齢による補正係数

ただし、打撃方向が水平でない場合、R_0は傾斜角に対する補正値 $\Delta R(=5)$ を加えた(⑬床)。

リバウンドハンマーによるコンクリートの反発度および圧縮強度推定の結果、火害部の圧縮強度推定値は、健全部と大きな差は見られなかった。

② 打撃試験（機械インピーダンス）

火害の程度の異なる箇所において、機械インピーダンスによる試験を行った、測定結果を、**付図 9.1.3** に示す。機械インピーダンスは、目視観察による「火害の程度：小」、「火害の程度：中」、「火害の程度：大」の順で低下し、火害の程度が大きくなるほど、その指標値の低下率が大きい。なお、「火害の程度：大」でも残存率が大きいものがあった。

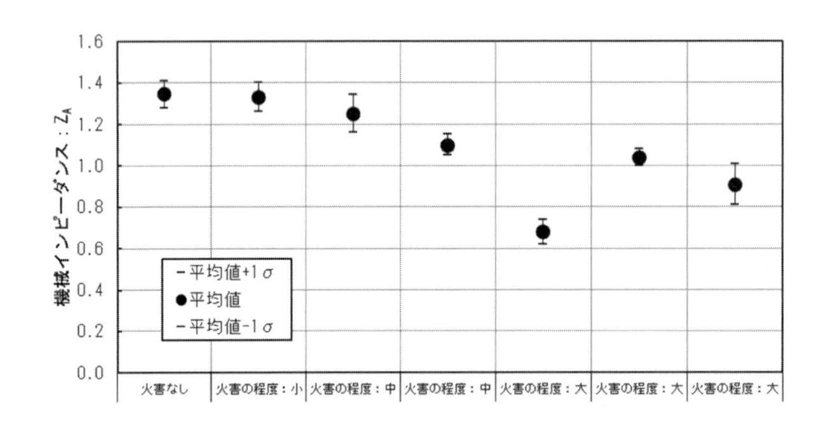

付図 9.1.3　コンクリートの火害の程度と機械インピーダンスの測定結果

（2）コンクリートコアによる圧縮強度試験

一次調査結果より、健全な壁部分で 2 か所および火害を受けている柱、はり、床、壁部分で 15 箇所の計 17 箇所においてコンクリートコアを採取し、圧縮強度試験を実施した。なお、コンクリートコア採取時には、鉄筋探査機を用い、なるべく鉄筋を含まないサンプルとなるように調整した。

コンクリートコアの圧縮試験方法は、JIS A 1107（コンクリートからのコアの採取方法及び圧縮強度試験方法）に従い、各供試体の載荷面は、研磨または石こうキャッピングにより仕上げた。

圧縮強度 F は下式により計算した。

$$F = P_{max} \times 4/(\pi d^2) \qquad (\text{N/mm}^2)$$

ここに、　P_{max}　：最大荷重　　(N)
　　　　　d　　：供試体の直径（mm）

また、補正後の圧縮強度は、供試体の直径と高さとの比が 1.0 を上回り 1.90 より小さい場合に、JIS に規定する補正係数を乗じて換算した。ただし、補正後の圧縮強度が 40N/mm² を上回る場合には、圧縮強度の補正は行わなかった。

コンクリート・コアの圧縮強度試験結果は**付表 8.1.2** を参照。

（3）コンクリートコアによる中性化深さ測定

コアの圧縮試験後、供試体を縦方向に割裂し、割裂面にフェノールフタレイン 1%エチルアルコール溶液（有水 PP 溶液）を吹き付け、コンクリートの中性化深さを測定した。なお、中性化深さ測定は、試薬の噴霧から約 72 時間後に、コンクリート表面から赤紫色部分までの距離をほぼ等間隔で 9 か所ずつ測定した。また、これらの測定値とは別に最大値を測定した。

コンクリート・コアによる中性化深さ測定結果は**付表 8.1.2** を参照。

（4）孔内局部載荷試験

コンクリートコアを採取した近傍において、孔内局部載荷試験を実施した。試験状況を**付写真 9.1.2** に示す。

付図 9.1.4 に、実施した孔内局部載荷試験の試験結果を示す。試験の結果、貫入抵抗値は⑰（火害の程度：被害なし）、I21-N（火害の程度：小）、D7-N（火害の程度：中）、C16-N（火害の程度：大）、E12-E（火害の程度：大）の順に高く、外観から推定された火害の程度（大、中、小、被害なし）とほぼ一致する傾向となった。

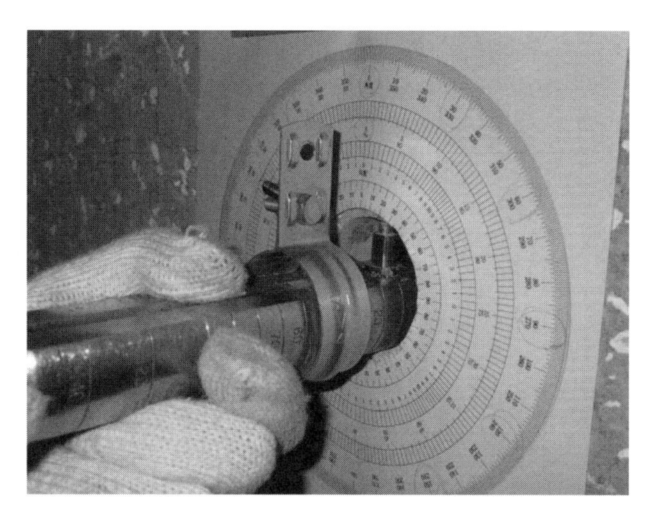

付写真 9.1.2 孔内局部載荷試験状況

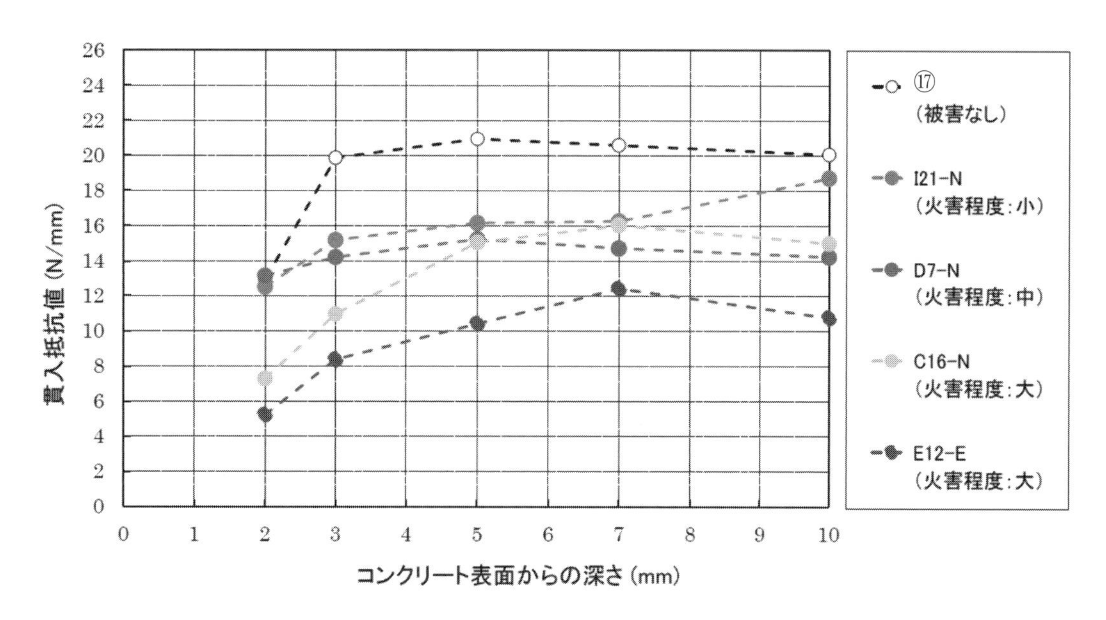

付図 9.1.4 孔内局部載荷試験の試験結果

（5）UVスペクトル法によるコンクリートの受熱温度推定

採取したコンクリート・コア試料一覧を**付表 9.1.2** に示す。受熱温度推定用試料の採取方法を**付図 9.1.5** に示す。ただし、有機化合物の燃焼ガスがコンクリート内部へ浸透していると思われる表面より 0～10mm 部分を取り除いてサンプルとした。

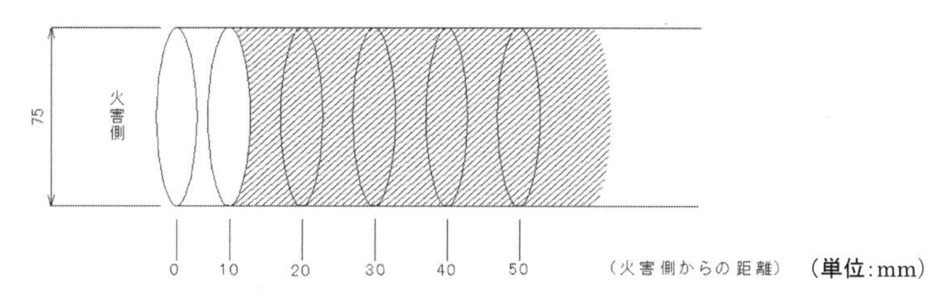

付図 9.1.5 受熱温度推定用試料

受熱温度は、検量線用（健全部）試料について、波長 260nm における吸光度と加熱温度の関係を示す検量線を作成、110℃～300℃までの受熱温度推定式（回帰式）を算出し推定した。

推定結果は、**付表 8.1.3** を参照。

（6）フェノールフタレイン溶液の噴霧によるコンクリートの受熱温度の推定

孔内局部載荷試験時にコア抜きをした供試体を用い、供試体を縦方向に割裂し、割裂面に水を含まないフェノールフタレイン溶液を噴霧して､コンクリート表面から深さ方向における受熱温度 150℃以下の領域を推定した。試験は、健全部および火害部で実施した。

2.4　調査のまとめ

二次調査結果より、 以下のことが判明した。

(1) 目視観察結果より､コンクリート表面の受熱温度は火害による損傷が比較的大きいピンク色に変色した箇所で 600℃以下と推定されるが、それ以外の部分は概ね 300℃以下であったと推定される。

(2) コンクリート･コアの圧縮強度試験結果より､火害部の強度は 25.1～36.7N/mm^2､健全部で 31.9～35.5N/mm^2 であった。火害部が健全部よりも若干の強度低下が認められるものもあるが、火害部はすべて設計基準強度 24N/mm^2 を上回っていた。

(3) コンクリート・コアの中性化深さ測定結果より、火害部（⑭、⑮はデッキ付の床のため除く）の中性化深さは平均値で 6.9～14.1mm、健全部で 2.7～3.8mm であった。

(4) ＵＶスペクトル法によるコンクリートの受熱温度推定結果より、火害部の受熱温度は最高で 410℃（⑥はり）であった。その他の部分は概ね 300℃以下であった。

最も被害が大きかったと考えられる部分（⑥はり）のコンクリートの表層（火害側からの距離 10～20mm）で、受熱温度は約 410℃と推定されるが、対象部位付近の中性化深さが 19mm 以下であり、表層から 20mm まで中性化は進行していない。また、コンクリート・コアの中性化深さは最大でも 26.5mm（⑤壁、ひび割れ部）であり、かぶり厚 30mm 以上の主筋は受熱温度 500℃以上に達していなかったと推定される。

火害側から 10mm までの表層部分の受熱温度は、410℃以上の部分もあったと推定される。

３．火害診断

3.1　火害等級の判定

一次調査結果より、コンクリート表面の受熱温度は火害による損傷が比較的大きいピンク色に変色した箇所で 600℃以下と推定されるが、それ以外の部分は概ね 300℃以下であったと推定される。

二次調査の結果と合わせ、以下のように判定した。

柱１､柱２は、コンクリートのピンク色に変色した部分で火害等級Ⅲ、煤の付着部分で火害等級Ⅱであったと判定した。

はり１～はり４は、コンクリートのピンク色に変色した部分で火害等級Ⅲ、煤の付着部分で火害等級Ⅱであったと判定した。

壁１～壁５は、コンクリートのピンク色に変色した部分で火害等級Ⅲ、煤の付着部分で火害等級Ⅱであったと判定した。

床１、床２（天井スラブ）は、コンクリートのピンク色に変色した部分で火害等級Ⅲであったと判定した。

ただし、環境制御実験室東壁は、軽量鉄骨製の下地が残存していたので火害等級Ⅰ級とした。また、調査した環境制御実験準備室及び環境制御実験室以外の部分もすべて火害等級Ⅰ級と判断した。

3.2　被災度の判定

判定した火害等級より、構造体に影響を受けてはいるが、再使用が可能と判断できるため、本建物の被災度は「B」と判定した。

４．補修・補強計画

省略

参 考 文 献

1)坂ほか：表面硬度法による実施コンクリートの強度判定法，セメント技術年報，9，pp.395-401，1955

付－9.2　S造建物の火害調査

1.　火害調査・診断実施例

1.1 調査概要

鉄骨造地上3階建ての建物で火災が発生した際の火害調査および診断のモデルケースを示す。

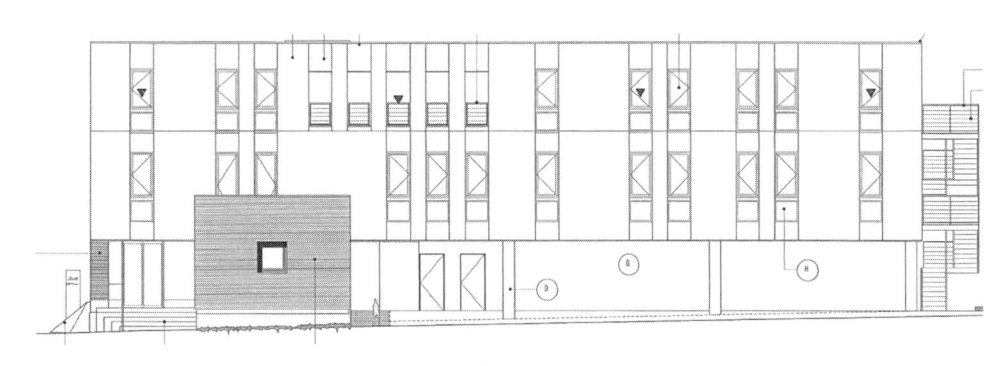

立面図

付図 9.2.1　調査建物

1.2 火害診断手順

火害診断は、付図 9.2.2 に示す火害診断の概略手順に従い、実施する。

①予備調査（情報収集）

建物概要および構造概要の調査と、火災に関する情報を収集する。

②一次調査（目視による調査）

建物の被災度Cか否かの判定、目視による被害状況の確認、火災進展状況の推定、受熱温度の推定を行う。また、二次調査を実施する場合は、調査範囲・項目の絞り込みと調査条件の確認を行う。

③二次調査（測定を伴う調査）

一次調査結果により決定した調査範囲において、火害の程度を詳細に把握するために調査を行う。

④火害等級の判定

火害調査の結果から、I級～V級の等級に分類する。

⑤被災度の判定

火害等級から被災度を判定する。

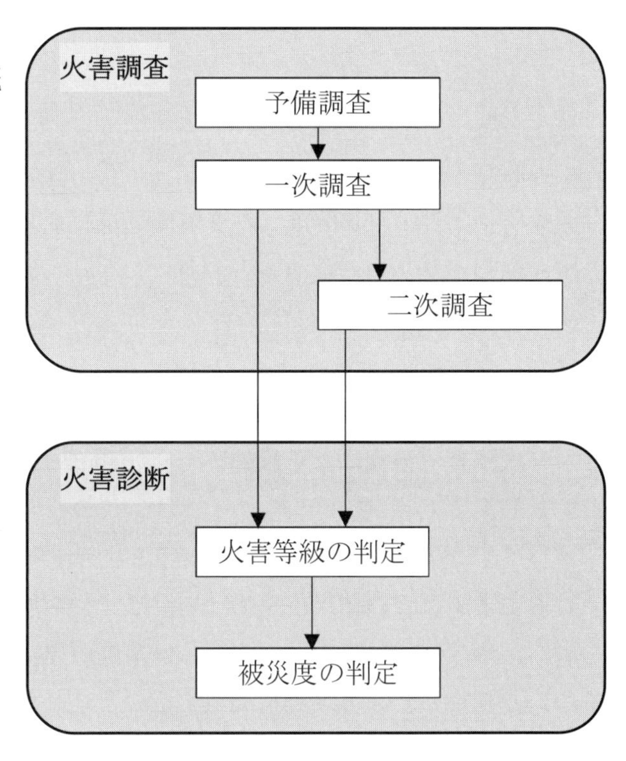

付図 9.2.2　火害診断の概略手順

2. 調査結果

2.1 予備調査（情報収集）

2.1.1 建物概要の調査

構　　造：鉄骨造　地上3階建て
用　　途：事務所
建築面積：588.42 ㎡
延床面積：1575.18 ㎡
竣 工 年：2003 年

2.1.2 構造概要の調査

柱：□-350×350×12or16（BCR295）
大梁：H-400×200×8×13（SS400）
小梁：H-250×125×6× 9（SS400）
継手形式：溶接接合、高力ボルト接合
ﾎﾞﾙﾄ種類：ﾄﾙｼｱ形高力ﾎﾞﾙﾄ M20、M22（S10T）
床スラブ：デッキ型枠スラブ
耐火被覆：ケイカル板（室内）、
　　　　　ロックウール吹付（天井内）

2.1.3 火災情報の収集

発生日時：2022 年 12 月 25 日
出火時刻：21 時 30 分頃
鎮火時刻：23 時 30 分頃（約 2 時間延焼）
出火原因：リチウム電池からの発火
出火位置：建物内部 2 階
風 向 き：北東

一見して危険と判定される場合
a. 建築物全体または大半の崩壊・落階
b. 建築物全体または大半の著しい傾斜

構造躯体に関して危険と判定される場合
c. 大半の部材が全体座屈、著しい局部座屈
d. 大半のブレースが破断
e. 大半の柱梁接合部および継手が破壊
f. 大半の柱脚が破壊
g. 大半の梁が大きくたわむ
h. 大半の免震装置が損傷

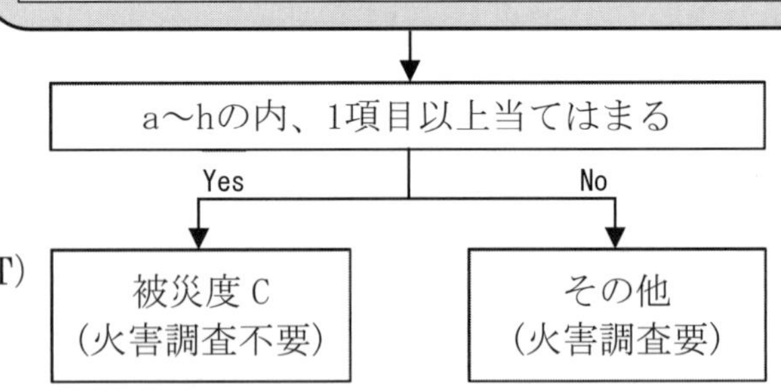

付図 9.2.3　被災度 C 判定フロー

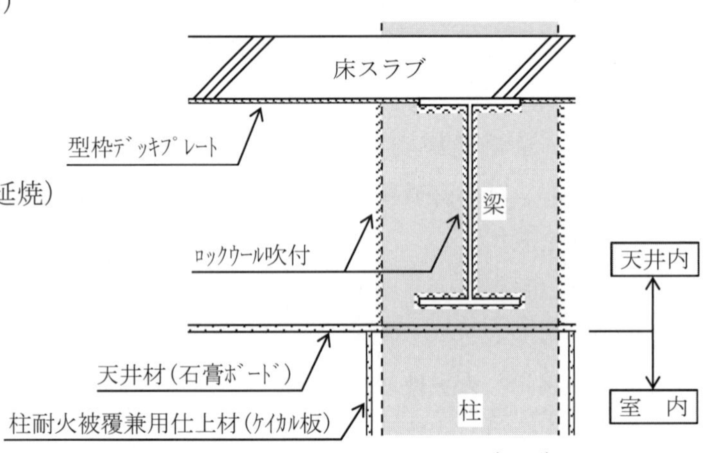

付図 9.2.4　仕上げ一覧

2.2 一次調査（目視による調査）

2.2.1 被災度 C 判定

被災度 C か否かの判定は、**付図 9.2.3** に示す被災度 C 判定フローに従い行った。

目視による調査の結果、建物は崩壊しておらず、建物全体が傾斜していることもなかった。さらに、大半の部材に座屈などの著しい損傷が確認されなかった。よって、この建物は被災度 C ではないと判定し、火害調査を実施することとした。

2.2.2 火災進展状況の推定

推定した火災進展状況を**付図 9.2.5** に示す。

① 火災発生。
② 周辺の可燃物に燃え移り、窓ガラスが割れる。
③ 割れた窓ガラス部分より北東の風が流れ込み、可燃物を伝い西側・南側へ燃え拡がる。
④ 火災は部屋全体に延焼したが、耐火壁で区画されていた範囲については延焼しなかった。
⑤ 1 階、3 階には延焼しなかった。

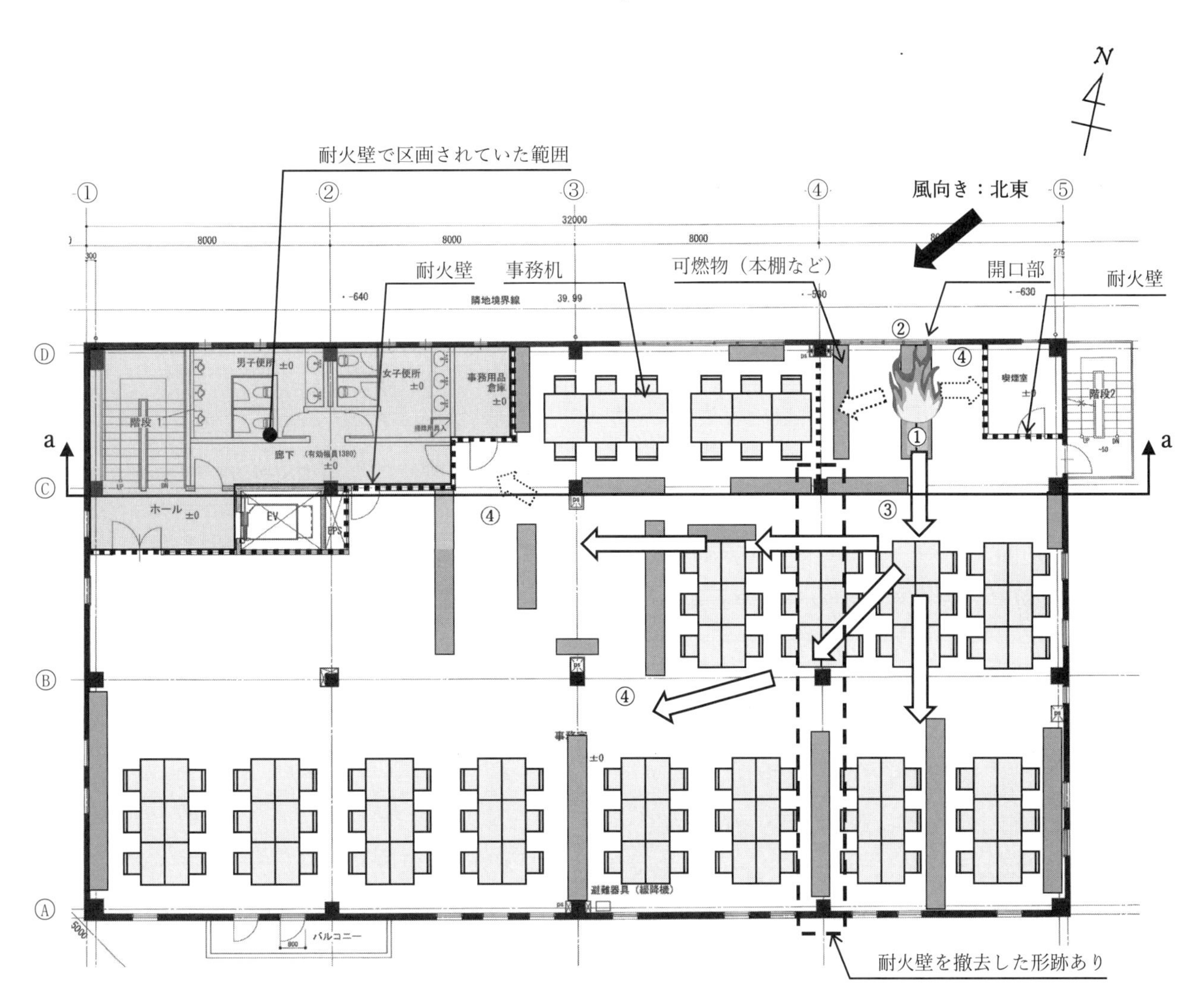

2階平面図

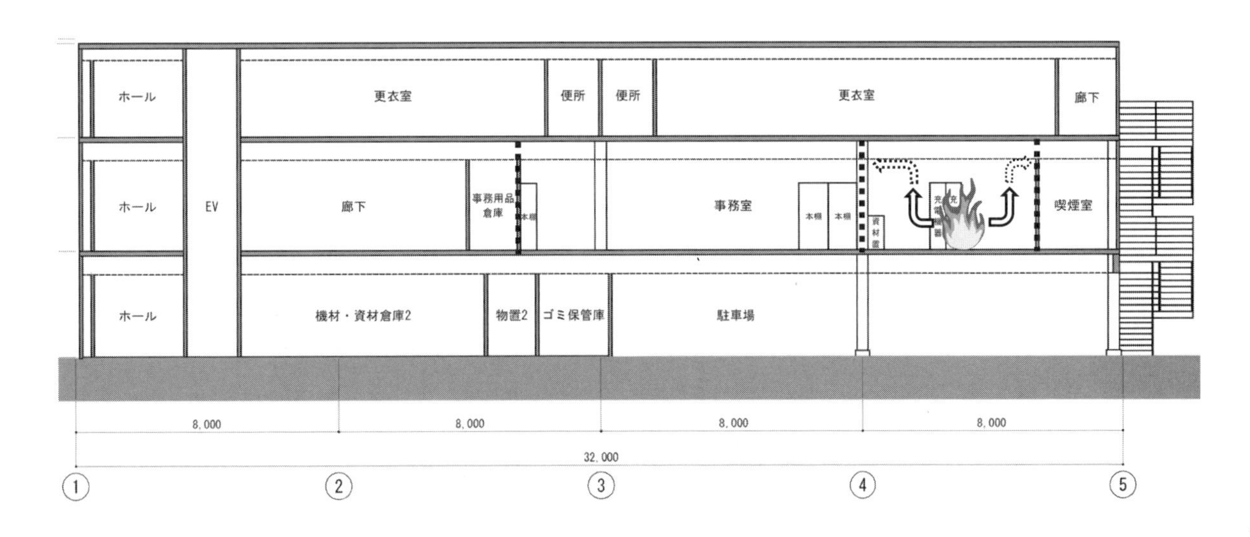

a-a 断面図

付図 9.2.5 火災進展状況の推定

2.2.3 被害範囲・状況の確認および受熱温度の推定

火災進展状況の推定結果を考慮し、各範囲の被害状況の確認および受熱温度の推定を行った。確認された被害状況および室内の推定受熱温度を以下と**付図 9.2.6** に示す。

・■ 範囲

構造部材：一部の梁に目視でわかる著しい変形、全体的に塗料の焼失

耐火被覆：脱落

天 井 材：脱落、下地材の変形

柱仕上材：部分的に脱落、煤の焼失

そ の 他：デッキプレートの亜鉛めっきの焼失

⇒ 推定受熱温度 600℃以上

・■ 範囲

構造部材：耐火被覆が残っているため目視不可

耐火被覆：天井材脱落付近に煤の付着その他、被害なし

天 井 材：部分的に脱落、煤の付着程度

柱仕上材：部分的に脱落、煤の付着程度

そ の 他：部分的にデッキプレートに煤の付着

⇒ 推定受熱温度 300℃以下

・■ 範囲

構造部材：一部の梁に目視でわかる著しい変形、部分的に塗料の白亜化、煤の付着

耐火被覆：部分的に脱落

天 井 材：脱落、下地材の変形

柱仕上材：部分的に脱落、煤の焼失

そ の 他：デッキプレートの亜鉛めっきの焼失

⇒ 推定受熱温度 350℃以上

・□ 範囲

構造部材：耐火被覆が残っているため目視不可

耐火被覆：被害なし

天 井 材：脱落なし、煤の付着程度

柱仕上材：脱落なし、煤の付着程度

そ の 他：デッキプレートに煤の付着なし

⇒ 被害小さい

・1 階・3 階

⇒ 全て被害なし（火災の進展なし）

2.2.4 二次調査範囲の絞り込み

被害状況および受熱温度の推定結果より、二次調査範囲（**付図 9.2.6** 参照）を絞り込んだ。

二次調査は、被害の大きい 600℃以上（■）の範囲、350℃以上（■）の範囲、火災の進展のあった 300℃以下（■）の範囲とした。また、火災の進展があったものの被害が小さい範囲（□）についても、他のスパンから間接的に影響を受けている可能性があるため、部分的に調査範囲とした。なお、1 階と 3 階については、被害が確認されなかったため、二次調査範囲外とした。

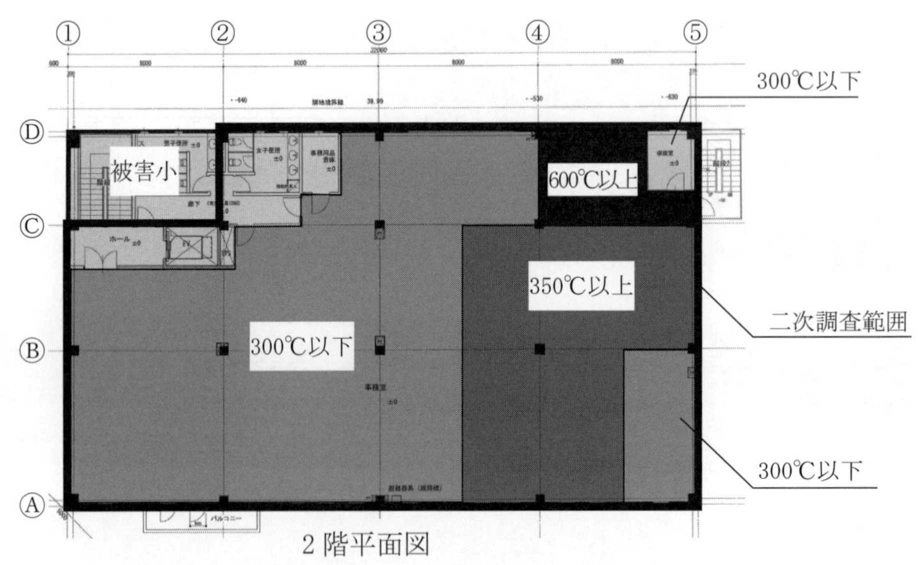

付図 9.2.6　被害状況および受熱温度の推定

2.2.5 二次調査計画

一次調査結果を基に、二次調査計画を立案した。

鉄骨部材は受熱温度が低い場合でも変形する可能性があるため、調査範囲内の全ての部材を対象に残留変形量の測定を行う計画とした。

推定受熱温度が600℃以上（■）と350℃以上（■）の範囲では、鉄骨造部材や高力ボルト接合部の機械的性質などの低下、コンクリート強度の低下が懸念されるため、機械的性質やコンクリート圧縮強度を確認する調査計画とした。また、300℃以下（■）、被害が小さい（□）範囲についても、目視調査結果の確認（受熱温度の推定結果が妥当かどうか）のため、部分的に仕上材を撤去して調査する計画とした。

なお、一次調査の際に明らかな変形が確認された3階梁については、撤去・交換する方針として、各種調査は実施しないこととした。その他、調査結果次第で調査項目・数量を増やすことを検討することとした。

2.3 二次調査（測定を伴う調査）

鉄骨造部材の残留変形量の測定、機械的性質の測定、高力ボルト接合部の機械的性質などの調査（接合部調査）、床スラブの調査を実施した。

2.3.1 調査方法

各種調査について、建物所有者などの要求（調査精度、スピードなど）を満たすように、調査方法を選択する。今回のケースでは、破壊・非破壊による調査を併用することとした（次頁参照）。

・残留変形量の測定⇒柱の倒れ、梁のたわみ・曲がり測定（非破壊調査）

・鋼材の機械的性質の測定⇒鋼材の引張試験（破壊調査）

　　　　　　　　　　　　　硬さ試験による引張強さの推定調査（非破壊調査）

・接合部調査⇒高力ボルトの引張試験（破壊調査）、ボルト導入張力の推定調査（非破壊調査）

・その他調査⇒床スラブのコンクリート圧縮強度試験（破壊調査）、

　　　　　　床スラブ下面（デッキプレート裏）のコンクリートの目視調査（破壊調査）

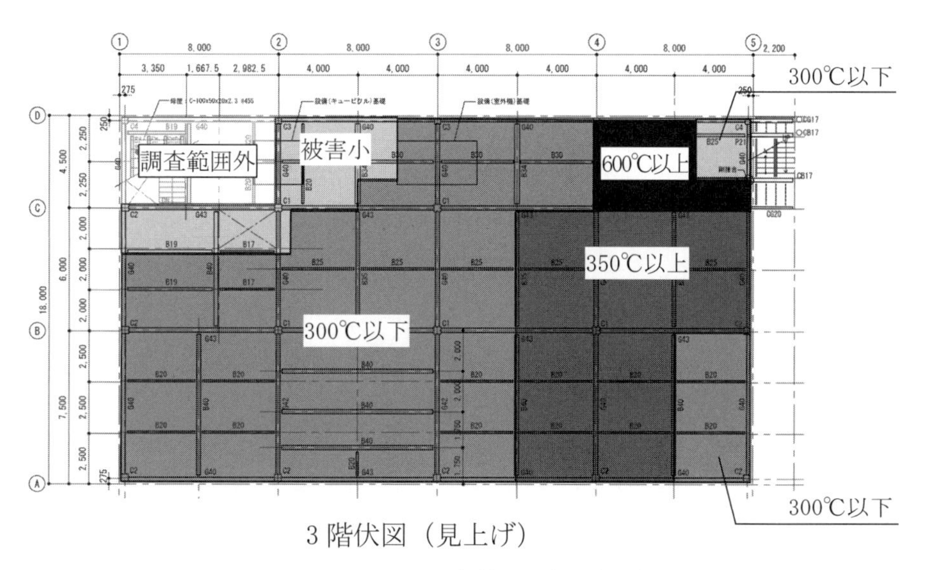

3階伏図（見上げ）

付図 9.2.7　調査範囲（構造図）

＜破壊調査と非破壊調査の併用について＞

火災による熱影響を精密に判断するために、鋼材やボルトを採取（破壊調査）して機械的性質を確認することが推奨される。破壊調査では、鋼材やボルトが保有している機械的性質を直接値として求められるため、調査精度の点では信頼性が高い。一方、調査結果を得るまでの期間が長期であること、鋼材損傷面積が大きいことやボルトの交換が必要というデメリットが存在する。そこで、前述のデメリットを補うために非破壊調査を併用することとした。

付表 9.2.1　試験方法比較表

調査方法＼項目		調査期間	鋼材損傷	結果	降伏点 (N/mm^2)	引張強さ (N/mm^2)	伸び (%)
破壊	鋼材の引張試験 JIS Z 2241	長期	大	直接値	○	○	○
	小型試験片の引張試験	長期	中	直接値	○	○※1	△※2
非破壊	ビッカース硬さ試験	短期	小	間接値	×	△※3	×

※1 JIS Z 2241による試験結果と比較すると、±10％前後の範囲内
※2 参考値のため
※3 推定値のため

2.3.2 調査結果

＜柱・梁の残留変形量の測定結果＞

柱の倒れ量および梁のたわみ・曲がり量の測定結果を以下と付図 9.2.8 に示す。

2 階 4・C 通り、4・D 通りの柱で 1/200 を超える傾斜が確認されたほか、4・B 通りで 1/700 〜1/200 の範囲の傾斜が確認された。その他の箇所では、傾斜角 1/700 を超える柱は確認されなかった。

3 階 4 通り・B〜C 間、C 通り・4〜5 間の大梁、3〜4 間・B〜C 間の小梁において許容値を超える変形が確認された。その他の箇所では、許容値を超える変形は確認されなかった。

なお、目視で変形が確認された梁については調査対象外としているため、調査は実施していない。

付表9.2.2 各部材の測定基準値一例

部材	測定項目	許容値
柱	傾　斜	H/700かつ15mm以下
	傾　斜	H/200以下
梁	たわみ	L/250以下
	曲がり（水平変位）	1.5L/1000かつ15mm以下

※「H」は階高、「L」はスパン長

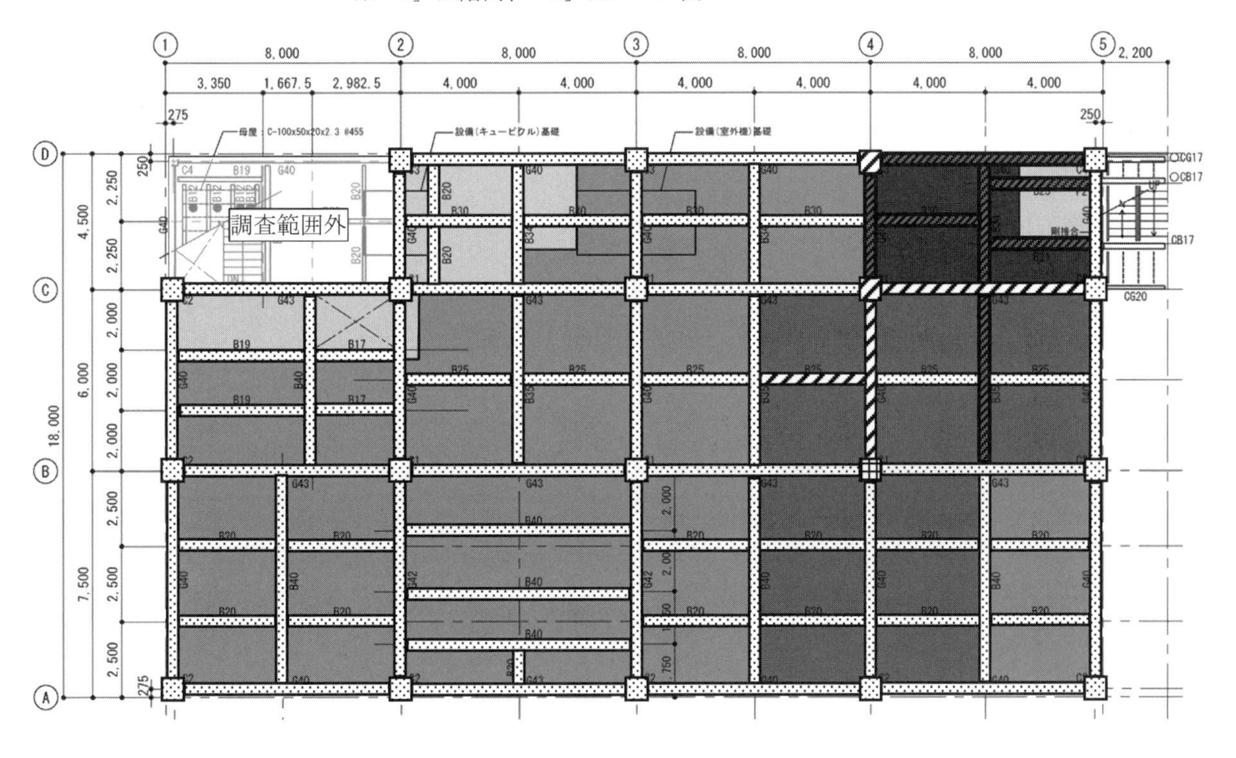

-凡例-
- :被害が小さい範囲
- :推定受熱温度 300℃以下
- :推定受熱温度 350℃以上
- :推定受熱温度 600℃以上
- :柱の傾斜角が 1/700 以下
- :柱の傾斜角が 1/700〜1/200
- :柱の傾斜角が 1/200 超
- :梁のたわみ量または曲がり量が許容値以下
- :梁のたわみ量または曲がり量が許容値超
- は目視で変形が確認されているため調査対象外

2 階柱 3 階梁伏図

付図 9.2.8 残留変形量の測定結果

<鋼材の機械的性質の測定結果>

引張試験および硬さ試験による鋼材の引張強さの結果を以下と**付図 9.2.9** に示す。

2 階 4・C 通りの柱で推定引張強さが規格値（**付表 9.2.3**）を満たしていないことが確認された。その他の箇所では、推定引張強さは規格値を満たしていることが確認された。

3 階 4 通り・B～C 間、C 通り・4～5 間の大梁、4～5 間・B～C 間の小梁において推定引張強さが規格値を満たしていないことが確認された。その他の箇所では、推定引張強さが規格値を満たしていることが確認された。

また、4・B 通りと 4・C 通りの柱および 4 通り・B～C 間、B 通り・3～4 間、C 通り・4～5 間の大梁において鋼材の引張試験を行い、引張試験結果と推定引張強さを比較したところ、大きな差は確認されなかった。

付表9.2.3　代表的な鋼材の引張強さ（規格値）

規　格		引張強さ（N/mm²）
JIS G 3101	SS400	400～510
JIS G 3106	SM490	490～610
JIS G 3136	SN490	490～610
大臣認定品	BCR295	400～550

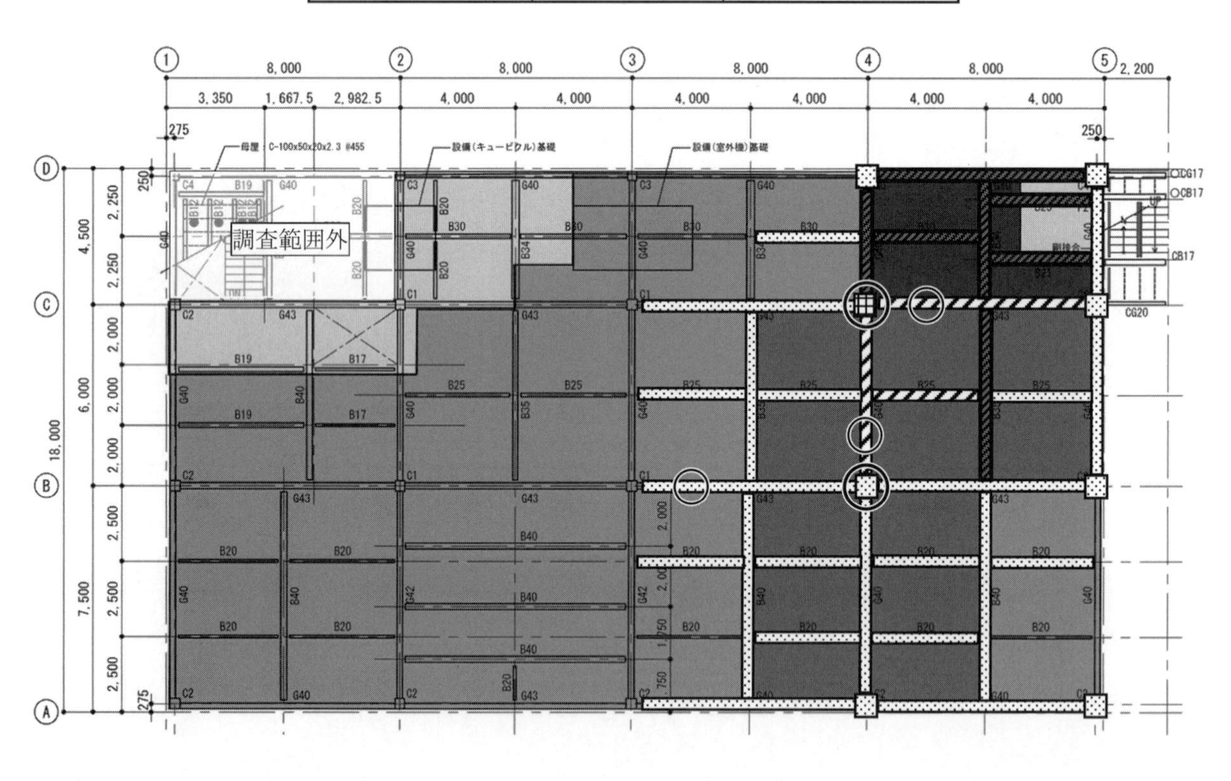

-凡例-
■ :被害が小さい範囲
■ :推定受熱温度 300℃以下
■ :推定受熱温度 350℃以上
■ :推定受熱温度 600℃以上
○ :鋼材の引張試験位置を示す
⊡ :柱の推定引張強さ規格値内
⊞ :柱の推定引張強さ規格値外
▭ :梁の推定引張強さ規格値内
▭ :梁の推定引張強さ規格値外
▬ は目視で変形が確認されているため調査対象外

2 階柱 3 階梁伏図

付図 9.2.9　機械的性質の測定結果

＜接合部調査結果＞

高力ボルトの導入張力の推定結果を以下と**付図 9.2.10** に示す。

3 階 4 通り・B～C 間、C 通り・4～5 間の大梁のボルト接合部、3～4 間・B～C 間の小梁のボルト接合部の張力が導入張力を満たしていないことが確認された。その他の箇所では、全て導入張力を満たしていることが確認された。

また、4 通り・B～C 間、A 通り・3～4 間、C 通り・4～5 間において高力ボルトの引張試験を行った結果、導入張力が低下していた 4 通り・B～C 間および C 通り・4～5 間において引張強さも低下し、導入張力が規格値を満たしていた A 通り・3～4 間のおいては引張強さも規格値を満たしていた。

付表9.2.4 常温時のﾄﾙｼｱ形高力ﾎﾞﾙﾄの導入張力

規 格		導入張力の平均値 (kN)
JSS Ⅱ 09	M20	172～207
	M22	212～256

※ 常温は10℃～30℃の範囲

付表9.2.5 常温以外のﾄﾙｼｱ形高力ﾎﾞﾙﾄの導入張力

規 格		導入張力の平均値 (kN)
JSS Ⅱ 09	M20	165～217
	M22	205～268

※ 常温以外は0℃～10℃、30℃～60℃の範囲

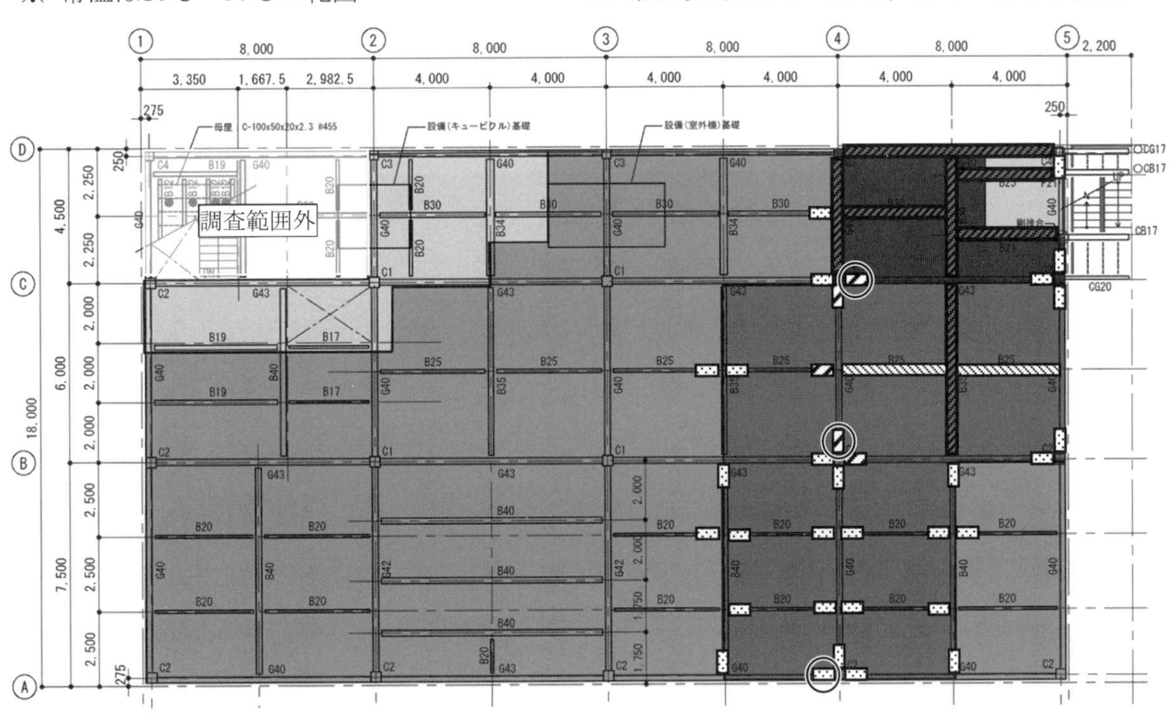

－凡例－
- :被害が小さい範囲
- :推定受熱温度 300℃以下
- :推定受熱温度 350℃以上
- :推定受熱温度 600℃以上
- ○ :ボルトの引張試験位置を示す
- :ボルトの推定張力が許容値内
- :ボルトの推定張力が許容値外
- は目視で変形が確認されているため調査対象外
- は目視で変形が確認される小梁の交換に伴い一時的に外すため調査対象外

2 階柱 3 階梁伏図

付図 9.2.10 接合部調査結果

＜床スラブのコンクリート圧縮強度試験結果＞

コンクリート圧縮強度の試験結果を以下と**付図 9.2.11** に示す。

3 階 4〜5 間・C〜D 間の床スラブで、設計基準強度を下回る箇所が確認された。その他の調査箇所については、全ての箇所で設計基準強度を満たす結果となった。

＜床スラブ下面のコンクリートの目視調査結果＞

デッキプレート撤去範囲(推定受熱温度ごとに 2 枚ずつ撤去)の床スラブ下面の目視調査結果を以下に示す。

推定受熱温度 600℃以上の範囲において、コンクリートの欠損(面積 1.0 ㎡程度、深さ 15 ㎜程度)が確認された他、幅 0.40 ㎜程度のひび割れおよび剥離が確認された。

推定受熱温度 350℃以上の範囲において、コンクリートの欠損(面積 0.1 ㎡程度、深さ 5 ㎜程度)が確認された他、幅 0.20 ㎜程度のひび割れが確認された。

推定受熱温度 300℃以下の範囲において、幅 0.20 ㎜程度のひび割れが確認された。その他、損傷は確認されなかった。

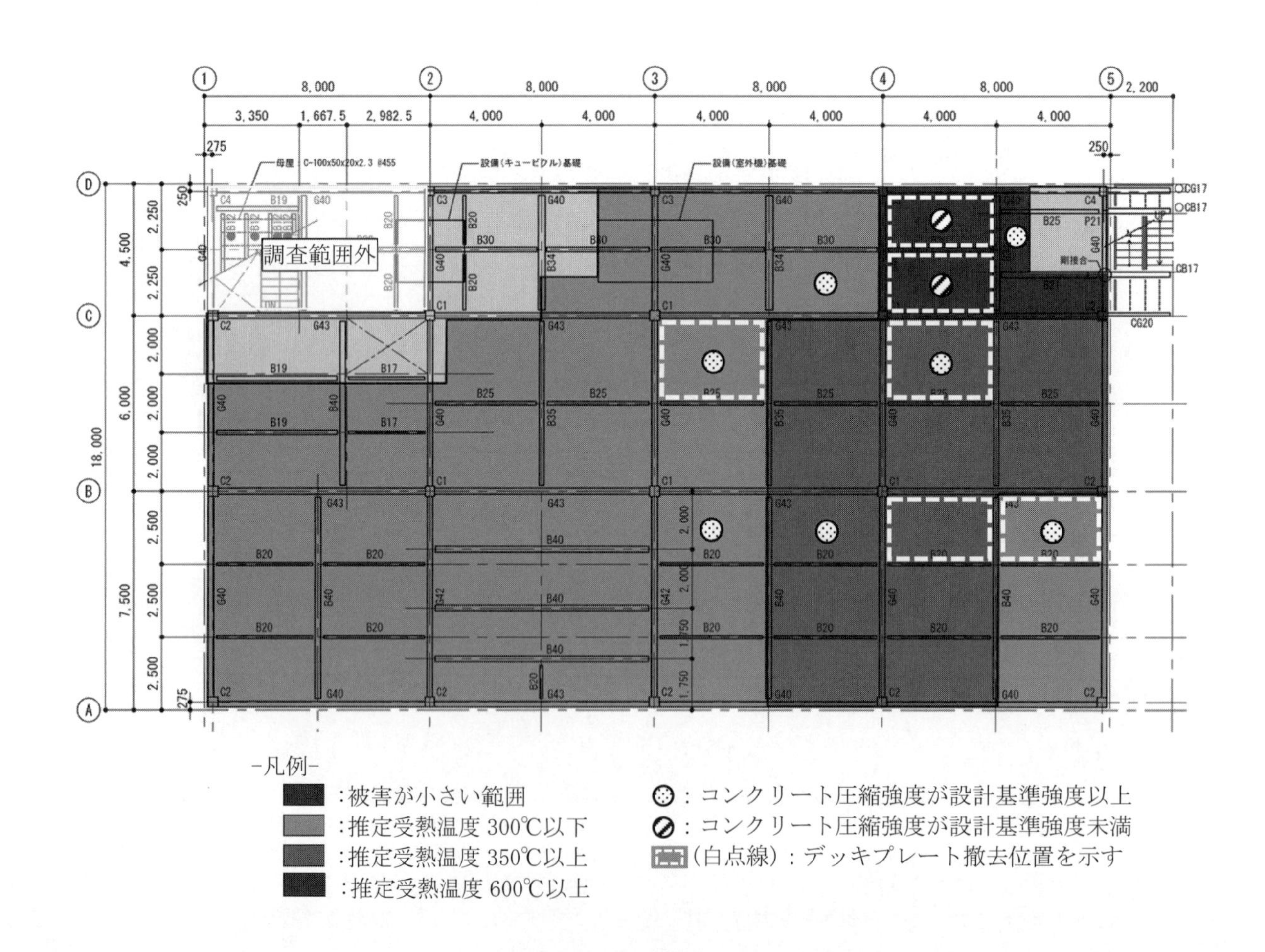

2 階柱 3 階梁伏図

付図 9.2.11　コンクリート圧縮強度試験結果

2.4 診断

2.4.1 火害等級の判定

各種調査結果の概要を以下に示し、各部材の火害等級を判定した。また、ボルト接合部に対する結果を次頁に示す。

【2階柱】

被害の小さい範囲・推定受熱温度300℃以下の範囲の柱について、被害の大きい範囲では、柱仕上材が部分的に脱落しており、躯体部分は煤の付着が確認された。被害の小さい範囲では、柱仕上材が残存していた。残留変形(倒れ)について、1/700を超える傾斜角は確認されなかった。また、抜き取りで引張強さを確認した結果、全て規格値を満たしていた。

以上より、被害の大きい範囲の柱を**火害等級Ⅱ級**、被害の小さい範囲の柱を**火害等級Ⅰ級**と判定した。

推定受熱温度350℃以上の範囲の柱について、柱仕上材、耐火被覆が部分的に脱落しており、躯体部分は錆止め塗料の白亜化や煤の付着が確認された。残留変形(倒れ)について、4・B通りの柱で1/700〜1/200の範囲の傾斜角が確認された。その他の柱については1/700を超える傾斜角は確認されなかった。引張強さは全て規格値を満たしていた。

以上より、1/700〜1/200の範囲の傾斜角が確認された柱を**火害等級Ⅲ級**、その他の柱を**火害等級Ⅱ級**と判定した。

推定受熱温度600℃以上の範囲の柱について、柱仕上材、耐火被覆が脱落しており、躯体部分は塗料の焼失や煤の付着が確認された。残留変形(倒れ)について、4・C通り、4・D通りの柱で1/200を超える傾斜角が確認された。その他の柱については1/700を超える傾斜角は確認されなかった。引張強さは**4・C通りの柱で規格値を満たしていなかった。**その他の柱については、規格値を満たしていた。

以上より、引張強さが規格値を満たしていない柱を**火害等級Ⅴ級**、1/200を超える傾斜角が確認された柱を**火害等級Ⅳ級**、その他の柱を**火害等級Ⅱ級**と判定した。

【3階梁】

被害の小さい範囲・推定受熱温度300℃以下の範囲の梁は、被害の大きい範囲では、天井材が部分的に脱落しており(耐火被覆は脱落なし)、耐火被覆に煤の付着が確認された。被害の小さい範囲では、天井材が残存していた。残留変形(たわみ・曲がり)について、許容値を超える変形は確認されなかった。また、抜き取りで引張強さを確認した結果、全て規格値を満たしていた。

以上より、被害の大きい範囲の梁を**火害等級Ⅱ級**、被害の小さい範囲の梁を**火害等級Ⅰ級**と判定した。

推定受熱温度350℃以上の範囲の梁は、天井材、耐火被覆が部分的に脱落しており、躯体部分は錆止め塗料の白亜化や煤の付着が確認された。残留変形(たわみ・曲がり)について、4通り・B〜C間の大梁、3〜4間・B〜C間の小梁で許容値を超える変形が確認された。その他の梁については許容値を超える変形は確認されなかった。引張強さは**4通り・B〜C間の大梁、4〜5間・B〜C間の小梁で規格値を満たしていなかった。**その他の梁については、規格値を満たしていた。

以上より、引張強さが規格値を満たしていない梁を**火害等級Ｖ級**、その他の梁を**火害等級Ⅱ級**と判定した。

<u>推定受熱温度 600℃以上</u>の範囲の梁は、仕上げ材、耐火被覆が脱落しており、躯体部分は塗料の焼失や煤の付着が確認された。残留変形(たわみ・曲がり)について、C 通り・4～5 間の大梁で許容値を超える変形が確認されたが、5 通り・C～D 間の大梁は許容値を超える変形は確認されなかった。その他の梁については目視で明らかな変形が確認された。引張強さは C 通り・4～5 間の大梁で規格値を満たしていなかったが、5 通り・C～D 間の大梁は規格値を満たしていた。

以上より、引張強さが規格値を満たしていない梁および目視で明らかな変形が確認された梁を**火害等級Ｖ級**、その他の梁を**火害等級Ⅱ級**と判定した。

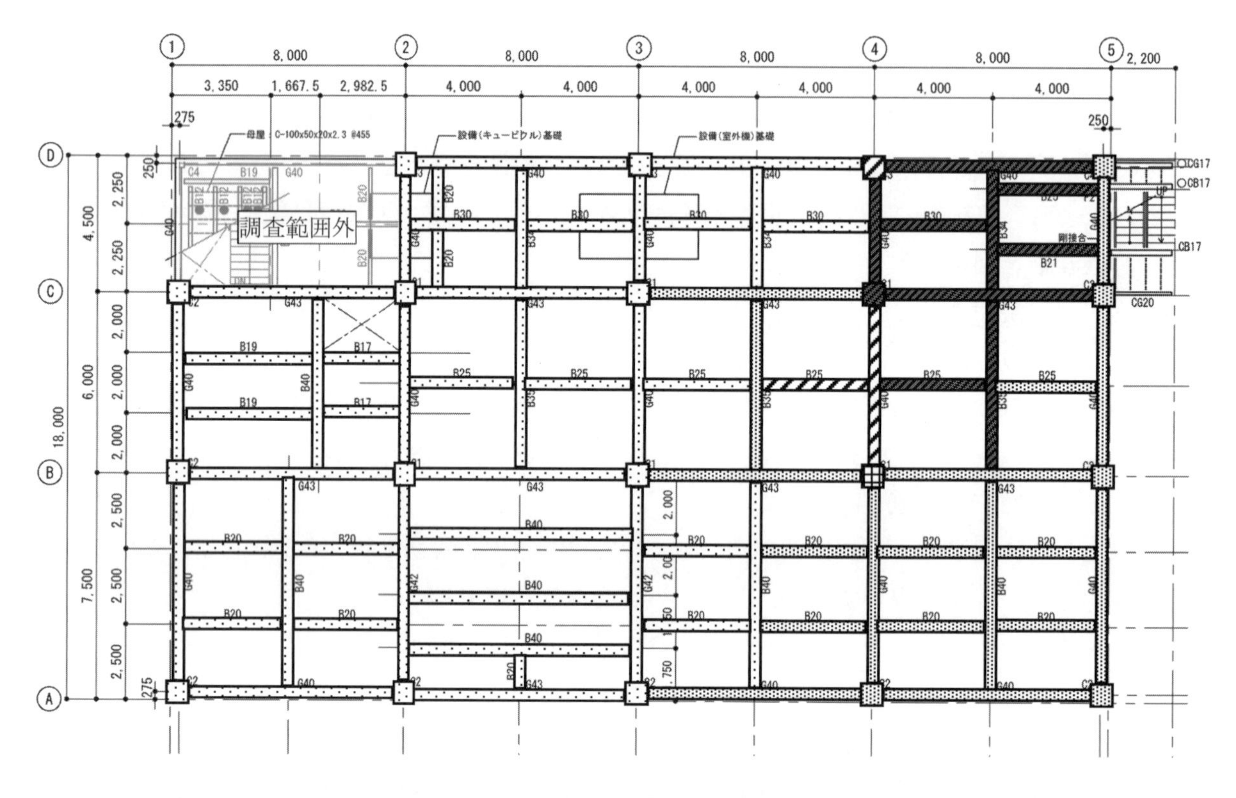

2 階柱・3 階梁

付図 9. 2. 12　火害等級結果(柱・梁)

【3 階梁ボルト接合部】

接合部調査結果より、設計張力を満たしていないボルト接合部については、ボルトを交換することとした。

【3階床スラブ】

被害の小さい範囲・推定受熱温度300℃以下の範囲の床スラブは、天井材が部分的に脱落しており、デッキプレート表面は煤が付着していた。圧縮強度試験の結果、全ての箇所で設計基準強度を満たしていた。目視調査の結果、ひび割れが確認されたものの、構造耐力上、影響を及ぼすようなひび割れではなかった。

推定受熱温度350℃以上の範囲の床スラブは、天井材が脱落しており、デッキプレート表面は部分的に煤が焼失していた。圧縮強度試験の結果、全ての箇所で設計基準強度を満たしていた。目視調査の結果、ひび割れや欠損が確認されたものの、構造耐力上、影響を及ぼすような損傷ではなかった。

推定受熱温度600℃以上の範囲の床スラブは、天井材が脱落しており、デッキプレート表面は部分的に煤が焼失していた。圧縮強度試験の結果、3か所中2か所について設計基準強度を満たしていなかった。目視調査の結果、構造耐力上、影響を及ぼすようなひび割れや欠損が確認された。

以上より、推定受熱温度600℃以上の範囲で設計基準強度を満たしていない床スラブを**火害等級Ⅳ級**、推定受熱温度350℃以上の範囲の床スラブを**火害等級Ⅲ級**、天井材が脱落しており、煤の付着が確認された床スラブを**火害等級Ⅱ級**、天井材が脱落していない床スラブを**火害等級Ⅰ級**と判定した。

＜被災度の判定＞

判定した火害等級より、構造体は火災の影響を受けているが、補修・補強によって再使用が可能なため、本建物の被災度は「B」と判定した。

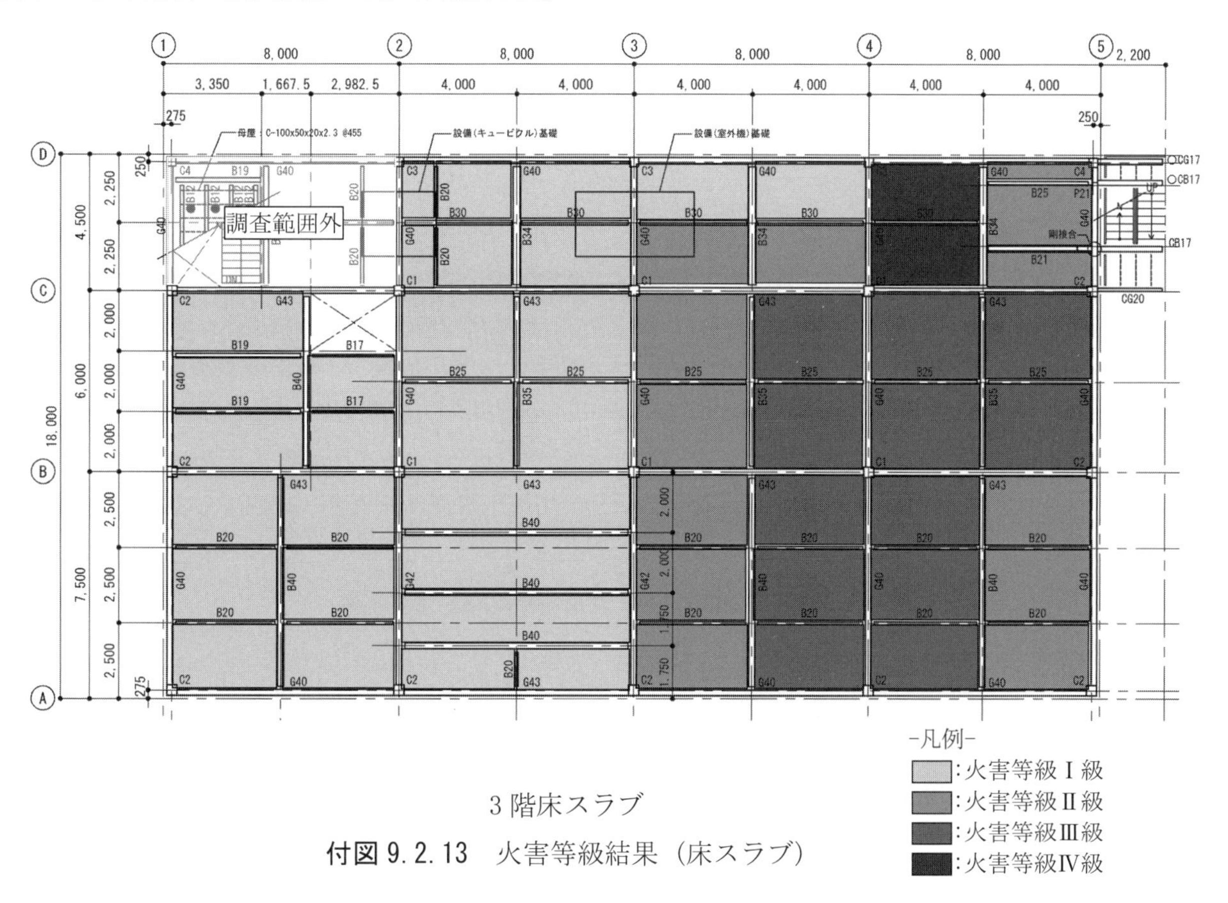

3階床スラブ

付図9.2.13　火害等級結果（床スラブ）

付−10　煤の鋼材に対する影響

1.　煤の成分と鋼材への影響

火災で発生した煙・ガスに対する人体への影響を調べた文献はあるものの、鋼材表面に付着している煤が鋼材に及ぼす影響に関して調べた文献は多くはない。ここでは、災害復旧企業が作成している設備機器の金属に及ぼす影響を調べた資料を参考に、煤が鋼材に及ぼす影響について記載する。

一般に煤が黒く見えるのは、炭素の微粒子により構成されているためである。現代の火災ではプラスチック化合物が燃焼するので、金属腐食(発錆)を引き起こす塩化物の存在が煤の成分として認められる。イオン化したハロゲン物質は、火災時によく発生する汚染物質であり、塩化物イオン、フッ素イオン、臭素イオンは腐食性(発錆性)が高い。特に塩化物イオンは塩化ビニルの普及により、火災時には一般的に生じる。これらが消火水や結露などの水分と混ざることにより塩酸のように作用することで鋼材の腐食(発錆)を起こしやすくする。

また、腐食(発錆)は環境に大きく左右される。高温多湿に晒される金属は、腐食(発錆)の度合いが非常に高い。火災によりさび止め塗料が白亜化や焼失した鋼材では鋼材を保護する塗料が焼失していることから、腐食（発錆）の度合いが高くなる。なお、塗料が火災によって生じた煤により腐食(発錆)をどの程度抑えるかは不明である。

2.　鋼材表面の煤の成分試験の方法

鋼材に腐食(発錆)を生じさせる汚染の程度を確認するには、試験片を用いる手法がある。この試験片はイオン汚染を準定量的に表示するため、鋼材表面上の汚染度がすぐにわかる。

また、煤の付着が少ないように見えても、塩化物イオン汚染が生じていることも見られるので、試験片を用いて塩化物イオン汚染の程度を確認することが望ましい。または、鋼材表面の付着物を採取してイオンクロマトグラフ法などの分析手法により、付着物の成分と量を確認することも望ましい。

3.　煤の清掃方法

供用中の建物では元からの生活、生産活動や塩害環境などにより何かしらの汚染が生じていることがほとんどである。どの範囲まで清掃が必要であるか、所有者と話し合って決めることが望ましい。

煤は水や洗浄剤を含ませたウェスでの拭き取りで除去することができるが、煤が付着して一定期間が過ぎると、乾湿を繰り返すことで煤が固着し除去に手間がかかるようになる。

除去後は試験片を用いて、塩化物イオンが規定値以下となっているか確認することが望ましい。この際の規定値は、塩化物イオン汚染度の区分5μg・cm²以下(正常域の汚染)が一つの目安となる。なお、煤の黒ずみは清掃しても落としきれないことがあることに留意する。

塩素イオン汚染度の区分 (ug/cm²)	クイックテスト表示	汚染の程度	器具表面上で起こり得る影響
1 - 5 μg/cm²		工業分野で又は 商業分野のいくつかの場所で時々発生する程度のもので正常域の汚染	通常の状況で、部品の状態への影響はない。
5 - 10 μg/cm²		軽度の汚染	長い期間中に部品の状態が悪化することがありうる。その結果寿命の低減及び/又は信頼性での問題を惹き起こす。
10 - 15 μg/cm²		中度の汚染	短い期間の内に部品の状態が悪化することがありうる。その結果寿命の低減及び信頼性の低下を惹き起こす。
15 - 20 μg/cm²		中度−重度の汚染	
> 20 μg/cm²		重度の汚染	数日の内に部品の状態がかなり悪化する。

付図 10.1　試験片による評価例

【参考文献】
1) リカバリープロ　：汚染除去ガイドおよび汚染度ガイドライン

建物の火害診断および補修・補強方法　指針・同解説

2015年2月10日　第1版第1刷
2024年2月5日　第2版第1刷

編集
著作人　一般社団法人　日本建築学会

印刷所　共立速記印刷株式会社

発行所　一般社団法人　日本建築学会
108－8414　東京都港区芝5－26－20
電話・(03) 3456－2051
FAX・(03) 3456－2058
http://www.aij.or.jp/

発売所　丸善出版株式会社
101－0051
東京都千代田区神田神保町2-17
神田神保町ビル
電話・(03) 3512－3256

© 日本建築学会 2024

ISBN978-4-8189-2723-0 C3052